De kookclub

Van dezelfde auteur

Moeders & Co.

Bezoek onze internetsite www.awbruna.nl
voor informatie over al onze boeken en dvd's.

SOPHIE KING

De kookclub

A.W. Bruna Uitgevers B.V., Utrecht

Oorspronkelijke titel
The Supper Club
© Sophie King 2008
First published in Great Britain in 2008 by Hodder,
an imprint of Hodder & Stoughton, a Hachette Livre UK company
Vertaling
Emilin Lap
Omslagbeeld, -illustraties en -ontwerp
Ingrid Bockting
© 2010 A.W. Bruna Uitgevers B.V., Utrecht

ISBN 978 90 229 9649 2
NUR 302

Dit boek is opgedragen aan:
Giles, die als het zou kunnen op eieren met spek zou leven
William, die zich een weg door Australië heen barbecuede
Lucy, die mijn keuken zou kunnen runnen
Mijn zus, die mijn moeders culinaire vaardigheden heeft geërfd
Mijn vrienden en onze dameslunches (oké, nog eentje dan...)
Mijn vader met zijn nostalgische ontbijtjes
Alle Aga's die ik ooit in mijn bezit had
Herinneringen aan Jane en koffie op vrijdag

Dit boek is níét opgedragen aan:
Kinderen die snacks meesmokkelen naar hun slaapkamers/ alleen voor de televisie willen eten ('al mijn vrienden doen het!')/niet willen eten wat de pot schaft/geen trek hebben als het eten op tafel staat/trek hebben als dat niet zo is

Charisma Magazine

Augustus-nummer

Genoeg van de bekende etentjes? Geen geld om deze week uit eten te gaan? Geef je sociale leven een nieuwe draai met deze laatste trend: mysterykookclubs! De ingrediënten zijn simpel. Nodig twee vrienden uit en vraag hen iemand mee te nemen. (Bij voorkeur iemand die je nog niet kent.) Of nodig, als je niet zo avontuurlijk bent, vrienden/bekenden uit die je lang niet hebt gezien of beter zou willen leren kennen. Ga vervolgens met dit groepje eens in de maand om de beurt bij elkaar eten.

Bon appétit!

AUGUSTUS

*Geitenkaastaartjes met spinazie en
zongerijpte tomaten*

Lamsbout met abrikozen en pruimen

*Vegetarische quiche met paprika
en champignons (optioneel)*

Pavlova

1

'Omijngodwieheeftdepavlovabovenindeovengezet?Kijknou!Erisnietsvan-
overhetisnietmeervandebakplaataafteschrapen.Mikehebjijdatgedaan?'
Op dit soort momenten, dacht Lucy terwijl ze zichzelf hoorde schreeuwen,
miste ze de veiligheid van een lang huwelijk. Miste ze de comfortabele sleur
waarin het niet uitmaakte dat je krijste als een viswijf omdat het eten was
aangebrand of per ongeluk een scheet liet in bed.
Maar nu ze Mikes verbaasde gezicht zag met de stoere, aantrekkelijke kaaklijn die sterk contrasteerde met zijn zachte blauwgrijze ogen, vroeg ze zich
opeens af of ze er wel goed aan deed om opnieuw te trouwen. Mike had
haar altijd op een voetstuk gezet. De Lucy die hij dacht te kennen, was het
soort vrouw dat nooit zou schreeuwen tegen haar kinderen of vloeken als
iemand haar afsneed in de auto. Dat was natuurlijk ook de Lucy die zij
graag zou zijn. Maar een brutaal kind of een huishoudelijke ramp zoals de
pavlova die ze in de onderste, koelere oven had gezet voordat iemand hem
verplaatste, veranderde haar in een oogwenk in iemand die zijzelf niet eens
aardig vond.
'Ik niet, schatje,' schokschouderde hij. 'Ik weet helemaal niet hoe jouw Aga
werkt. Ik kom er niet in de buurt, laat staan dat ik er iets in zet of uit haal.'
'Sorry.' Hoe had ze zo uit kunnen vallen? Ze liep op hem af en sloeg haar
armen om zijn nek om het goed te maken. 'Het kost alleen zoveel tijd om
zo'n ding te maken en ik wil goed voorbereid zijn voor zaterdag.'
Haar naar zich toe trekkend, streelde hij haar haren op een manier die haar
knikkende knieën bezorgde. 'Maar je hebt tijd zat. Vijf dagen nog. Je kunt
er nog wel een maken.'
Zijn kalme, rationele stem deed haar meteen goed. Luke had haar waarschijnlijk afgemaakt om haar valse beschuldiging of haar verweten dat ze
alle ingrediënten had verpest. Ze kreeg nog steeds buikpijn als ze eraan
dacht hoe hij uit zijn dak ging toen Kate warme chocolademelk had geknoeid op de witte bank. Haar echtgenoot had een hekel aan troep; hij had
eigenlijk een hekel aan alles wat niet goed ging of waar hij geen controle
over had.
Nu, dicht tegen Mike aan, met zijn warmte om haar heen, leek de mislukte
pavlova totaal onbelangrijk. Wat was het toch met hem? Vanaf het moment
dat ze aan elkaar voorgesteld werden, had ze zich enorm, bijna letterlijk

magnetisch, tot hem aangetrokken gevoeld, zoals ze zich nog nooit tot iets of iemand aangetrokken had gevoeld. Hij trouwens ook niet, verzekerde hij haar.

'Laten we naar boven gaan,' mompelde ze.

Mikes hand gleed van haar rug naar beneden en kneep zachtjes in haar billen. 'We hebben geen tijd, Luce. Moesten we Jon niet ongeveer nu oppikken van het station?'

'We hebben tien minuten,' zei Lucy, die zich opeens leeg voelde en een beetje beschaamd. Sinds Mike in haar leven was, kende ze zichzelf soms niet terug. Toen Luke nog leefde, was seks iets wat eens in de week of veertien dagen moest gebeuren. Ze had zich zelfs weleens afgevraagd of ze frigide was, maar inmiddels wist ze wel beter. Je smolt alleen onder de juiste aanrakingen. Met Mike duurde het veel langer dan tien minuten. Er gaat niets boven een man die echt van je lichaam houdt, dacht ze dromerig. Een man die er de tijd voor nam elk plekje op je lichaam te kussen en haar te vertellen hoe mooi ze was, zelfs al was ze niets meer dan een doodgewone moeder van middelbare leeftijd met een lubberende buik van drie zwangerschappen en blondachtig haar dat momenteel hard toe was aan de gebruikelijke viermaandelijkse highlightbehandeling. Nog iets voor op haar todolijst.

Mike kuste haar zachtjes op de lippen voordat hij zijn autosleutels van het aanrecht pakte. 'Ik ga Jon wel even halen. Maak jij nog maar een lading van die meringuedingen.'

'Echt waar?' Na een jaar kon ze nog steeds niet geloven hoe goed het allemaal ging. Niet veel mannen zouden iets beginnen met een alleenstaand 'loeder van drie', zoals haar zus haar neerbuigend noemde, laat staan aanbieden om drie tieners van het station te halen of ze te helpen met hun huiswerk.

'Zeker weten.' Hij stond even stil bij de deur om naar haar te lachen en kwam toen terug voor een laatste snelle knuffel. De geur van zijn warme lichaam, een soort citroenaftershave met iets onbestemds, was zo verleidelijk dat ze hem weer tegen zich aan trok. Hij lachte. 'We hebben de hele nacht nog voor ons. Het is niet aardig om Jon te laten wachten. En als je weer een meringue gaat maken, waarom gebruik je mijn oven dan niet? De temperatuur van mijn oven is veel gelijkmatiger. Er liggen genoeg scharreleieren in de koelkast en de poedersuiker staat in het kastje met de droge producten.'

Even overwoog ze zijn voorstel. Het was maar een kwartier rijden naar Mikes huis en het was waar. Zijn oven was betrouwbaarder dan haar Aga, die toe was aan de jaarlijkse onderhoudsbeurt. Dat gold trouwens voor nog veel meer van zijn spullen. Ondanks zijn ruige uiterlijk, dat je eerder bij een knappe rugbyer dan bij een projectontwikkelaar zou verwachten, bestierde hij zijn huishouden op zijn eigen weloverwogen manier. Er zijn niet veel mannen met een uittreklade voor droge producten, die niet alles in een willekeurige kast of lade proppen, zoals zij deed.

Jaren van alleen wonen, met daarnaast lange relaties die nooit het stadium van samenwonen wisten te bereiken, maakten Mike veel huiselijker dan Lucy. Ondanks dat hij vijf jaar jonger was (nog zoiets wat knaagde), leek hij wel meer volwassen. Kijk alleen al naar de keurige rij sokken die met knijpers aan de waslijn hingen in de bijkeuken! Zij hing ze gewoon over de verwarming, tot ze er in de regel achter vielen, om er maanden later pas weer achter vandaan te komen als verkreukelde stoffige pakketjes. Ja, het was misschien wel een goed idee om in zijn huis te koken.

'Dan doe ik dat morgen wel,' zei ze, 'dan heb ik meer tijd. Ik moet nu Mungo uitlaten, voordat Jon er is.'

'O ja, nu je het zegt, schatje. Er zitten weer hondenharen over de hele bank. Misschien wil je daar nog iets aan doen.'

Mike was niet erg gek op honden, maar dat zou wel komen, daar was ze zeker van. Lucy keek naar hem op om een kus te krijgen en keek hem na door het raam terwijl hij naar zijn auto liep, een glimmende zilverkleurige Alfa Romeo. Blinkend schoon vanbinnen en vanbuiten. Totaal anders dan haar eigen rommelige Volvo, die vol lag met oude parkeerkaarten, geplette lege drinkpakjes van de kinderen, bibliotheekboeken die allang ingeleverd hadden moeten worden en een nogal stinkende hondendeken die wel een wasje kon gebruiken. Morgen misschien, als ze een momentje kon vinden.

'Hoi mam.' Kate zoefde haar voorbij, recht op de koelkast af. Haar expres gescheurde spijkerbroek bestond meer uit zuurstof dan uit spijkerstof, dacht Lucy hoofdschuddend.

'Niks eten, hoor! We gaan bijna aan tafel.'

'Chill, mam,' zei Kate terwijl ze tevoorschijn kwam met een stuk meloen dat Sam een 'halve tiet' zou noemen. Ze keek met opgetrokken wenkbrauwen naar de bakplaat met het zwartgeblakerde stroperige goedje op het fornuis. 'Ik verga van de honger, maar volgens mij heb je het eten aan laten branden.'

'Dat was niet voor vanavond. Dat was voor het weekend.' Lucy ging door met het afschrapen en weggooien van de troep in de vuilnisbak, die geleegd moest worden, zoals Mike vanochtend liefjes had opgemerkt. 'Trouwens, heb jij mijn pavlova in de bovenste oven gezet?'

'Shit.' Kate sneed de meloen netjes doormidden en smeerde er een dikke laag pindakaas op. 'Sorry. Ik wilde hem maar eventjes laten staan omdat ik de onderste oven nodig had om mijn gympen te drogen.'

'Maar ik heb je zo vaak gezegd dat je dat niet moet doen. Dat stinkt een uur in de wind.'

'Maar ze waren nat.'

'En door jou heb ik Mike de schuld gegeven van de mislukte pavlova.'

'Relax, mam.' Ze nam nog wat meer pindakaas. 'Dat komt niet door mij. Dat heb je zelf gedaan. Nee, Mungo, je bent al te dik. En? Waarom maken we pavlova? Krijg je bezoek?'

'Kate, niet met je mond vol praten, alsjeblieft. En ja, Antony en zijn nieuwe vriendin komen eten en Jenny neemt ook iemand mee.'

Kate trok haar wenkbrauwen op en er ging weer een rilling door Lucy heen. Ze was nog steeds niet gewend aan de verschrikkelijke gouden ring die haar dochter vorige maand boven haar linkeroog had laten plaatsen.

'Antony neemt zijn nieuwe vriendin mee?' herhaalde Kate met een van haar 'weet-je-zeker-dat-je-weet-waar-je-mee-bezig-bent, mam?'-uitdrukkingen waardoor Lucy zich altijd meer een kind voelde dan de volwassene die ze was. 'Wow! Heb je het aan Maggie verteld?'

Lucy voelde een steek van schaamte. 'Niet direct.'

'Nee, bedoel je.' Kate likte het mes af voordat ze het weer in de pindakaas stak, om die nu op een boterham te smeren. 'Je zou haar ook moeten uitnodigen. Dat is pas leuk.'

'Nee, dat is het niet. En stop met eten. Zo hoef je straks niets meer.' Ze zuchtte. 'Ik weet ook niet zeker of het zo'n goed idee is dat Antony haar meeneemt, maar ik had er niet zoveel over te zeggen.'

Dat was waar. Antony was de beste vriend van Mike en het was door hem en Maggie dat ze Mike had leren kennen. Maggie was haar beste vriendin vanaf de tijd dat ze samen op school zaten. Twee jaar geleden had Maggie haar verteld dat zij en Antony niet meer zo gelukkig waren samen, maar dat ze bij elkaar bleven voor de kinderen. Lucy had aangenomen dat ze zo'n beetje op dezelfde manier als zij en Luke door zouden gaan. Zoals Maggie zei, was het niet dat ze verschrikkelijke ruzies hadden, alleen een constante onderstroom van net-houdbare onvrede.

Maar toen ontmoette Antony Patsy, een model, en in no time verliet hij een twaalfjarig huwelijk en twee kinderen. Maggie was, en is nog steeds, ontroostbaar. Hun andere vriendinnen, zoals Chrissie, zeiden dat ze het niet begrepen, maar Lucy begreep het wel. Ook al besef je dat je huwelijk niet fantastisch is, dat betekent nog niet dat je niet compleet van slag bent als het eindigt.

'Wie neemt tante Jenny mee?' vroeg Kate, ondertussen luid de pindakaas van haar vingers likkend.

Lucy bloosde terwijl ze de zachte kristalsuiker afwoog voor een appelkruimeltaart en op de vloer knoeide. 'Eh… dat weet ze niet.'

'Hoe bedoel je, dat weet ze niet?' Kates ogen glinsterden geamuseerd. 'Er is iets wat je me niet vertelt, mam.'

Shit. Nu was ze in de suiker gestapt en liep ze die straks het hele huis door. 'Als je het echt wilt weten, ik heb haar gezegd dat ik die nieuwe buurman heb uitgenodigd die hiertegenover is ingetrokken om voor zijn vader te zorgen.'

'Een blind date? Dat is echt niet tof.'

'Ik weet het, ik weet het. Maar het is beter dan alleen komen.'

'Dat weet ik nog niet zo zeker.' Kate gooide uitdagend haar haar naar achteren. 'Als ik zo oud was als tante Jenny en nog niet de juiste partner had gevonden, zou ik naar de spermabank gaan voor een baby.'

'Ze wil geen baby,' begon Lucy, terwijl ze zich afvroeg of ze dit gesprek wel moest hebben met een zestienjarige.

'Jaja, het is het gezelschap.' Kate deed haar moeders stem na. 'Wat dan ook. Ik hoop alleen dat jullie weten wat jullie doen. Je kent tante Jenny. Als ze hem niet leuk vindt, zegt ze dat ook.'

Lucy moest er niet aan denken dat ze op slechte voet zou komen te staan met de nieuwe buurman. 'Je hebt waarschijnlijk gelijk.'

'Hoe heet die kerel eigenlijk?'

Ze probeerde het zich te herinneren. Wat zeiden ze ook alweer over middelbare leeftijd en geheugenverlies? Het leek wel of haar hersenen acuut in slaap waren gevallen op het moment dat ze de veertig passeerde. Namen, nummers, vooral mobiele, en afspraken vlogen allemaal weg op het moment dat zij ze nodig had. En die ginkgopillen die Jenny van een van haar klanten uit de gezondheidszorg had gekregen, leken niet veel uit te halen. 'Gary, dacht ik.'

Kate snoof. 'Nou, ik hoop dat je het weer weet als ie komt, anders wordt het moeilijk ze aan elkaar voor te stellen. Trouwens, jij en Mike hadden het over de meren voor de vakantie? Dit is niet lullig bedoeld, maar Sam en ik hebben daar echt geen zin in. Het is gewoon niet ons ding.'

Ze gaf Lucy een snelle 'sorry'-knuffel en sprong toen op. 'Shit, is het al zo laat? *Big Brother* is al begonnen.'

'Heb je geen huiswerk?' riep Lucy in de richting van de dichtslaande deur en het geluid van de televisie dat uit de andere kamer klonk. Te laat. Zittend aan de keukentafel voelde ze Mungo's natte neus in haar schoot, alsof hij haar stemming voelde. Ergens had ze heel erg gehoopt dat haar jongste twee met hen mee op vakantie zouden gaan, al zou Jon op de universiteit zitten. Mike en zij waren het erover eens dat het weleens goed zou kunnen zijn om de familieband te versterken. Maar dat was het probleem nou juist, toch?

Hoezeer ze ook deden alsof, met gezellige avondmaaltijden rond de keukentafel en vochtige vakanties aan het meer, ze zouden nooit een familie zijn. Geen echte. Niet zonder een vader met een bloedband. En wat ze inmiddels uit de afstandelijke houding van haar kinderen jegens Mike kon concluderen, was dat een toekomstige stiefvader gewoon niet hetzelfde was. Vooral als hij, in de ogen van de kinderen, tegen de herinnering aan een overleden held moet opboksen.

Een held die bovendien nooit dood had mogen gaan.

2

Violet, heel licht op haar bovenste ooglid met haar dunne kwastje. Violet gecombineerd met Crème Brûlée bruin. Dat hadden we nodig.

'Broodje, meiden?' vroeg de assistent van de fotograaf met zijn hoofd om de deur.

'Nee dank je,' zei Patsy kortaf en driftig doorwerkend aan het rechteroog van het model. 'We zijn aan het werk.'

Wat een stiekemerd! Ze wist wel waar hij mee bezig was. Hij had gehoopt wat bloot te kunnen zien tijdens het omkleden. Sukkel. Patsy bestudeerde het kale gezicht dat voor haar zat, rustig afwachtend, slechts gekleed in een dunne kimono. Dat violet stond goed. En nu? Tawny Gold foundation, een heel klein beetje Illuminated Silver concealer en zachtbruin kohlpotlood. Daarna gewoon maar zien wat er in haar opkwam. Dat deed ze altijd. En op een of andere manier werkte het ook altijd.

'Cool,' zei het meisje toen Patsy het Tawny Gold opdeed.

'Dank je,' zei ze op een toon die zei: stop met kijken tot ik klaar met je ben. Maar het meisje, dat eruitzag alsof ze op school zou moeten zitten in plaats van de nieuwste 'ontdekking' van Model Models te zijn, was schijnbaar zo gefascineerd door alles wat er gebeurde, dat Patsy niet boos op haar kon worden.

Ze wist bovendien wat het was. Zij was niet veel ouder geweest dan dit meisje toen ze voor het eerst naar binnen wandelde bij het smakeloze kleine modellenbureau bij de haven, lang voordat de nieuwe studio gebouwd werd. Toen had Patsy niet beseft hoeveel geluk ze had gehad dat ze haar hadden willen hebben. Smakeloos of niet, het bureau had goede contacten met een lokale ontwerper, die hun modellen gebruikte voor zijn catalogus. Een scout van een vooraanstaand modellenbureau uit Londen vond vervolgens dat ze een 'apart gezicht' had en binnen een week had Patsy getekend en woonde ze in de grote stad.

'Ik gebruik meestal zwarte eyeliner,' zei het meisje dwars door haar gedachten heen.

'Geloof me,' zei Patsy geroutineerd. 'Bruin past beter bij je teint.'

Eenmaal in Londen had ze snel geleerd wat het beste bij haar eigen bleke huidskleur paste. Het bureau had voor haar gezorgd; dat moest ze hun nageven. Veel beter dan haar eigen ouders ooit hadden gedaan. Vanaf de dag dat haar moeder overleed dronk Patsy geen druppel meer. Dat was een van de dingen geweest waarin ze zich onderscheidde van de andere modellen. Ze had ze gezien terwijl ze de controle verloren op feestjes en zichzelf gefeliciteerd omdat ze altijd precies wist wat ze deed en met wie. Als ze zich dan vergiste in een man, kon ze tenminste alleen zichzelf de schuld geven, en niet de drank.

'Drink jij?' vroeg ze opeens aan het jonge meisje.

Het kind keek haar met grote ogen aan. 'Natuurlijk. Wat heb je?'

'Ik bied je niets aan,' zei Patsy kortaf. 'Ik vraag of je drinkt en wat dan.'

Het meisje lachte. 'Alles. Ik had gisteravond een geweldige wodkacocktail. Compleet dronken was ik, met vrienden.'

Patsy fronste. 'Dat is te zien.' Ze streek met haar vinger over haar huid. 'Je komt er even mee weg, maar na een tijdje verpest je je huid. Je moet ermee stoppen. Drink water. Je hoeft niet eens flessen te kopen. Gewoon zelf even zuiveren met een druppeltje citroensap.'

'Niet drinken?' Het meisje staarde haar ongelovig aan. 'Maar iedereen drinkt.'

'Wees dan anders,' zei Patsy vlak. 'In deze business moet je de controle houden, weten waar je mee bezig bent.'

De ogen van het meisje vernauwden zich als die van een mooie gazelle. 'Ben jij ook model geweest, dan?'

Patsy knikte.

'Onder welke naam?'

'Hoe ik nu ook heet. Patsy Jones.'

'En wat voor modellenwerk deed je?'

'Van alles,' zei Patsy vaag.

Terracotta blusher. Vermengd met Apricot Sunrise.

'*Tatler*? *Vogue*?'

Het meisje hield vol. Dat kon in haar voordeel werken, als ze het tenminste goed gebruikte.

Patsy knikte.

'Waarom ben je dan visagiste geworden?'

Patsy lachte schor terwijl ze een lijntje om de lippen van het meisje tekende met Mauve Meringue. 'Ik bereikte de magische leeftijd van dertig. Dat overkomt ons uiteindelijk allemaal. En hoewel er een paar oudere modellen rondlopen, zoals Twiggy, is er niet altijd genoeg werk voor de rest. Zorg dus dat je wat spaart en genoeg water drinkt.' Ze keek nog eens goed. 'Volgens mij zijn we klaar.'

Het meisje liet haar kimono van zich af glijden en glimlachte naar de spiegel. 'Cool. Superbedankt.'

'Zet 'm op.' Ze klopte het meisje even op de schouder en had het gevoel dat

18

ze haar naar de slachtbank leidde. Er flitste kort iets van nervositeit over haar gezicht. 'Je redt het wel,' zei Patsy. 'Stel je gewoon voor dat je ergens anders bent. Denk aan de fijnste plek waar je ooit geweest bent en doe net of je daar bent. Vergeet de fotograaf. Hij bestaat niet.'

Het meisje keek haar aan alsof ze gek was. 'Whatever.'

Bitter keek Patsy toe hoe ze wegtippelde op haar hoge hakken in haar bad- pak. Waar was haar moeder? Wie had haar binnengelaten in deze gevaar- lijke wereld? Een bizarre seconde lang wilde Patsy het meisje tegenhouden en... en wat dan? Wat had het leven haar verder te bieden? Een baantje ach- ter de kassa bij H&M. De feestjes waar de mannen betaalden voor...

Patsy rilde. Nee, ze dwong zichzelf daar nu niet aan te denken. Het verleden was het verleden, zei Dan altijd. Ze begon alle potjes en crèmepjes te verza- melen en haar grote beautycase in te pakken. Zichzelf bekijkend in haar versierde spiegel, glimlachte ze onwillekeurig. Mensen dachten altijd dat ze veel jonger was dan vijfendertig; ze had haar moeders jonge genen geërfd. Babs had ze ook, maar ze hadden haar niet veel geluk gebracht.

Goed. Klaar. Terwijl ze de spiegel goed opborg in het zijvakje van haar tas, keek ze op haar horloge. De sessie had net iets langer dan een uur geduurd, maar op haar rekening kon ze er gemakkelijk anderhalf uur van maken. Bij het aanzetten van haar mobieltje (gouden regel: nooit aanlaten tijdens het werken), verscheen onmiddellijk Antony's nummer op het schermpje. Moest ze opnemen of hem nog even laten zweten?

'Ik zoek je al een hele tijd, liefje.'

Patsy glimlachte. Nog een gouden regel: wees hard, dan blijven ze scherp. 'Ik ben net klaar met een shoot.'

'Iemand die ik ken?'

'Vandaag niet.'

Hij klonk teleurgesteld. Antony was bijna kinderlijk opgewonden als ze een beroemdheid 'deed'. Het was zo'n andere wereld dan de zijne, zei hij. Dat was meer dan waar. Meer dan hij ooit zou beseffen.

'Ik belde om even te checken of zaterdagavond nog stond.'

Patsy lachte vrolijk. 'Helemaal goed. Kan niet wachten.'

Soms kon ze zo overtuigend liegen dat ze het zelf geloofde. Zaterdag. Ze had aan weinig anders meer gedacht sinds hij het had gezegd. Een onge- dwongen etentje, wat dat dan ook betekende, met zijn beste vriend en zijn vrouw plus een aantal vrienden. Patsy, die het gewend was veel mensen te ontmoeten, maakte zich desondanks enorme zorgen. Wat als ze haar niet aardig vonden? Wat als Antony haar daardoor ook niet meer wilde?

Het was lang geleden dat ze zo iemand was tegengekomen en als iemand het haar rechtstreeks zou vragen, zou ze nog niet precies weten waar de aantrekkingskracht vandaan kwam. Hij heeft stijl, zou ze misschien kunnen

zeggen. Hij loopt aan de goede kant van de weg. Hij maakt me aan het lachen. Hij is intelligent. En hij heeft geld.

Ze had hem niet gevraagd zijn vrouw voor haar te verlaten, maar toen hij
het deed, was ze er stiekem blij om geweest. Opgewonden zelfs. Dat had
nog nooit iemand voor haar gedaan en nee, voordat iemand het zou vragen,
ze voelde zich niet schuldig. Mannen die hun vrouw verlieten hadden daar
meestal een goede reden voor.

'Ik haal je rond acht uur op, oké?'

'Prima.'

'Is alles goed met je?'

Hij hoorde dat ze nerveus was. 'Prima,' zei ze opgewekt. 'Ik kan alleen niet
zo goed praten nu. De volgende komt eraan.'

'Dag dan.' Hij aarzelde. 'Love you.'

'Doeg, spreek je later.'

Ze klikte haar mobieltje dicht. Het was natuurlijk niet waar dat ze nog iemand op moest maken, maar ze kon even niet meer praten. Ze had wat tijd
nodig. Ze was onrustig, omdat dat meisje haar te veel aan het verleden deed
terugdenken. Er was maar één iemand die dat echt begreep. En dat was niet
Antony.

3

Lay-out klaar. Zal ik mrgn op kantoor komen om te laten zien? Steve.
Ja, grg, Jenny zette het boodschappenmandje van de opnieuw ingerichte M&S in Euston op de grond zodat ze een sms terug kon sturen. *9 uur?*
OK.
Het stopte nooit. Sms'jes, e-mails, telefoontjes. Precies wat ze nodig had. Je bent altijd zo druk, zuchtte haar moeder altijd. Maar wat was daar mis mee? Jenny moest er niet aan denken om niets te doen te hebben. Trouwens, als je een goedlopend bedrijf als Eventful Events had, waren deadlines en werkdruk niet weg te denken.
Nou, wat wilde ze vanavond eten? Jenny pakte een verpakking uit het vriesvak. Kip Kiev voor in de magnetron? Misschien. Of zou ze Steve sms'en en voorstellen om de lay-out vanavond bij een fles chablis te bespreken? Nee, te opdringerig.
Jenny draaide de verpakking van een roerbakmenu om en las de instructies. Drie minuten! Hun moeder stond uren in de keuken voor het avondeten. Ze wist het nog zo goed. Ze zaten met z'n allen rond de tafel als papa thuiskwam van zijn werk. Lever en spek op maandag. Lam uit de oven op dinsdag. En ga zo maar door. De eentonigheid zorgde ervoor dat ze allesbehalve zin in koken had toen ze het huis verliet, hoewel Lucy, haar huiselijke zus, totaal anders was. Dat was waar ook. Zaterdag. Lucy's etentje.
Waarom had ze in godsnaam ja gezegd? Ze was afgeleid geweest, dat was het, door dat neerbuigende artikel in de *Charisma* van vorige maand waarin de lezers werd aangeraden om altijd alle uitnodigingen te accepteren. Bridget Jones had singles een slechte naam gegeven! Natuurlijk was het leuk om een afspraakje te hebben, maar niet als het een saaie IT'er was. En als er geen leuke man was, zat ze op zaterdagavond net zo lief in haar eentje voor de televisie met een goede dvd, een kant-en-klaarmaaltijd en een glas koude witte Hardy's.
Aan de andere kant klonk de kookclub, zoals Lucy het beschreef, tegen beter weten in toch wel intrigerend. Elke keer andere mensen met een kern van bekende gezichten, en ze woonden allemaal bij elkaar in de buurt, zodat ze niet hoefden te logeren.
Haar maag begon hevig te rammelen, waardoor ze zich bedacht dat ze haar trein zou missen als ze zich niet haastte. Met het roerbakmenu in haar

mandje sloot ze achteraan de rij van de snelkassa aan achter een moeder met een om snoep zeurend kind. Nee! De moeder (net zo'n softie als Lucy) begon het op te geven, waarop ze het kind toestemming gaf de snoepzak te openen voordat ze betaald had. Nou, als zij kinderen had gehad...

Niet weer telefoon! Ze liet het mandje met een klap op de grond vallen en zocht in haar tas naar haar platte zilveren mobieltje.

'Jenny Macdonald.'

'Hoi, ik ben het.'

Het was niet nodig te vragen wie het was. Naarmate ze ouder werden, waren zij en haar oudere zus steeds meer op elkaar gaan lijken (hoewel Jenny altijd blonder en slanker was geweest nadat Lucy de kinderen had gekregen) en steeds meer hetzelfde gaan klinken. Hun moeder, dacht ze met een steek van verdriet, zou het prachtig gevonden hebben.

'Bel ik ongelegen?'

Wanneer niet? Lucy en zij hadden de vervelende gewoonte elkaar altijd te bellen als de ander ergens middenin zat. Geïrriteerd schoof Jenny op in de rij. 'Een beetje. Ik sta in de supermarkt. Kan ik je terugbellen?'

Er klonk geschreeuw aan Lucy's kant en Jenny moest de telefoon ver van haar oor afhouden. 'Kun je de kinderen niet zeggen dat je aan de telefoon bent?'

'Zo makkelijk is dat niet,' zei Lucy minzaam. 'Nee, Sam. Je moet Kate toestemming vragen als je morgen haar iPod mee wilt nemen op schoolreisje.'

Bijna aan de beurt nu. 'Ik moet gaan,' zei Jenny kortaf. 'Ik zoek je later wel.'

'Wacht even. Mungo, af. Ik moet je iets vertellen.'

'Wat?'

'Het gaat over het eten zaterdag. Ik wilde je even vertellen wie er allemaal komen.'

Jenny klemde de telefoon tussen haar oor en haar schouder en tilde het mandje op de band. 'Ga door.'

'Mungo! Sorry. Antony komt met zijn nieuwe vriendin, die een model schijnt te zijn.'

'Super. Dan kunnen wij er mooi bij afsteken.'

Lucy ging door alsof ze niets gehoord had. 'En Chrissie en Martin Richards, en Gary die kortgeleden tegenover ons is komen wonen om voor zijn vader te zorgen.'

Jenny verstijfde. 'En dat is het?'

'Eh, ja.'

Jenny pakte een vers briefje van tien pond. 'Dus hij en ik zijn de enige singles? Valt wel een beetje op, niet?'

De vrouw aan de andere kant van de kassa keek haar nieuwsgierig aan.

'Nou, niet echt,' zei Lucy aarzelend.

'Ik dacht dat er meerdere mensen alleen zouden komen.'

'Nou, ik heb wel een aantal andere mensen uitgenodigd, maar die konden niet...'

'Vergeet het. Ik kom niet. Het ligt er te dik bovenop.'

'Ik heb het hem al gezegd.'

'Zeg hem maar af.'

'Je moet komen.'

Jenny voelde een onverklaarbaar genoegen bij de wanhoop in Lucy's stem.

'Ik ben al aan het koken.'

O god. Lucy had een reputatie als het ging om het te lang doorkoken van bepaalde gerechten en recepten die niet bepaald de verwachte uitkomst hadden.

'Sorry, maar ik hou er echt niet van om op deze manier gekoppeld te worden. Bel je later, oké?' Jenny pakte haar wisselgeld aan en haastte zich zo snel ze kon op haar hoge hakken naar perron 8. Waarom gaf Lucy haar altijd het gevoel dat ze een mislukkeling was? Haar ging alles altijd voor de wind. Nou ja, niet alles natuurlijk, als je bedenkt wat er met Luke was gebeurd. Maar nu had ze Mike, terwijl zij, Jenny, niet eens één man kon vinden, laat staan twee.

Nog twee minuten voor de trein naar Watford zou vertrekken! Met haar elegante zwarte aktetas onder haar arm geklemd zette Jenny een wanhopige sprint in over het hellende platform. Au. Haar enkel zwikte, waardoor ze even moest stoppen, om daarna tussen de poortjes door de trein in te schieten, een paar seconden voordat die vertrok. Geen plek om te zitten natuurlijk, maar ze had hem in elk geval gehaald.

Pfff! Tegen de deuren aan leunend om op adem te komen, zag Jenny een aantrekkelijke man haar kant op kijken. Haar ogen gleden naar beneden naar de trouwring die dof glom aan zijn linkerhand. Inwendig zuchtend haalde ze een exemplaar van *Charisma* uit haar tas. In het blad stond een artikel over een nieuwe klant dat ze echt even moest lezen voor hun afspraak van morgen.

Over het blad heen glurend, zag ze dat de man haar nog steeds bekeek. Gedecideerd keek ze de andere kant op. Met die rommelige blonde lok leek hij een beetje op Luke. Onmiddellijk gingen haar gedachten met haar aan de haal. Ze waren zo intens verschillend dat ze soms dacht dat als ze geen zussen waren geweest, ze nooit vriendinnen zouden zijn geworden. En toch...

'Lucy? Ik ben het weer. Ik zit in de trein, dus ik hou het kort.' Ze sprak op gedempte toon, zich ervan bewust dat de knappe man met de trouwring en het grijze krijtstreeppak haar nog steeds aanstaarde. 'Sorry voor daarnet. Het is alleen altijd zo gênant, snap je,' fluisterde ze opgewonden. 'Blind dates.'

Zich wegdraaiend, probeerde ze het mondstuk met haar hand af te scher-
men. 'Maar ik wil nog wel komen, hoor. Kan ik iemand meenemen? Nee. Ik
vertel het wel als ik gewoon kan praten. Doeg.'

Weer tegen de deuren aan leunend, die met de beweging van de trein mee-
schudden, sloot Jenny haar ogen. 'Wie neem je mee?' had Lucy gevraagd,
logisch natuurlijk. Geen idee. Dat was het antwoord. Maar één ding was
zeker. Ze zou iemand meenemen, al was het de jongen die de lunches op
kantoor bezorgde.

Langzaam opende Jenny haar ogen om het even te controleren. Ja. De man
keek nog steeds. Snel sloot ze haar ogen weer, alsof ze rechtop stond te slapen. Getrouwde mannen! Weg ermee. Met allemaal. Die fout ging ze niet
nog eens maken.

4

Het leek op een kleine uitvoering van de afstandsbediening voor de televisie, behalve dat er twee draden aan zaten, die samenkwamen in een witte plastic lus in de vorm van een vis.

'Gewoon inbrengen en op de aan-knop drukken,' had Sandra, de wijkverpleegkundige, opgewekt gezegd. 'Begin op het niveau dat ik heb ingesteld, even kijken... negenentwintig, toch? En verhogen als je eraan toe bent.'

Chrissie keek vertwijfeld naar haar Supersonische Bekkenbodemtrainer. Ze moest gewoon actie ondernemen. Ze voelde Martin simpelweg niet als hij in haar rondwapperde als een stukje rauwe, vochtige gefileerde paling. En elke keer als ze achter George aan rende, werd ze zich bewust van een warme, natte plek daar beneden, waardoor het niet alleen Georges luier was die verschoond moest worden.

Sandra had Chrissie dit wonderlijke apparaat vorige week gegeven en ze was er nog niet aan toegekomen het uit te proberen. 'Elke dag doen,' had ze gejubeld. 'Maak er een gewoonte van. Net als tandenpoetsen.'

Nou, er was geen betere tijd dan nu. George was gelukkig geheel in de ban van een kinderprogramma met een presentator die nooit had geleerd de 't' uit te spreken en Martin zat veilig op zijn werk. Als ze het hier in de keuken deed, kon ze horen of haar zoon geen verschrikkelijke dingen deed, zoals vorige week, toen hij de kast met glaswerk omgooide. 'Uit de buurt van kinderen houden', stond er in de instructies. Het idee alleen al.

Behoedzaam draaide Chrissie de luxaflex in de keuken dicht. Daarna trok ze haar XL onderbroek naar beneden. Ze spoot wat gel op de witte plastic lus en duwde het apparaat voorzichtig bij zichzelf naar binnen. Nee, dat voelde niet goed. Misschien moest het horizontaal, als een kleine vis. Misschien niet. Dit ging pijn doen. Oké. Dat viel mee.

Niveau negenentwintig. Dat had Sandra gezegd, toch? Aaah. O. Dat voelde vreemd. Alsof iemand binnen in haar op een elektrische drum zat te spelen. 'Loop rond,' had Sandra geadviseerd. 'Sommige vrouwen gaan gewoon door met het huishouden als het in ze zit.'

Hoe deden ze dat? Met het kastje in één hand, een beetje zoals een victoriaanse heldin met de zoom van haar jurk, waggelde Chrissie naar het aanrecht om de afwas in de machine te laden. Zou ze, vroeg ze zich af, een elektrische schok kunnen krijgen als ze per ongeluk knoeide met water?

Even zag ze Martin voor zich als hij thuiskwam en haar op de grond aantrof met een draad uit haar lijf. Hij zou waarschijnlijk denken dat ze zo'n stimulator had aangeschaft. Zou hij ook een schok krijgen? En...

'Da, da, da.'

'Ja, George, ik kom eraan.'

Chrissie ploegde richting het geschreeuw in de woonkamer. God, wat had ze het gehad met al dat gedoe in haar lijf. Martin met zijn voortdurende gewriemel. Het kapje dat de huisarts ingebracht had omdat Martin niet wilde dat ze weer aan de pil ging. ('Het kostte je zoveel tijd om zwanger te worden van George toen je eenmaal gestopt was. Wat als we er nog één willen?') De kamillecrème voor tepelkloven die naar een agressief ontsmettingsmiddel rook en waar ze stom genoeg van geproefd had om te weten wat George moest doormaken. (Gatver!) En nu dit weer.

'Wat is er George?' Hoe had hij in hemelsnaam die potpourri te pakken gekregen? 'Je hebt er toch niet van gegeten?' Snel probeerde ze de handjes van haar zoon beet te pakken waarbij ze struikelde over zijn blokkentoren. Au. Au!

Omijngod! Ze had waarschijnlijk in haar val per ongeluk de niveauregelaar op het kastje ingedrukt. 54! 54! Haar hele gebied onder de gordel schudde heen en weer, waardoor ze het bijna niet voor elkaar kreeg de witte lus eruit te trekken. Een paar seconden lang bleef het apparaatje vastzitten in de flodderige vlezige flappen van de overblijfselen daar beneden. Met een woeste beweging wist ze het los te trekken, op hetzelfde moment dat haar wijsvinger eindelijk de uit-schakelaar vond op het kastje. Terwijl ze zich op de grond liet zakken, kon ze niet stoppen met trillen. Wat had ze zichzelf aangedaan?

'Nee, George, niet op zuigen. Bah!'

Chrissie greep de witte lus beet, maar George hield zijn vuistjes stijf dicht. Toen ze even heel hard trok, lieten de draden los. 'Moet je nu kijken,' riep ze uit, 'nu heb je mama's bekkenbodemtrainer stukgemaakt. Hoe moet ik nu weer in vorm komen? Het is allemaal jouw schuld, weet je dat?' Ze greep hem even bij zijn kleine schoudertjes en een moment lang dacht ze dat ze hem wel door de kamer kon smijten. 'Allemaal jouw schuld!'

'Alles goed? vroeg Martin toen hij zoals gewoonlijk rond lunchtijd even kort belde.

Prima, wilde ze zeggen. Ik heb mezelf bijna van kant gemaakt in een poging mijn vagina weer in haar oude eer te herstellen en George heeft misschien van M&S' duurste potpourri gegeten. 'Ja, natuurlijk gaat het goed. Hoezo?'

'Je klinkt een beetje stil.'

'Ik denk dat George verkouden wordt.' Ongeduldig deed Chrissie haar haar achter haar oren terwijl ze voor de zoveelste keer wenste dat ze het niet 'lekker makkelijk' had laten knippen. Ze zag er opeens uit als een saaie huismus vergeleken met de gelaagde kantoorbob die ze elke vier weken bij liet houden door de kapper.

'Martin, volgens mij moeten we zaterdag niet naar Lucy gaan. Als George iets onder de leden heeft, kan hij beter thuisblijven. En het zal zijn schema ook in de war schoppen.'

'Het zal echt wel goed gaan. Trouwens, het is goed voor ons om er eens uit te zijn.'

'Wat bedoel je daarmee?'

'Niets.' Hij klonk geïrriteerd. 'Maar echt veel hebben we niet gedaan sinds George is geboren, of wel dan? Op deze manier kan hij tenminste gewoon mee, zodat we hem in de gaten kunnen houden. Het is een prima idee. En als het onze beurt is om iedereen uit te nodigen, is hij in zijn eigen omgeving.'

'Ik denk er nog even over na. Moet nu ophangen. Ik hoor hem huilen.'

Dat was niet waar, maar ze kon er slecht tegen als Martin zo zelfingenomen en zeker van zichzelf deed. Hij had niet de verantwoordelijkheden die zij had. Vanaf het moment dat de verloskundige George op haar borst had gelegd, drijfnat en luidkeels brullend, realiseerde ze zich naast een immense golf van liefde en angst dat het haar taak was, en haar taak alleen, te zorgen dat deze baby veilig en gezond opgroeide.

Maar het was zo moeilijk! Zeker met een kind als George, die altijd overal tegenaan liep, niet meer dan drie uur achterelkaar sliep en geen vast voedsel bliefde, wat ze ook probeerde om de zorgvuldig gesteriliseerde lepel in zijn koppige mondje te krijgen.

Wat deed hij nu? Goed. Hij zat nog steeds rechtop in zijn kinderstoel en keek geboeid naar de *Teletubbies*. Als ze opschoot, kon ze net even naar boven verdwijnen om te kijken of ze iets had om zaterdag aan te trekken voor het etentje bij Lucy, waar Martin blijkbaar per se naartoe wilde.

Met de babyfoon in haar hand liep ze een beetje moeizaam naar boven door de naweeën van haar akkefietje met de bekkenbodemtrainer, en gooide haar kastdeuren open. Dit kon misschien wel. Het had in elk geval een elastische taille. Ze dwong zichzelf om in de spiegel te kijken en kreunde hardop. Of het was gekrompen in de was, of haar buik had ongemerkt toestemming gekregen er een extra verdieping bij te bouwen.

Het hielp ook niet dat ze zo klein was ('petite' noemde Martin haar voordat George werd geboren) en dus geen postbevallingszwembandje kon verstoppen. Erger nog, haar lichaam leek wel op de verkeerde plekken weer te zijn aangegroeid. Kijk die verschrompelde buik nu eens! Het deed haar denken aan het gezicht van *De Schreeuw* van Munch, uit de tijd dat ze nog weleens tijd had om naar een expositie te gaan. En haar borsten... hoe hadden ze zo snel in kunnen kakken als konijnenoren, terwijl haar dijen bobbelig waren als een gigantisch waterbed door wat Sandra opgewekt 'vocht vasthouden' noemde?

Het leek erop dat het enige wat haar ging passen voor dit akelige etentje, haar fuchsiaroze zwangerschapsjurk was. En die trok ze echt niet aan, echt niet. Misschien kon ze... O, mijn god, wat was dat?

Later kon Chrissie zich niet meer herinneren hoe ze naar beneden was gevlogen. Wat ze nog wel wist, zoals ze Lucy later vertelde, was dat ze George zag liggen, nog vastgegespt in zijn omgevallen kinderstoel, schreeuwend met een gezicht dat net zo roze was als die verdomde zwangerschapsjurk.

'George!' Haar handen trilden zo dat ze de gesp bijna niet loskreeg. 'George, lieverd,' huilde ze, en ze drukte hem stevig tegen zich aan terwijl ze op zijn achterhoofd een bult zo groot als een ei voelde.

Waar was de telefoon? Chrissie pakte in haar verwarring de Supersonische Bekkenbodemtrainer op en gooide hem door de kamer, op zoek naar de echte telefoon.

'Ambulance,' wist ze boven Georges gehuil uit te brengen. 'Lavender Drive nummer 3. Kom snel. Er is iets ergs gebeurd met mijn baby.' Ze barstte in huilen uit. 'En het is mijn schuld!'

5

'Niet aankomen!'

Lucy sloeg even plagerig op Jons hand terwijl hij een vinger in de kom doopte. Ze was dol op zijn artistieke lange vingers, die Luke ook had gehad. Sam en Kate hadden stompere vingers, als die van haar.

Haar oudste zoon trok een goedkeurend gezicht. 'Kicken, mam. Wat is het?'

'Geitenkaas. En pas op met je elleboog. Je hangt bijna in het deeg.'

Jon pakte het pak op. 'Wat is dit voor kant-en-klare troep? Je maakte het toch altijd zelf?'

Lucy begon het uit te rollen en stak er met een maatbeker (waar was haar deegsnijder?) rondjes uit voor de bakvorm. Zo was het ook altijd gegaan, dacht ze, toen Luke nog leefde. Ze stelde enthousiast voor om mensen uit te nodigen voor het eten en raakte vervolgens in paniek door wat er allemaal moest gebeuren.

'Ja, nou, ik had geen tijd meer. Doe me alsjeblieft een plezier en vul deze deegbakjes met kaas als ik ze hier neerleg.'

'Eerlijk waar!' Jon probeerde verongelijkt te klinken, maar ze wist dat hij haar plaagde. 'Wat ik allemaal niet voor jou doe.'

Lucy snoof. 'Je bedoelt wat wij allemaal niet voor jou doen! Achter je kont aan lopen, je op elk uur van de dag ophalen, je gratis onderdak verlenen...'

Hij sloeg van achteren zijn armen om haar heen en ze leunde met haar hoofd tegen zijn schouder, zich afvragend wanneer haar kleine jongen zo groot was geworden. Soms voelde ze zich schuldig dat ze anders van hem hield dan van de anderen, omdat hij het meest geraakt leek door het overlijden van Luke. Geen wonder dat het zo'n gevoelig type was.

'Ach, volgende maand ben ik weg, mam. Dan heb je er nog maar twee om lastig te vallen.'

Ze voelde een steek van verdriet. 'Dat moet je niet zeggen. Je komt toch terug in de weekenden? Oxford is niet zo ver weg.'

'Ik kan niet te vaak thuiskomen, mam. Er zijn allemaal dingen daar en ik wil niets missen.'

Natuurlijk niet. Ze was er nog steeds niet zeker van of de studie die hij gekozen had, sociale antropologie, goed voor hem was, maar wat Jon betreft, ging het er vooral om dat het in Oxford was. Niet uit prestigieuze overwegingen maar omdat Luke daar jaren geleden had gestudeerd.

'Zo goed?'

Het kostte een momentje voordat ze doorhad dat Jon het over de hartige taartjes had. 'Dat ziet er fantastisch uit. Dank je. O, nee, is het al zo laat? Ze komen al binnen een uur en ik heb nog niet uitgezocht wat ik aan moet.'

'Alles staat je goed, schatje.'

'Mike, je bent er al. Vonden ze het wat?'

Hij gaf haar een warme kus. Over zijn schouder zag ze Jons rug verstijven terwijl hij doorging met het volscheppen van de deegbakjes met het mengsel van geitenkaas.

'Het leek er wel op, maar je kunt er niets van zeggen. Kijk maar naar dat stel van vorige week, die zeiden dat ze het helemaal zagen zitten en vervolgens nooit meer terugbelden.'

Mike had een aantal mensen rondgeleid door zijn huis, maar het had nog niet tot verkoop geleid. Het lag aan de markt, zeiden de makelaars onheilspellend. Ze hoefden gelukkig niet koste wat het kost nu te verkopen, zoals sommige stellen. Maar als het lukte was het idee dat ze Lucy's huis ook zouden verkopen en samen iets anders zouden kopen. Iets, zei Mike, wat ze samen konden inrichten, hoewel Lucy best wist dat hij het had over iets wat niet overspoeld was met herinneringen aan Luke.

'Ik ben klaar, mam.' Jon praatte tegen haar alsof Mike er niet was. 'Ik ga de deur uit, oké? Peter komt me ophalen.'

Ze vond Peter, die bij Jon op school had gezeten, niet leuk. Hij reed te snel en hij rookte. Er was iets met hem waar ze de vinger niet op kon leggen, hoewel hij altijd beleefd was tegen haar, bijna té, eigenlijk. 'Waar gaan jullie heen?'

'Een of andere kroeg. En misschien een feestje.'

'Zorg je dat je vriend niet dronken in de auto stapt?' zei Mike.

Jon keek hem meewarig aan. 'Zo stom is hij niet. Tot straks.'

De deur sloeg dicht. 'Maak je geen zorgen,' zei Mike, haar naar zich toe trekkend. 'Ga weg, Mungo. Het komt wel goed als ie eenmaal op de uni zit. Het is een moeilijke fase; hij is waarschijnlijk nerveus. En hij is nog teleurgesteld over zijn rijexamen.'

Ze knikte. Ergens was ze blij geweest dat hij het niet had gehaald vorige week. Haar zoon achter het stuur was weer iets geweest om zich zorgen over te maken. Aan de andere kant was hij nu overgeleverd aan iemand anders achter het stuur, iemand als Peter.

'Hé, ik let wel even op het eten terwijl jij je omkleedt. Hoe lang moeten deze in de oven?'

Ze dwong zichzelf zich te concentreren. 'Maximaal tien minuten. Ik zet de timer wel even.'

'Zal ik de tafel dekken?'

'Kate zei dat ze dat zou doen. KATE!'

Geen antwoord. Kinderen, dacht ze vaak, zouden een soort 'Boodschap Aangekomen Ook Al Antwoord Ik Niet'-apparaatje bij zich moeten dragen, zoals je ook op de computer voor geopende e-mails hebt.

'Typisch.' Lucy haalde haar handen door haar haar. 'Waarom dacht ik dat ik dit wilde organiseren?'

Mike kuste haar voorhoofd. 'Omdat het leuk is en omdat stellen dat doen. Nou, kom op. Het komt wel goed met Jon. Het is een grote jongen. Ik dek de tafel en ik haal de taartjes uit de oven. Kijk, ik begin je Aga te leren kennen. Kan ik nog iets voor je doen?'

Lucy keek op haar lijstje. 'Nu even niet. De lamsbout gaat goed en de vegetarische quiche is klaar.'

'Wie is er vegetariër?'

'Altijd wel iemand, dus ik heb er voor de zekerheid een gemaakt.'

Hij gaf haar plagerig een tikje op haar billen. 'Naar boven, jij, anders komen ze al. Kom op, Mungo. Kom maar even in de bijkeuken, zodat je niemand in de weg loopt. Ik zei: "Kom hier!" Eerlijk waar, Lucy, ik dacht dat deze hond opgevoed was.'

'Dat was hij ook,' begon Lucy. Ze had Mungo, een schattige zwart-witte vuilnisbak uit het asiel, in huis gehaald na Lukes dood, als afleiding voor de kinderen. Maar zes jaar later kwam hij nog steeds niet altijd als je hem riep. 'Daar gaat de bel al.' Lucy trok haar blauw-witte schort met de eigeelvlekken uit. 'Snel, doe jij de drankjes terwijl ik me omkleed.'

Ze had van tevoren uit willen zoeken wat ze aan zou doen. Het was alleen al zo lang geleden dat ze een etentje had gegeven (een écht etentje, tenminste), dat de voorbereidingen meer tijd kostten dan ze gedacht had. Lucy haalde haar lange groene rok tevoorschijn. Die stond altijd leuk bij het crèmekleurige truitje en was zo comfortabel. Getver. Er zat een vlek op de voorkant. Waarom had ze nou niet eerder wat uitgezocht? Ze zocht naarstig verder. De roze jurk was te chic en de blauwe rok, een oude favoriet, zat een beetje strak. Na Lukes dood was ze bijna twaalf kilo afgevallen, maar tijdens de afgelopen jaren was ze geleidelijk weer aangekomen. Ze zou wat beter op moeten gaan letten.

Lucy bekeek zichzelf kritisch in de spiegel. Als ze de groene rok omdraaide zodat de vlek aan de achterkant zat en zorgde dat het merkje dat aan de voorkant hoorde niet zichtbaar was, ging het wel. Beneden hoorde ze stemmen. De groene zou het worden. Snel smeerde ze wat matte foundation op haar neus (oeps) en daarna wat poeder. Mascara, een beetje gloss en haar favoriete lippenstift. Niet slecht. Lucy lachte onzeker naar haar spiegelbeeld. Soms had ze het gevoel dat er iemand anders naar haar keek vanuit de spiegel. Iemand die een totaal ander leven had gehad dan zij, een vrouw met een smetteloos verleden en een ongecompliceerde toekomst in het verschiet.

Gatver. Haar mobieltje. Laat het alsjeblieft niet Jenny zijn die afbelt. Het was al erg genoeg geweest om die aardige man van de overkant te moeten bellen dat het etentje was uitgesteld en dat ze hoopte dat hij een andere keer kon komen.

'Hallo?'

'Hoi, ik ben het.'

'Maggie!' Lucy's hart zonk in haar schoenen. Had ze ontdekt dat Antony vanavond ook kwam? Mike had gezegd dat het beter was haar niets te vertellen, maar zij was daar niet zeker van geweest. 'Gaat het wel met je?'

Ze sprak monotoon. 'Niet echt.'

Lucy kon de angst bijna voelen. 'Waarom niet?'

'Ik ben zo eenzaam.'

Maggie wist dus niet dat Antony kwam eten! Ze was zo opgelucht, dat ze over haar schaamte heen begon te ratelen. 'Mags, het spijt me. Waarom kom je morgen niet lunchen?'

Aan de andere kant klonk het geluid van Maggie die haar neus snoot. 'Ik vroeg me eigenlijk af wat je vanavond deed.'

Nee! 'Vanavond? Nou, dat komt eigenlijk niet zo goed uit. Er komt een goede vriend van Mike langs en ik moet Kate naar een feestje brengen, en...'

'Het geeft niet.'

Jawel, het geeft wel. Zeker wel! 'Kom morgen naar mij toe,' smeekte Lucy. 'Mike gaat vissen. Neem de kinderen mee; Kate vindt het heerlijk om op ze te passen. Dat weet je.'

Maggie snufte. 'Weet je zeker dat ik niet in de weg zou lopen?'

'Natuurlijk niet.' Hemeltjelief, wat voelde ze zich schuldig! 'Is er niet iets op tv vanavond?'

Maggie praatte nu zo zacht dat ze bijna niet te verstaan was. 'Er is niets op de buis. Ik heb Antony gebeld... ja, ik weet dat ik dat niet had moeten doen... maar ik kreeg zijn antwoordapparaat. Ik heb die trut ook gebeld; zij nam ook niet op.'

'Ik wist niet dat je haar nummer had.'

'Dat niet alleen, ik heb ook haar adres.' Maggie klonk bijna triomfantelijk.

'Hoe?'

'Ik heb het uit de kinderen gekregen. Weet je, Lucy, ik kan niet eens meer dromen. Ik droomde altijd, en altijd kwam Antony voor in mijn dromen. Nu hij er niet meer is, droom ik niet meer.'

'O, Maggie...' Ze hoorde de deur beneden. Er was nog iemand aangekomen. 'Hé, sorry, Mags, ik moet nu echt ophangen. Ik bel over een uurtje om te kijken hoe het met je gaat. En Mags...'

'Ja?'

Lucy slikte terwijl ze terugdacht aan de zware tijd na Luke, toen ze dacht dat het nooit meer goed zou komen met haar. 'Neem van mij aan dat het beter wordt. Dat beloof ik.'

Zich nog steeds een verrader voelend, liep ze de trap af, net toen Mike de gang op kwam. 'Wauw, schatje, je ziet er goed uit.'

'Dank je.' Ze nestelde zich tegen zijn schouder toen ze de kamer in gingen. Luke zou nooit gezien hebben hoe ze eruitzag. Luke zou boos zijn geworden omdat ze te laat was om de gasten te begroeten. Luke zou...

'Hoi.' Antony kuste haar licht op beide wangen. Hij droeg een lichtblauwe designspijkerbroek, alsof hij jonger wilde lijken, hoewel dat effect teniet werd gedaan door zijn buik, die als een ijsberg vooruitstak door zijn witte zijden overhemd, waar de vouwen van de nieuwigheid nog in zaten. Aan zijn hand had hij een bijzonder lang, extreem dun en onmogelijk mooi meisje met katachtige ogen en kort ravenzwart haar, als een elfje met van die pluizige plukjes in haar nek. In haar ene neusvleugel zat een piepkleine fonkelende diamanten piercing.

Haar benen waren eindeloos lang in een glimmende, ladderloze 10-denier panty en blijkbaar droeg ze – Lucy probeerde niet te opvallend te staren – een zwartleren rokje tot ver boven de knieën. Ondanks haar fragiele armen, die eruitzagen alsof ze elk moment konden breken, had ze minstens cup D. Sterker nog, haar boezem zat waarschijnlijk in een compleet andere atmosfeer dan de rest van haar lichaam! En dat parfum waar de hele kamer inmiddels naar rook, dat leek wel op dat dure merk dat ze een keer had geprobeerd in Selfridges en waar ze prompt misselijk van was geworden.

'Lucy,' zei Antony blijer dan nodig was. 'Dit is nou Patsy. Patsy, dit is Lucy.'

6

Foundation te roze. Met haar teint had ze een terracotta basis moeten nemen. Wenkbrauwen waren aan verzorging toe. (Waarschijnlijk nog nooit gedaan?) Mascaraklodders op de wimpers. Aardige glimlach. Verschrikkelijk bleke lippenstift. Vlek achter op haar rok, waardoor het leek of de gastvrouw in haar broek geplast had.

Patsy wist hoe dat voelde. Sinds ze als kind van schrik in haar broek had geplast toen ze zag hoe haar vader haar moeder in elkaar sloeg, moest ze altijd plassen als ze zich bang of kwetsbaar voelde. Zo voelde ze zich nu ook. Vanaf het moment dat Antony gestopt was voor het elegante vrijstaande witte huis in een postzegeldorpje bij Watford, Little Piddington of iets dergelijks, mijlenver van haar huurflatje in Highbury, moest ze verschrikkelijk nodig naar het toilet.

Een weduwe, had Antony gezegd. Haar echtgenoot was een paar jaar geleden omgekomen bij een tragisch ongeluk. Dat verklaarde het huis. Er was waarschijnlijk een verzekering geweest om de hypotheek af te betalen en misschien de kinderen naar een chique school te sturen. En ze ging weer trouwen. Mazzeltrut.

Lucy leek anders helemaal geen trut. 'Hoi,' had ze gezegd terwijl ze de trap af kwam rennen om hen te begroeten, blozend en al. Patsy, die Antony op zijn kop had gegeven omdat ze zo vroeg waren, had bijna met haar te doen. 'Leuk om je te ontmoeten, Patty.'

'Patsy,' corrigeerde ze luid.

'Getsie, sorry. Ik zeg alle namen verkeerd. Geheugenverlies door de middelbare leeftijd, snap je. Ik bedoel, dat snap je natuurlijk niet, maar...'

Patsy keek toe hoe ze steeds roder werd. Kom op, zeg het dan als je durft. Ja, ik ben jonger dan Antony, maar niet zoveel als jullie denken, want ik heb goede verouderingsgenen en ik weet hoe ik de jaren kan verbergen.

Om een of andere reden was Lucy nogal koeltjes tegen Antony toen ze hem begroette, waarbij ze hem nauwelijks bedankte voor de bloemen die hij voor haar had meegenomen van Harrods. Maar, dacht Patsy vergenoegd, het was niet zo'n mooie bos als het boeket lelies dat hij voor haar had meegenomen toen hij haar vanavond ophaalde. Ze stonden nog in de gootsteen in de keuken te wachten op een vaas waar ze in pasten, die ze maandag uit de studio mee zou pikken.

'Kom verder,' zei de man, Mike, en hij leidde hen naar de woonkamer. Antony legde zijn hand heel lichtjes op het smalste gedeelte van haar rug terwijl ze achter hem aan liepen. Daar hield ze van. Het was de juiste mix van hoffelijkheid en vertrouwdheid in een omgeving waarin alles zo anders was dan in haar gewone leven. Patsy keek om zich heen en probeerde alles in zich op te slaan. Mahonie koffietafel met gedraaide poten. Dik blauw-roze Chinees kleed op een wollen crèmekleurige vloerbedekking. Diepe, dure stoelen van chintz die je billen streelden als je erin ging zitten. Schilderijen, geen posters, aan de muur. Muziek (als in een hotellobby) op de achtergrond. En iets wat heel lekker rook ergens vandaan.

'Wil je iets drinken, Patsy?' vroeg Mike. Hij had handen als kolenschoppen, zag ze. Een grote man met een licht noordelijk accent. Een man met kwaliteiten en eerlijk tot op het bot. Patsy was er trots op dat ze binnen een paar tellen mensen kon doorzien. Dat was niet altijd zo geweest natuurlijk, dan was ze niet zo de mist in gegaan in het verleden.

'Wodka lime, alsjeblieft,' zei ze zachtjes.

Mike fronste. 'Hebben we limoen, schatje?' zei hij tegen Lucy, die een schaaltje nootjes doorgaf.

Schatje? Zo noemden de mensen in Liverpool haar vroeger, maar het leek helemaal niet te passen bij een chique dame als deze. Toch leek Lucy het volkomen normaal te vinden. 'Goh, ik geloof het niet. Het spijt me. We hebben jus d'orange of tonic.'

'Prima, graag een gin en tonic, dan.'

Terwijl ze dat zei, stormde er een grote zwarte schaduw de kamer in. Patsy slaakte een korte gil.

'Mungo!' Die Mike-figuur greep zijn halsband. 'Hoe ben je eruit gekomen?'

'Het is goed, lieverd.' Antony had zijn arm om haar heen, maar Patsy kon niet stoppen met trillen.

'Ik hou niet van honden.' Ze probeerde te kalmeren. 'Toen ik klein was ben ik eens achternagezeten.'

'Mungo doet niets,' zei Lucy. 'Hij is alleen wel een beetje druk.'

Tjongejonge! Als hij iets dichterbij was geweest, had ie haar in de kuiten gebeten, of nog erger. Ze hadden hem nu weggehaald, maar Patsy voelde zich nog behoorlijk bibberig. 'Is er ergens een toilet?'

Antony sprong op. 'Ik wijs het je aan.'

Het zag er precies zo uit als ze zich had voorgesteld. Kleine crèmekleurige wasbak met mooie blauwe en roze bloemetjes aan de binnenkant, chique zeephouder, schone gevouwen handdoek over een hangertje onder de wasbak. En een toilet dat het bij de eerste keer doorspoelen niet deed. Shit. Ze zat op de klep te wachten tot de spoelbak zich weer gevuld had en ze het nog eens kon proberen.

Als ze de boel zo achter zou laten, zouden ze denken dat ze geen manieren had. Nerveus klikte Patsy haar tas open en stak een sigaret op. Het was een belangrijke avond voor Antony. Mike was een goede vriend; ze moest een goede indruk op hem en zijn partner maken.

Gretig zoog ze aan haar sigaret. Het kijken naar de rookwolk die ze uitblies, kalmeerde haar. Christus, wat was dat geluid? Het leek wel een sirene. Iemand kwam de trap af stormen, waardoor het leek of ze vlak boven haar hoofd waren, opgewonden stemmen klonken, een luide klop op de toiletdeur. 'Patsy?' Het was Antony. 'Alles in orde?'

Shit. Nu moest ze wel naar buiten komen. 'Ik zie het al.' Hij keek naar haar sigaret. 'Daarom ging het rookalarm af.'

Ze werd vuurrood en kreeg het overal warm toen het besef langzaam neerdaalde. 'Het spijt me.'

'Alles in orde, mensen,' riep Antony over zijn schouder. 'Vals alarm. Patsy, de stouterd, heeft er eentje opgestoken in de plee.'

O nee, Lucy verscheen achter hem. 'O jee. Geen probleem. Onze sensoren zijn nogal gevoelig, geloof ik.'

'Wie heeft er op de pot zitten roken?' Een mooi lichtblond meisje met een ring in haar rechterwenkbrauw stak haar hoofd om de deur. Als er verdomme nog meer mensen binnenkwamen, dacht Patsy, konden ze hier wel gaan eten.

'Kate, lieverd, laat onze arme gast met rust. Het geeft niets, Patsy. Mike heeft het al afgezet.'

Het verschrikkelijke geloei was inderdaad eindelijk gestopt. Iedereen dromde terug naar de woonkamer, Patsy met rode wangen achterlatend en Kate die wat treuzelde. 'Ik deed het laatst nog toen mama niet thuis was,' zei het meisje grinnikend. 'Gelukkig is ze er nooit achter gekomen.'

'Op jouw leeftijd zou je helemaal niet moeten roken,' zei Patsy ernstig. 'Dat is funest voor je huid.'

Kate keek haar koeltjes aan. 'O ja? Waarom rook jij dan?'

'Ik rook niet veel. Alleen als ik het even nodig heb.'

De uitdrukking op Kates gezicht verzachtte. 'Ik begrijp wat je bedoelt. Maar als tante Jenny komt, gaat het wel beter. Zij is cool. Hier, ik moet deze aan jou geven. Nee, niet kijken. Ik moet het op je rug plakken.'

Patsy stapte achteruit. 'Wat is het?'

Het meisje rolde met haar ogen. 'Het is een van Mike en mama's stomme spelletjes. Iedereen heeft de naam van een beroemdheid op zijn rug en na het eten stellen we elkaar om de beurt vragen om erachter te komen wie we zijn.'

Pas toen ze wanhopig zocht naar iets om te zeggen tegen de man aan haar linkerhand (Tony Blair, als je het briefje op zijn rug moest geloven), realiseerde ze zich dat ze niet een tweede keer had doorgetrokken. Nu was het te laat. Ze kon moeilijk opstaan terwijl iedereen aan de lamsbout zat.

'Hoe lang ben je al vegetarisch?' vroeg de man wiens naam ze was vergeten, maar die getrouwd was met de kleine, stevige vrouw (vlekkerige oogschaduw, glimmende neus en een Charlotte Church-label op haar rug) met een kind dat haar als klimrek gebruikte.

Patsy keek de andere kant op om het druppeltje jus dat uit zijn mond over zijn kin drupte niet te hoeven zien. 'Achttien jaar en elf maanden.'

'Wauw, dat is precies. Was er een bijzondere reden?'

Ze duwde een stuk verbrande quiche naar de rand van haar bord. 'Ja.'

Toe dan, vraag het dan. Hij had het waarschijnlijk gedaan als het kind niet was gaan piepen. 'O jee.' De vrouw trok een gezicht. 'Ik denk dat hij moet drinken.'

'Al weer?' Haar man leek bijna trots. 'We proberen George aan vast voedsel te laten wennen, weet je, Patsy, maar hij houdt er helemaal niet van. Hij wil veel liever mijn vrouw, als je begrijpt wat ik bedoel.'

Hij gaf haar een vette knipoog. Gadverdamme.

'Heeft iemand bezwaar?' De mollige vrouw keek vragend de tafel rond. 'Volgens mij heeft hij nog een beetje troost nodig na de hele toestand van net.'

Dit geloof je toch niet, dacht Patsy. De vrouw knoopte aan tafel haar blouse met ruches open en er was een machtige flits van veel witte huid met een plattegrond van blauwe aderen voordat het hoofd van het kind het metrostelsel aan het zicht onttrok.

'Iemand nog bonen?' vroeg Lucy opgewekt.

Hoe had de gastvrouw in hemelsnaam een Penelope Cruz-sticker weten te bemachtigen? Patsy begon te zweten. Wat als ze haar eigen identiteit niet kon raden. Ze zouden vast denken dat ze simpel was. Was dit het soort spelletje dat Antony vroeger met zijn vrouw speelde? Zaten ze haar allemaal te vergelijken met zijn ex?

Als ze bang was, praatte ze altijd te veel. Voor ze het wist, zat ze tegen haar buurman aan te babbelen. 'Dat is me nogal een bult bij je zoon.'

Martin knikte en ze deinsde terug voor zijn adem, die de weeïge geur van bier had. 'Begin deze week heeft George het voor elkaar gekregen om met kinderstoel en al om te vallen door tegen de tafel te schoppen en zichzelf achterover te duwen. Hij heeft een gigantisch ei op zijn achterhoofd. We zijn nog naar de Eerste Hulp geweest.'

'Ik weet nog dat Kate ook eens zoiets deed,' deed Lucy mee. 'Ze viel van de schommel toen ze vijf was en moest vijf hechtingen hebben.'

Super. Het gesprek was gedaald tot 'Weet je nog?' en 'Het is altijd wat met die kinderen', waar ze absoluut niet aan mee kon doen. Patsy onderdrukte een gaap en ving tegelijk een blik op van Lucy's zus, een knappe vrouw die

Jenny heette en zo laat was gearriveerd dat Patsy van de honger haar geen-calorierijke-pinda's-regel moest breken.

'Heb jij kinderen?'

Jenny – of Margaret Thatcher, zoals op haar rug stond – schudde haar hoofd terwijl ze een hand door haar dure laagjeskapsel haalde. Ze droeg een luchtig topje met een laag decolleté en zag er net zo koud uit als Patsy het had. Waarom deden ze de verwarming niet aan? Het was dan wel augustus, maar het was stervenskoud.

'Jij?'

'Nee.'

'Wat doe jij?'

Patsy merkte dat het opeens stil was geworden aan tafel, alsof iedereen wachtte op een antwoord. 'Ik ben freelancevisagiste.'

'Dacht dat je model was,' zei de man naast haar teleurgesteld.

'Dat was ik en nu maak ik ze op.'

'Bekende mensen?' vroeg de vrouw die borstvoeding aan het geven was.

Patsy probeerde haar aan te kijken (best moeilijk met die enorme tieten in de etalage) en noemde een paar bekende namen, waar het gezelschap duidelijk van onder de indruk was.

'Voor wie heb je model gestaan?' vroeg Lucy.

'O, vooral tijdschriften.' Ze gaf uit gewoonte een vaag antwoord.

'Dus geen centerfold?' grapte de jongen die met Jenny mee was gekomen en minstens tien jaar jonger was.

'Nou, eigenlijk wel.'

Er viel even een stilte. 'Weet je,' zei de man naast haar. 'Ik vroeg me altijd af of ze iets deden om je een beetje groter te maken.'

'Martin!' zei zijn vrouw bestraffend.

'Nou,' begon Patsy langzaam, 'sommige meisjes bij het bureau gingen door als ze zwanger waren en...'

'Lekker lam,' onderbrak Jenny haar.

Hoe onbeleefd kun je zijn!

'Het was een recept van mama.'

'Ik wist niet dat je dat kookboek had. Dat waar ze al die recepten in schreef?'

'Ja. Je kunt het wel lenen als je wilt.'

'Oké. Kun je het zout even geven, alsjeblieft?'

'Dat leek me niet nodig.'

'Dat is geen kritiek, Lucy. Het kan gewoon een beetje meer smaak gebruiken, volgens mij. Ik weet zeker dat mama er meer zout in deed.'

Die twee konden het duidelijk niet erg goed vinden samen.

Lucy stond op met haar mond strak dichtgeknepen. 'Als iedereen genoeg heeft, zal ik het toetje maar gaan halen. Dat kan trouwens even duren.' Ze keek de tafel rond en duwde een streng haar die nog nat leek, waarschijnlijk van de spanning, naar achteren. 'Dat vinden jullie toch niet erg?'

Een halfuur later was ze nog niet terug. Wel kwamen uit de keuken geluiden van kletterende potten en pannen en gedempte opgewonden stemmen. Patsy vroeg zich af of ze moest aanbieden om te helpen. Ze wilde best zien hoe het er daar achter allemaal uitzag, maar ze zou waarschijnlijk eerst haar handen en voeten moeten ontsmetten voordat ze als voormalige centerfold ook maar iets zou mogen aanraken.

Aan de andere kant was alles beter dan hier te zitten en nog een keer het verhaal van George en zijn kinderstoel te moeten horen. 'Ik ga even helpen.' Antony, die net nog een glaasje inschonk, keek op. 'Dat is echt niet nodig, hoor.'

'Ik wil het graag.'

Lucy was duidelijk verbaasd om haar te zien. 'Jeetje, bedankt. Er is eigenlijk nogal een ramp gebeurd. Ik heb een paar dagen geleden deze pav gemaakt, maar hij is keihard, dus ik moet even iets anders in elkaar flansen.'

Patsy fronste. 'Pav?'

'Pavlova. Dat is een meringue met een zachte vulling.'

Jaloers keek Patsy de designkeuken rond. 'Waarom zet je dat fruit niet gewoon op tafel?'

Ze knikte naar een enorme schaal met druiven en appels en bananen die op de lichte beukenhouten keukentafel stond.

'Dat zei ik ook al,' zei Mike. 'Echt waar, schatje. Iedereen heeft al zoveel gegeten.'

Lucy keek bedenkelijk. 'Ik weet niet...'

'Daar zul je Jon hebben.' Mike, die al begonnen was met het wassen van de druiven, keek op toen hij de deurbel hoorde. 'Die is waarschijnlijk zijn sleutel vergeten.'

'Ik ga wel,' zei Patsy, die blij was dat ze iets kon doen.

'Nee, dat...'

Ze deed de deur open. Een lange, magere, oudere vrouw in een slobberige joggingbroek stond aan de andere kant. Geen make-up. Zwarte vlekken onder de ogen. Fel kastanjebruin haar, de verkeerde kant van Nicole Kidman. Ze keek met lege ogen naar Patsy. 'Is Lucy er?'

Patsy knikte. 'Ik haal haar wel even.'

De vrouw was de gang al in gelopen, op een manier die verried dat ze hier vaker was geweest. Op dat moment kwam Lucy, haar handen afdrogend aan een geruite doek, de keuken uit. 'Maggie!' schrok ze.

Patsy bevroor.

'Ik wist niet dat je bezoek had.' De vrouw kwam moeilijk uit haar woorden.

Verrek, ze was stomdronken. 'Ik dacht dat je niet thuis zou zijn, maar ik ging een stukje rijden en toen zag ik dat de lichten aan waren en ik moest echt met iemand praten, dus ben ik gekomen. Het spijt me.'

'Nee, nee, dat is prima.' Lucy draaide de theedoek rond en rond in haar handen. 'Kom... kom binnen. We gaan even in de keuken zitten.'

Maggie keek in de richting van de eetkamer. De deur stond half open en Antony was goed zichtbaar terwijl hij met zijn hoofd in zijn nek hartelijk lachte om iets wat Chrissie opmerkte.

'Hij is hier, hè?' Ze werd bleek. 'Hoe kon je, Lucy? Hoe kon je?'

Toen draaide ze zich om naar Patsy; haar ogen spuwden vuur. 'Wie ben jij?'

Patsy probeerde een geluid te produceren.

'Ik zei: wie ben jij?'

'Kom, Maggie, het is niet wat je denkt.' Mike kwam de keuken uit en overzag de situatie. Maggie duwde hem weg, waardoor hij bijna zijn glas wijn verloor. Ze stond zo dicht bij Patsy, dat die haar naar wijn stinkende adem kon ruiken.

'Zeg het.' Ze gromde bijna. 'Zeg wie je bent.'

Patsy haalde diep adem, rechtte haar schouders en keek Maggie recht in de ogen, zoals ze in de loop der tijd geleerd had te doen als ze in de problemen zat. 'Ik ben Patsy. Hallo.'

7

Er was duidelijk iets aan de hand op de gang. 'Zo terug.' Jenny klopte Steve op de arm. 'Volgens mij is er een kind dat aandacht nodig heeft.'

Het voelde een beetje gemeen om hem bij de anderen achter te laten, zoals bij Martin, die iets te veel rode wijn had gedronken en bovendien een Pavarotti-achtige omvang had gekweekt sinds ze hem voor het laatst had gezien. Maar Steve had het al met al erg goed gedaan. Ze was gisteren op het idee gekomen, toen hij naar kantoor was gekomen om de lay-out van het programma van een ingenieurscongres aan te leveren. 'Ik neem aan dat je zaterdagavond al iets te doen hebt?' had ze gevraagd.

Hij had gebloosd. 'Nou, ik heb wel een partner.'

Natuurlijk had hij die. Zo goed als hij eruitzag.

'Maar hij zit deze maand in Dubai voor een shoot.'

Jenny gaf zichzelf in gedachten een schop. Ze deed al een jaar zaken met Steve en ze had het kunnen weten, aangezien iedere knappe kerel in Londen of homo of getrouwd was.

Steve raakte haar lichtjes aan. 'Ik zou wel vrij kunnen zijn. Het hangt ervan af wat je van plan bent.'

Dus vertelde ze het. Van Lucy en het etentje en dat ze niemand had (op dit moment) om mee te nemen. En tot haar verbazing zei hij ja. Tot zover was het prima gegaan. Hij kon het prima vinden met de anderen en wist zelfs haar straatwaarde nog wat op te krikken door haar werk aan te prijzen. En omdat hij niet overduidelijk homo was, waren Chrissie en dat andere zogenaamde 'ex-model' met de piepkleine paarse vlindertatoeage op haar schouder bepaald geïntrigeerd, vooral toen Steve veelbetekenend impliceerde dat hun relatie meer dan platonisch was. Dat zag ze wel.

Maar wat was hier aan de hand?

Maggie, Lucy's oudste vriendin, had dat meisje Patsy bijna in een wurggreep. Mike probeerde haar weg te trekken. 'Maggie, kom op, lieverd. Word even rustig.'

Maggie liet Patsy los en duwde Mike weg, zodat hij tegen de muur aan viel. 'Waarom zou ik? Jij nodigt Antony uit om te komen eten met deze hoer en ik moet rustig blijven?'

Arme Lucy zat onder aan de trap met haar hoofd in haar handen. 'Ik wist dat het geen goed idee was.'

'Nou, bedankt,' snauwde Patsy, die haar rokje gladstreek, hoewel er weinig glad te strijken viel. Jenny rilde inwendig. Zwart leer was zo hoerig, ook al was het duur en design. 'Nou, ik zal maar opstappen, dan.'

'Nee.' Ze draaiden zich allemaal om toen Antony uit de eetkamer aan kwam lopen. 'Hallo, Maggie. Hoor eens, het spijt me dat je zo overstuur bent; toch moet je het accepteren. Lucy is jouw vriendin, maar Mike is mijn vriend. Hij zal dus sowieso nieuwe vrienden van mij ontmoeten.'

Jenny keek vol afschuw toe hoe Antony zijn arm om Patsy heen sloeg. Zag hij dan niet hoe ze eraan toe was?

'Kom maar, Mags.' Ze zond Antony een vuile blik. 'Laten we even naar de keuken gaan en iets drinken.'

'Volgens mij heeft ze wel genoeg gehad,' zei Antony bits.

'Dat gaat je niets aan. Nee, laat maar, Lucy. Ga jij maar naar je andere gasten. Maggie en ik blijven wel even in de keuken.' Jenny keek naar Patsy. 'En jij, je zou je moeten schamen. Iedere fatsoenlijke vrouw weet dat getrouwde mannen verboden gebied zijn. Vooral als ze liegen over hun vrouw die hen niet begrijpt.'

'Nou ja, we hoefden in elk geval dat stomme spel niet meer te doen,' zei Jenny terwijl Kate voor iedereen koffiezette in de keuken.

'Welk spel?' snufte Maggie.

'Het Raad-eens-wie-spel. Sam, je ziet er zo ongelukkig uit. Wat is er aan de hand?'

Haar neefje brak een stuk pavlova af, waardoor een lading kruimels op de keukenvloer belandde, die Mungo vervolgens blijmoedig oplikte met zijn lenige natte tong. 'Mama zei dat ze een briefje voor me zou schrijven om vrij te krijgen van school voor een concert waar ik heen wil. Maar het mag niet van Mike.'

'Waarom niet?' Maggie was aardig gekalmeerd met behulp van een groot glas cognac. Iemand zou haar naar huis moeten brengen.

'Omdat hij zo godsgruwelijk correct is,' bemoeide Kate zich ermee. 'Fuck. Ik breek bijna mijn tanden op die pav.'

'Niet zoveel vloeken,' zei Jenny droog, anders wordt het een gewoonte. Het is net zo moeilijk af te leren als roken. Geloof me. Ik weet dat.' Ze schonk nog een kop koffie in voor Maggie. 'Jij hoeft je gelukkig voorlopig nog geen zorgen te maken over de verschrikkelijke tienerfase. Hoe reageren de kinderen er eigenlijk op?'

'Ik heb hun verteld dat papa doordeweeks aan het werk is.' Maggie snoot haar neus. Sommige vrouwen, dacht Jenny, konden elegant en aantrekkelijk huilen. Arme Maggie hoorde daar niet bij. 'Ik weet dat ik het een keer moet vertellen, maar ik stel het telkens uit. En ze zijn jong genoeg om te accepteren dat Antony er op zondag is en dan weer weggaat.'

Sam sneed een groot stuk kaas af voor zichzelf. 'Ik zei hem nog,' zei hij onverstaanbaar met zijn mond vol kaas, 'ik heb hen allebei gezegd dat ze gewoon moeten zeggen dat ik een gescheurde milt heb. Dan kan ik toch niet naar school, of wel dan?'

'Waar wil je eigenlijk naartoe?' vroeg Jenny.

'De Wattevers.'

'Ik zal eens kijken of ik een paar perskaarten kan bemachtigen, als je het leuk vindt, maar dan wel in de vakantie. Ik heb een klant die in de entertainment zit.'

'Cool. En kun je het ook eens met mama over seks hebben?'

'Pardon?'

'Ze blijft het maar hebben over wat ik dan doe bij deze concerten en feestjes. Ik heb het zo vaak gezegd, maar ze gelooft me niet. Ik drink niet veel en ik gebruik geen drugs en ik heb alleen seks met mijn rechterhand.'

Jenny spuugde een slok van haar drankje over tafel.

'Ik zie dat het feest eigenlijk hier is!' zei een stem.

'Dat heb je goed gezien. Hoe doet mevrouw Centerfold het daar binnen?'

Steve trok een stoel bij. 'Die gooit alles op tafel. Beweert bij hoog en laag dat zij er niets mee te maken had. Heeft iemand die sticker gezien? De hertogin van Windsor. Toepasselijk, niet?'

'Trut,' snufte Maggie. 'Ik snap niet wat hij in haar ziet. Ze is zo anders.'

Precies, wilde Jenny zeggen. Jouw echtgenoot wilde iets anders, en dat was niet verwonderlijk. Maggie had zichzelf behoorlijk verwaarloosd sinds de kinderen er waren. Geen make-up dragen en haar haar gewoon laten hangen. En kijk eens wat ze aanhad. Als trouwen en kinderen dat effect op je hadden dan bedankte ze ervoor.

'Hij is het niet waard, lieverd.' Steve pakte Maggies hand. 'Trouwens, als je van dichtbij keek, zoals alle mannen aan tafel probeerden, zag ze er niet zo geweldig uit, hoor. Volgens mij moet ze het vooral hebben van die vernuftige bh die ze waarschijnlijk draagt.'

'Zo een zou ik er ook wel kunnen gebruiken,' zei Lucy, die net binnenkwam, vrolijk. 'Na drie kinderen gaat het alleen nog maar bergaf.'

'Mam, wat gênant! Hier, koffie.'

'Dat kleine blauwe kannetje,' kwam Jenny ertussen, die keek hoe haar nichtje melk inschonk. 'Ik wist niet dat jij dat had.'

Nadat hun moeder was overleden, hadden ze haar spullen verdeeld. Er zat financieel gezien weinig waardevols bij, maar emotioneel des te meer.

'Jij zei dat ik het mocht hebben als jij de koffiemokken kreeg.'

Dat was ze vergeten. Nu leek ze weer zo onaardig.

Maggie keek verontschuldigend op. 'Moet je niet bij je gasten blijven?'

43

Lucy ging naast haar vriendin zitten. 'Ze zijn weg. Nou ja, Chrissie is er nog, maar die is boven om George een schone broek te geven.'

'Hm, zou het helpen?' griezelde Steve. 'Ik heb nog nooit zo'n lelijk kind gezien.'

Jenny onderdrukte een grijns. 'Sst, grapjas, anders breng je Lucy nog meer in de problemen.'

'Sorry van Antony,' zei Lucy zachtjes tegen Maggie. 'Mike wilde hem graag uitnodigen.'

Maggie keek de andere kant op. 'Had je geen nee kunnen zeggen?'

'Hé.' Jenny kwam haar te hulp, blij met een kans haar opmerking over het kannetje goed te maken. 'Ik zei net toch al dat het voor Lucy niet gemakkelijk is om ertussenin te zitten.'

Maggie snufte. 'Dat weet ik wel. Het was gewoon zo naar om jullie hier plezier te zien maken. Eerst hoorde ik erbij en nu ben ik een buitenstaander.'

Het was allemaal Mikes schuld, omdat hij per se wilde dat Antony zou komen. 'Natuurlijk ben je dat niet.'

'Het is zo moeilijk om alleen te zijn met de kinderen.'

'Wie is er nu bij ze?'

Ze wreef in haar ogen. 'Een van de buurmeisjes. Ze is bijna veertien, maar de kinderen sliepen al en ik was van plan om slechts heel even weg te blijven en ik ben vlakbij...'

Jenny sprong overeind. 'Is er geen wet tegen minderjarige babysitters? Kom op, Steve, we brengen Maggie naar huis.' Wat haar betreft waren ze hier lang genoeg geweest.

Maggie stond onvast op. 'Ik laat ze nooit alleen,' protesteerde ze. 'Ik moest er alleen echt even uit om met iemand te praten.'

'We begrijpen het wel.' Steve pakte Maggies elleboog. 'Bedankt voor een leuke avond, Lucy.'

'Ja, bedankt, zus.'

Lucy liep mee naar de deur. 'Dit was het ergste etentje dat ik ooit heb meegemaakt.'

'O, dat zou ik niet zeggen. Oepsie, hou je vast, Maggie. Het was hartstikke leuk, toch, Jen? Zo, van wie is die schroothoop?'

Ze keken allemaal hoe een smerige, ouderwetse rode Mini piepend tot stilstand kwam op de oprit. 'Dat is Peter,' zei Lucy afgemeten. 'Een vriend van Jon.'

Twee lange jongemannen, ieder met een gitaar, stapten lachend uit. Het was slechts een paar weken geleden dat ze haar neef voor het laatst had gezien, maar hij leek weer gegroeid. Wat was ze jaloers op de jeugd van tegenwoordig, die meer tijd besteedde aan het plannen van sabbaticals dan aan hun cv's.

'Hé, tante Jenny.'

Ze voelde hoe ze omhelsd werd door een paar lange armen. Zonder daarin te slagen probeerde ze door zijn haar te woelen. 'Hoi, ongelooflijk lang neefje van me. Je bent net je vader.'

'Peter, dit is mijn tante Jenny en...'

'Een vriend van me,' zei Jenny snel. 'Steve.'

Steve keek Peter onderzoekend aan.

'Kennen jullie elkaar?'

'Nee.' Het was duidelijk dat Steve er verder ook niets over los zou laten. 'Waarom denk je dat? Nou, jongens, leuk jullie even te zien, maar we moeten ervandoor. Kom op, meisjes. Laten we snel gaan kijken of alles goed is met de kinderen.'

8

Chrissie zat op de stoel in Lucy's slaapkamer en zocht naar een positie die voor haarzelf en voor George zo aangenaam mogelijk was. Dat was niet makkelijk nu hij groter werd.

Au. 'Niet bijten!' Automatisch schoot ze naar achteren, waardoor haar tepel uit het mondje van George schoot, die onbedaarlijk begon te brullen.

'Oké, oké, hier is ie al,' zei ze, en ze duwde de tepel terug. Hij dronk hongerig en Chrissie, dankbaar voor de stilte en de opluchting (haar pijnlijke borsten waren tijdens de koffie gaan vloeien), leunde achterover en sloot haar ogen.

Het was eerlijk gezegd heerlijk om even alleen te zijn. Grappig. Als Martin naar zijn werk was en het geen moeder-en-peuterdag was, had ze een enorme behoefte aan het gezelschap van een volwassene. Zo erg zelfs dat ze naar *The Archers* was gaan luisteren. En als ze zich uiteindelijk onder volwassenen bevond, zoals vanavond of zelfs bij de peutergroep, wilde ze eigenlijk alleen maar hard wegrennen. Niemand, waar ze ook was, was net als zij. De vrouwen – en één man – bij de peutergroep waren allemaal jonger en niemand had hiervoor een goede baan gehad. Nou, er was er wel één, maar die was nog voordat haar zwangerschapsverlof afliep alweer aan het werk gegaan.

Af en toe bedacht Chrissie dat ze misschien ook wel weer aan het werk kon gaan, maar van het idee dat iemand anders dan zijzelf voor George zou zorgen kreeg ze acuut buikpijn. Ze kon niemand anders vertrouwen. Kijk maar naar dat verhaal van laatst in de krant over die au pair die een peuter alleen in de tuin had laten spelen, om het kind later dood aan te treffen in het zwembad van de buren.

Gedachteloos streelde ze haar zoons donzige achterhoofdje waar die ellendige blauwe bult was op komen zetten. Het was ongelooflijk hoe snel de zwelling weer was geslonken in de afgelopen dagen maar ze werd nog steeds naar bij de gedachte. Als iemand anders op hem had gepast, was die misschien niet zo snel de trap af gerend of had die de ambulance niet zo snel gebeld, hoewel de arts op de Eerste Hulp zei dat het niet echt nodig was geweest.

'Het had gekund, toch?' zei ze tegen George. Zijn ogen waren op de hare gefixeerd; er was geen twijfel dat hij precies begreep wat ze zei. Beneden hoorde ze stemmen. Hard praten. Het leek bijna of er ruzie werd gemaakt, maar ze hoorde Martins zware, rollende lach, die altijd lager werd naarmate hij meer dronk. Hij zat waarschijnlijk in een verbale krachtmeting met Mike. Ze mocht Mike graag. Hij was goed voor Lucy, hoewel hij moest ophouden met zich schuldig voelen ten opzichte van Luke. De foto van haar overleden echtgenoot in de slaapkamer laten hangen was niet het meest tactvolle gebaar, leek haar.

'Ik bedoel, wat moet Mike daarvan denken als hij blijft slapen?' vroeg ze aan George. Zijn ogen vielen nu dicht en zijn grip op de tepel verslapte, maar ze bleef praten in de wetenschap dat haar stem hem rustig maakte, net zoals zij rustig werd van tegen hem praten. Ze keek weer naar de foto van Luke. Daar stond een jonge, blonde man met een baby in zijn armen (Jon?), lachend met zijn hoofd in zijn nek alsof de wereld aan zijn voeten lag. 'Van zoiets moet een man toch wel onzeker worden,' ging ze door. Georges hoofd, zwaar van de invallende slaap, knikte instemmend.

Als Martin doodging, zou ze nooit meer trouwen. Ze zou haar leven aan George wijden, hoewel dat zou betekenen dat ze geen kinderen meer zou krijgen. Maar op haar leeftijd van eenenveertig was de kans daarop toch al betrekkelijk klein en bovendien, hoe zou George omgaan met de rivaliteit? George had zich van haar afgedraaid, zijn kleine rozenmondje stond nog open en een straaltje melk liep over zijn kin. Zijn ogen zaten stevig dicht. Ze zou hem nu eigenlijk tegen haar schouder moeten leggen om een boertje te laten, zodat hij geen krampjes zou krijgen, maar ze kon het niet over haar hart verkrijgen om hem te storen. Hij zou weleens wakker kunnen worden als ze hem mee naar beneden nam en ze wilde hem niet in zijn reisbedje leggen, dat Martin in een hoek van Lucy's slaapkamer had gezet. Dat zag er te onpersoonlijk en gevangenisachtig uit. Het zou bovendien traumatisch voor hem zijn om in een vreemde omgeving wakker te worden. Chrissie had de babyfoon meegenomen, maar ze wist niet zeker of het apparaat goed functioneerde. De manager van de winkel waar ze het ding had gekocht, had haar op haar verzoek twee keer een nieuw exemplaar meegegeven, hoewel hijzelf beweerde dat beide ontvangers helemaal in orde waren.

De stemmen beneden klonken afwisselend harder en zachter. Harder, zachter, harder, zachter, een beetje als het liedje op Georges Fisher-Price-speeldoos. Nu klonk er geblaf en rennende voetstappen op de trap, gevolgd door een dichtslaande deur en harde muziek uit de kamer naast die waar zij zat met George. Chrissie keek bezorgd naar de slapende George en hoopte dat hij er niet wakker van zou worden.

Ze zouden naar beneden kunnen gaan, maar het was zo heerlijk hier boven zonder dat verschrikkelijke meisje dat Antony had meegenomen en Martins dubbelzinnige opmerkingen. Bovendien was Lucy's slaapkamer rustgevend en prettig met het roze en groene kleurenschema. Mooie Chinese gordijnen, antieke patchworksprei op een koperen bed... zo'n mooie doffe, niet zo'n glimmende nieuwe. Er lagen een paar spullen van Mike her en der in de kamer om zijn aanwezigheid te verraden. Een spijkerbroek over een stoel. Zijn bruine leren portefeuille op de grenen toilettafel.

Onwillekeurig pakte Chrissie een van de vrouwenbladen die op de grote poef lagen die aan het voeteneinde van het bed stond. Jeetje! Het tijdschrift eronder was van een heel ander soort! Mike las dit soort dingen toch zeker niet?

Verbijsterd sloeg Chrissie de pagina's om. Ze had nog nooit een mannenblad bekeken en wat ze zag, choqueerde haar. Niet dat ze preuts was, maar ze had nooit gedacht dat Mike van dit soort foto's zou houden. Misschien gebruikten ze dit om hun seksleven wat op te peppen. Ze had vaak gezien hoe aanhankelijk die twee waren; soms kon ze de aantrekkingskracht gewoon voelen.

'Zo is het met jouw vader nooit geweest,' fluisterde ze tegen George. 'Ik bedoel, ik hou wel van hem.' Ze keek weer naar het tijdschrift. 'Maar zo is het nooit geweest.'

Seks, als ze het al hadden, was (volgens haar tenminste) iets wat helemaal onder aan haar lijstje stond aan het eind van een afmattende dag met George. En Martin was ook kapot na een slopende week op kantoor. Hoe andere ouders doordeweeks seks konden hebben was haar een raadsel. 'Vóór je vader was het anders, hoewel er als ik eerlijk ben maar één persoon was van wie ik echt heet werd.'

Ze glimlachte bij de herinnering. Het was al zo lang geleden en geestelijk hadden ze helemaal niet bij elkaar gepast. Toch had na hem niemand ooit meer hetzelfde effect op haar lichaam gehad, haar nooit meer zo verlangend gemaakt onder de gordel als hij. 'Soms,' fluisterde ze tegen George, 'doe ik net of hij het is en dan ben ik zoveel sneller klaar.'

George reageerde op de muziek uit de kamer ernaast, die steeds luider werd. Waarom zei Lucy niet tegen de kinderen dat de muziek zachter moest? Nu werd George wakker! Boos stond Chrissie op, met de huilende George op haar schouder, en ze beende Lucy's kamer uit om op de deur ernaast te kloppen. Geen antwoord. Ja, ze hoorden natuurlijk niets met dat kabaal, dat was logisch. Het lawaai was bijna oorverdovend. Dit was belachelijk! Chrissie duwde de deur open, waar iets voor leek te staan.

'Kan die muziek wat zachter,' begon ze. Toen stopte ze. Lucy's oudste zoon Jon stond voor haar met een handdoek om zijn middel. In het bed achter hem lag nog iemand.

SEPTEMBER

Gerookte zalm met toast

Tonijnsalade

Knoflookbrood (niet vergeten te ontdooien)

Fruitsalade?

Fortune cookies

9

Iedereen, behalve Mike, leek tegen haar te zijn. Zelfs haar voicemail gaf haar vanmorgen via een strenge automatische boodschap te kennen dat haar mailbox helemaal vol zat. Nou, dat kwam omdat ze helemaal geen tijd had gehad om boodschappen te wissen of te beantwoorden.

De herfstmarkt was het laatste wat ze nu nodig had, maar ze deed die taartenkraam al zo lang dat ze er onmogelijk onderuit kon. Niet dat ze dat wilde. Ze hield van de sfeer op de markt in het plaatsje en de praatjes en de gezelligheid met buren die ze soms al jaren kende. Maar het was zo'n hectische week met Jon die deze week op de universiteit zou beginnen en, niet onbelangrijk, de toestanden op kantoor.

Een jaar na Lukes dood had Maggie geopperd dat ze een baantje zou zoeken. 'Ik weet dat je het geld niet nodig hebt, maar dan ben je het huis uit,' had ze aangedrongen. 'Het bedrijf heeft nog iemand nodig. Niet zo vies kijken; het gaat niet om de boekhouding. Iemand om de telefoon op te nemen en af en toe een probleempje op te lossen.'

Lucy moest nog steeds lachen als ze aan Maggies werkbeschrijving dacht. Af en toe een probleempje! De problemen hielden nooit op. Right Rentals, waar Maggie operationeel manager was, richtte zich op de verhuur van huizen in de omgeving, voornamelijk voor huizeneigenaren die naar het buitenland gingen of op deze manier een centje bij wilden verdienen. Simpel. Of dat dacht Lucy. De realiteit was echter dat er altijd iets mis was. Als de eigenaar niet een probleem had, dan was het de huurder wel. Ze kon de keren dat ze gebeld was door een oververhitte huurder, omdat de douche overstroomde of omdat de hoofdschakelaar verdwenen was of omdat mevrouw Thomas, een nieuwe huurder, er zeker van was dat ze geluiden hoorde op de zolder, niet meer tellen.

Alle medewerkers waren bij toerbeurt stand-by voor noodgevallen buiten kantooruren, maar het was geen slecht idee geweest, vooral toen ze nog niet zo lang weduwe was. Er was niets, dacht ze meewarig, niets zo aandoenlijk als een vrouw die in paniek aan de andere kant van haar mobieltje hangt omdat ze haar voordeursleutel is verloren. Een keer reed Lucy om elf uur 's avonds naar kantoor om de reservesleutel op te halen (ze bewaarden altijd een exemplaar) en de vrouw had een uitgebreide bedankbrief geschreven, waardoor ze niet alleen meer aanzien kreeg op kantoor, maar zich ook realiseerde dat ze in staat was aan iets anders te denken dan aan Luke en de kinderen.

Niet alle mannen zouden begrijpen dat hun toekomstige echtgenote nachtelijke telefoontjes moest beantwoorden, maar Mike, de goedzak, moedigde haar enkel aan. 'Het is vast moeilijk om in een huis te wonen dat niet van jou is,' merkte hij op toen ze vertelde dat de vrouw van die sleutel had moeten gaan huren nadat haar man haar had verlaten. Dat vond ze zo geweldig aan Mike: zijn gave om zich te verplaatsen in andere mensen.

De enige persoon waar hij moeilijk begrip voor op kon brengen (naast Mungo dan) was haar schoonmoeder, Eleanor, en dan vooral haar gewoonte om onverwacht op te duiken. Lucy bloosde als ze terugdacht aan de eerste keer dat het gebeurde. Mike was voor de eerste keer blijven slapen en de kinderen logeerden op verschillende adressen. Ze waren in die heerlijke, innige volgendeochtendpositie wakker geworden, toen er hard op de deur werd geklopt, begeleid door een 'Joehoe, ik ben het!' door de brievenbus. Toen het uiteindelijk duidelijk werd dat Eleanor niet van plan was weg te gaan ('Ik zie je auto op de oprit, lieverd, is alles goed met je of moet ik de politie bellen?'), moest Lucy wel een nachthemd aantrekken om de deur open te doen. Haar schoonmoeder, die een koffer had meegenomen voor haar spontane bezoekje, was niet onder de indruk van Mikes aanwezigheid. 'Lieve schat, ik denk persoonlijk dat als je eenmaal een keer getrouwd bent geweest, je dat nooit meer over kunt doen.'

Lucy, die zich vaak had afgevraagd hoeveel Luke aan zijn moeder verteld had over hun huwelijk, had zich ervan weerhouden om te zeggen dat ze van harte hoopte dat ze nooit meer zo'n ervaring hoopte mee te maken. Maar zoals Mike had gezegd, het was vast niet makkelijk voor haar. Luke was haar enige kind geweest. Lucy en de kinderen waren de enige familie die Eleanor nog overhad.

Maar eerst moest ze Jon op de universiteit afleveren.

'Er zijn ook winkels in Oxford, hoor,' had haar oudste geprotesteerd toen ze hem mee wilde nemen om een nieuwe spijkerbroek te kopen ter vervanging van dat vreselijke exemplaar waar hij praktisch in woonde. 'Ik koop wel een nieuwe als ik eraan toe ben. Trouwens, dit is mijn lievelingsbroek. En, ja mama, de gaten zijn hip. Als je ze dichtnaait, word ik gek.'

Hij was ronduit kortaf geweest die week. Toen Lucy had gezegd dat Chrissie op de koffie kwam, was Jon het huis uit gestormd met de boodschap dat hij strontziek werd van al dat bezoek in huis. Mike, die dacht dat dit tegen hem gericht was, opperde dat het zenuwen waren.

'Maar dat is toch raar, want hij was zo blij met zijn toelating,' wierp Lucy tegen. 'En hij zegt altijd dat hij niet kan wachten om het huis uit te zijn en een eigen leven te kunnen leiden.'

Mike gaf haar een warme knuffel. 'Alle tieners zeggen hetzelfde, maar ze menen het niet. Een beetje als die arme Chrissie over de babyfoon.'

'Hou op,' zei Lucy. 'Ik krijg het al warm als ik eraan denk.'

'Heb je iets tegen haar gezegd?'

'Ik schaam me te veel.'

'Ik wil niet weten wat er gebeurde toen ze eenmaal thuis waren.'

'Als ze al ruzie hebben gemaakt, hebben ze het in elk geval weer goedgemaakt. Ik merkte niets aan Chrissie toen ik haar vorige week sprak.'

Ondertussen probeerde Lucy Jons laatste dagen thuis zo aangenaam mogelijk te maken. Maar wat ze ook zei, het was nooit goed. 'Maak je niet zo druk, mam,' zei hij geïrriteerd toen ze een aantal praktische zaken probeerde te bespreken, zoals zijn leefgeld en of hij alle boeken van de toegezonden lijst al had.

Zelfs Kate, die normaal gesproken partij koos voor Jon, werd het zat. 'Waarom doe je zo opgefokt, Jon?'

'Flikker op.'

Lucy rilde. Jon was nooit zo grof in de mond en soms dacht ze dat hij Mike, die een hekel had aan schuttingtaal, dwars wilde zitten. Maar goed dat hij er vandaag niet was. Hij had bovendien gebeld dat hij laat thuis zou zijn omdat hij naar Plymouth moest. 'Ik denk dat ik maar bij mij ga slapen omdat ik zo laat terug ben, maar ik kom 's ochtends naar jou toe om Jon weg te brengen,' had hij gezegd.

'Ik heb toch gezegd dat ik hem er niet bij wil hebben,' zei Jon stellig, terwijl hij bukte om Mungo te knuffelen. 'Kunnen wij niet samen gaan? Ik wil alleen met familie zijn.'

Dus had Lucy Mike moeten afzeggen, die gekwetst was, ook al zei hij van niet. Hoe, vroeg ze zich af toen ze de volgende ochtend vertrokken nadat ze alles in haar auto hadden gepropt, deden andere stieffamilies dat? En wat zou er gebeuren als zij en Mike straks trouwden?

De rit duurde bijna twee uur, waarin Jon, met zijn iPod op zijn hoofd, nauwelijks een woord zei. Ondertussen probeerde zij zo vrolijk mogelijk te doen, alsof dit een gewoon uitstapje was. Gewoon een ritje naar Oxford in plaats van het einde van een tijdperk. Toen de kinderen klein waren en oudere moeders steeds zeiden dat het 'zo snel ging', had ze het niet geloofd. Maar in de afgelopen jaren leken ze alle drie fysiek en emotioneel omhoog te zijn geschoten.

In de binnenspiegel zag ze op de achterbank de grote koffer liggen met ontelbare cd's, de stereo, de boeken, de kleren en de posters, en ze was blij dat Mike er niet bij was om deze waardevolle momenten met haar zoon te verstoren.

Naarstig zocht ze naar iets positiefs om te zeggen. 'Het is niet makkelijk om op een andere plek te beginnen.' Stilte. 'En het is vast moeilijk om al je vrienden achter te laten.' Nog meer stilte. Kon hij haar door zijn iPod heen horen? Ze raakte zijn arm aan. 'Ik weet dat het moeilijk is om dit zonder papa te moeten doen. Maar hij zou zo trots op je zijn geweest. Net als ik. Je gaat het heel goed doen daar. Let maar op.'

Het was een opluchting om op de plaats van bestemming aan te komen, zodat Lucy niet meer hoefde te proberen het gesprek gaande te houden. Daarna gebeurde alles zo snel dat Lucy bijna geen tijd had om afscheid te nemen. Een lange jongen met puistjes stond al op Jon te wachten bij de portier en stelde zich voor als een tweedejaars die aangewezen was om zijn 'schaduw' te zijn. Samen tilden ze Jons spullen uit de kofferbak van de Volvo, daarbij alle hulp van Lucy afwimpelend. Het kleine beetje hoop dat ze nog had gekoesterd op een paar intieme afscheidswoorden vervloog al snel.

'Dag,' zei ze met een kus op zijn wang. Hij reageerde bijna niet. Arm kind. Hij was zo bang, zoals hij daar stond met zijn gitaar stevig vast, als een teddybeer. 'Alles komt goed,' kon ze nog in zijn oor fluisteren, terwijl ze gretig zijn geur opsnoof en haar uiterste best deed om niet in tranen uit te barsten. 'Bel me vanavond, als het lukt, of anders morgen. En laat je mobieltje aanstaan.'

Ze huilde de hele weg naar huis; ze huilde zo erg dat ze niet eens opnam toen Mike haar belde. Ze wist wat hij zou zeggen. Alles zou goed komen. Jon was gewoon onzeker. Hij hield echt wel van haar, en ja, natuurlijk begreep hij – Mike – dat Jon wilde dat zijn moeder hem zou brengen.

Soms, dacht Lucy, was Mike gewoon te lief voor een vrouw als zij.

Wat ze er ook van verwacht had, de herfstmarkt leidde in elk geval haar aandacht af van de lege plaats aan tafel. Gisteravond had ze domweg voor vijf in plaats van vier personen gedekt, om vervolgens, toen ze erachter kwam, in tranen uit te barsten. 'Hij komt snel weer,' zei Kate droogjes. 'Ze hebben blokken van maar acht weken, de geluksvogels. Ik wilde dat onze school van die korte perioden had.'

Ondanks haar verzoek om hulp dat ze in het plaatselijke krantje had laten zetten, had Lucy nog niet genoeg taarten voor haar kraam, dus op het laatste moment maakte ze nog een paar extra tulbanden. Ze wist nog hoe ze vroeger de taarten op de gammele houten tafels zette tijdens het feest dat altijd in de oude pastorie werd gehouden (waar nu een familie woonde die uit Londen hierheen was gekomen, maar die hun erf voor dergelijke gelegenheden beschikbaar stelde), de kinderen kwamen dan ook en deden mee aan de loterij of het ballen gooien. Maar Kate was uit met haar vrienden en Sam had van Mike een lift gekregen naar de stad.

'Hallo Lucy,' toeterde een buurvrouw met een grote lila hoed op haar hoofd met plastic aardbeien erop. 'Wat leuk om je te zien.' Ze pakte een stuk kersentaart op. 'Hemel, wat een prijs!'

'Vind je?' Lucy had getwijfeld over de prijzen, maar het comité was het er unaniem over eens dat de prijzen vorig jaar te laag waren geweest.

'Ja, dat vind ik, lieverd, maar ik moet zeggen dat het er overheerlijk uitziet.' Ze zuchtte en deed met dikke worstvingers haar portemonnee open. 'Ach ja, het is voor het goede doel. Is je knappe verloofde al terug?'

Lucy telde het wisselgeld. 'Dat zou wel moeten. Hij heeft Sam even naar de stad gebracht.'

'O, dus hij is weer terug?'

Lucy zocht naar twintig cent onder in het kluisje. 'Terug waarvan?'

'Manchester, natuurlijk! Ik zag hem daar toevallig in een restaurant. Ik zei nog tegen het nichtje dat ik daar bezocht dat het zo'n toeval was. Ik dacht dat hij mij ook herkende, zo keek hij in elk geval wel, maar het kan ook dat ik me vergist heb, hoor.'

'Dat denk ik eigenlijk wel,' zei Lucy verward. 'Mike was gisteren in Plymouth.'

De vrouw schudde haar hoofd. 'Dat denk ik niet. Tenzij hij een dubbelganger heeft. Nou ja, doe hem de groeten, oké? Ik ga genieten van de taart, hoewel ik echt denk dat je te veel vraagt, lieverd.'

Lucy bleef zich de hele dag raar voelen. Mike had een eigen sleutel en hij was duidelijk thuis geweest nadat hij Sam naar de stad had gebracht. Ze belde hem op zijn mobiel. 'Ik had wat spullen nodig van thuis, schatje. Ben binnen een uur terug. Hoe was de markt?'

'Prima.' Ze aarzelde. 'Er is iets geks gebeurd. Een van de buren dacht dat ze jou gisteren had gezien in Manchester. Ik dacht dat je naar Plymouth ging?'

Het was even stil aan de andere kant van de lijn. Zo kort dat Lucy dacht dat ze het zich had ingebeeld. 'Dat ging ik ook. Naar Plymouth, dan.' Hij lachte. 'Ze heeft waarschijnlijk mijn dubbelganger gezien.'

'Dat zei ik ook al.'

'Trouwens, schatje. De telefoon is een paar keer gegaan toen ik er was. Ik was niet op tijd om op te nemen, dus je hebt waarschijnlijk een paar berichten. Zal ik iets te eten meenemen voor vanavond? Ik kan ook een dvd huren, als je dat leuk vindt.'

Iedereen heeft een dubbelganger, herhaalde ze tegen zichzelf terwijl ze haar antwoordapparaat terugspoelde. Dat wist iedereen. Misschien niet exacte kopieën, maar mensen die erg op ze leken.

Play: *'Hoi Lucy. Antony hier. Dankjewel voor het etentje van laatst. Sorry dat ik nu pas bel. En ik hoop dat je begrijpt waarom we zo vroeg weggingen; het* was zo raar voor Patsy dat Maggie langskwam. Anyway, Patsy vond het idee van een kookclub zo leuk, dat ze het de volgende keer bij ons wil doen. Bij haar thuis. Ze heeft Jenny al gevraagd, om het een beetje goed te maken, dus ik hoop dat jullie ook kunnen. Bel even terug, dan prikken we een datum.'

Play: 'Hallo? Hallo? Is dit het noodnummer voor Right Rentals? Dit is mevrouw Thomas weer. Het spijt me dat ik weer bel, maar er zit echt iets op mijn zolder. En deze keer weet ik zeker dat het geen vogel is.'

10

Concealer. Overduidelijk concealer, van het type voor de oudere huid. Een stokoude huid met rimpels die vertelden dat de eigenaar bijzonder humeurig was, een combinatie van arrogantie en jarenlang te veel zonnebaden.

Patsy, die haar huid altijd had beschermd met een zelfgemaakt yoghurtmasker, keek afkeurend neer op het gezicht van de televisiepresentatrice in de make-upstoel voor haar. De vrouw was ooit een alom bekende persoonlijkheid en nu iemand van wie de kijkers zeiden 'O, ik vroeg me al af wat er met haar gebeurd was' als ze af en toe nog op de buis verscheen. Het duurde een eeuwigheid voordat alle make-up verwijderd was die ze ophad toen ze aankwam.

'Ik adviseer je geen eyeliner te gebruiken,' zei Patsy, die voorzichtig de laatste resten van de zwarte smurrie wegveegde. 'Dan lijk je alleen maar ouder.'

De vrouw sputterde. 'Wat wil je daarmee zeggen?'

Lang geleden had Patsy besloten dat ze zich nooit door zelfingenomen zogenaamde diva's zou laten intimideren. 'Alleen dat we allemaal een bepaalde leeftijd bereiken waarop we de manier waarop we ons opmaken moeten herzien.' Voorzichtig doopte ze de punt van een marterharen penseeltje in de paarse oogschaduw en zette een minimaal streepje onder haar ogen. 'Wat dacht je daarvan?' vroeg ze, en ze overhandigde de vrouw haar favoriete met edelstenen belegde, roze met zilveren handspiegel uit Marokko.

Ze was niet grootmoedig genoeg om toe te geven dat ze er zo veel beter uitzag, dat verwachtte Patsy ook niet, maar de uitdrukking op haar gezicht zei genoeg. 'Laat eens zien hoe je dat deed,' vroeg de vrouw.

Waarom keken sommige mensen altijd alsof ze net in de stront waren gestapt, zelfs al had je net iets aardigs voor ze gedaan? Maar ze zou haar baan niet op het spel zetten door onbeleefd te worden. Ze had visagisten meegemaakt die het gezever van moeilijke klanten zat waren geworden en voor minder ontslagen waren. 'Je hebt maar een piepklein beetje poeder nodig en een kwastje van marterharen,' legde ze uit. 'Dan maak je heel kleine stipjes of, als je dat makkelijker vindt, streepjes aan de onderkant.'

'Waarom niet aan de bovenkant?'

'Dat kun je doen als je 's avonds uitgaat, maar overdag ziet dat er niet zo natuurlijk uit.'

De eens beroemde presentatrice snoof. 'Dat zal wel. Wat gebruik je nu?'

'Concealer,' zei Patsy voorzichtig.

De vrouw had grote neusgaten, waardoor ze er net zo hooghartig uitzag als ze klonk. 'Maar ik heb niets te camoufleren. Mijn huid is helemaal egaal. Kijk, geen vlekje te zien.'

'We hebben allemaal rimpels.' Terwijl ze het schuimrubberen kwastje in het flesje doopte, draaide Patsy zich om en spuugde er snel even op toen de vrouw de andere kant op keek. 'Het is niet erg om rimpels te hebben; die laten zien dat we geleefd hebben,' zei Patsy geroutineerd, en ze smeerde een bevredigend mengsel van spuug en concealer op het gezicht van de vrouw. 'Lachrimpels, huilrimpels. Ze zijn een deel van ons. Maar de camera spaart niemand, zoals je weet, dus soms is het beter ze een beetje weg te werken.'

De vrouw snoof. 'Misschien.' Ze hield de spiegel omhoog om het resultaat te bekijken. 'Hoe heet dat spul? Ik heb een vriendin die het wel zou kunnen gebruiken.'

'Neem dit flesje maar mee, als je wilt, ik haal wel een nieuwe voorraad.'

'Dank je.' Ze zei het alsof ze niet anders verwacht had dan dat ze het meekreeg. Ach, als die trut dan verder haar mond hield, was het het waard.

'Iedereen klaar?' zei de regisseur ongeduldig.

De vrouw rees majestueus uit de stoel. Zonder twijfel een borstvergroting, zag Patsy. En ze had ook haar ogen laten doen.

'Waar wil je me hebben?' vroeg ze met een diepe, krakende stem. En daar ging ze, zonder Patsy nog een blik waardig te keuren. Maar zo ging dat soms, vooral bij de televisie. Het was een aparte wereld. Een wereld die mijlenver afstand van Lucy's Little Giddington, of hoe het daar ook heette.

Patsy kon het bewuste weekend maar niet uit haar hoofd krijgen. Het was tot daaraan toe dat ze gevleid was dat Antony zijn vrouw had verlaten voor haar, maar het was wat anders om Maggie in levenden lijve te zien. Die wanhopige blik in haar ogen, waar geen concealer tegenop kon, bleef haar achtervolgen. Antony kon nog zo vaak vertellen dat zijn huwelijk jaren geleden al afgelopen was en dat ze na de geboorte van de laatste geen seks meer hadden gehad, maar dat had ze wel vaker gehoord.

'Misschien moeten we het even rustig aan doen,' had ze tegen Antony gezegd nadat ze op haar aandringen vroeg waren vertrokken.

Hij had de auto stilgezet toen ze dat had gezegd en haar aangekeken in het licht van een lantaarnpaal. 'Wil je dat?' had hij met een hese stem gevraagd.

Ze rilde. Antony deed iets met haar wat weinig mannen vóór hem was gelukt. Als ze niet zo cynisch was, zou ze zeggen dat het liefde op het eerste gezicht was geweest voor haar. 'Nee,' zei ze met haar vinger de omtrek van zijn lippen volgend. 'Nee, dat is niet wat ik wil. Maar er zijn andere mensen in het spel. Je vrouw,' ze sprak de woorden moeizaam uit, 'leek zo overstuur.'

'Ze heeft tijd nodig om het te accepteren,' zei hij voordat hij haar vinger in zijn mond nam om erop te zuigen.

Patsy had haar vinger teruggetrokken. 'Als ik niet langs was gekomen, was het dan iemand anders geworden?'

Antony had zijn hand onder haar witte zijden T-shirt laten glijden. 'Er is niemand zoals jij.'

Zo makkelijk zou hij er niet van afkomen. 'Maar als je mij niet had ontmoet, had je dan uiteindelijk iemand anders gevonden tijdens je huwelijk?'

Hij had zijn schouders opgehaald. 'Misschien. Helpt dat?'

'Ja.' Ze had zich in zijn armen genesteld met haar rug naar hem toe, zodat zijn handen haar borsten konden strelen. Zijn handen daalden af, streelden haar, maakten haar nat vanbinnen.

'Laten we naar huis gaan,' had hij gemompeld.

Patsy had even aan haar piepkleine appartementje gedacht, dat al klein was voordat Antony erbij was gekomen.

'Wat is er mis met de achterbank?' had ze gezegd terwijl ze voortvarend zijn shirt los begon te knopen.

Nu, op een stoeltje achter in de televisiestudio, klaar om de set op te rennen met concealer en alles wat er verder nodig was om de voormalige televisiepresentatrice zo mooi mogelijk te maken, dacht ze terug aan die scène. Als het aan haar lag, zou ze die mensen nooit meer zien, hoewel ze ondanks die afschuwelijke uitbarsting toch iets van affiniteit voelde met Jenny, en die Lucy had iets kwetsbaars over zich waar ze haar vinger niet op kon leggen. Maar Mike was Antony's beste vriend. En uit ervaring wist ze dat een vrouw altijd de beste vriend te vriend moest houden. Daarom had ze erop gestaan dat het volgende etentje van dit suffe kookclubje dat uit Lucy's brein was ontsproten bij hen thuis zou zijn. Het was echt zoiets wat voorstedelijke stellen deden om de verveling te verdrijven. Maar als ik Antony wil, dacht Patsy, dan moet ik zijn spelletje meespelen.

En zij zou er wel voor zorgen dat het etentje in haar kleine stulpje iets zou worden om niet snel te vergeten.

De sessie duurde veel langer dan ze ingecalculeerd had, deels omdat de voormalige presentatrice werkelijk alles verleerd was. Ze werd geïnterviewd voor een serie getiteld *Wat gebeurde er met...* en de vrouw bleef maar struikelen over haar woorden of dingen zeggen die niet geschikt waren voor een primetimeshow. Op het laatst kreeg Patsy bijna medelijden met haar.

Is dit waar het uiteindelijk om ging, vroeg ze zich af toen ze eindelijk haar spulletjes bij elkaar had geraapt en naar de metro liep. Je werkt hard aan datgene wat je denkt dat je wil doen in het leven, totdat je sneller dan je denkt dat punt bereikt, voorbij je hoogtepunt, waarop niemand je meer wil. Iemand zou een vlag moeten hijsen als je op je top bent en moeten zeggen: Dit is het! Maak er wat van, want vanaf hier gaat het alleen nog maar bergaf.

En ze wist maar al te goed hoe dat voelde. Tien jaar geleden was ze redelijk beroemd geweest; niet zo groot als Jilly, maar toch aardig bekend in haar vakgebied. Het was prima geweest als ze terug had kunnen komen, zoals Twiggy. Die kans had ze echter nooit gehad. Hoewel ze blij was dat ze als visagiste aan het werk was, was het niet genoeg. En dat was waar Antony, of als hij het niet was dan wel een ander, in beeld kwam.

Patsy worstelde zich door de volle metro naar een klein gaatje waar ze zich in elk geval ergens aan vast kon houden. Ter hoogte van Edgware zou ze met een beetje geluk wel een plaatsje kunnen bemachtigen. Dat had ze nodig. Het was een lange dag geweest en vanavond zou nog moeilijker worden.

Haar mobieltje ging op het moment dat ze het station uit liep. 'Ik ben het.'

Ze tintelde van plezier. Als mannen 'Ik ben het' gingen zeggen, dan was je relatie al zo goed als bezegeld.

'Red je het vanavond?'

'Helaas niet.' Patsy liep stevig door over de hoofdweg richting het huis. 'Ik zit nog bij de sessie.'

Ze ging de hoek om, een zijstraat in, met huizen waar TE HUUR opstond, ondertussen haar hand op de hoorn houdend zodat Antony het verkeer niet zou horen.

'Dat is jammer.' Hij klonk verongelijkt als een klein jongetje. 'Iemand die ik ken?'

Ze noemde de presentatrice die ze net had gedaan en hij leek onder de indruk. 'Wauw, zij was echt groot.'

'Nou, inmiddels kan er wel iets van af, hoor, vooral van de onderkinnen.'

Hij lachte en ze voelde zich ontspannen. Een van de dingen waar ze het eerst op gevallen was bij Antony was zijn diepe, sexy lach.

Ze was er nu bijna.

'Wacht, sorry, ik moet ophangen. Bel je later, goed?'

Ze hing op voordat hij kans had om nog iets te zeggen. Blijf koel, hou ze scherp. Dat was vanaf haar twaalfde haar motto geweest en er was geen reden daar nu van af te wijken.

Patsy had een droge mond gekregen. Dat gebeurde altijd als ze hier kwam. Het was veertien dagen geleden dat ze hier voor het laatst was, maar misschien had hij wel niet door dat ze een week had overgeslagen. Met kloppend hart drukte Patsy op de intercom.

'Ja?' zei een snerpende stem.

'Patsy Jones,' zei ze, en ze vroeg zich tegelijk af waarom haar eigen naam in haar oren altijd zo gewoontjes klonk, alsof iemand er stomme geintjes over maakte.

Er klonk een zoemend geluid en de deur zwaaide open. Instinctief keek Patsy om zich heen of niemand haar zag en glipte toen naar binnen.

11

Jenny werd die ochtend wakker met dezelfde twee vragen die elke ochtend door haar hoofd waarden. Waarom ben ik zo stom geweest? Vind ik ooit nog zo iemand als hij?

Aangezien er geen bevredigend antwoord was en ook nooit zou zijn, zwaaide ze uiteindelijk haar benen over de rand van het bed, daartoe aangemoedigd door *Magic Radio*, om over het crèmekleurige wollen tapijt haar weg naar de douche te vinden. Dat was beter! Er ging niets boven de verwarmende kracht van heet water over je lichaam en je gezicht om emotioneel en fysiek wakker te worden, dacht ze terwijl ze haar borsten inzeepte.

Terwijl ze een mok zwarte koffie voor zichzelf inschonk en wat door haar moeders handgeschreven recepten bladerde die Lucy haar met tegenzin had meegegeven (ook al was Jenny niet van plan er iets mee te doen, het leek haar niet goed dat Lucy ze zonder meer mocht inpikken), dacht ze na over de zware dag van vandaag.

'Wat doet een evenementenorganisator precies?' had dat domme wicht Patsy gevraagd tijdens Lucy's etentje. Het was geen gekke vraag, maar ze was kortaf geweest, omdat ze Patsy bij voorbaat niet mocht om wat ze Maggie had aangedaan.

'Een evenementenorganisator organiseert evenementen,' had ze koeltjes gezegd. 'Mijn klanten variëren van ingenieurs tot modebedrijven. Ik regel de sprekers, zoek een locatie die bij het budget en de omvang past; regel de catering; de beveiliging; en ik zorg zo'n beetje dat iedereen tevreden is.'

'Is het een leuke baan?' had Patsy gevraagd, met één hand frunnikend aan haar roze haarlok terwijl ze de andere hand bezitterig op Antony's knie had gelegd.

'Als ik het niet leuk zou vinden, zou ik het niet doen.'

Toch hield de vraag haar sinds het etentje, twee weken geleden, voortdurend bezig. Ja, Jenny vond haar werk leuk. En ze had er genoeg mee verdiend om een goed onderhouden appartement vlak bij Lucy te kunnen betalen en leuke dingen te kopen en te doen, zoals mooie auto's en vakanties. Maar soms vroeg ze zich af hoe lang ze het nog vol zou houden. Bedrijven hadden minder geld te besteden en ze was het afgelopen jaar al twee grote klanten kwijtgeraakt. Bovendien was ze bijna veertig. Als ze niet oppaste, zou ze net zo eindigen als een van haar concurrentes, die zich binnenkort zou terugtrekken in haar weekendhuisje in Swanage. Er was meer uit het leven te halen en dat zou ze ook gedaan hebben als alles anders was gegaan.

Hou op, sprak Jenny zichzelf streng toe. Kleed je nou maar aan. Maak je op. Schakel het alarm in. Stap naar buiten en ga naar het station. Dat was de enige manier om staande te blijven. Om uit te sluiten wat had kunnen zijn.

'Dankjewel voor het etentje laatst,' zei Steve door haar mobieltje. 'Ik had eerder willen bellen, maar Duncan kwam eerder terug uit Dubai en we zijn nogal druk geweest.'

'Jij bedankt dat je me daar weggehaald hebt.' Jenny keek bezorgd naar het verkeer uit het raam van de taxi. Nog even en ze zou te laat komen op haar eigen congres.

'Ik heb nooit geweten dat deze voorstedelijke etentjes zo spannend waren, met exen die plotseling opduiken en zo.'

'Het werd nog mooier. Mijn zus vertelde dat na ons vertrek Chrissie over haar liefdesleven begon te vertellen op de babyfoon!'

'Fantastisch, jammer dat we het gemist hebben. Hoor eens, ik moet je nog iets vertellen. Die jongen... Peter... nou, die gaat naar dezelfde clubs als wij. Ik kon er niets over zeggen, natuurlijk, maar ik dacht dat jij het wel zou willen weten. Het is toch een vriend van je neef.'

Ze wist het wel.

'Mondje dicht, oké?' Steve klonk serieus. 'Je moet zo voorzichtig zijn op die leeftijd. Mijn moeder heeft het helemaal verkeerd gedaan. Daarom zie ik haar niet meer, en trouwens, alleen omdat die vriend homoseksueel is, hoeft jouw neef het natuurlijk nog niet te zijn.'

'Nee, precies.' Ze had nauwelijks door dat het verkeer weer was gaan rijden. 'Dank je.'

Moest ze het Lucy vertellen? Toen de taxi om iets over negenen eindelijk stopte bij het Bankside-gebouw had ze nog geen beslissing genomen. Het congres zou om tien uur beginnen, maar ze had een uur eerder afgesproken met de klant om de laatste details te bespreken. Een aantal enthousiaste deelnemers druppelde al naar binnen.

Bouwkunde was niet Jenny's favoriete onderwerp. Ze had op school al een hekel gehad aan alle technische vakken. Maar toen ze net begon in het vak, bij iemand anders in het bedrijf, had ze al snel door dat ingenieursbureaus regelmatig congressen organiseerden om vakgenoten op de hoogte te houden van de vele veranderingen op het gebied van werkplekken en technische ontwikkelingen.

Het had, zo beweerde ze eens geïrriteerd door een voorzichtige vraag van Lucy, niets te maken met het feit dat hun vader ingenieur was geweest. Elke keer dat ze een ingenieur als klant had, vroeg ze echter of hij of zij misschien een Jim Macdonald kende. Soms dacht ze erover hem op te sporen met behulp van een privédetective, maar Lucy was daar altijd fel tegen geweest. 'Hij is weggegaan omdat hij niet bij ons wilde zijn. En mama wilde niet dat we naar hem op zoek gingen. Dat weet je, Jenny. We moeten haar wil respecteren.'

Haar klant van vandaag was bijna oud genoeg om haar vader te zijn, of misschien een wat jongere oom. Jenny had Alan ('Dat is met één 1, meisje, geen twee') al twee keer eerder ontmoet en ze kende zijn type. Aantrekkelijk als een soort mollige versie van Robbie Williams. Warme, aanstekelijke lach. Slechte smaak in dassen (die van vandaag had paarse stippen!). Directeur van een ingenieursbureau in Newcastle dat graag de banden met het noorden wilde aantrekken. Jenny wist niet eens precies waar Newcastle lag, alleen dat het ergens in het noorden was, of het westen, of misschien aan de oostkust. Trouwring. Goed gevoel voor humor, wat vandaag minder zichtbaar was, aangezien hij, wachtend op haar, in de garderobe op en neer ijsbeerde.

'Je bent laat, meisje.'

Jenny stond zichzelf niet toe om rood te worden. Dat zou een klant het verkeerde idee kunnen geven. Er was echter wel ruimte voor excuses. 'Het spijt me vreselijk, er was alarm geslagen in de metro.'

Zijn uitdrukking verzachtte meteen en ze schaamde zich voor het leugentje dat er zo gemakkelijk uit gefloept was. 'Iets ernstigs?'

'Nee. Tenminste, ik denk het niet. Ik kon alleen niet opstappen dus ik moest terug naar boven om een taxi te pakken.'

Hij klopte haar op de schouder. 'Niets aan te doen. Laten we nu maar aan de slag gaan dan. Er schijnt een probleem te zijn met de catering. Ze zeggen dat ze wachten op het servies voor de koffiepauze. En ze willen jou ook spreken over het eten. Verder is er nog iets.'

Ze kon bijna niet wachten.

'Het zijn de herentoiletten, meisje. Een van onze jongens ging er vanmorgen naartoe. Er is geen nette manier om dit te zeggen. Ben bang dat ie de boel een beetje verstopt heeft.'

Een beetje verstopt? De sukkel had in zijn eentje bijna het hele systeem platgelegd. Er was waarschijnlijk nog een veel beeldender manier om dat te zeggen, maar dat zou ze aan Sam overlaten als ze de kinderen vanavond zag, als er tenminste ooit een einde zou komen aan deze nu al rampzalige dag. Alan had gelijk over het niet-bezorgde serviesgoed. De cateraars hadden op een manier die impliceerde dat het haar eigen schuld was, uitgelegd dat het niet zoals beloofd gisteravond was geleverd, maar dat het ergens deze ochtend alsnog zou arriveren.

'Te laat,' had Jenny pissig gezegd. Het hoofd van de catering had haar schouders opgehaald. 'We doen ons best. Helaas zijn de vegetarische maaltijden ook niet bezorgd.'

'Wat?' Jenny keek op haar lijst. 'We moeten vanmiddag vijfenzestig chagrijnige vegetariërs te eten geven.'

'Als het niet bezorgd is, kunnen wij verder weinig doen. Ik heb gebeld en er schijnt een fout te zijn gemaakt met de nummers.'

Jenny keek het meisje vorsend aan. 'Als jullie, en ik herhaal, als jullie ooit nog voor mij of iemand die ik ken willen werken, zou ik als de sodemieter zorgen dat het probleem wordt opgelost. Als het moet, maken jullie de vegetarische schotel maar zelf, in de keuken.'

'Sorry.' Dat meende ze duidelijk niet. 'Daar hebben we niet de juiste spullen voor.'

'Wat bedoel je?'

'Er is geen oven, alleen een magnetron.'

'Jezus christus!'

'Alles goed, meisje?' vroeg Alan, die achter haar binnenkwam.

'Prima.' Jenny glimlachte opgewekt. 'De gebruikelijke laatste dingetjes, maar geen onoverkomelijke problemen. Sorry, deze moet ik even nemen.'

Ze draaide weg met een hand over de telefoon om wat privacy te hebben. 'Ja?'

'Jeetje, tante Jenny. Jij klinkt gestrest.'

'Dat ben ik ook. Hoor eens, Kate, het komt even heel slecht uit. Ik bel je later terug.'

'Wat is er aan de hand?'

Ze dook achter een scherm om nog meer privacy te hebben. 'Er is verdomme geen koffie voor de deelnemers van een congres dat ik zogenaamd organiseer. Een lompe ingenieur heeft de herentoiletten onbruikbaar gemaakt en er is geen vegetarische schotel voor de lunch zodat ik daar fijn nog even achteraan moet.'

'Ik kan wel vegetarische lasagne voor je maken.'

Jenny's hart maakte een sprongetje. Ze was dol op haar nichtje, dat veel meer op haar leek dan op Lucy. Ze herkende haar aangeboren ambitieuze energie, haar vastberadenheid om te slagen, wat helaas ook een flinke dosis ongeduld met zich meebracht. 'Lieverd, dat is lief aangeboden, maar je bent te ver weg.'

'Hoe laat heb je het nodig? En voor hoeveel personen?'

'Vijfenzestig, uiterlijk kwart voor één.'

'Reken maar op mij.'

'Nee, dat hoeft echt niet. Ik haal wel ergens wat.'

'Tante Jenny?'

'Ja?'

Het klonk nu alsof ze bijna huilde. 'Niemand lijkt te geloven dat ik mijn beloften nakom. Mama blijft er maar over zeuren. Alsjeblieft. Laat me dit doen.'

Jenny keek opzij naar Alan, die boos tegen de cateraar tekeerging. Wat was er belangrijker? Haar carrière of haar familie? Stomme vraag.

'Oké, Kate. Maar ik vertrouw op jou. Als je te laat bent, ga ik eraan.'

Ze leek wel gek. Daarom pleegde ze voor de zekerheid een paar telefoontjes. Als het om een handjevol vega's was gegaan, was er niets aan de hand geweest, maar vijfenzestig was blijkbaar voor de meeste cateraars te veel om op zo'n korte termijn te bedienen. Ze probeerde zelfs een paar M&S-warenhuizen, maar hoewel er verschillende vegamaaltijden beschikbaar waren, was er nergens genoeg voorraad van hetzelfde.

Gelukkig had ze Kate de verkeerde tijd gegeven. Ze had het eten eigenlijk pas om één uur nodig. Als Kate er om kwart voor één nog niet was, zou ze naar de M&S om de hoek lopen en het doen met wat ze daar kon vinden. Als ze verstandig was, deed ze dat nu vast. Maar iets in haar hield haar tegen. Geef die meid een kans. Laat zien dat je in haar gelooft, niet als hun moeder, die altijd gekker was geweest op Lucy, die nooit in haar had geloofd. Het was niet, dacht Jenny bij zichzelf, dat ze punten wilde scoren tegenover Lucy, die altijd ruzie had met haar dochter. Het was gewoon een tante die haar nichtje steunde.

De welkomstkoffiecrisis was makkelijker op te lossen. Jenny's jonge assistente was inmiddels gearriveerd, ook zij was 'opgehouden door de metro', en ze had haar direct doorgestuurd naar Starbucks. Ze had ook de persoon gesproken die verantwoordelijk was voor het gebouw en de herentoiletten ging aanpakken. Ondertussen had ze een aantal deelnemers doorgestuurd naar de damestoiletten, wat tot het nodige gegiechel had geleid. Er waren uiteindelijk acht vrouwelijke ingenieurs op het congres. Als zij even wat minder gelukkig waren met het gebruik van naast elkaar gelegen hokjes, dan was dat maar zo.

'Jenny!'

Alan kwam op haar af gebeend met een plastic kopje koffie in zijn hand. Ze dacht dat hij kwam om 'Goed gedaan' te zeggen. Ze had de zaken goed opgelost, al zei ze het zelf, ook al was ze nog zeer gespannen over de lunch. 'Kun je even hier komen?' Hij was nu heel dichtbij, zodat ze zijn onnatuurlijk rechte tanden kon zien. Waarschijnlijk nep. 'De beamer doet het niet.'

Goddank had ze voor dit soort dingen altijd een plan B. Beamers hadden het wel vaker niet gedaan, maar nog nooit in combinatie met geen koffie, geen vegalunches en verstopte toiletten. Het lukte haar om via haar noodleverancier binnen een halfuur een ander apparaat te hebben. Dat betekende dat het congres later begon, maar in elk geval begon. Je zou denken dat er in een zaal vol ingenieurs wel iemand was die een stomme beamer kon repareren!

Nu had ze alleen de lunch nog om zich zorgen over te maken. Terwijl de minuten tot lunchtijd langzaam wegtikten, begon Jenny te zweten. Kates mobieltje stond uit. Betekende dat dat ze onderweg was? Ze had toch nooit tijd genoeg om zoveel lasagne te kunnen maken? Waarom waren er in hemelsnaam vijfenzestig ingenieurs vegetarisch? En hoe moest haar nichtje het eten op tijd hier krijgen? Vijf voor halféén. Laat maar. Op naar M&S.

'Tante Jenny!'

De auto stopte voor het kantoorgebouw toen ze net met Lily de M&S uit kwam, beladen met tassen. Haar nichtje sprong met een stralend gezicht uit de auto. 'We hebben het. Het staat achterin. En het is nog warm. Je had gezegd dat je het wel kon opwarmen, toch?'

Jenny knikte. 'Wie is de chauffeur?'

Kate bloosde. 'Peter. Je weet wel, Jons vriend. Je hebt hem laatst bij mama's etentje ontmoet.'

Een lange jongen met een donkere huid en lange wimpers in een stralend wit overhemd en jeans stond de kofferbak al uit te laden. 'Kom op, Kate, straks krijg ik een bon.'

Jenny voelde zich even ongemakkelijk. 'We helpen je.'

Kate keek achterdochtig naar de M&S-tassen. 'Heb je al eten?'

'Wat. Dit? Nee, dat is voor een congres van morgen.' Jenny omhelsde Kate. 'Echt waar, lieve schat, je hebt me gered.'

Kates ogen straalden van het compliment. 'Ik zei toch dat ik het zou regelen? Ik heb zelfs een paar extra porties, maar Mungo heeft er wat van gepikt, de schooier.'

Het was een lange dag geweest. Het congres leek goed te zijn verlopen; misschien omdat de lunch zo heerlijk was dat veel van de vegetarische deelnemers hun complimenten aan de kok doorgaven. Er vroeg er zelfs een om een kaartje.

'Ik moet het je nageven, meisje.' Alan legde een nogal klamme hand op haar schouder. 'Je hebt je goed gehouden. Vanmorgen had ik mijn twijfels, echt waar, maar je hebt het goed gedaan. Die lasagne was bijna zo lekker als die van mijn vrouw. We zullen zeker bij je terugkomen, dat beloof ik. Wat dacht je van een hapje eten, om het te vieren?'

Jenny aarzelde. Ze zou veel liever naar huis gaan om een lang, heet bad te nemen. Maar een van haar gouden regels van het begin van Eventful Events was netwerken, netwerken, netwerken. En dat betekende ook socializen met een klant terwijl je eigenlijk uitgeput was. 'Dat klinkt heerlijk,' zei ze. 'Geef je me een momentje om me even op te frissen?'

'Tuurlijk, meisje.'

'Eh...' ze kon het niet laten, 'ik had vroeger een... een vriend in de bouw. Hij was eigenlijk een vriend van mijn vader, Jim Macdonald. Enige kans dat jij hem kent?'

Alan fronste alsof hij diep nadacht. 'Ben bang van niet, maar het is een enorme sector. Wat deed hij precies?'

Ze voelde zich dom. 'Dat weet ik niet zeker.'

Gelukkig waren de damestoiletten leeg; alle deelnemers waren vertrokken. Ze belde Kate om haar te bedanken, haar antwoordapparaat stond aan, en luisterde toen haar eigen berichten af. De eerste was nogal een verrassing. Hoe was Patsy aan haar nummer gekomen?

'Hoi, Jenny. Patsy hier, van Antony. Er komen op de 27e een paar mensen eten en ik vroeg me af of jij ook zin had om te komen. Je hoeft niemand mee te nemen, oké?!'

Wat een lef! Je hoeft niemand mee te nemen, oké! Ze had haar medelijden niet nodig. En ze ging niet eten bij een vrouw die haar handen en tieten niet van iemand anders' man af kon houden.

Boos wiste Jenny het bericht, ze werkte haar gezicht bij met de basismake-up die ze altijd bij zich had, en haalde diep adem voor een avond met een iets te dikke klant die waarschijnlijk twee keer zo oud was als zij.

12

'Hoe oud zijn je andere kinderen, dan?'
Chrissie slikte een slok smerige oploskoffie uit een beschadigde peuter-speelzaalmok door en keek naar Tracey, die bij de tafel met vruchtensap stond. Ze was broodmager, leek maar een paar jaar ouder dan Kate van Lucy, had drie oorbellen in één oor, en droeg een strakke spijkerbroek en een stretchshirtje met glimmende kraaltjes langs de hals.
'Hij is mijn eerste.' Chrissie keek bezorgd de zaal rond waar George man-moedig een lelijk roze wandelwagentje voor zich uit duwde, ondanks dat een andere peuter (gekleed in een barbieroze shirtje met de tekst ALS JE MIJ LEUK VINDT ZOU JE MIJN MOEDERS PARTNER EENS MOETEN ZIEN) het van hem af probeerde te pakken. Ze hoopte maar dat hij geen bacterie van haar of van het wagentje zou oppikken.
'Je eerste? Tjonge. Lang geprobeerd, zeker?'
'Eventjes.' Chrissie voelde zich warm worden door de tactloze opmerking die haar er fijntjes op wees dat ze zeker vijftien jaar ouder was dan alle an-deren in die stomme moeder-en-peutergroep. 'Ik heb ervoor gekozen om eerst carrière te maken.'
Niet nodig om te zeggen dat het bovendien erg lang had geduurd voordat ze de juiste man had gevonden die niet alleen single, interessant, sexy en inspirerend was, maar dat ook allemaal van haar vond, en bovendien bereid was een kind te krijgen. Als je al deze eisen aan een marketingplan zou stel-len, zou dit onwetende meisje wel begrijpen dat ze het bepaald niet slecht had gedaan tot zo ver.
'O, dus je bent een carrièrevrouw.' Er lag een schamper lachje om Traceys lippen, wat werd geaccentueerd door de ring door haar bovenlip. 'Toe dan, vertel eens wat je vroeger deed.'
'Ik zat in de hr.' Terwijl ze het zei, voelde het als een leugen. Had ze echt meer dan tien jaar in de hr gezeten? (Toen ze net begon heette het nog per-soneelszaken.)
'Is dat niet wat je krijgt als je hormonen de weg kwijt zijn?'
'Nee, dat is...'
'Oi, Kylie. Op je beurt wachten of ik zet je in de hoek.'
Chrissie bekeek haar zoons tegenstander. Ze had kunnen weten dat het een kind van deze vrouw was; ze hadden dezelfde bleke, vastbesloten uitdruk-

king op het gezicht. 'Ik dacht dat Sting van jou was,' zei ze met een blik op een andere magere peuter, met een kapsel dat kort was van boven maar lang en piekerig aan de achterkant, als een combinatie van een jeugdige rocker en een babyindiaan.

'Yep, dat klopt.' Het meisje haalde een piercing uit haar neus, veegde hem af aan haar spijkerbroek en stopte hem weer terug. 'Veertien maanden zit er tussen die twee, meer niet. Fucking nachtmerrie. Dat doet verdomd zeer.'

Chrissie huiverde bij de gedachte aan haar eigen ervaring. 'Dat doet bevallen meestal.'

'Ik bedoel mijn neuspiercing. Heb ze van Carole gekocht. Die vrouw daar; ze verkoopt ze op kunstmarktjes. Sindsdien jeukt mijn neus de hele tijd.'

'O, gut.' Chrissie besefte dat ze als haar moeder begon te klinken. Ze wilde Tracey net vragen of ze ze wel van tevoren gedesinfecteerd had, toen haar nieuwe kennis begon.

'Ja, en dan heb ik er nog één op school, goddank. Ik moet nog een heel jaar en twee maanden wachten voordat Kylie gaat, en dan nog een jaar voor Sting.'

'En ga je dan weer aan het werk?'

Tracey giechelde. 'Dat zal lastig worden. Mijn kerel ziet dat niet zo zitten.'

'Wat deed je dan?'

'Een soort telemarketing.' Ze hield koket haar hoofd scheef.

'Wat verkocht je?'

'Mezelf!' Ze giechelde weer. 'Ik zat op zo'n chatlijn. Je kent ze wel. Er staan altijd advertenties in de buurtkrantjes. Die arme jongens belden en ik vrolijkte ze op.'

Chrissie was niet vaak sprakeloos. 'Heb je ooit iemand... eh... ontmoet?'

'Tuurlijk niet. Kylie, zeg maar tegen dat jongetje dat jij nu aan de beurt bent. Neu, ik praatte alleen met ze. Mijn baas wil me terug omdat ik goed ben. Heb het jarenlang gedaan. Het kan van huis uit, snap je, hoewel je wel moet zorgen dat de kinderen stil zijn. De bellers willen niet weten dat ze met een vrouw met kinderen praten.'

'En... eh... je man heeft het er niet zo op, zei je.'

Het meisje haalde de piercing weer uit haar neus en inspecteerde hem. 'Niet mijn man. Mijn vriend.'

'En hoe vond hij het om zo snel achter elkaar twee kinderen te krijgen?'

'Wat?'

Chrissie wist dat ze te nieuwsgierig was, toch moest ze het weten. Martin had het nog steeds over een volgende baby, maar zij wist niet zeker of ze het aankon. 'Ik bedoel, was het zwaar voor hem om twee kinderen achter elkaar te krijgen, vooral omdat jullie er al een hadden?'

'Dat weet ik niet. Nooit gevraagd. Trouwens, Kylies vader heeft haar in de weekenden, dan hebben wij een beetje lucht.'

Chrissie begon het door te krijgen. 'Dus Kylie heeft een andere vader dan Sting?'

'Ja.' Het meisje keek haar aan alsof iedereen dat wist. 'En mijn oudste, Bryn, weet niet wie zijn vader is.'

'En jij?' Chrissie kon het niet helpen.

'Als ik dat wist, zou ik wel zorgen dat hij betaalde, dacht je ook niet? Hé, misschien moet je even bij die kleine gaan kijken, hij heeft zich pijn gedaan.'

'Wat is er in hemelsnaam met Georges gezicht gebeurd?' vroeg Lucy toen ze later die dag onverwachts langskwam tussen twee huisbezoekjes aan huurders in. Ze had wat peuterspeelgoed meegebracht dat vroeger van Sam was geweest, waarvan Chrissie nu al had bedacht dat ze het zo snel mogelijk met de vuilnisman zou meegeven. Tweedehandsspullen zaten altijd vol met ziekten.

Chrissie, die nog steeds piekerde of ze nu wel of niet aan Lucy moest vertellen wat ze in Jons slaapkamer had gezien, schonk een kop koffie in. 'Zijn gezicht? Verschrikkelijk, hè? Een vreselijk kind bij de peutergroep heeft hem geslagen toen ze ruzie hadden over een speeltje en daardoor viel hij tegen een tafel. Stukje chocoladetaart?'

'Nee, dank je.' Lucy glimlachte minzaam. 'Ik probeer af te vallen.'

'Waarom? Je ziet er geweldig uit voor iemand die drie kinderen heeft gekregen. Ik vraag me af of het wel zin heeft.' Ze probeerde haar buik in te trekken, zich er pijnlijk van bewust dat die over haar elastische tailleband blubberde onder de trui van Martin die ze droeg. 'Dit,' zei ze met een weemoedig klapje op de vetbobbel, 'denkt dat ik nog zwanger ben.'

'Het gaat er nog wel van af, zeker als je nog voedt.' Lucy trok George op haar knie. 'Nou, popje, je hebt een aardige knoeperd op je hoofd, hè?'

Chrissie keek jaloers toe hoe George zich tegen haar vriendin aan nestelde. 'Dat doet hij bij mij niet. Hij zit nooit stil en probeert altijd te ontsnappen, tenzij ik hem een tiet voorhou.' Ze kreeg tranen in haar ogen. 'Soms vraag ik me af of hij wel van me houdt.'

'Natuurlijk doet hij dat.' Lucy liet George los en pakte Chrissies hand. 'Hij vindt mij interessant omdat hij mij niet zo vaak ziet. Kinderen kunnen enorm wreed zijn en jij bent nog kwetsbaar. Dat zijn alle jonge moeders.'

'Ik heb geen postnatale depressie, als je dat soms dacht,' zei Chrissie stijfjes. Was Lucy daarom onverwachts langsgekomen? Om te kijken of alles wel goed ging? 'George is inmiddels veertien maanden, dus daarvoor is het al te laat.'

'Dat zeg ik helemaal niet, hoewel je het een paar jaar na de geboorte nog kunt hebben. Ik zeg alleen dat het niet makkelijk is om je leven zomaar aan te moeten passen.'

Chrissie stond op om zogenaamd nog een kop koffie in te schenken, zodat Lucy haar tranen niet zou zien. 'Vond jij het moeilijk?'

'Zeker wel. En Luke ook. Hij vond het zelfs nog moeilijker dan ik.'

Chrissie dacht even aan Martin, die zonder aanwijsbare reden opvallend stilletjes was geweest de laatste weken. 'Waarom?'

Achter haar zuchtte Lucy. 'Hij voelde zich beperkt. Opeens konden we niet meer zo vaak uit. En ik moet toegeven dat ik behoorlijk paniekerig was. Ik maakte me overal zorgen over.'

Daar was die brok in haar keel weer. 'Dat doe ik ook.' Ze bleef expres met haar rug naar Lucy toe staan, zodat die de tranen niet over haar wangen zag rollen. 'Ik ben zo bang dat er iets met George gebeurt. Als hij slaapt, controleer ik of hij wel ademt. Het eerste wat ik doe als ik wakker word, is naar zijn bedje rennen om te kijken of hij in orde is. En hij praat nog steeds niet.'

Opeens merkte Chrissie dat Lucy achter haar stond met een hand op haar schouder. 'Het gaat prima met hem. Het is een heerlijk gezond klein mannetje.'

'Maar wat als er opeens iets gebeurt!' Chrissie kon zich niet meer bedwingen. 'Er stond laatst een verschrikkelijk verhaal in de krant over een jongetje dat precies zo oud was als George; hij was kerngezond, maar op een ochtend had hij een raar kleurtje. Diezelfde avond nog is hij overleden aan een of ander verschrikkelijk, zeldzaam virus. Die arme ouders! En weet je wat het ergste is, het allerergste... dat ik soms, heel soms maar, bijna opgelucht zou zijn als hij inderdaad dood ging, want dan hoefde ik me tenminste geen zorgen meer te maken. Dan kan ik weer een normaal leven leiden. Dan zou ik niet meer wakker worden 's nachts. Ik zou een boek kunnen lezen. Ik zou weer aan het werk kunnen gaan...'

Lucy keek haar verbaasd aan.

'Dat meen ik natuurlijk niet.'

'Dat weet ik.' Lucy sloeg haar armen om haar heen. 'Je bent oververmoeid en dan kun je niet helder denken.'

'Het is zo moeilijk!' Chrissie kon niet meer praten van het huilen. Ze hield zich aan Lucy vast en huilde, net zoals ze had willen huilen bij de peutergroep toen ze naar George toe was gerend en eventjes dacht dat hij bewusteloos was of erger nog. Toen hij zijn ogen opendeed en begon te schreeuwen, hard en boos zodat in elk geval duidelijk was dat zijn longen het nog prima deden, was de opluchting enorm geweest.

'Ssst, het is al goed.' Chrissie liet zich troosten door Lucy's hand die continu over haar schouder wreef. 'Het is goed. Echt waar. Laat het maar komen. Daar knap je van op.'

Even vroeg Chrissie zich af of Lucy ook zo had gehuild toen Luke overleed. Ze had haar vriendin kort daarna leren kennen en ze vroeg zich vaak af wat voor man het was geweest. Die arme Lucy had zoveel moeten doorstaan, maar nu had ze het geluk gevonden. Hoe zou ze dat kunnen verstoren door over Jon te vertellen? Dat moest hij zelf doen als hij er klaar voor was.

'Weet je, misschien helpt het om wat arnica op die bult te smeren.' Lucy zocht in haar handtas. 'Ik denk dat ik hier nog wel wat heb. Ja. Hier is het. Dan lost de zwelling sneller op.'

'Jij bent zo'n goede moeder. Ik snap niet hoe je het doet. Ik zou nooit kunnen wat jij kunt.'

'Jawel, dat kun je wel. Dat denken we allemaal als we net beginnen. Weet je nog dat je op je werk begon?'

Chrissie knikte.

'Toen was het toch ook allemaal vreemd en nieuw?'

Ze lachte terwijl ze eraan terugdacht. 'Dat was het zeker.'

'En dat heb je ook geleerd. Je ging regelrecht naar de top.'

Dat was waar.

'Heb je er ooit over gedacht om terug te gaan?'

'Ik wil hem niet bij iemand anders laten,' zei Chrissie, die George op haar knie probeerde te hijsen. Hij spartelde tegen en racete naar een andere kamer. Daar klonk een luide dreun. Chrissie sprong overeind. Lucy trok haar terug. 'Niets aan de hand. Luister. Hij huilt niet. Ik hoor hem spelen met zijn speelgoed. Als je hem achterna blijft lopen, zal hij nooit zelfstandig worden en jij altijd alert blijven. Waarom laat je hem niet eens een uurtje bij mij of Kate, zodat jij even vrij hebt? Kate kan heel verantwoordelijk zijn als ze wil.'

'Dat kan ik niet. Nog niet. Sorry. Niet beledigd zijn. Ik vind het zo moeilijk hem bij iemand anders achter te laten, zelfs bij Martin. Wat als hij aan de borst moet?'

Lucy keek net zo naar haar als de andere moeders bij de peutergroep hadden gedaan toen ze die arme George een troostborst had gegeven na zijn val. 'Ik wil me er echt niet mee bemoeien, Chrissie, maar heb je al nagedacht over wanneer je ermee gaat stoppen? Ik weet dat hij ook vast voedsel krijgt, maar zolang je blijft voeden, is het moeilijk om iets van een onafhankelijk leven te leiden.'

Natuurlijk zou Lucy met haar bijna volwassen kinderen het niet begrijpen. 'Het is nog een baby. Het is mijn goed recht hem wat te verwennen.'

'Dat weet ik en dat mag je ook.' Lucy deed haar jas aan. 'Ik wilde je niet beledigen. Nou, ik moet gaan. Ik heb nog een lekkend dak, een overstromende dakgoot en een verhuurder die telkens zelf bij zijn huis komt controleren of de huurders zijn tuin wel goed bijhouden. En dat allemaal nog vóór de lunch.' Lucy lachte. 'Zullen we vandaag ruilen?'

Chrissie lachte hol. 'Jij zou waarschijnlijk beter voor George zorgen dan ik.

Hij zou bij jou vast niet zo vaak vallen.'

'Peuters vallen altijd; dat staat in hun taakomschrijving. Ander onderwerp, ga jij volgende week naar Patsy en Antony?'

'Ik neem George liever niet mee 's avonds. Dan ligt zijn schema overhoop.'

'Kate kan waarschijnlijk wel oppassen.'

'Nee, dank je. Mijn moeder heeft ook al aangeboden om hier te komen, maar...'

'Maar je laat George liever niet achter,' maakte Lucy haar zin lachend af. 'En dat is je goed recht. Nou, ik hoop dat je toch komt. Jenny weigert, ze mocht Patsy niet. En ik heb niet veel zin om daar in mijn eentje te zitten.'

'Jij hebt Mike.'

'Ja, dat weet ik wel. Maar hij lijkt niet echt door te hebben hoe lastig het voor mij is met Maggie. Omdat Antony zijn vriend is, verwacht hij dat we gewoon op de oude voet door kunnen gaan.'

Chrissie had Lucy nog nooit kritiek op Mike horen uiten. 'Het is voor jullie allemaal niet makkelijk, waarschijnlijk. Hoe is het met Maggie?'

'Niet zo heel goed, eerlijk gezegd. En dat kan ik haar niet kwalijk nemen. Wat vond jij van haar?'

'Patsy? Dat leek me een slimme duvel.'

'Precies.' Lucy lachte vrolijk. 'En ik moet zeggen dat ik zelfs wel wat bewondering voor haar had, omdat ze dat centerfoldgedoe helemaal niet probeerde te verbergen. Ze was gewoon zichzelf. Kom op, Chrissie, kom gewoon. Wij willen niet de enigen zijn. Bovendien,' ze raakte voorzichtig Chrissies arm even aan, 'het zal jullie goeddoen er even uit te zijn.' Ze leek te aarzelen. 'Is alles goed tussen jou en Martin?'

'Ja, hoezo?'

Lucy bloosde. 'Nou, Mike hoorde... nou, hij zei dat...'

'Wat?'

'Niets, eigenlijk.' Lucy werd nog roder. 'Het is normaal dat stellen problemen hebben na de geboorte van een kind, weet je. Kinderen zijn een zegen, maar ze kunnen funest zijn voor je relatie.' Ze kuste Chrissie op haar wang. 'Tot snel, dag.'

Waarom had ze het bezoekje nou moeten verpesten met die vervelende vragen, dacht Chrissie boos. Voor Lucy was het makkelijk, die kon gewoon wegrijden zonder te controleren of iemand goed in het stoeltje zat, of dat er genoeg luiers mee waren en sap en antilekbekers. Wanneer zou zij ooit weer in een auto kunnen stappen zonder dat ze zoveel bij zich hadden dat het leek alsof ze door de Sahara gingen trekken in plaats van een ritje naar de IKEA gingen maken? Geen wonder dat er spanningen waren tussen haar en Martin.

Om de deur van de speelkamer kijkend, zag ze George voor de verandering rustig spelen op de vloer. Hij stapelde de blokken op elkaar en gooide ze dan weer om zodat hij opnieuw kon beginnen. Misschien had Lucy gelijk over hem wat meer met rust laten. Terug in de keuken, schonk Chrissie nog een kop koffie in, sneed nog een stuk chocoladetaart af en pakte het vakblad dat die ochtend bij de post had gezeten.

Soms opende ze een paar dagen helemaal geen post, omdat ze de tijd niet vond. 'Je bent de hele dag thuis,' zou Martin zeggen. 'Hoe bedoel je, geen tijd.' Ze was gestopt met haar pogingen het uit te leggen.

Terwijl ze door het tijdschrift bladerde, voelde ze een vreemd soort afstandelijkheid. Ze kende veel van de namen en gezichten: mensen die van baan waren veranderd, mensen die voor hogere verkoopcijfers hadden gezorgd. Mensen die bij een wereld hoorden die ze eens zo goed kende en die nu net zo goed een andere planeet kon zijn. Een planeet zonder rompertjes en tepelkloven. Chrissie stopte met kloppend hart bij de rubriek 'Mededelingen'. Ze hadden het dus eindelijk gedaan.

Het doet ons deugd te kunnen vermelden dat Jessica White vanaf heden aangesteld is als hr-manager. Zij heeft deze functie tijdens het zwangerschapsverlof van haar voorgangster vervuld, maar zal vanaf nu een vaste aanstelling hebben.

'Zwangerschapsverlof van haar voorgangster'? Ze waren niet eens zo beleefd om haar naam te noemen. Met prikkende ogen nam Chrissie nog een grote hap taart. Het voelde alsof alles wat ze al die jaren voor het bedrijf had gedaan met dat ene zinnetje teniet werd gedaan. Ze was niet langer Chrissie Richards, hr-manager. Ze was Chrissie Richards, tegen wil en dank lid van de peutergroep. Moeder van...

Boink.

'George?'

Hij zou zo wel gaan schreeuwen. Keihard brullen om te laten horen dat het in orde was. Maar, sprintend van de keuken naar de speelkamer, hoorde ze niets dan een onheilspellende stilte.

13

'En dan gaan we nu naar *Snelle gerechten*! Onze Australische chef Bruce laat zien hoe je in zesenhalve minuut een heerlijke salade niçoise in elkaar draait!'

Patsy zat voor de ontbijttelevisie met een mok heet water en citroen, haar gebruikelijke drankje om de dag mee te beginnen, om haar huid mooi te houden, en probeerde zich te concentreren. Mmmmm. Niet verkeerd! Blond. Gebruind. Lichtblauw shirt. En ze hield van de manier waarop hij de stukken tonijn gewoon in de schaal gooide, met nog meer dingen waar ze de namen niet van gehoord had.

Als mensen zich niet zo druk maakten over eten, dacht ze nippend aan haar water, zouden ze veel minder dik zijn en veel interessantere bezigheden vinden. Haar favoriete maaltje was gerookte zalm (als er tenminste iemand was die het kon betalen) op volkorencrackers met sla en rode paprika. Het was in vijf minuten klaar, zodat je nog tijd overhad voor andere dingen.

Patsy zette de televisie uit (volgende week zou Bruce de kijkers laten zien hoe je zalm klaarmaakte in de afwasmachine!) en pakte haar nieuwe boek op, *Spaans in zes weken*. Ze had altijd al een taal willen leren, maar ze dacht dat ze het niet kon, totdat ze vorige week een relatief onbekende Spaanse actrice had opgemaakt. Het meisje had verteld hoe ze naar een taalcursus was geweest om Engels te leren voor haar bijrol in een bekende soap. 'Dan ben je vast heel slim,' had Patsy gereageerd.

'Als het goed voor mij is, dan doe ik het.' Het meisje (Sparkle Cheekbone Fairy Dust met Tangerine Tart lippenstift) straalde vasthoudendheid uit. 'Het houdt me – hoe zeg je dat? – scherp!'

Dat sprak Patsy aan. Het was niet eerlijk dat sommige mensen haar in een hokje stopten. Alleen omdat ze model was geweest, zou ze dom zijn. Ze werd nog boos als ze aan die man bij dat etentje dacht, die dikke nek die bij die mollige vrouw met die baby hoorde. Die smeerlap had zijn ogen bijna niet van haar borsten kunnen houden. Als hij en zijn vrouw vanavond kwamen, zou ze haar exemplaar van *Spaans in zes weken* goed in het zicht leggen.

'Weet je zeker dat je ze allemaal hier wilt uitnodigen?' had Antony gevraagd toen ze het geopperd had. Ze lagen op het bed, gezichten naar elkaar toe in die postsekspositie (ze had altijd moeite gehad met de term 'liefde bedrijven'), en Antony maakte met zijn vinger rondjes om haar tepel. Het verbaasde haar een beetje dat haar tepels er hard van werden.

Ze was wat van hem weggeschoven. 'Ik weet wel dat mijn huis anders is dan dat van je vrienden, maar ik schaam me er niet voor.'

'Dat bedoelde ik niet, lieverd. De flat is prima.' Hij keek om zich heen naar de paarse muur die verzacht werd door het lichte houtwerk en de enorme roze struisvogelveren die gedrapeerd waren over het antieke dressoir, dat overgebleven was van een fotoshoot voor een chic woonblad. 'Hij heeft sfeer.' Hij zakte terug in de kussens van eendendons. 'Ik kan me hier echt ontspannen.'

'Kon je dat thuis dan niet?' had Patsy luchtig gevraagd. Ze had zich vaak afgevraagd hoe Antony's huis er vanbinnen uitzag. Waarschijnlijk net als dat van Lucy. Leuke straat, met opritten zodat de auto's van de eigenaren niet beschadigd konden worden. Vrijstaand. Ouderwets. Chic.

'Niet zonder jou,' had Antony gezegd terwijl hij zich op haar andere borst focuste.

Terwijl ze zocht naar de blikopener voor de tonijn dacht ze terug aan dat gesprek. Ze vroeg zich vaak af of Antony haar appartement niet benauwd vond na het grote huis dat hij gewend was. Als zij en Antony samen doorgingen, zouden ze iets groters moeten zoeken. Maar daarvoor moest ze eerst weten of hij van plan was te blijven en, belangrijker nog, of hij het waard was.

Hoe moet het dan met Maggie? vroeg een klein stemmetje in haar binnenste terwijl ze wat mosterd, azijn en suiker mengde en over de tonijn goot. (Die gozer op televisie had olijfolie gebruikt, maar die had ze niet.) Antony betaalde Maggie trouwens elke maand een flink bedrag, wat in haar ogen extreem gul was. Ze had dus niets te klagen, dacht ze.

Patsy gooide wat citroenlimonade over de tonijnsalade (Bruce had echte citroen gezegd, maar dit kon toch ook wel?) en zette de schaal in de koelkast. Het gaat niet alleen om het geld, toch? ging het kleine stemmetje door. Denk aan dat gezicht...

Patsy gooide de deur van de koelkast dicht. Het was al moeilijk genoeg om het verwrongen gezicht van Maggie niet telkens in haar dromen tegen te komen, laat staan overdag als ze haar gedachten onder controle had. Antony's huwelijk was al afgelopen, zei ze tegen zichzelf, voordat hij haar had ontmoet. Dat had hij haar verteld kort na hun ontmoeting op een groot cocktailfeest van een van haar klanten, waarvoor ook Antony was uitgenodigd. 'Ik denk er al jaren over om weg te gaan,' had hij opgeworpen toen ze zei dat ze niet van plan was een huwelijk te verpesten. 'We hebben nooit goed bij elkaar gepast. Ik ben gebleven voor de kinderen.'

Daar was hij nu. Bij de kinderen. Hij was rond lunchtijd weggegaan, hoewel dat eigenlijk ontbijt was, aangezien ze de hele ochtend in bed waren gebleven. Het plan was, had hij gezegd, dat hij ze op ging halen en met ze naar een openluchtavonturenspeeltuin zou gaan, en ze dan weer thuis zou brengen. Ze had willen vragen of hij Maggie zou zien of dat de kinderen hem op de stoep op zouden wachten, maar besloot het niet te doen. Toen hij weg was, had ze genietend van de rust door het huis gelopen. Na een uurtje had het echter vreemd leeg geleken.

'Ik ben gewend om alleen te zijn,' zei ze hardop, alsof ze bevestiging nodig had terwijl ze de zalmmoten uitpakte. 'Het heeft geen zin om nu emotioneel te worden.'

Shit! Er moesten drie eieren in het recept en ze had er maar één. Dan moest ze haar gebruikelijke trucje maar weer uithalen en er een klein barstje in maken met een lepel. Dan kon ze ermee terug naar de winkel om te klagen dat alle eieren zo geweest waren en haar geld terugkrijgen.

Als je het niet breed had, moest je slim zijn.

Twee uur later was de tafel gedekt met zacht lavendelkleurige placemats, 'geleend' van een fotosessie, en kaarsen in het midden. Ze had de tijdschriften opgeruimd die her en der lagen opgestapeld en een trui van Antony die hij slordig over een stoel had gegooid. Het voorgerecht met zalm en de tonijnsalade stonden al op tafel, met geel toiletpapier eroverheen om ze af te dekken. De fruitsalade zat in een kom en de wijn, voor degenen die dat dronken, stond in de koelkast. Op het laatste moment bedacht ze dat ze niet genoeg borden en bestek had, dus moest ze snel op pad om wat te halen.

Tussendoor woog ze zichzelf twee keer, om zich goed in te prenten dat ze niet van het knoflookbrood mocht eten dat ze aan het ontdooien was. 'Jij bent zo dun,' had iemand in de studio gisteren tegen haar gezegd. Als je model of ex-model was, kon je niet dun genoeg zijn, anders zou je net zo worden als die vrouwen op dat feestje.

Nu had ze alleen Antony nog nodig. Een halfuur geleden had hij eindelijk gebeld om te zeggen dat hij onderweg was, hij had een beetje geïrriteerd geleken. Toen ze vroeg wat er was, had hij kortaf 'Niets, tot zo' gezegd.

Als hij niet opschoot, had hij geen tijd meer om zich te verkleden, dacht Patsy terwijl ze het rugloze zwarte zijden T-shirt bewonderde dat de 'Spaans in zes weken'-actrice had achtergelaten. Het zat mooi strak, zag ze goedkeurend in de spiegel, en zoals ze wel vaker had gedaan, feliciteerde ze zichzelf met haar goede gewoonte om altijd grote tassen mee te nemen naar de shoots. Die hoge hakken stonden ook goed en het shirt accentueerde de vorm van haar borsten. Ze had wel iets minder bloots kunnen aantrekken, maar waarom zou ze Antony's vrienden niet een beetje jaloers maken. Dan zou hij haar misschien nog liever willen.

Ongeduldig keek Patsy uit het raam, net toen er een groepje jongeren langsschuifelde met de blik naar beneden en zwarte capuchons over het hoofd. Het was die tijd van de dag dat je binnen bleef als je boven de vijfenvijftig was. Er stopte een auto. Niet die van hem.

Ze wilde zijn mobieltje bellen, maar ze was niet het type om te zeuren, te trekken of te vleien. De mannen moesten het werk doen, anders zou het nooit werken.

Eindelijk hoorde ze het geluid van een sleutel in het slot. Dat werd weleens tijd! Patsy liep snel naar de bank, legde haar benen over elkaar en deed net of ze een tijdschrift zat te lezen. Ze keek op toen Antony binnenkwam.

'Hallo schat... Wat?'

Ieder aan een hand van hun vader staarden twee jonge kinderen haar aan. Patsy kwam snel bij haar positieven. 'Hoi,' zei ze vriendelijk terwijl ze opstond. 'Jullie zijn vast Matt en Alice.'

Twee paar groene ogen, precies die van Maggie, keken haar aan. Zelfde kleur haar ook. Oranje. Pijpenkrullen. Sproeten. Wauw! Met dat meisje zou ze wel wat kunnen.

Ze vielen op de zalm aan alsof ze uitgehongerd waren. Antony verborg zijn neus in haar nek en fluisterde in haar oor. Zijn aanraking en de opluchting dat hij terug was, maakten dat ze even rilde van genot. 'Maggie voelt zich niet lekker en vraagt of ik de kinderen dit weekend kan hebben. Dat vind je toch niet erg?'

14

Lucy stond nog in haar perzikkleurige zijden lingerie (Mike had een maatje 36 meegenomen voor haar laatste verjaardag, dat ze stiekem had geruild
voor een maatje 40) toen ze besloot nog één keer haar zus te bellen.

Met de telefoon tussen haar oor en schouder kneep ze wat foundation op
de palm van haar linkerhand en depte het met haar wijsvinger in het midden van haar gezicht. Shit. Ze maakte een vlek op haar zijden broekje. Ze
stond nog driftig met een handdoek over de vlek te wrijven toen Jenny
eindelijk opnam.

'Hallo?'

Wist Jenny eigenlijk hoe kortaf ze soms overkwam? Of dacht ze dat het niet
uitmaakte omdat ze zussen waren?

'Ik ben het, Lucy.'

'Weet ik. Je naam staat op mijn display. Wat is er?'

'Ik vroeg me alleen af of je niet toch naar Antony en Patsy wilde komen om
mij gezelschap te houden.' Lucy keek even achterom om te kijken of Mike
niet binnen was gekomen. 'Ik heb echt geen zin om alleen te gaan en ik voel
me zo schuldig tegenover Maggie. Ze weet niet dat ik ga.'

'Vertel het haar dan. En nee, sorry, maar er zijn twee redenen waarom ik
niet ga. Ten eerste kan ik die trut niet uitstaan omdat ze Maggies leven heeft
verpest. En ten tweede heb ik niemand om mee te gaan.'

'Dat is toch niet nodig? Er gaan zoveel mensen alleen op pad tegenwoordig.
Het is een kookclub, weet je nog? We zouden toch elke maand samenkomen?'

'Dat zijn jouw woorden, niet de mijne.'

Als Jenny zo'n bui had, viel er niet met haar te praten.

'Oké.' Lucy hield op met tevergeefs wrijven over de vlek op haar luchtige
slipje. 'Wat ga je vanavond dan doen?'

'In een bar zitten, als je het echt wilt weten, om te wachten op mijn date.'

'Ik dacht dat je geen date had?'

'Nou, dat lijkt er inderdaad op, aangezien hij al een halfuur te laat is.'

'Wie is hij?'

'Dat weet ik niet.'

Lucy voelde een golf van zusterlijke intuïtie. 'Zeker iemand van internet?'

'Nu klinkt het net als een boodschappenbezorgservice. Nee, niet van internet. Het is een blind date, als je het dan zo graag wilt weten. Behalve dat het

geen date is, want hij is er niet. Shit. Misschien is dat hem. Ik bel je later.'
'Jenny!'

Te laat. Ze had opgehangen. Waarom zei ze 'shit'? Zag hij er heel anders uit dan ze verwacht had of was het een gek met een bijl? Alle horrorverhalen die Lucy ooit over blind dates had gehoord, kwamen weer boven. Had Jenny aan haar veiligheid gedacht? Had ze iemand verteld waar ze heen ging? Met trillende handen toetste Lucy het nummer van haar zus in. *'Hallo, dit is Jenny. Laat een boodschap achter na de piep.'*

Verdomme, verdomme, verdomme.

'Schatje!' Mike sloeg haar plagerig op haar billen. 'Heb je gezien hoe laat het is? We komen te laat.' Zijn hand schoof naar de achterkant van haar broekje. 'Hoe mooi dit je ook staat, ik denk niet dat je zo kunt gaan!'

Lucy zette haastig een slordig lijntje onder haar ogen met een bruin kohlpotlood, en deed wat mascara op. Ze had echt geen zin om te gaan, maar het was belangrijk voor Mike. Hij was in haar leven geïntegreerd, dus zij moest hetzelfde voor hem doen door te gaan eten bij een oude vriend van hem. 'Geef me vijf minuutjes. Is de oppas er al?'

Sam had die lastige leeftijd waarop hij beweerde dat hij te oud was voor een oppas. Maar Lucy en Mike vonden het niet prettig als hij alleen thuis was als de oudste twee er niet waren. 'Ah, probleempje. Sam wil vanavond uit. Een vriend belde dat er een concert was in de stad. Jij was aan de telefoon, dus ik zei dat hij mocht gaan als het van jou mocht.'

'Wat voor concert?' begon Lucy, maar ze stopte toen haar jongste de kamer in kwam.

'MAM. Trek iets aan, oké?' Hij hield zijn hand voor zijn ogen.

'Dit is mijn slaapkamer,' begon Lucy terwijl ze snel een ochtendjas aandeed. 'Wacht even. Wat heb je met je haar gedaan?'

Haar jongste haalde onverschillig zijn schouders op. 'Ik heb het omhoog gedaan.'

'Maar dat is een... hoe noem je dat, een hanenkam! En hij is oranje.'

Sam keek trots in de spiegel. 'Gevlamd oranje, om precies te zijn, dat staat op het pakje. Rustig maar, mam. Het is uitwasbaar.'

'Maar die hanenkam dan?' vroeg Mike.

'Die kan ik eruit kammen. Ik heb het vanmiddag zo laten knippen. Als ik het naar beneden draag, is het gewoon kort aan de zijkanten met een lange flap in het midden.'

Lucy ging zuchtend zitten. Sam zocht altijd de grenzen op, net zoals Luke altijd had gedaan. 'Het is zo druk in het midden,' zei hij altijd. Wat zou hij zeggen als hij Sam zo zou zien?

Ze gooide het over een andere boeg. 'Op school mag het vast niet.'

'Het is bijna vakantie.' Sam had overal over nagedacht. 'Dan hebben we tien

80

dagen vrij, toch? Tegen die tijd is de kleur er wel weer uit. Hoor eens, mam, ik moet gaan. Iemands vader haalt ons op, maar ik heb wel een lift nodig ernaartoe. Ik ben al laat.'

Mike pakte zijn sleutels van het dressoir. 'Ik breng je wel. Je moeder is zich nog aan het aankleden. Lucy, ben je klaar als ik terugkom?'

Hij was altijd zo lief, dacht Lucy. Luke zou hebben gezeurd en geklaagd over zo'n spontane beslissing om uit te gaan, iets wat zij waarschijnlijk ook had gedaan als ze nog alleen was geweest. 'Je komt meteen terug als het concert is afgelopen. En neem je mobiel mee, zodat ik je kan lastigvallen!'

Ze zond hem een samenzweerderig lachje en hij grijnsde terug. Hoe stout hij ook kon zijn, ze bleef een zwakke plek voor hem houden. Bovendien zeiden alle boeken en artikelen over opvoeden dat je altijd moest blijven communiceren met opstandige tieners.

Nadat ze vertrokken waren zonder de deur van de slaapkamer dicht te doen, stapte Lucy in de zwarte zijden broek met wijde pijpen die ze voor vanavond uitgekozen had. Terwijl ze de hondenharen eraf sloeg (hoe waren die daar gekomen?), bekeek ze zichzelf in de spiegel. De elastische tailleband maakte haar redelijk slank, maar ze wilde nog steeds dat ze weer maatje 36 had. Na Luke was ze enorm afgevallen, maar geluk, zo had ze gemerkt, was veel bevredigender. Maar ja, welk recht had zij nog om gelukkig te zijn na...

De telefoon! Misschien was Jenny van gedachten veranderd. Of misschien was het een huurder. Het was jammer genoeg haar beurt om dit weekend stand-by te zijn voor eventuele telefoontjes en problemen van huurders.

'Hallo?'

Haar eerste opluchting dat het niet weer mevrouw Thomas was over haar zolder vervloog onmiddellijk. 'Eleanor? Wat is er? Sorry. Kun je dat nog eens zeggen?'

'Sorry dat we zo laat zijn,' hijgde Lucy toen Patsy de deur opendeed. Het was nogal een klim geweest naar Patsy's appartement op de derde verdieping; langs identieke beschadigde lichtblauwe deuren, sommige met een huisnummer en onherkenbare bruine tekens op de muur ernaast gekrabbeld. 'Mike moest op het laatste moment een kind ergens naartoe brengen en toen belde mijn schoonmoeder en...'

'Dat geeft toch niks.' Patsy die een grofgebreide felroze legging droeg onder een belachelijk zwart T-shirt tot ergens halverwege haar dijen, wenkte haar naar binnen. De sigaret die ze in haar wenkende rechterhand had, stak bijna Lucy's broek in de brand, maar ze stapte net op tijd opzij. 'Relax. We zijn hier niet zo formeel, toch, Antony?'

'We?' Tot een paar maanden geleden was Antony de helft van Maggie en Antony's 'we'. Nu was Antony, die zich een nieuw kleurtje had aangemeten dat 'zonnebank' schreeuwde, schijnbaar zonder enige moeite van partner gewisseld en iedereen leek het gewoon te accepteren. Als Mike er niet was geweest, zou ze hier nooit zijn gekomen.

Ze hadden het erover gehad in de auto. Met Luke zou het op ruzie zijn uitgelopen. Mike was veel redelijker. 'Ik snap niet hoe je een beste vriend kunt hebben die zijn vrouw en kinderen verlaat,' had ze gezegd.

'Het klinkt wel erg als je het zo zegt,' beaamde Mike. 'Maar aan elk verhaal zitten twee kanten. Antony was al jaren niet gelukkig meer.'

'Dat is geen excuus om je verantwoordelijkheden te ontlopen.'

'Dat doet hij niet. Hij ziet de kinderen elke zondag en ik weet dat hij Maggie een groot maandbedrag geeft.'

Lucy had gesnoven en een opmerking gemaakt over dat geld niet alles was. Maar wat de kinderen betrof, kon ze geen kritiek hebben op Antony. Zelfs Maggie zei altijd dat hij zo goed was met ze. En nu waren ze zelfs hier bij Patsy.

'Tante Lucy!'

Alice kwam aanrennen door Patsy's kleine halletje. Haar ogen straalden en ze sprong tegen haar op en trok aan haar armen. 'Is Kate er ook?'

Alice aanbad Kate, die haar grote voorbeeld was. 'Sorry, liever, ze is er niet vanavond. Ik wist niet dat jullie er zouden zijn. Wat leuk.'

'Mama voelt zich niet lekker.' Matt sprak met de ernst van een twaalfjarige die meer wist dan nodig was op zijn leeftijd.

Lucy keek naar Antony. 'Echt?'

Hij maakte een gebaar alsof de opmerking van zijn zoon niet veel om het lijf had. 'Gewoon migraine. Ik heb haar naar bed gestuurd en gezegd dat ik de kinderen mee zou nemen. En Lucy, wat wil je drinken?'

'Een glas witte wijn, graag.' Lucy bekeek de ronde, glazen tafel, die te klein leek om een eettafel te zijn, met een papieren bord met gerookte zalm met gedroogde peterselie.

'Ga je gang.' Patsy knabbelde aan een wortel. Ze at zeer netjes en haar tanden waren opvallend klein, stralend wit en recht. 'Neem een stoel, als je er een kunt vinden.'

Blijkbaar werd het geen zitfeestje. De twee plakken opgekrulde zalm negerend, liep Lucy richting een beige tweezitsbank in de hoek waarop Chrissie in haar eentje naast de televisie zat. Waarom zette niemand dat ding uit? Er lag ook een *Spaans in zes weken* op een klein chromen bijzettafeltje. Antony haalde duidelijk alles uit zijn nieuwe leven wat eruit te halen viel. 'Waar is Martin?'

Chrissie rolde met haar ogen. 'Laat... iets op zijn werk.'

'En George?'

Chrissie leek niet op haar gemak. 'In Patsy's slaapkamer? Of moet ik zeggen

Antony en Patsy's slaapkamer? Hij was onderweg in slaap gevallen, dus ik heb hem in zijn reisbedje gelegd.' Ze ging zachter praten. 'In de slaapkamer stinkt het naar sigaretten en wierook. Baby's houden niet van vreemde geuren. Er stond laatst een artikel in *Bella* over een kind dat enorm allergisch was voor het parfum van haar moeder.'

Lucy raakte licht haar arm aan. 'Ik weet dat je me niet gelooft, maar het komt allemaal goed met George. Toen mijn kinderen klein waren, heeft mijn schoonmoeder eens tegen me gezegd dat als je je zorgen maakt, je maar eens moet denken aan al die kinderen die in extreem slechte omstandigheden moeten opgroeien en het ook redden.'

Chrissie lachte zwakjes. 'Je hebt waarschijnlijk gelijk.'

Lucy nam een grote slok wijn. 'Wacht maar tot baby George later zijn eigen oranje hanenkam heeft.'

Chrissie kreeg grote ogen. 'Niet Kate?'

'Sam.'

'Hij is pas vijftien.'

Lucy nam nog een slok. 'Ik weet het. Het komt waarschijnlijk door zijn slechte moeder.'

'Dat moet je niet zeggen.' Chrissie sprak met verontwaardiging. 'Jij bent de verstandigste moeder die ik ooit heb gekend. Het is gewoon een fase. Dat doen ze allemaal.'

Lucy knikte en liet een lading kruimels van haar cracker in haar schoot vallen. 'Dat zegt Mike ook.' Ze keek naar haar toekomstige echtgenoot, die ongemakkelijk op een zwart-wit geblokte zitzak zat naast Patsy, die in kleermakerszit op het tapijt geanimeerd met hem zat te praten. 'Dit is weer eens iets anders, hè?'

'Inderdaad,' giechelde Chrissie. 'Het schijnt dat er nog een paar vrienden komen. Ik had gehoopt dat Jenny er zou zijn.'

'Ze weigert te komen.'

'Waarom?'

Lucy zuchtte. 'Ze vindt dat Patsy niet "iemands man mag afpakken", zegt ze. En ze wil niet alleen komen.'

'Tja, ik ben ook niet erg gelukkig met het Patsy-verhaal. Ik weet eigenlijk niet eens waarom we er zijn. Martin dacht dat het goed voor ons zou zijn om eruit te zijn, maar hij is toch laat en...'

'Wat is er?'

Chrissie kreeg tranen in haar ogen. 'Martin is nogal in de war sinds... nou ja, eigenlijk sinds het etentje bij jou. Hij is afstandelijk en koel. Ik weet dat het heel druk is op zijn werk, daarom is hij ook zo laat, maar hij wil niet met me praten. Als ik hem erop aanspreek, doet hij net of ik dingen zie die er niet zijn. Dat is toch raar?'

O, god. Dus Martin had haar niet verteld van de babyfoon. Waarom niet? En moest zij het dan doen? Ze had het laatst bijna gedaan toen ze langskwam, maar uiteindelijk had ze het niet gedurfd. Het was te gênant.

'Waarom praat je niet met hem?' begon ze voorzichtig. 'Vraag of er iets is wat hem dwarszit.'

'Misschien. Maar vertel. Waarom zijn jullie zo laat?'

'Sam had een lift nodig ergens heen en toen belde Eleanor. Ze hing maar niet op, zelfs niet toen ik zei dat we ergens verwacht werden.'

'Ze is eenzaam.'

'Dat weet ik, maar het is lastig.'

Chrissie knikte. 'Jij hebt nu een ander leven.'

'Maar...'

'Hallo, allemaal.' Antony liep houterig in een waarschijnlijk nieuwe, stugge spijkerbroek de kamer in met een fles wijn om de gasten bij te schenken. 'Jullie pakken zelf wat te eten, toch?' Hij gebaarde met zijn hoofd naar de kleine tafel en Lucy zag dat er een grote plastic schaal met tonijn was neergezet, naast een kaars die kaarsvet druppelde op een papieren tafelkleed, de 'servetten', papieren bordjes en het onhandige, beige, plastic bestek. Ze had bijna medelijden met hem. Het was allemaal zo anders dan zijn vorige leven. Of was dat wat hij wilde? Iets wat zo ver mogelijk van Maggie met haar warme lieve glimlach en slim gevouwen feestservetten afstond.

'Dank je. Waar zijn de kinderen?'

'O, in de keuken, denk ik. De bel gaat. Patsy?' Hij keek om zich heen. 'Weet jij waar ze is?'

'Zal ik de deur even opendoen?' vroeg Lucy.

'Dank je. Ik moet de magnetron in de gaten houden.'

Chrissie trok een gezicht naar Lucy. 'Toen hij nog bij Maggie was, deed hij nooit iets met de oven of de magnetron. En wat moet hij met dat nepkleurtje? Patsy heeft hem op dieet gezet, wist je dat? Trouwens, wat je ook doet, niet van de zogenaamde tonijnsalade eten, hoor. Er zit zeker weten suiker in en het knoflookbrood is nog niet ontdooid.'

Lucy, die hoopte dat niemand anders het gehoord had, stond al aan de onbekende deurkruk te morrelen. Aan de andere kant stond een bijzonder lange man met een bos chrysanten van de benzinepomp. Hij had een Bluetooth-headset in en keek haar recht aan met een doordringende blik in zijn strakblauwe ogen. Iets in hem gaf haar een ongemakkelijk gevoel, maar maakte het ook onmogelijk haar blik af te wenden.

'Dan Green,' zei hij met een half, komisch buiginkje. 'Een vriend van Patsy. En jij bent...?'

'Lucy. Ook vrienden. Nou ja, zoiets. Antony vroeg of ik de deur open kon doen. Kom binnen.'

15

Jenny doopte haar vinger in haar cocktail, viste de kers eruit met haar duim en wijsvinger en zoog er veelbetekenend aan voor haar eenkoppige publiek.

'Niet op komen dagen?' vroeg de barman.

'Ik zou je aan kunnen geven voor nieuwsgierigheid,' giechelde Jenny.

'Of ik kan je een drankje aanbieden als ik straks vrij ben.'

Jenny keek hem onderzoekend aan. Pluspunten: lang, donker, niet per se knap maar wel aantrekkelijk en een goed gevoel voor humor. Negatieve punten: hoogstens drieëntwintig. Niet veel ouder dan haar oudste neefje, lieve hemel. Aan de andere kant, geen trouwring...

'Dank je, maar nee dank je,' antwoordde ze een stuk vriendelijker dan hoe ze normaal gesproken dergelijke uitnodigingen afsloeg. 'Moet jij trouwens niet naar huis, naar je moeder?'

Hij grinnikte. 'Ik mag 's avonds uit. En jij dan? Geen man en kinderen die thuis op je wachten?'

Ze dronk haar glas leeg. 'Nou, dat lijkt me nogal onwaarschijnlijk, aangezien ik net, zoals je al zo mooi zei, door mijn date ben laten zitten.'

'Je zou kinderen kunnen hebben.'

Een onverwachte golf van teleurstelling ging door haar heen. 'Ja,' beaamde ze zachtjes. 'Dat zou kunnen. Maar ik heb ze niet.' Voor haar was het te laat om kinderen te krijgen, tenzij ze opeens het geluk zou vinden. Bijna negen uur was het: te laat voor haar blind date. Niet dat ze dat nou zo erg vond. Het was een vriend van Steve (hetero, had hij beloofd) en toen ze elkaar kort spraken aan de telefoon om een plek af te spreken, leek hij enorm vol van zichzelf.

'Zeg.' De sexy barman keek naar iets achter haar. 'Weet je zeker dat dat je date niet is? Hij zit de hele tijd naar je te kijken.'

'Waar?' Jenny bleef zitten waar ze zat en probeerde in de spiegel achter de barman te kijken.

'Een oudere kerel. Verschrikkelijke das met paarse stippen. Weinig haar. Dik.'

Jenny duwde haar glas naar de barman. 'Als dat is wie ik denk dat het is, heb ik nog een drankje nodig.'

'Jenny!'

Snel, zet je zakengezicht op. Een klant was een klant, ook na kantooruren.

Gedraag je onbetamelijk op eigen risico, want ze zullen je nooit meer willen hebben. Maar niet te goede vrienden worden. Ze kende menig evenementenorganisator die die fout had gemaakt.

'Alan!' Ze schonk hem een warme glimlach. 'Ik dacht dat je alweer naar huis was.'

'Dat was ook de bedoeling, meisje, maar toen dacht ik: waarom eigenlijk? Dus ik heb een paar West End-shows bezocht en wat gewinkeld. Morgen vlieg ik naar huis. Wat een toeval dat ik jou hier tref.'

'Ja, dat is het zeker.' Jenny keek om zich heen naar de spiegelwanden, het gedempte licht en de kleine bijzettafels naast de grote, zachte banken. Het was een van haar favoriete bars hier in Londen en dat was niet alleen omdat ze hier met... Stop, nu meteen.

'Ik vind het leuk hier.' Ze zei maar wat om haar zenuwen te verbergen. 'Dit is een van de weinige plekken waar je over de muziek heen kunt praten.'

'Ah, meisje, als je van sfeer houdt, zou je naar de haven moeten komen.'

'Waarheen?'

Hij ging op een metalige stoel met een hoge leuning naast haar zitten. 'Je gaat me toch niet vertellen dat je nog nooit gehoord hebt van de prachtige haven van Newcastle.'

Jenny's blik kruiste die van de knappe en sympathieke barman en ze kreeg spijt dat ze zijn uitnodiging had afgeslagen. 'Toch wel, vrees ik, Alan.'

'Dan mis je iets, hoor. Er zijn heel mooie plekjes aan mijn kant van de wereld, weet je. Waarom kom je niet eens langs?'

Jenny glimlachte beleefd. 'Dank je.'

'Nee, meisje, ik moet jou bedanken. Je was geweldig op het congres. Echt goed. Niet te geloven wat er allemaal misging. Eerst de beamer en dan de verstopte toiletten...'

De barman trok weer zijn wenkbrauwen op. 'O, het viel wel mee,' zei Jenny haastig. 'Ik heb het wel erger meegemaakt.'

'Echt waar? Zoals wat?'

'Nou, vorig jaar mocht ik de zestigste verjaardag van de directeur van een groot bedrijf organiseren. Het zou op een vrijdag zijn vanaf acht uur. Maar de drukker had een fout gemaakt met de datum op de uitnodiging en er kwam helemaal niemand. Iedereen dacht dat het een week later was.'

'Sodemieters,' zei Alan, onder de indruk. 'Wat heb je toen gedaan?'

'De drukker aangeklaagd, omdat het tenslotte hun fout was, en het ongebruikte eten naar het Leger des Heils gebracht. De week erop deden we alles over en waren de gasten er wel. Gelukkig was het niet andersom. Als iedereen een week te vroeg was gekomen, hadden we echt een probleem gehad.'

'Nou, meisje, je bent bijzonder vindingrijk.' Alan haalde zijn portemonnee tevoorschijn. 'Wil je nog iets drinken?'

'Dank je. Een wodka lime, alsjeblieft.' Ze keek de barman recht aan. 'En dan moet ik je helaas verlaten. Ik heb zo een afspraak.'

Even was de teleurstelling op Alans gezicht te zien. 'Dat is jammer. Ik vroeg me af of je zin had om een hapje met me te eten.'

'Dat is heel aardig van je.' Jenny keek de barman indringend aan. 'Maar ik heb over een halfuur met iemand afgesproken.' Ze keek weer naar de barman. 'Bij de ingang.'

'Nou, dan moeten we maar het beste maken van de tijd die ons rest, denk je ook niet?' Hij gebaarde naar een van de zachte banken. 'Zullen we een comfortabeler plekje opzoeken?'

Het was haar niet eerder opgevallen dat hij iets mank liep.

'Het stelt niets voor,' stelde hij haar gerust toen hij haar zag kijken. 'Een oude blessure. Een single handicap, als je begrijpt wat ik bedoel.'

Ze probeerde zich ondanks de drie wodka's te concentreren. 'Dus je bent gewond geraakt tijdens het golfen?'

'Jij bent om de duvel niet dom.' Hij wreef over zijn been. 'Het doet nog zeer, maar volgens Doris komt het uiteindelijk helemaal goed.' Hij klopte op de plek naast hem op de bank. 'Waarom vertel jij me niet een paar van jouw belevenissen?'

Een halfuur later excuseerde ze zich om naar het toilet te gaan. Alan Browning was veel boeiender dan ze zichzelf had voorgehouden. Of zou het de drank zijn? Hoe dan ook, ze vroeg zich af of ze eigenlijk nog wel zo'n zin had om met de barman uit te gaan, en haar blind date was helemaal niet op komen dagen. Opeens klonk een avondje op tijd naar bed bijzonder aantrekkelijk.

'Dank je, het was heel gezellig,' zei ze toen ze terugliep naar de bank om haar jas te pakken.

Alan sprong overeind en stak zijn hand uit. 'Is je date gearriveerd?'

'Ja.' Ze aarzelde even. 'Hij sms'te net dat hij er was.'

Alan hield nog steeds haar hand vast en ze wilde zichzelf niet lostrekken, om hem niet te beledigen. Ze had ergens gelezen dat mensen uit het noorden nogal fysiek waren ingesteld, dat ze zo hun genegenheid toonden. Ze moesten waarschijnlijk veel knuffelen om warm te blijven. 'Weet je, Jenny, je bent misschien een goede organisator, maar liegen is bepaald niet je sterkste kant. Je date komt helemaal niet, of wel?'

Jenny zuchtte. 'Is het zo duidelijk? Oké, ik heb voor niets zitten wachten.'

'Dat overkomt mij nou ook altijd. Goed, één keer, dan. Maar ik was er goed ziek van. Ik was helemaal van Newcastle naar Carlisle gereden om die dame te ontmoeten.'

Jenny's nieuwsgierigheid was gewekt. 'Ben je er ooit achter gekomen waarom ze niet kwam opdagen?'

Hij grimlachte. 'Dat is een lang verhaal. Maar ik zal je alles vertellen als je met me uit eten gaat.' De glimlach verdween en hij keek haar indringend aan. 'Als je tenminste geen andere plannen hebt dan wachten op een AZB.'
'Een wat?'
'Een AZB. Afwezig Zonder Bericht. Dat zeiden ze in het ziekenhuis toen ik mijn vrouw erheen bracht en sommige mensen niet op hun afspraak verschenen.'
Ze wist niet dat zijn vrouw ziek was. Ze was vast beter geworden, anders zou hij zijn ring toch niet meer dragen. Maar dat verhaal over die vrouw die hem had laten zitten... was dat voor of nadat hij getrouwd was?
'En, gaan we samen eten, meisje, of niet?'
Heel even schoot het door haar hoofd om hem uit te nodigen voor het eten bij Patsy. Alan zou in elk geval een grote verrassing zijn voor iedereen, maar... wacht even, hij zou het verkeerde idee kunnen krijgen. En zelfs als ze hem leuk vond, wat niet zo was, hij was niet beschikbaar.
'Ik weet het niet. Eerlijk gezegd ben ik behoorlijk afgedraaid. Ik heb een drukke week achter de rug.'
Hij knikte. 'Tja, mag ik dan tenminste mijn chauffeur opdracht geven je naar huis te brengen?'
'Ik dacht dat je zei dat je naar huis zou vliegen?'
'Dat doe ik ook, maar ik heb een chauffeur in Londen voor als ik hier ben.'
Ze probeerde niet te laten zien dat ze onder de indruk was.
'Nee, joh. Ik neem wel een taxi.'
'Geen sprake van. Ik sta erop.' Alan haalde zijn mobieltje tevoorschijn. 'Het is geen enkele moeite. Bovendien slaap ik beter als ik weet dat jij veilig thuis bent.'
'Dat is heel lief van je. Ik haal even mijn jas.'
Toen ze langs de bar liep, voelde ze zich een beetje schuldig. Er stond iemand anders achter de bar, dus hij stond misschien wel buiten op haar te wachten. Waarom kreeg ze alleen de mannen die ze niet wilde en niet degenen die ze wel wilde?
Onderweg naar de garderobe kwam ze langs de herentoiletten. Een gespierde man met donker krullend haar ging net naar binnen. De manier waarop hij liep kwam haar, zelfs van achteren, bekend voor. 'Mike?' vroeg ze aarzelend. De man stopte een halve seconde voordat hij de deur openduwde en bijna naar binnen struikelde zonder zich om te draaien.
Misschien had ze het wel verkeerd gezien, dacht Jenny terwijl ze zich op de achterbank van Alans auto nestelde. Wat heerlijk om in de warmte van deze leren stoelen weg te zakken in de wetenschap dat iemand je thuisbracht! Er was nog tijd voor die nieuwe Hugh Grant-dvd die ze zichzelf cadeau had gedaan en er stond nog een kwart liter witte wijn in de koelkast. Perfect.

De auto ging de hoek om en op dat moment zag Jenny de barman staan met zijn handen in zijn zakken tegen de kou. Terwijl ze langsreed keek hij op. Jenny maakte een verontschuldigend gebaar. Het was te donker om zijn gezicht te zien, maar ze kon wel raden wat erop te lezen viel.

'Je bent een vuile trut, Jenny Macdonald,' zei ze tegen zichzelf. 'En ik vind dat je alles verdient wat je overkomt.'

16

Neem risico's maar ga niet te ver.

Wat betekende dat nu weer, vroeg Chrissie zich af terwijl ze het stukje papier verfrommelde en het koekje langzaam opat, in de hoop dat het de smaak van de tonijn zou verdrijven.

'Is het wat?' vroeg Patsy, die haar een kop koffie voorhield. Ze had een soort haarextensies in (Chrissie had zich altijd afgevraagd hoe ze dat deden) en haar lange haar zwiepte langs de rand van de mok; hoe onhygiënisch was dat? 'Op die van mij stond dat ik het grote geld zou vinden. Ik geloof er niets van.'

Chrissie glimlachte stijfjes en keek angstvallig naar de kaars die op de tafel naast haar stond. Er stonden er minstens zes in de kamer. Zo gevaarlijk! Wat als iemand er eentje omstootte? 'Mijn boodschap was niet zo specifiek. Sorry, ik drink geen koffie. Heb je misschien ook thee?'

'Die is op. Zal ik even naar de nachtwinkel rennen?'

'Nee, joh, dat geeft niets.'

Chrissie wachtte tot Patsy door was gelopen en maakte toen nog een koekje open. Ze geloofde er natuurlijk niet in, maar het lot had iets onweerstaanbaars, vooral als je het in je handen hield.

Pas op voor vreemden.

Ze rilde. Belachelijk. Dan kon je net zo goed je horoscoop geloven. Chrissie stond op om bij Lucy te gaan zitten, toen ze zag dat Mike naast haar zat, moeizaam een papieren bordje met fruitsalade op zijn knie balancerend. Lucy fronste en Chrissie wist zeker dat ze de naam Eleanor hoorde vallen. Chrissie vond persoonlijk dat Lucy's schoonmoeder een bemoeizieke oude taart was. Ze liet ze maar even alleen. Ze schoot de kleine, simpele keuken met het aangetaste formica aanrechtblad in en deponeerde de rest van haar fruitsalade in de vuilnisbak. Die oranje stukjes waren zo draderig dat ze de hele tijd achter in haar keel vast bleven zitten.

'Hoi Chrissie. Heb je het naar je zin?'

Ze was gesnapt! Antony en Patsy stonden in de deuropening, zijn arm om haar blote rug, strelend over haar schouder. Chrissie had altijd zo haar ideeën over vrouwen die midden in de herfst halfnaakt rondliepen.

'Prima.' Ze gluurde schuldig naar de vuilnisbak. 'Waar zijn de kinderen?'

'Ze gingen naar George in de slaapkamer.'

'Wat!'

Zich langs hen heen wringend en met haar heup tegen de hoek van het goedkope formica aanrecht aan lopend, racete ze naar de slaapkamer met de verschrikkelijke deurkruk van zwart plastic.

Twee kleine gezichtjes bij het reisbedje keken naar haar op.

'Hallo, tante Chrissie.'

'Jullie hebben George toch niet wakker gemaakt?'

'Tuurlijk niet.'

Panisch legde ze een hand op zijn rugje om het geruststellende stijgen en dalen van zijn borstkas te voelen. Godzijdank.

'Hebben jullie geprobeerd hem op te tillen?'

'Echt niet.' Twee paar ogen keken haar verontwaardigd aan.

Zij zou nooit verontwaardigd zijn geweest op hun leeftijd. Zij zou zich verontschuldigen. Kinderen waren tegenwoordig zo wijs, zo eigenwijs. Zij zou wel zorgen dat George respect had voor ouderen als hij groter was. Toen keek ze weer naar Alice. 'Je hebt make-up op!'

Alice giechelde. 'Patsy heeft me opgemaakt. Ze heeft vorige maand iedereen van *Big Brother* gedaan. Vind je het mooi?'

Chrissie kon er niet om lachen. 'Je ziet er... prachtig uit, maar het is wel een beetje veel. Haal je het er wel af voordat je naar bed gaat?' Toen bedacht ze opeens iets. 'Waar gaan jullie vanavond slapen?'

'Hier.' Matt klonk vlak. 'Op de bank, als iedereen weg is.'

'Jullie mogen wel met mij mee naar huis, als jullie willen.'

'Nee hoor. Papa zal het niet leuk vinden als we niet blijven. Ik hoop alleen dat het goed gaat met mama. Ik heb haar gebeld, maar ze nam niet op.'

Arm kind! 'Ik ga op de terugweg wel even bij haar langs om te kijken of alles goed is.'

Matt keek opgelucht. 'Dank je.'

Maar het was niet goed dat ze nu nog op waren. Alice leek uitgeput, met donkere kringen onder haar ogen. 'Zal ik Patsy vragen of jullie op haar bed mogen liggen tot alle volwassenen weg zijn?' opperde ze.

'Nee, dank je.' Matt sloeg een arm om zijn zusje. 'Wij willen bij de anderen blijven.'

Zij zou ook niet alleen in deze kamer willen blijven. Het voelde gewoon niet fijn met die boa boven het hoofdeind, kristallen aan het plafond en overal kleine potjes met smeerseltjes en make-up, om van de stapels tijdschriften en kranten op de vloer nog niet te spreken.

Ze pakte er zomaar eentje op. Het bleek een map met losse knipsels te zijn. LOKALE INWONER BIJNA ONTSNAPT UIT GEVANGENIS, stond erboven.

'Tante Chrissie, mogen we nu weer naar de andere kamer?'

Alice trok aan haar mouw.

Chrissie legde de map met tegenzin neer. Wat voor rare gek bewaarde dit soort dingen? Niet normaal! Ze hoopte dat Antony snel bij zijn positieven zou komen. En zo niet... dan was het toch zeker hun taak om hem een handje te helpen.

Ze had best zin in een drankje, zeker nu Martin er uiteindelijk schoorvoetend mee had ingestemd dat het zijn beurt was om naar huis te rijden. Zijn gewoonlijke 'paar biertjes' waren er laatst vier of vijf op één avond geworden, en Chrissie greep elke gelegenheid aan om zijn inname zo veel mogelijk te beperken.

Maar waar was hij? Zijn mobieltje stond al de hele avond uit. Voordat George geboren was, zou ze doodsbang zijn geweest dat hij een ongeluk had gehad. Nu kon ze niet aan de gedachte ontsnappen dat ze veel ongeruster zou zijn als hij George bij zich had gehad.

Chrissie nam nog een sapje en leunde tegen de muur op de smalle gang. Het was te druk in de kleine woonkamer en Patsy had weer een sigaret opgestoken. Wist Patsy niet hoe schadelijk passief meeroken was? Dat was de echte reden dat ze George in de slaapkamer had gezet en niet bij haar had gehouden.

Er klopte iemand op haar rug. 'Chrissie? Chrissie Evans? Ben jij het?'

Nadat ze zich razendsnel had omgedraaid, stond ze oog in oog met een lange, zeer magere man met warrig zwart haar en indringende blauwe ogen. Iets in haar begon steeds sneller op en neer en heen en weer te stuiteren en te draaien, alsof ze een centrifuge was. Tot overmaat van ramp voelde ze dat haar borstpads doorlekten.

Dat kon niet waar zijn.

'Je bent het, ja toch?' De man lachte verrukt met zijn hoofd in zijn nek, waardoor zijn hagelwitte tanden en een lichte stoppelbaard op zijn kaaklijn zichtbaar werden. Hij had een Bluetooth-oortje in, wat Chrissie een zeer onbeleefde gewoonte vond in gezelschap.

'Verdorie, Chrissie. Dat is lang geleden. Waar ken jij Patsy van?'

'Ken ik jou?' Ze keek hem koeltjes aan.

Hij probeerde haar hand te pakken. Ze trok hem weg.

'Kom op, Chrissie. Speel nou geen spelletjes met me.'

De centrifuge van angst sloeg over in woede. 'Je vergist je. Ik ben niet Chrissie Evans. Ik ben Chrissie Richards. En nu moet ik gaan, even kijken of alles goed is met de baby.'

'Baby?' Hij leek licht geschokt.

Chrissie voelde een golf van genoegdoening. 'Inderdaad.'

Er werd op de deur geklopt. 'Martin!' Dankbaar keek ze naar het bekende, ietwat volle gezicht van haar echtgenoot, ondanks de weeë, stinkende, allesverradende geur van zijn adem.

'Lieveling, het spijt me. Ik kon er niets aan doen. Die klant wilde me per se trakteren op een drankje ergens in een club en ik kon niet weigeren zonder hem te beledigen.'

'Je bent te laat voor het eten,' zei ze minzaam.

'Ik weet het. Sorry.' Zijn ogen gingen naar de man die naast haar stond. 'Hoi.'

Hij keek naar Chrissie alsof hij wachtte tot zij hem zou voorstellen.

'O, pardon.' Ze pakte uitdagend de hand van haar man. 'Martin, lieverd, dit is Daniel. Daniel, mijn echtgenoot, Martin.'

'O,' zijn ogen dansten, 'noem me maar Dan, zoals bijna al mijn vrienden doen.'

Zijn ogen doorboorden haar bijna en ze rilde van het onbehaaglijke gevoel dat hij haar gaf. 'En dat van het eten is niet waar. Het is meer een soort informeel buffet, hoewel ik je aanraad de tonijnsalade over te slaan, tenzij je van keihard gekookte eieren met suiker houdt. Vergeet de fruitsalade ook maar. Onze lieve Patsy heeft hem zelf gemaakt en hij is een beetje aan de taaie kant. Maar ja, je kunt niet overal goed in zijn, toch?' Hij knipoogde naar Martin. 'En naar verluidt is onze gastvrouw behoorlijk goed in andere dingen.'

Chrissie liep rechtstreeks naar Lucy toe. 'Er is iets verschrikkelijks gebeurd,' siste ze.

'Ach, lieverd.' Lucy keek meelevend naar haar lekkende borsten. 'De badkamer is die kant op.'

'Dat is het niet. Het is veel erger.'

'Wat?'

'Zie je die man daar?'

'Die lange? Half Heathcliff, half James Nesbitt?' Lucy knikte. 'Ik heb hem binnengelaten. Hij had iets verontrustends over zich.'

'Dat kun je wel zeggen, ja. Nou...'

Aan de andere kant klonk een kreet. Het was moeilijk te zien door de rook en de mensen, maar het leek of er iemand op de grond was gevallen. Chrissie sprong op, gevolgd door Lucy. Antony knielde op de grond naast Alice, die heftig aan het overgeven was.

'Wat moet ik doen?' vroeg hij, wild om zich heen kijkend.

Patsy gooide handdoeken op de vloer. 'Ze verpest mijn hele vloerbedekking!'

Chrissie greep de kom waar de fruitsalade in zat, kiepte de inhoud op de placemats en schoof de kom onder Alice' hoofd terwijl ze haar haar uit het gezicht hield. 'Gooi het er maar uit, popje.'

Matt begon te huilen. 'Het komt goed, makker,' zei Antony paniekerig. 'Ze heeft vast iets verkeerds gegeten.'

'Wil je zeggen dat mijn eten niet goed was?' vroeg Patsy verontwaardigd.

'Ik zei nog dat ze het niet moest doen,' snikte Matt, 'maar ze luisterde niet.'

Chrissie werd koud. 'Dat ze wat niet moest doen?'

Matt pakte haar arm. 'Ze wilde weten hoe wodka smaakte, tante Chrissie. Dus we namen een beetje. Toen pakte ze de fles en voordat ik haar kon tegenhouden, dronk ze hem helemaal leeg.'

'Wat?' brulde Antony. 'Waar heb je die gevonden?'

'In de keuken,' zei Matt. 'Hij stond daar gewoon, naast het sap.'

'Wacht even,' zei Patsy. 'Ze gaat weer overgeven. Hou die kom er nou onder. Die vloerbedekking is nieuw.'

'Alice,' riep Antony. 'Snel, ze wordt helemaal wit. O mijn god, ze valt flauw. Bel een ambulance. Nu.'

OKTOBER

Wilde bospaddenstoelen in bladerdeeg

Lam (spinazietaart voor mevrouw Eet-ik-niet)

Zelfgemaakt sorbetijs

17

'Alice, Matt, ophouden, anders breng ik jullie nu meteen naar huis.'
Lucy wilde haar hand op Maggies dunne arm leggen en zeggen: laat ze, het zijn kinderen. Natuurlijk rennen ze rond in een kantoor waar ze zich dood-vervelen, ondanks de potloden, kladblokken en boeken die ze hebben mee-genomen.

Arme Maggie was vanaf het moment dat Antony weg was één brok zenu-wen. Ze stond vreselijk op de foto die gebruikt was voor een advertentie van het kantoor in de plaatselijke krant (een idee van Genevieve om meer klan-ten te trekken). Lucy, die altijd verstijfde als er een camera in de buurt was, vond dat ze er zelf ook niet al te best op stond, maar zij schreef haar bleke verschijning toe aan de bijeffecten van Patsy's tonijnsalade. Ze hadden al-lemaal drie dagen last van hun maag gehad en Martin, die het hardst getrof-fen was, beweerde dat hij spontaan allergisch was geworden voor alles wat 'door die vrouw was klaargemaakt'.

'Waarom vraag je Antony niet om ze vandaag mee te nemen?' vroeg Lucy zacht, zodat de kinderen het niet zouden horen.

'Nadat hij Alice laatst dronken heeft gevoerd?' Maggie had een bijna waan-zinnige blik in haar ogen. 'Geen denken aan dat die man en zijn gestoorde, domme, onverantwoordelijke hoer nog op de kinderen mogen passen. Hij mag blij zijn dat ik de politie niet heb gebeld.'

Lucy zuchtte. Ze hadden het al zo vaak besproken. Het was een ongelukje geweest, had ze Maggie gezegd. Ja, het was stom geweest van Patsy dat ze de wodka naast een fles sap had gezet. Maar Alice was uiteindelijk niet echt bewusteloos geraakt, hoewel ze behoorlijk had overgegeven. En zij en Antony hadden Alice wel naar de Eerste Hulp gebracht, maar daar kregen ze het advies om haar thuis naar bed te brengen om haar roes uit te slapen.

'Gelukkig heeft ze niet meer gedronken,' had de dienstdoende dokter ern-stig gezegd, alsof het Lucy's schuld was geweest. 'Vorige week werd hier een kind binnengebracht dat drie uur in coma heeft gelegen nadat het een halve fles wijn achterover had geslagen.'

Lucy had besloten dat het beter was dit moraliserende verhaal niet aan Maggie te vertellen, die haar ex inmiddels verbood de kinderen te zien, tenzij hij naar hun oude huis kwam zonder Patsy.

'Matt, laat die papieren eens liggen! En Alice, blijf van het kopieerapparaat af!'

Stond Maggie, die zwarte wallen onder haar ogen had, op het punt van instorten? Haar ingevallen gezicht met de permanente uitdrukking van angst en pijn deed Lucy denken aan haar eigen toestand na Lukes dood. Dat maakte dat ze de neiging kreeg om onmiddellijk Mike te bellen om hem te zeggen hoeveel ze van hem hield, vooral omdat ze gisteravond even ruzie hadden gemaakt over zoiets stoms als de huisregels die hij in de keuken had opgehangen. Waar ging het eigenlijk om? Iets over niet eten voor de televisie en borden in de afwasmachine zetten als je klaar was.

'Ze gaan veel te ver, schatje,' had hij gezegd. 'Ik probeer je alleen maar te helpen. Je moet het niet zo serieus nemen.'

Maar de kinderen, vooral Kate, waren laaiend geweest. 'Hij behandelt ons alsof wij hier niet horen. Ik kan niet wachten tot ik net als Jon het huis uit ben.'

Ze hoopte maar dat ze nu niet ook ruzie aan het maken waren, zonder dat zij thuis was om te bemiddelen. Maggie en zij hoefden normaal gesproken niet te werken op zaterdag, maar Genevieve, de eigenaresse, was met vakantie en had hun gevraagd om wat taken over te nemen. De telefoon stond roodgloeiend; hij ging voor de zoveelste keer over. 'Ik neem 'm wel,' zei Lucy snel. Maggie had al een huurder afgesnauwd door te beweren dat ze nooit een huis had mogen huren als ze niet eens de hoofdschakelaar kon vinden.

'Right Rentals, zegt u het maar.'

Lucy luisterde naar de stroom beschuldigingen die door de telefoon over haar werd uitgestort. Gelukkig dat zij deze keer had opgenomen en niet Maggie, die waarschijnlijk net zo hard terug was gaan schreeuwen. Het was duidelijk met wie ze van doen had. De boze klanken van mevrouw Thomas waren van mijlenver te onderscheiden.

'Ik begrijp dat u zich zorgen maakt, mevrouw Thomas.' Lucy sprak op de sussende toon die ze zo graag ook bij haar eigen kinderen zou gebruiken. Waarom was het altijd gemakkelijker om aardig te zijn tegen vreemden dan tegen je eigen kinderen? 'Maar zoals u weet, hebben we de loodgieter al naar boven gestuurd, en hij is ervan overtuigd dat u de dakgoot hoort.'

Ze hield de telefoon ver van haar oor af. Alice en Matt waren nieuwsgierig geworden en lieten de kopieermachine met rust. 'Nee, ik kan me niet indenken dat u ratten hebt, mevrouw Thomas, maar als u wilt, laten we iemand komen.'

'Ratten!' Alice sprong naast haar op en neer en trok aan haar mouw. 'Mag ik ze zien?'

Lucy zond een 'red mij'-blik naar Maggie, maar die staarde voor zich uit in het niets, doof en blind voor de chaos, haar handen om een mok koude koffie.

'Nee, mevrouw Thomas, er zit geen ander telefoontje op deze lijn. Het is nogal druk op kantoor vandaag en er zijn... eh... wat andere klanten hier. Ja, zodra ik iets hoor, neem ik contact met u op.'

'Hoeveel ratten zijn er?' vroeg Alice op het moment dat ze de telefoon neerlegde. 'Mag ik er een als huisdier?'

'Er zijn geen ratten, Alice,' zei Lucy strenger dan ze had bedoeld. 'En je moet me niet onderbreken als ik aan de telefoon ben, lieverd. Mama heeft toch aan jullie uitgelegd dat je op kantoor een beetje stil moet zijn?'

'Maar het is zo saai.' Alice zat op de hoek van haar bureau en stak paperclips door haar vlechten.

'Dat weet ik.' Lucy keek naar Maggie, die nog steeds mistig zat te kijken. 'Zal ik Kate even bellen? Ze hangt gewoon wat rond in de stad. Misschien komt ze je wel halen.'

'Krijg ik dan net zo'n piercing in mijn wenkbrauw als zij heeft?' vroeg Alice.

'Echt niet,' zei Maggie vlak.

'Maar je kunt wel winkels kijken met haar,' moedigde Lucy haar aan. 'Lijkt je dat leuk, Matt?'

Hij haalde zijn schouders op.

Meer had ze niet nodig. Lucy belde Kate op haar mobiel. 'Lieverd, ik ben het. Kun je alsjeblieft iets voor me doen?'

Het was een lange ochtend. Tegen de tijd dat ze verschillende problemen hadden moeten aanhoren, waaronder een lekkende kraan ('Ik ben bang dat we tot maandag zullen moeten wachten, mevrouw Hughes'), een huurder die weigerde zijn huur te betalen omdat een onbetrouwbare Right Rentals-klusjesman niet gekomen was om een raampje te repareren, en een eigenaar die wilde weten waarom ze nog geen huurder hadden gevonden, terwijl hij een veel te hoge huurprijs vroeg, waren Maggie en Lucy allebei uitgeput.

Toch, dacht Lucy terwijl ze haar ongewoon stille huis binnenstapte, was Maggie wat uit haar schulp gekropen nadat de kinderen waren vertrokken met Kate. Ze had zelfs de overoptimistische eigenaar weten te paaien door hem te verzekeren dat de markt binnenkort zeker aan zou trekken omdat een groot Amerikaans bedrijf binnenkort op zoek zou gaan naar nieuwe woonruimte voor het personeel.

Lucy zette een ketel water op en plofte op de bank in de woonkamer. Wat een zegen! Hoewel ze Mikes warme, humoristische aanwezigheid miste, was het ook heerlijk om het huis een paar minuten voor zichzelf te hebben. Trouwens, nog even en dan waren ze allemaal weer terug, slaand met de deuren, schreeuwend en vechtend, roepend om de lunch. Ze hoopte maar dat ze de keukenregels van vanmorgen achter zich hadden gelaten. Er klonk een zachte ping in de keuken om aan te geven dat het water kookte. Lucy nam de deksel van de theepot om er wat heet water in te gieten. Typisch! Niemand was op het idee gekomen om de oude theezakjes even weg te gooien. Ze deed het keukenkastje met de vuilnisbak erachter open en gooide ze erin, klakkend met haar tong omdat ze op de vloer drupte. En toen zag ze het. Later kon ze niet terughalen waarom ze naar het kleine, schijnbaar totaal onbelangrijke papiertje had gekeken, het uit de bak had gevist, het had gladgestreken op een snijplank en het had bestudeerd. Het was tenslotte maar een benzinebonnetje, dat Mike waarschijnlijk had weggegooid, want het was niet van haar. Het was de naam van het tankstation die haar maag deed omdraaien. Een tankstation in Manchester. Gedateerd op de dag dat Mike had gezegd dat hij in Plymouth was.

Ze had besloten er iets van te zeggen zodra hij terug was, net voordat de kinderen thuiskwamen. Maar Kate wilde met haar naar een spijkerbroek gaan kijken.

Sam zou aan zijn huiswerk moeten gaan, maar beweerde dat hij niets had. 'Zeker weten?' vroeg Mike sceptisch. 'Je moet wel je best doen op school als je ooit iets wilt bereiken, hoor.'

Sam had hem meewarig aangekeken. 'Ik heb toch gezegd dat ik later ga presenteren bij *Blue Peter* en dan hoef je alleen maar hard te kunnen rennen. Zo heeft de laatste zijn baan gekregen. Dat heb ik gelezen in *Oi!*'

Lucy lachte vermoeid. 'Goed, kun je dan je sporttas voor morgen inpakken, en geef dat rugbyshirt even terug aan de rechtmatige eigenaar. Wat moet zijn moeder wel niet denken?'

'Iedereen leent spullen van elkaar, mam.'

'En stop met spelen met je vlees,' onderbrak Kate met haar bazige ouderezussenstem. 'Het is al dood, hoor.'

'Rot op. Trouwens, ik word geloof ik maar vegetariër, net als Antony's nieuwe chick.'

Mike schudde zijn hoofd. 'Let een beetje op je woorden. En, wacht even, voordat jullie allemaal wegrennen even je bord in de vaatwasser zetten, oké?' Hij wachtte tot ze weg waren voordat hij zich tot haar wendde. 'Schatje, ik denk dat ik vanmiddag naar mijn eigen huis ga om de boel op te ruimen voor de kijkers die morgen komen.'

'O, ja?' Lucy had zitten wachten op het juiste moment om over het bonnetje te beginnen.

'En ik dacht...' Hij pakte haar hand. 'Waarom gaan we niet een paar dagen weg? Wij samen.'

Er ging een alarmbel rinkelen. 'Maar wie blijft er dan bij de kinderen? Het is geen vakantie, dus ze kunnen niet naar Eleanor.'

'Je kunt toch wel iemand anders vragen?'

'Niet echt. Vroeger zou ik Maggie vragen, maar dat kan nu echt niet. Niet nu ze zo is. Dat begrijp je toch wel? Bovendien, de kinderen hebben mij nodig.'

Mike stond op. 'Wij allemaal.'

'Wat bedoel je daarmee?'

'We hebben nooit eens tijd samen. Er is altijd iemand die iets van je wil en soms denk ik gewoon dat het tijd is dat wij wat tijd voor ons maken, Lucy.'

'Maar je wist waar je aan begon toen je me leerde kennen. Ik heb gezegd dat de kinderen, en Mungo, een deel van mij zijn. En dat vond je prima.'

'Dat klopt, maar ze zijn een stuk ouder nu, Lucy. Jon is al weg en over een tijdje gaan de anderen ook. Sorry dat ik het zeg, maar ik denk dat het tijd wordt dat je ze loslaat.'

Na afloop deed ze wat ze altijd deed om tot rust te komen. Mungo was niet alleen goed gezelschap, hij was ook het perfecte excuus om een lange wandeling te maken en je even terug te trekken. Tegen de tijd dat ze terugkwam, was het donker geworden. Maar het huis stond als een baken van licht in de duisternis. Mike had aan het eind van het gesprek koeltjes beloofd dat hij terug zou komen voor het avondeten. Ze nam zich voor om hem dan te confronteren met het bonnetje. Ironisch genoeg was ze niet eens zo verrast geweest toen ze het had gevonden. Vanaf het moment dat Mike in haar leven was gekomen, had ze haar geluk niet op gekund. Het leek haar, na alles wat er met Luke was gebeurd, niet meer dan logisch dat dit ook wel weer in zou storten.

Terwijl Lucy in haar tas naar haar sleutel zocht, zwaaide de deur plotseling open.

'Lucy, lieverd, je bent terug. We begonnen ons al zorgen te maken.'

Ze staarde naar de lange elegante vrouw met grijs-wit haar in haar zachtgroene mantelpakje. 'Eleanor!' Verward probeerde Lucy haar gedachten te ordenen. Had ze zich vergist? Was ze vergeten dat ze haar schoonmoeder uitgenodigd had om te komen logeren?

'Ik wist dat je het goed zou vinden,' zei Eleanor, die haar voorging naar binnen alsof het haar huis was in plaats van dat van Lucy. 'Hoewel je vriend Michael niet al te verheugd leek.'

'Hij wist waarschijnlijk niet dat je zou komen.'

'Had je mijn boodschap niet gekregen?'

'Wanneer heb je die ingesproken?'

'Nu ik erover nadenk, ik heb misschien helemaal niet gebeld. Ik heb zo'n hekel aan antwoordapparaten. En Lucy, ik moet zeggen dat ik tegen die piercing van Kate ben. Vroeger droegen we knopjes in onze oren, niet in onze wenkbrauwen. En dat haar van Sam. Dat kan de school toch niet toestaan?'

'Dat doen ze ook niet. Hij draagt het 's avonds en in de weekenden omhoog,' antwoordde Lucy vermoeid. 'Heeft iemand je al naar je kamer gebracht? Ik denk dat het bed verschoond moet worden.'

Ze reserveerden de logeerkamer voor Eleanor. Aangezien ze de enige grootouder was die de kinderen nog hadden, zorgde Lucy er altijd voor dat dezelfde spulletjes op de kaptafel stonden, dat er een ochtendjas aan de deur hing en dat er een paar roze pantoffels bij het bed met de dikke geknoopte sprei stond.

'Kate heeft het al gedaan, dank je. Wat een lief meisje, ondanks die verschrikkelijke piercing. Sam vertelde dat hij voor zijn ASO-examen aan het leren is. Is dat een soort schriftelijke overhoring? Je vriend Michael is al een hele tijd in de keuken. Zeg, het gaat goed met de hond, hè? Hij springt niet meer de hele tijd tegen je op. Zeg eens, lieverd, hoe is het Jon vergaan?'

Ze was vergeten hoe vernuftig haar schoonmoeder kon jongleren met zinnen die in elkaar overliepen zonder dat ze enig verband met elkaar leken te hebben. 'Het leek allemaal in orde.' Lucy slikte een brok weg.

'Je moet hem de ruimte geven om op te groeien, meisje.' Eleanor raakte haar hand aan. 'Dat ben ik met Michael eens.'

Dus ze hadden het over haar gehad!

'Hoorde ik mijn naam?'

Mike kwam uit de keuken met een theedoek over zijn schouder. 'Hé, schatje. Lekkere wandeling?'

Lucy negeerde de geschokte blik van haar schoonmoeder als reactie op Mikes koosnaam voor haar. 'Ja, dank je. Eleanor, waarom ga jij niet even lekker in de woonkamer zitten met wat tijdschriften.'

'Nou, lieverd, ik dacht eigenlijk dat ik nog wel wat aan mijn adresboekje kon werken.' Ze klopte op het boekje dat in haar schoot lag. 'Ik moest een andere maken, snap je, omdat er zoveel van mijn vrienden en vriendinnen zijn overleden. Ach, het zal de leeftijd wel zijn.'

'Zo moet je niet denken,' zei Lucy zacht. Ze keek Michael indringend aan. 'Kunnen wij even praten?'

'Natuurlijk. O, voor ik het vergeet. Chrissie belde. Of je terugbelt. Het is dringend.'

18

Zwart met een felle klodder paars in het midden. Zo zag ze de tweede maandag van de maand altijd voor zich in haar hoofd. De dag dat ze altijd naar Edgware ging. Ze was de laatste tijd telkens een beetje later gekomen en vandaag leek het erop alsof ze het helemaal niet ging redden. Niet met het tempo waarmee de shoot verliep.

'Ik gebruik altijd roze blusher,' protesteerde het model met wie Patsy één keer eerder had gewerkt bij *Vogue*.

'Ik wil dit even proberen,' zei Patsy streng terwijl ze Tahitian Tawn op de jukbeenderen van het model aanbracht. Francesca was gevaarlijk. Ze was getrouwd met de directeur van het modellenbureau waar ze voor werkte (over nepotisme gesproken) en kreeg meestal haar zin.

'Pardon.' Francesca wenkte de styliste van het marketingbureau dat de shoot leidde. 'Deze dame wil per se deze afschuwelijke kleur op mijn gezicht smeren. Ik wil roze.'

De styliste aarzelde. 'Oké, doe maar roze. Dat vind ik ook mooier.'

Patsy brieste. 'Klaar?' De assistent van de fotograaf hing om hen heen. 'We hebben nog een uur en dan moeten we eruit.'

De shoot werd net naast de groengrijze marmeren vloer van de lobby van een chic hotel in Londen gedaan. Ze hadden toestemming gekregen van de persvoorlichter van het hotel, op voorwaarde dat het hotel genoemd zou worden in de advertentie. Patsy vond dat altijd een soort oplichterij, vooral als een modeshoot eigenlijk ergens ver weg in een of ander exotisch land werd gedaan tegen absurd hoge kosten. Alsof het de lezer ook maar iets kon schelen of de palmboom op de achtergrond echt of nep was.

Nog gepikeerd omdat haar professionele advies in de wind werd geslagen, zakte Patsy achteruit in haar stoel en keek hoe ze poseerden onder de lampen. Ze zat dichtbij genoeg om de set op te kunnen rennen om zo nodig de make-up van het model snel te kunnen bijwerken en ver genoeg weg om even haar ogen dicht te doen en zich af te vragen of er nog tijd zou zijn om naar Edgware te gaan, als de sessie tenminste voor zeven uur klaar was. Dat zou wel betekenen dat ze laat thuis was, en daar kon Antony slecht tegen, vooral omdat hij nog boos op haar was.

'Waarom had je die wodka niet beter weggezet?' had hij gezegd toen de eerste paniek voorbij was en Alice, dat stomme kind, terug bij haar moeder was.

'Daar gaat het niet om. Weten jouw kinderen niet dat ze niet zelf drinken mogen pakken? En, misschien weet je het nog, ik wist helemaal niet dat ze zouden komen.'

Hij was die nacht zo ver mogelijk van haar af gaan liggen in bed, dat was nog niet eerder voorgekomen. Tegen de ochtend waren ze weer tegen elkaar aan komen te liggen, maar zelfs nu nog, twee weken later, was er iets wat tussen hen in stond.

'Patsy?' Een lange knappe vrouw met blond haar stond voor haar. 'Jij bent het toch?'

Ze had een paar seconden nodig om haar te plaatsen. Ze had haar haar laten knippen en het stond haar goed, met zachte laagjes die tot net over de oren vielen. Goede make-up. Een honingkleurige basis met een klein glimmertje op haar hoge jukbeenderen.

'Jenny.' Patsy stond op. Ze was aanzienlijk kleiner dan Jenny, waardoor ze zich ongewoon onzeker voelde. 'Hoi, hoe gaat het?'

'Druk.' Ze klonk koeltjes. 'Ik ben hier om deze locatie te bekijken voor een congres. Wat doe jij hier?'

Patsy gebaarde naar het tafereel achter een van de Griekse pilaren, waar Francesca nog steeds niet uitgepraat was over roze blusher. 'Ik heb een shoot.'

'O, ja, nu weet ik het weer. Je bent visagiste, toch? Waar is het voor?'

'Een tijdschrift. Maar het is voor een advertorial. Dat betekent...'

'Ik weet wat dat is,' onderbrak Jenny haar ongeduldig. 'Wat wordt er verkocht?'

Patsy keek om zich heen of er iemand binnen gehoorsafstand stond. 'Bekkenbodemtrainers.'

'Wat? Maar dat model zit daar gewoon een beetje mooi te wezen op een stoel.'

'Tja, ze kunnen haar moeilijk fotograferen terwijl ze dat ding naar binnen schuift, of wel dan?'

Jenny begon te lachen, maar stopte toen alsof ze opeens ergens aan dacht. Prima, dacht Patsy, je vindt me niet aardig. Daar kan ik mee leven.

'Stilte, alsjeblieft,' zei de assistent-fotograaf, die even bestraffend om de pilaar heen keek.

'O, nee, ik heb het weer gedaan,' mompelde Patsy.

'Ik hoorde van het wodkafeestje.' Jenny sprak vlakjes. 'Gelukkig hebben de kinderen er niets aan overgehouden.'

'Het was maar één kind,' verweerde Patsy zich. 'En ik snap niet waarom iedereen mij de schuld geeft. Als ik aan mijn vaders drankvoorraad zou komen, zou ik een draai om mijn oren krijgen. Tegenwoordig zijn het altijd de ouders die het hebben gedaan.'

Jenny knikte. 'Ik snap wat je bedoelt. Ik heb het zo gehad met ouders die denken dat de wereld om hen draait, alleen omdat zij besloten hebben om een paar kinderen op de wereld te zetten.'

'Precies.' Patsy tapte een glas water uit de waterkoeler en bood Jenny er ook een aan. 'Ze zeuren over deuren die niet breed genoeg zijn voor hun kinderwagens...'

'En ze krijgen de beste plekken op de parkeerplaats bij de supermarkt.'

De twee vrouwen keken elkaar met hernieuwde interesse aan.

'Heb jij ooit serieus over kinderen nagedacht?'

Patsy haalde haar schouders op. 'Soms denk ik weleens dat het leuk zou zijn om een dochter te hebben. Geen jongen. Daar zou ik me geen raad mee weten. Maar het was nooit het juiste moment, of de juiste man.'

Jenny knikte. 'Ga jij nog naar Chrissie over twee weken?'

Antony had er niets over gezegd. Misschien was hij niet van plan om te gaan. Of misschien wilde hij haar niet mee hebben. Patsy rilde even onbehaaglijk.

'Weet ik nog niet. Jij?'

Jenny trok een kan-me-niet-schelen-gezicht. 'Hangt ervan af of ik niets anders te doen heb. En werk. Deze baan is zo'n beetje mijn leven.'

Patsy keek op haar horloge. 'Ik zou nu eigenlijk ergens anders moeten zijn, maar het ziet er niet naar uit dat dat nog gaat lukken. Hoe is Chrissie eigenlijk?' Met een beetje geluk zouden ze het ook nog over Antony's vrouw kunnen hebben, zodat ze iets meer te weten kwam.

'Aardig. Zij en ik waren vriendinnen, totdat ze Martin tegenkwam.' Ze stootte Patsy even aan. 'Heb jij trouwens nog gehoord wat ze op de babyfoon zei bij Lucy thuis, vorige keer?'

Patsy werd niet graag herinnerd aan die afschuwelijke avond dat Maggie plotseling op was komen dagen.

'Nee, wat dan?'

'Jullie waren waarschijnlijk al weg. Nou, Chrissie was boven om de baby te voeden en ze was blijkbaar vergeten dat de babyfoon aanstond. Ze begon tegen George te praten...'

'Wie?'

'Haar baby. Anyway, ze vertelde hem dat Martin haar niet meer echt opwond en dat er eigenlijk maar één persoon was die dat wel had gedaan, maar dat dat jaren geleden was.'

'Maar het is een baby. Dat begrijpt hij toch helemaal niet?'

Jenny trok een gezicht. 'Dat doen moeders nu eenmaal. Lucy deed het ook altijd. Typisch. Maar goed, Martin was beneden in de woonkamer met Mike en zij hebben het allebei gehoord! Wat was ik graag een vlieg op de muur geweest toen ze die avond thuiskwamen.'

'Nu je het zegt,' zei Patsy, 'ze gedroeg zich best vreemd toen ze bij mij was. Ik hoorde dat ze behoorlijk onbeschoft deed tegen Dan.'

'Wie?'

'Een vriend...'

'Patsy? Waar ben je?' Gael kwam op haar af, gevolgd door Francesca met een ik-zei-het-toch-blik bestemd voor Patsy. 'De make-up moet bijgewerkt worden. En ze moet een oranje rok aan, niet deze roze. Waarom heeft niemand die gestreken?'

Ze keek Jenny keurend aan. 'Ben jij hier om te helpen?'

'Ik kwam toevallig langs.'

Patsy keek toe hoe ze zonder haast te maken opstond uit haar stoel. Op sommige punten hadden ze veel gemeen. Ze waren allebei eigengereide vrouwen, niet van plan om van iemand orders aan te nemen.

Patsy keek op terwijl ze Francesca's make-up verwijderde. 'Tot ziens bij Chrissie.'

Jenny zwaaide haar tas over haar schouder. 'Misschien.'

Ze zou te laat komen, maar toen ze had gebeld en het had uitgelegd, hadden ze gezegd dat ze voor deze keer nog mocht komen, mits ze op de gebruikelijke tijd weer zou vertrekken. Tjonge, alsof ze haar een enorm plezier deden, dacht Patsy geïrriteerd toen ze Canons Drive op liep.

Hoeveel jaar deed ze dit nu al? Soms kon ze daar beter niet over nadenken. Als dat stomme wodkaongelukje nou niet gebeurd was, had ze het misschien wel aan Antony verteld. Nu wist ze niet meer zeker hoe hij zou reageren.

Haar mobiel ging over toen ze net de straat in wilde lopen. Onbekend nummer, dus Antony was het niet.

'Hallo, schoonheid.'

Ze herkende die lage, chocoladebruine stem uit duizenden, net zoals ze de geluiden van de gokapparaten op de achtergrond herkende. Zou Dan het dan nooit leren? 'Ik wilde je nog bedanken voor het etentje vorige week. Ik had eerder willen bellen, maar ik zat in LA.'

Daniel had het altijd over LA of KL, alsof hij zichzelf nog steeds probeerde te bewijzen. Dat was al zo geweest toen ze samen opgroeiden; een tijd waar ze beiden liever niet over praatten. Toen hij haar weer gevonden had in Londen, hadden ze zich aan elkaar vastgeklampt als wrakken, twee buitenbeentjes in een onwerkelijke wereld.

'Dat geeft niets.' Ze was er bijna. 'Het was leuk je te zien.'

'Hoe gaat het met dat kind?'

'Prima.' Ging iedereen het daar nou voor altijd over hebben? 'Wat vond je van Antony's vrienden? Ik hoorde toevallig die ene, Chrissie, enorm onbeschoft tegen jou doen.'

'O, ja?'

'Ze zei dat je op moest donderen.'

'O, dat. Ik denk dat ze gewoon iets te veel gedronken had. Maar zo te zien zit jij gebakken in de voorstedelijke elite. Binnenkort moet je op zoek naar bijpassende vismessen.'

'Fuck you,' zei ze goeielijk. 'Hé, ik moet gaan.'

'Iets leuks?'

'Edgware,' zei ze kort.

Even was het stil. 'Succes.'

'Dank je.' Dan wist hoe ze zich voelde; de enige die het kon weten. Stom dat ze er überhaupt over had gedacht om Antony in vertrouwen te nemen.

Terwijl ze haar mobiel uitzette, drukte ze op de bel van de anonieme zwarte voordeur. Op de bovenverdieping wapperde een groezelig wit gordijn alsof hij daar boven zat te wachten. Het beeld van de zwarte wolk die ze altijd voor zich zag, vertroebelde haar zicht. De kleine paarse vlek in het midden werd groter en groter.

Voetstappen. Dezelfde vrouw als altijd deed de deur open. Met haar billen stevig samengeknepen (iets wat ze zichzelf jaren geleden had aangeleerd te doen als haar iets moeilijks te doen stond) dwong Patsy zichzelf om naar binnen te gaan.

19

Chrissie draaide zich om in bed en trok met haar vinger cirkeltjes om de navel van haar echtgenoot. In het pre-George-tijdperk was dit het teken geweest voor hem om haar borsten te strelen en dan ging de rest vanzelf.

Sinds de geboorte van George was het echter een enorme opgave om op Martins toenaderingen te reageren, laat staan om zelf initiatief te nemen. En wees nou eerlijk. Wild en gretig zoals de seks in het prille begin van hun relatie, dat was het allang niet meer. De enige die hier nog wild en gretig was, was baby George.

Maar vanavond, had Chrissie besloten, zou het anders gaan. Op wonderbaarlijke wijze was het haar gelukt om George vóór middernacht in slaap te krijgen. Ze had ook een soepel vallende zijden nachtjapon van La Senza voor zichzelf gekocht. En ze had zich voorgenomen dat ze, zelfs al wilde ze niets liever dan haar hoofd op haar kussen leggen en in een diepe slaap wegzakken, een poging zou wagen.

'Ik ben een beetje moe,' mompelde Martin, en hij draaide zich om.

Er ging een steek door Chrissies zachte, blubberige buik. 'Is er iets?'

Hij sprak met zijn rug naar haar toe. 'Ik kan het niet zomaar aan- en uitzetten als jij er zin in hebt, snap je. Ik heb het zo vaak voorgesteld en dan had jij geen zin.'

Als door een wesp gestoken zat Chrissie rechtop in bed. 'Geen zin? Dat komt omdat ik gevloerd ben. Weet je wel hoe vermoeiend het is om de hele dag voor George te zorgen? Ik ben leeggezogen. Totaal leeggezogen.'

Martin schoof verder van haar weg. Nog iets verder en hij viel uit bed. Ze had bijna de neiging hem een duwtje te geven.

'En wat dacht je dan van mij? Ik moet elke dag om zeven uur de deur uit. Ik kan niet terug mijn bed in, zoals jij.'

'Dat komt omdat ik de halve nacht op ben met George. En thuisblijven is niet de makkelijke weg, als je dat soms dacht. Jij hoeft in elk geval niet bang te zijn dat de helft van je personeel omvalt en het hoofd stoot. Jij hoeft er niet voor te zorgen dat je secretaresse genoeg eet en genoeg weegt, zodat ze netjes binnen de curve valt bij het volgende bezoek aan het gezondheidscentrum. En als je naar de plee gaat, weet je in elk geval dat er niet prompt iemand om je staat te schreeuwen als je net je broek naar beneden trekt.'

Martin klikte het leeslampje aan. Zijn blik was koud. Ouder. Afstandelijk.

Ze werd koud vanbinnen. 'Waarom doe je nou zo bot? Jij wilde toch zo graag een baby?'

'Jij ook!'

'Ja, maar ik maakte er niet zo'n halszaak van.'

'Jawel, het was een van de eerste dingen die we bespraken toen we iets kregen.'

'Echt niet. Ik zei dat het prima was als het gebeurde, maar dat we het gezien jouw leeftijd ook zouden accepteren als het niet zou gebeuren en we er dan samen een leuk leven van zouden maken.'

Chrissie vroeg zich af of iemand hen had opgegeven voor *Jouw man, mijn man* zonder dat ze het wist. 'Dus met George kunnen we geen leuk leven leiden?'

'Dat zou wel kunnen als jij niet de hele tijd zo opgefokt was.'

'Dat ben ik niet.'

'Je bent veranderd sinds George er is, Chrissie. Je bent gespannen en maakt je constant zorgen. Tussen ons is het ook anders.'

Haar hele lijf was één brok angst. 'Maar mensen veranderen door kinderen. Dat lees je overal.'

Hij schudde zijn hoofd. 'Niet zoals jij. Je zegt en doet dingen die je vroeger nooit zou doen.'

'Zoals wat?'

Martin deed het licht uit. 'Ik kan er nu niet verder over praten, Chrissie. Ik ben te moe en sommigen van ons moeten morgen om halfzeven opstaan.'

'Sommigen van ons staan om vier uur 's nachts op,' repliceerde Chrissie. 'Ik vraag je nooit om iets te doen, besef je dat?'

'Ik moet ook de hele dag werken, weet je nog?'

'Traceys partner werkt in ploegendienst en zelfs hij staat 's nachts op als de baby huilt.'

'Wie is Tracey?'

'Iemand van de peutergroep.'

Martin snoof. 'Ja, als hij in ploegendienst werkt, kan hij overdag bijslapen. Ik ga nu slapen. Trusten.'

Ze bleef rechtop zitten tegen het hoofdeinde van het bed, nadenkend over het ongelooflijke en onverwachte dat Martin net had gezegd. Was hij nukkig omdat hij moe was? Er was de laatste tijd veel gedoe geweest op zijn werk, met al die gedwongen ontslagen. Gelukkig was hijzelf buiten schot gebleven, maar hij had wel opdracht gekregen om leden van zijn team te ontslaan, wat verschrikkelijk was geweest.

Chrissie gaapte. Ze was doodmoe; toch kon ze onmogelijk slapen na die afschuwelijke ruzie. Trouwens... O nee. O néé. Niet opstaan, zei ze tegen zichzelf. Hij brabbelt gewoon wat. Als je niet naar binnen gaat, houdt hij zo op. Maar het gebrabbel werd luider. Het was nu een huiltje. Een huiltje dat op het punt stond over te gaan in een oorverdovend gekrijs.

Martin verborg zijn hoofd onder zijn kussen. Hij hoorde het ook, maar was niet van plan om op te staan. Dat was haar taak. Chrissie Richards. Voorheen hr-manager bij Bicky Biscuits. Nu fulltimemoeder, dag en nacht beschikbaar.

Kwaad strompelde Chrissie het bed uit en naar Georges kamer. Ze zou graag zijn bedje naast hen hebben gezet, maar Martin hield vol dat ze hun 'eigen plekje' nodig hadden.

'Oké, oké, ik kom al.'

Ze ging Georges kamertje in met de dure muurschildering en opbergdozen met speelgoed, allemaal keurig opgeruimd en opgestapeld. George had zichzelf opgetrokken aan de spijlen van het babybedje en bonkte ertegenaan: een woedende gevangene met tranen over zijn wangen die haar beschuldigend aankeek omdat ze hem vasthield in een witte designgevangenis.

God, wat was hij zwaar! Sandra had bij het laatste consult al gezegd dat het tijd was hem in een gewoon bed te leggen. Maar als ze dat deed, hoe zorgde je dan dat ie niet de hele tijd uit bed kwam? George was zo actief, dan zouden ze nooit meer rust hebben.

Hij bleef schreeuwen. 'O, hou je kop nu eens.' Ze had niet zo bot willen zijn, maar het floepte er zo uit. De boosheid in haar stem maakte dat George nog harder ging huilen. 'Ik zei: hou je kop.' Heel even wilde ze hem door elkaar schudden tot hij op zou houden. Het was zo verleidelijk. 'Stop nou, stop nou.'

Even overwoog ze hem te slaan. Het enige wat ze kon doen om dat te voorkomen was haar nagels zo diep mogelijk in haar handpalm drukken. Waar was ze in hemelsnaam mee bezig?

Trillend sloeg Chrissie de flap van haar blauwe zijden nachtjapon open en George hapte gretig naar haar rechterborst. Rust. Terwijl ze op haar nu tevreden zoon neerkeek, verafschuwde ze haar gedachten. Ze meende het niet. Natuurlijk niet. Ze was moe, daar kwam het door. Overstuur door de ruzie met Martin. En in de war, compleet in de war, door het zien van Daniel na zoveel jaar.

George smakte luid. 'Ik heb hem gezien,' mompelde ze. 'Die man over wie ik je vertelde. Ik heb hem gezien. En weet je wat? Hij was niets veranderd.'

Chrissie nestelde zich in de stoel met haar ogen dicht, half in slaap terwijl George doordronk. 'Hoe zou het zijn geweest als Dan en ik samen waren gebleven,' fluisterde ze hardop. 'Zouden wij dan jou gehad hebben?'

Die gedachte was te absurd om serieus te nemen. Chrissie streelde Georges donzige achterhoofdje. 'Ik hou van je,' fluisterde ze, 'zoveel.'

Hoe zou zij reageren, vroeg ze zich af, als George homoseksueel bleek te zijn. Arme Lucy. Zou ze het al vermoeden, van Jon? Chrissie dacht van niet. 'Ik zou nog net zoveel van je houden,' zei ze tegen de inmiddels induttende George. 'Maar ik zou me waarschijnlijk wel afvragen of het mijn schuld was.' Misschien had Martin gelijk. Misschien zou ze George niet zo moeten verstikken met liefde en wat harder moeten worden.

Chrissie schrok wakker. Hoe laat was het? 6.17 uur volgens de klok in de kinderkamer. Ze zat nog steeds op de stoel in Georges kamertje en George lag op haar rechterarm, die inmiddels gevoelloos was. O mijn god, hij ademde niet meer. Ja, toch wel. Maar zo zachtjes dat ze zijn kleine borstje amper op en neer zag gaan.

Stijf van de positie waarin ze in slaap was gevallen, stond ze moeizaam op en boog over de rand van het bedje om George erin te laten zakken. Hij protesteerde in zijn slaap en Chrissie wachtte met ingehouden adem tot hij zijn mond open zou doen en in huilen zou uitbarsten. In plaats daarvan draaide hij zich om en sliep verder. Chrissie voelde een golf van opluchting, die meteen gesmoord werd door de nare herinnering van hun gesprek van de avond ervoor.

Misschien konden ze het nog goedmaken voordat Martin naar zijn werk moest. Maar het bed was leeg! Hij was niet in de badkamer, ook niet beneden in de keuken en – wat was er gebeurd? – zijn BMW stond niet op de oprit. Tot overmaat van ramp stond zijn mobiel (altijd aan) uitgeschakeld.

Op de automatische piloot maakte Chrissie een kop thee voor zichzelf en ze ging mistroostig aan de keukentafel zitten met haar handen om de mok voor een beetje warmte en troost. Heel even, hoe krankzinnig ook, overwoog ze de mok tegen de muur aan te smijten. 'Doe normaal,' sprak ze zichzelf toe. Dat zou een enorme troep geven.

Klats.

Chrissie keek verbaasd naar de scherven van de mok en het besmeurde behang. Had zij dat gedaan? Haar ogen vulden zich met tranen terwijl ze onder het aanrecht zocht naar een stoffer-en-blik. Toen ze de scherven op wilde rapen, sneed ze in haar vinger. Net goed! Ze verdiende het na wat ze had gedaan.

Haar mobiel! Martin die zei dat het hem speet? Hij stopte en ging toen weer over. Met de nog bloedende snee in haar hand nam Chrissie de telefoon op. Hij stopte weer. Onbekend nummer. De snee bleef bloeden. Ze zou een pleister moeten pakken; de telefoon zat onder de bloederige vingerafdrukken. Op een of andere manier kon het haar echter niets schelen. Bovendien moest ze George wakker maken, anders zouden ze te laat op het gezondheidscentrum zijn.

Sandra, de dame van het gezondheidscentrum, was een ronde, mollige, georganiseerde vrouw van het soort dat niet alleen precies wist hoe haar menstruatiecyclus verliep, maar ook waar het plakband lag. Ze had Chrissie meerdere malen verzekerd dat ze 'wist hoe het was' omdat ze zelf twee tieners had. Chrissie betwijfelde of er iemand was die wist hoe het was met George.

'Dus hij krijgt inmiddels vast voedsel!' straalde Sandra. 'Wat geef je hem?'

'O, geprakte groenten en zo,' antwoordde Chrissie luchtig, en ze streek haar jurk glad. Ze had zich zorgvuldig en expres netjes aangekleed en George schone kleren aangetrokken. Sommige moeders hier waren ongelooflijk armoedig gekleed in smerige, te lange jeans en het was belangrijk dat Sandra begreep dat zij anders was.

'Geprakte groenten is prima, maar niet genoeg.' Sandra keek haar onderzoekend aan. 'Dat vertellen ze je niet in de boekjes, hè? De meeste moeders pureren gewoon wat de rest van het gezin eet: aardappels, vlees en groenten, bijvoorbeeld.'

'Mijn man is meestal laat thuis door zijn werk en hij eet met zijn klanten.'

'Maar je kookt toch wel voor jezelf?' hield Sandra vol.

Chrissie dacht aan de boterham waar ze het gewoonlijk mee deed in een poging haar oude figuur weer terug te krijgen. 'Soms.'

Sandra gaf het nooit op als ze iets vermoedde. 'Geef je nog borstvoeding, Chrissie?'

Chrissie schoof ongemakkelijk heen en weer op haar stoel. 'Af en toe.'

'Daar wordt hij een beetje te oud voor, weet je. En als je nog voedt, heb je bovendien minder kans om weer zwanger te worden. Als je tenminste voor een tweede wilt gaan.'

Ze had de woorden 'op jouw leeftijd' er zo achteraan kunnen zeggen, dacht Chrissie.

'Misschien. Maar hij wordt zo rustig van de borstvoeding en hij valt er zo lekker van in slaap.'

'Heb je weleens aan een speen gedacht?'

Chrissie huiverde. 'Daar begin ik liever niet aan.'

'Die kunnen ook veel troost bieden. Ik weet dat veel mensen bang zijn dat kinderen er lelijke tanden van krijgen, maar met het juiste type is er niets aan de hand.'

Chrissie dacht aan de kinderen van Tracey, die permanent met een speen in de mond liepen.

'George is in elk geval wel goed op gewicht,' zei Sandra goedkeurend toen ze hem op de weegschaal zette. 'Heb je nog vragen?'

Ja, wilde Chrissie zeggen. Hoe weet ik of alles goed met hem is? Hoe weet ik of hij niet een of andere enge bacterie oppikt van al die snotterige kinderen om hem heen, vooral die van Tracey, die na George aan de beurt waren? Is het normaal dat je een theekop tegen de muur smijt terwijl je niet eens precies weet waarom? Waarom wenste ze stiekem dat er iets vreselijks met George zou gebeuren zodat ze haar oude leven weer kon oppakken. En waarom was ze tegelijkertijd zo verschrikkelijk bang dat er iets afschuwelijks met hem zou gebeuren?

'Nee, volgens mij niet.'

'Nou, je weet ons te vinden, toch? Kom eens hier, George, wat is er met je benen gebeurd?'

'O, dat zijn blauwe plekken.' Chrissie lachte. 'Hij loopt de hele tijd overal tegenaan. Dat doen jongens nu eenmaal.'

Sandra schreef nog wat op in het schrift. 'Kijk uit met scherpe hoeken aan het meubilair. Sommige ouders tapen de hoekjes af, zodat het niet zo hard aankomt als er een peuter tegenaan loopt. Die dingen zitten vaak op ooghoogte, snap je?'

'Dat weet ik,' antwoordde Chrissie vlak. Dacht die vrouw dat ze stom was?

'En jij en je echtgenoot? Hebben jullie soms ook wat tijd voor elkaar?'

Had Sandra vannacht aan het voeteneind gezeten of zo? 'Er komen toevallig deze week wat vrienden bij ons eten.'

Sandra knikte. 'Mooi. Zorg dan maar dat je man de afwas doet. Niet alles zelf willen doen, hoor.'

Het was ook nooit goed, dacht Chrissie toen ze naar buiten liep. Of je deed te veel of je deed te weinig. Of je gaf je baby het verkeerde eten of je gaf het te veel van het goede. Hoe iemand het ooit tot de tienerfase redde, was haar een raadsel. Ze zou het best eens aan Lucy willen vragen; haar willen vertellen over de gebroken beker. Ze had haar gisteren gebeld om te vertellen over Daniel, maar Lucy was niet thuis geweest en tegen de tijd dat ze terugbelde, leek het haar opeens niet meer zo'n goed idee, omdat het via Mike weleens terug zou kunnen komen bij Martin. Chrissie voelde weer dat onheilspellende gevoel in haar onderbuik. Ze moest naar het toilet.

'Hoi.' Tracey liep voorbij met Kylie en Sting. 'Gaat het wel met je?'

Chrissie knikte. 'Jij was snel klaar.'

'Yep. Sandra was tevreden over Stings gewicht.'

Waarom maakten moeders als Tracey zich geen zorgen, vroeg Chrissie zich af. Waren ze misschien te dom om alle gevaren te zien? Of waren ze juist emotioneel veel slimmer dan zij, zodat ze wisten dat al die rampen waarschijnlijk nooit zouden gebeuren?

'Kun je heel even op George letten zodat ik naar het toilet kan?'

'Als je opschiet.' Tracey keek op het klokje van haar mobiel. 'Ik moet terug naar mijn werk.' Ze grinnikte. 'Ik moet een paar telefoontjes plegen.'

Het gevolg van baby's krijgen, dacht Chrissie toen er eindelijk een toilet vrijkwam, was dat je ook echt moest gaan als je moest. Het duurde langer dan ze dacht. Net toen ze opstond, moest ze weer. Kom op. Kom op nu.

Ze waste haar handen en racete de gang op en precies op dat moment hoorde ze gillen.

'George!' schreeuwde ze.

Zijn buggy lag ondersteboven! 'Ogodwatisergebeurd?'

Met trillende handen zette Chrissie het wagentje rechtop en maakte de riempjes los om haar vuurrood aangelopen, schreeuwende zoon te bevrijden en in haar armen te nemen. Er vormde zich meteen een groot ei op zijn hoofd. 'Ssst,' troostte ze, 'ssst.'

'O, jee, wat is hier gebeurd?' Sandra kwam buiten adem aangerend, haar mollige, kleine lijf hijgend in haar knellende uniform.

'Ik had George in zijn buggy laten zitten toen ik naar het toilet ging, Tracey zou even op hem letten, en toen ik terugkwam, was ze weg en lag Georges wagentje ondersteboven.'

'Ik zag wel een peuter bij hem in de buurt lopen,' hielp een andere moeder. 'Hij had de wagen vast. Misschien heeft hij hem per ongeluk omgeduwd.'

'Welke peuter?' vroeg Chrissie.

'Dat doet er niet toe,' zei Sandra fel. 'Het punt is, Chrissie, dat je nooit zomaar de buggy achter mag laten. Dat vertellen ze je ook niet in de boekjes.'

'Maar dat heb ik niet gedaan. Tracey had beloofd op te letten.'

'Zij is anders nergens te bekennen.' Sandra voelde aan Georges hoofd. 'Laten we hem maar even nakijken. Die pupillen zie er behoorlijk groot uit. Hij zou weleens een lichte hersenschudding kunnen hebben.'

20

'Ik heb gezegd dat ik een levensgrote krokodil wilde hebben. Niet een speeltje voor in bad. Als je iets niet kunt leveren, zeg dat dan en laat me niet voor niets wachten. Jullie hebben tot donderdag. Oké?'

Jenny gooide gefrustreerd de telefoon op tafel.

'Probleem?' vroeg Lily, haar assistente, vers van de academie, inclusief mediadiploma, schoenen uit Bond Street en ouders in Turnbridge Wells.

Jenny bladerde als een idioot door haar adresboekje. 'Zeg dat wel. Als Gizmo Gadgets deze keer weer niet levert wat ze beloven, doe ik nooit meer zaken met ze. Sterker nog, ik ga vast op zoek naar een ander bedrijf, voor het geval ze niet over de brug komen.'

Lily leunde op het bureau en bewonderde haar eigen nagels. 'Waarom moet het eigenlijk per se een krokodil zijn?'

Jenny keek haar achterdochtig aan. Ze had het al een keer uitgelegd, en ondanks dat Lily een goedkope onervaren kracht was, waren er grenzen aan haar geduld. 'Omdat dit een heel belangrijk feest is voor Stunning Swimwear, dat zoals je weet een grote badmodefabrikant is uit Liverpool. Ze geven een feest voor al hun relaties, vooral winkeliers. En wij mogen het voor ze organiseren bij een Smooth'n'Spa Club in Kensington die een nogal waanzinnig zwembad heeft.'

Lily knikte alsof ze het voor het eerst hoorde. 'En dan gaan ze krokodilrijden?'

Lieve hemel, dacht Jenny. Dit meisje moet eruit. 'Nee, hij zal in het midden van het zwembad vastgelegd worden als themastuk. Er komen ook zwemmende obers.'

'Zwemmende obers!' juichte Lily. 'Wat een superidee! Wat trek jij aan?'

Wat heerlijk om twintig jaar oud te zijn en je zorgen te maken over wat je aantrekt!

'Niets,' antwoordde Jenny.

Lily's mooie grijze ogen werden groot van schrik. 'Lijkt dat je wel verstandig? Mijn zus werd gearresteerd toen ze stripte op de achttiende verjaardag van een vriendin in St. Lucia. Maar ze stond wel in *Tatler*, dus dat was het wel waard.'

Jenny pakte de telefoon op. 'Dat was sarcastisch bedoeld. Natuurlijk ga ik iets aantrekken. En jij ook. We gaan allebei iets van Stunning Swimwear dragen.'

Lily's gezicht betrok. 'Maar dat is voor dikke vrouwen!'

'Ruim bedeelde vrouwen,' corrigeerde Jenny haar. 'We nemen gewoon de kleinste maten en laten ze wat innemen. Je weet toch hoe dat gaat. We moeten de spullen van de klant verkopen. Dat hoort er allemaal bij.'

Lily trok een gezicht. 'Maar ik heb net een geweldige Harvey Nicks-bikini gekocht.'

'Die zul je dan maar moeten bewaren voor later.'

Lily keek verdrietig en Jenny voelde zich een beetje schuldig. Ze zou niet zo kattig moeten doen, maar dat was moeilijk met al die stress. En, ze was niet altijd zo. Kijk maar hoe aardig ze gisteren was geweest tegen Patsy; iets te aardig eigenlijk. Ze zou haar bijna mogen als ze die arme Maggie niet zoiets had aangedaan. 'Hallo, spreek ik met Toys for Big Baths? Ik hoop dat u me kunt helpen. Ik ben op zoek naar een grote krokodil. Nee, geen echte...'

'Tante Jenny.' Jenny gaf Kate een warme knuffel en voelde even een steek van spijt. Zo'n tienerdochter had zij ook wel willen hebben: levendig, vechtlustig, eigenwijs. Ze leek meer op haar dan op haar eigen moeder.

'Gefeliciteerd.' Ze gaf haar een envelop. 'Ik hoop dat je het leuk vindt.'

Kate was hem al aan het openmaken. 'Cool! Een bon van River Island! Superbedankt!'

Het was natuurlijk Lily's idee geweest, maar dat hoefde ze er niet bij te zeggen. Het blije gezicht van haar nichtje was het enige wat telde.

'Is mama er?'

'Ze is aan de telefoon met Jon. Ik ben aan het bakken geweest, je moet mijn nieuwe brownies proeven.' Ze ging zachter praten. 'Mike is ook in de keuken, om mij in de weg te lopen.'

Zich vermannend liep Jenny door. Vanaf het moment dat ze aan elkaar voorgesteld werden, had Jenny het gevoel dat Mike haar niet mocht. Af en toe maakte hij een opmerking waarmee hij suggereerde dat het leven voor haar maar makkelijk was, omdat ze alleen aan zichzelf hoefde te denken. Wat voor recht had hij om dat te zeggen! Tot op de dag van vandaag kon hij nog elk moment naar zijn eigen huis terugrennen als hij zin had om zich als vrijgezel te gedragen.

Als ze eerlijk was, vroeg Jenny zich af of hij uiteindelijk helemaal voor Lucy zou gaan. Ze hadden nog steeds geen datum gepland. Aan zijn adoratie voor haar hoefde niemand te twijfelen, tot op het misselijkmakende af. En haar zus gedijde er zienderogen goed bij.

'Jenny! Kom even zitten. Wil je iets drinken?'

Hij was altijd de perfecte gastheer, zelfs in het huis van iemand anders.

'Nee, dank je. Ik kwam alleen even iets langsbrengen. Moet terug naar kantoor om de laatste dingen voor een evenement van deze week te regelen.'

Mike keek overdreven nadrukkelijk op zijn horloge. 'Zo laat op de avond nog? Daar snap ik niets van. Jullie carrièrevrouwen...'

'Wij carrièrevrouwen moeten ook brood op de plank hebben,' onderbrak Jenny hem snel. 'Leuke trui trouwens, aparte kleur. Nee, prima hoor. Laat juist zien dat je je seksuele geaardheid helemaal geaccepteerd hebt. Hoi, Lucy. Mooi, je bent klaar met bellen. Ik kwam alleen even langs om Kate haar cadeautje te brengen.'

'Dank je.'

'Wat is er?' Jenny keek haar zus aan. Ze waren dan misschien wel als water en vuur, maar ze wist feilloos wanneer er iets aan de hand was.

'Het is Jon.'

Lucy ging op de bank zitten en Mike ging meteen naast haar zitten met een bezorgde arm om haar heen. 'Voelt hij zich nog steeds niet happy, schatje?'

Lucy knikte.

Dit had Jenny nog niet eerder meegekregen. 'Vindt hij Oxford niet leuk?'

'Niet echt. Hij weet niet zeker of hij de juiste studie heeft gekozen en hij heeft nog geen echte vrienden gemaakt. Pete is vorig weekend naar hem toe geweest.'

Jenny voelde een koude rilling over haar rug. 'Pete? Ik dacht dat die naar New York was gegaan?'

'Hij is er eerst een jaar tussenuit, om te werken en geld te verdienen,' kwam Kate enthousiast tussenbeide.

Moest ze Lucy vertellen dat Steve Pete had gezien in een homobar? Misschien later, als ze alleen waren.

Mike aaide troostend Lucy's knie. 'Geef hem wat tijd. Hij redt het wel. Ik wilde dat ik de kans had gehad om naar de universiteit te gaan.'

'Ik wist niet dat je niet gestudeerd had, Michael,' zei een stem uit de deuropening. 'Luke heeft natuurlijk ook in Oxford gestudeerd, daarom waren we allemaal zo blij dat Jon was aangenomen.'

'Eleanor! Ik hoorde al dat je kwam logeren. Hoe is het met je?'

Eleanor kuste haar hartelijk op beide wangen. 'Heel goed, lieverd, dankjewel. En hoe is het met jou? Nog leuke mannen ontmoet de laatste tijd?'

Jenny lachte vrolijk. 'Meerdere, maar niemand speciaal.'

'Och heden. Nou ja, je kunt nog altijd een latte worden.'

Wat had koffie te maken met haar niet-bestaande seksleven?

'Je weet wel, lieverd. *Living apart together*, noemen ze het toch? Zoals Lucy en Michael.'

Jenny probeerde niet te lachen. 'Volgens mij noemen ze het latten. Sorry, Eleanor, maar ik moet weer verder. Ik heb deze week een groot evenement en ik ben nog op zoek naar een krokodil.'

Eleanor trok haar elegante grijze wenkbrauwen op. 'Jullie jonge blommen doen zulke spannende dingen! Waarom heb je in godsnaam een krokodil nodig?'

Jenny gromde. 'Dat wil je niet weten. Lucy, ik bel je snel. Probeer je maar niet te veel zorgen te maken over Jon. Het komt vast goed.'

Dooddoeners. Zoveel dooddoeners. Het komt wel goed. Het evenement verloopt vast prima. 'Ik red me wel,' had die arme Luke tegen iedereen gezegd toen hij naar een afgelegen gebied in Brazilië werd gestuurd om de zoveelste crisis te bedwingen. Waarom zeiden ze dit soort dingen terwijl iedereen wist dat het niet waar was?

Ach, dacht Jenny met een blik op het zwembad, de krokodil was tenminste een groot succes. Daar dreef hij, midden in het zwembad, een fantastisch 'tafelstuk'. Over tafels gesproken, het personeel was net klaar met inrichten. Overal rondom het zwembad stonden kleine ronde tafels met blauwe tafelkleden met kleine gele visjes erop. Ze had de catering al gesproken en er waren voor één keer geen problemen, of in elk geval nu nog niet.

Het enige minpuntje was dat badpak.

Lily had gelijk gekregen. Beide badpakken waren afschuwelijk, zelfs nadat ze ze allebei in had laten nemen naar een maatje achtendertig voor haar en een maatje zesendertig voor Lily. Desondanks waren ze gemaakt van afgrijselijk blauw-geel polyester, met een patroon dat deed denken aan het meubilair van de Londense metro in 1980. Jenny huiverde. Nou ja, nog vijf uur volhouden en dan kon ze het uittrekken, haar salaris opeisen en nooit van haar leven meer een Stunning Swimwear-badpak dragen.

'Jenny!'

Lily kwam aanrennen.

'Wat?'

Geïrriteerd staarde ze naar Lily's perfecte lichaam. Ondanks dat haar badpak net zo afschuwelijk was als dat van Jenny, stond het het jongere meisje geweldig.

'De klant is er al!'

Shit. Ze waren te vroeg. Gelukkig maar dat alles al klaar was.

Halverwege de feestelijkheden bedacht Jenny dat dit een van de beste evenementen was die ze had georganiseerd. Iedereen was onder de indruk van de krokodil, vooral toen hij champagne begon te spugen, met dank aan een grappig pompje dat Toys for Big Baths had meegeleverd. Inmiddels begonnen er mensen in het zwembad te springen, inclusief Lily, die erg in trek was bij verschillende gasten van de klant.

Jenny keek bezorgd toe hoe haar jonge assistente onder de krokodil door dook en aan de andere kant weer boven water kwam. Ze had haar gewaarschuwd voor de dunne lijn tussen vriendelijk zijn tegen klanten en té vriendelijk zijn. Maar in deze situatie, waar flierefluiten eerder regel dan uitzondering was, was dat moeilijk. Tenzij je natuurlijk de verkeerde kant van de veertig naderde en een badpak aanhad dat fel genoeg was om vanaf de andere kant van het kanaal gesignaleerd te worden.

'Dat heb je fantastisch gedaan.'

Jenny had Alicia King niet horen aankomen. Zij was een van die lange, statige vrouwen die geruisloos konden lopen als een kat. Stil en gevaarlijk. Alicia had de zaak geërfd van haar vader, maar had pas kortgeleden een lijn opgezet voor grotere maten voor de vollere vrouw, deels, vermoedde Jenny, omdat ze er zelf een was.

'Dank je. Iedereen lijkt zich goed te vermaken.'

'Dat doen ze ook. Sommigen hebben natuurlijk een lange reis achter de rug.' Ze keek naar Lily, die water terugspetterde naar een knappe jonge kerel met een warrige zwarte haardos. 'Ze blazen wat stoom af, net als jouw assistente.'

Jenny besloot de opmerking te negeren. Lily had hard gewerkt; ze was jong. Ze zou na afloop wel met haar praten, als de klant weg was. 'Komen ze allemaal uit Liverpool?'

'De meesten komen van boven Watford.' Alicia kneep haar lippen op elkaar. 'Daar kom jij zeker nooit, of wel?'

'Nou, ik ken wel iemand die daarvandaan komt. Een model dat tegenwoordig in Londen woont. Ze heet Patsy Jones.'

Alicia kneep haar ogen tot spleetjes. 'Dé Patsy Jones?'

Jenny kreeg de kriebels. 'Je zegt het alsof ze heel wat was.'

Alicia lachte schamper. 'Nou, die mensen haalden in elk geval de voorpagina.'

'Hoe bedoel je?'

'Ik weet niet of ik daar op dit moment op in moet gaan. Het was ook allemaal lang geleden, hoewel ik het nog precies weet, omdat ik in die buurt ben opgegroeid. Hé, dat is een leuk idee.'

Jenny fronste. 'Wat?'

'Groen water.'

'Groen water?'

Alicia fronste. 'Is het de bedoeling dat de mensen er ook groen van worden?'

'O, shit!'

Jenny keek vol afschuw toe hoe een massa groene lijven het zwembad uit klom, schreeuwend en gillend. Het leek nog het meest op de cast van een of andere sciencefictionfilm; zelfs hun haar was groen.

'Waar komt het vandaan?' piepte ze.

'Er is maar één ander ding dat groen is,' zei Alicia vlak. 'Zeg Jenny, waar heb je die krokodil vandaan gehaald? Ik hoop dat je een goede advocaat hebt.'

21

'Mama, mag ik gaatjes in mijn oren?'

'Absoluut niet.'

'Waarom niet?' Sam danste om haar heen zoals hij altijd deed als hij iets wilde. Hij hield niet op voordat hij toestemming kreeg. Nou, deze keer zou ze niet toegeven, ondanks dat ze zin had om met haar hoofd tegen de muur te bonken. Een visioen van Lukes boze rode ogen doemde in haar op. Hij had het gezeur van de kinderen nooit kunnen verdragen.

'Waarom niet, waarom niet, waarom niet?'

'Omdat ik het zeg. Hou op, Sam. Ik word gek van je en als jij mij was, zou je ook gek van jou worden.'

Als Sam een adoptiekind was geweest (wat erg om dat überhaupt te denken!), had in zijn dossier 'moeilijk te plaatsen' gestaan. Geen wonder dat Mike moeite met hem had. Maar hij was haar zoon en ze hield zielsveel van hem, hoe moeilijk hij ook was. Desondanks was ze blij dat ze vanavond naar Chrissie zouden gaan. Alles om even het huis uit te zijn, vooral nu ze ook minder uren op kantoor maakte, omdat Right Rentals minder werk binnenhaalde. Het huis leek niet meer van haar te zijn. En dat lag niet alleen aan de kinderen die de naderende kerstkriebels hadden. Het was ook Eleanor.

Ze was meer dan aanwezig. De radio in de keuken had ze zonder overleg op klassiek gezet. In de woonkamer nam haar ingewikkelde borduurwerk de halve bank in beslag. ('Zorg je dat Mungo er niet aan komt, lieverd.') In de badkamer stond de plank opeens vol met antiverouderingscrèmes en vitaminepillen. En in het toilet beneden had ze de toiletrol andersom gehangen, zodat die naar de muur toe hing. Een klein gebaar dat boekdelen sprak. Eleanor was niet van plan binnenkort weer te vertrekken. Tenminste niet voordat zij daar zin in had.

'Hoe lang blijft oma?' vroeg Sam terwijl ze iedereen een bord gloeiend hete macaroni met kaas voorzette. 'Ze roept de hele dag dat ik mijn muziek zachter moet zetten.'

'En gisteren zei ze dwars door een telefoongesprek heen dat ik beter op de vaste lijn kon bellen,' voegde Kate er verontwaardigd aan toe.

'Nou, daar heeft ze wel gelijk in,' begon Lucy, die stiekem blij was dat haar dochter, die altijd zo pro-oma was geweest, het nu ook zat begon te worden.

'Hoor eens, ik weet ook wel dat het lastig is, maar ze is eenzaam en wij moeten er voor haar zijn.'

'Waarom dan?' hield Kate vol.

'Omdat ze papa's moeder is en hem ook mist,' zong Sam, het zinnetje dat zij altijd gebruikte herhalend. 'Mama, als ik dan geen gaatjes in mijn oren mag, mag ik dan naar een concert?'

'Wanneer?'

'9 december.'

Ze keek in haar agenda. 'Dat is een zondag, dan moet je de volgende dag naar school.'

'Maar het begint al om vijf uur. En het zijn de Wattevers, daar ben ik fan van. De vorige keer mocht ik ook al niet, maar gelukkig doen ze een paar extra concerten.'

'Dan ben je niet vóór tien uur thuis. Dat is te laat.'

'Alsjeblieft. Ik moet vandaag online een kaartje bestellen, anders is het uitverkocht.'

'Nee.'

'Alsjeblieft, alsjeblieft, alsjeblieft...'

'Hou op.'

'Alsjeblieftalsjeblieftalsjeblieft...'

'Wat gebeurt hier?' Mike was binnengekomen. 'Sam, zo praat je niet tegen je moeder. En Kate, niet sms'en onder het eten. Dat is onbeleefd.'

'We zijn al klaar,' snauwde Kate tegen Mike. 'Bedankt voor het eten, mam. Hoe laat ben je terug, mam?'

'Geen idee.'

'Mam.' Sam stond dicht tegen haar aan, met zijn armen om haar heen, en keek, net als toen hij nog veel kleiner was, smekend naar haar op. 'Mag ik alsjeblieft naar dat concert, mam?'

Het was zo verleidelijk om ja te zeggen zodat iedereen blij was, maar Mike stond naar haar te kijken. Hij had gelijk. Kinderen hebben grenzen nodig.

'Sorry,' zei ze zonder hem aan te kijken. 'Ruim jullie borden maar even op. Ik moet er zo vandoor. Trouwens, Sam, dat wilde ik nog vragen. Hoe kan het dat er nu weer Tipp-ex op je jasje zat?'

Sam grijnsde. 'Dat is geen Tipp-ex, dat is sp...'

'Kop dicht, Sam.' Kate trok hem van zijn stoel. 'Laten we maar gaan afwassen, dan houden ze wel op.'

Sinds Mike in haar leven was gekomen, probeerde Lucy zichzelf voor te houden dat het leven weer iets van stabiliteit vertoonde. Maar nu leek alles juist weer scheuren te vertonen. Lucy had verwacht dat ze nu wel gewend zou zijn aan Jons afwezigheid, hij was tenslotte al een paar weken weg. En hij was niet eens ver weg, zoals sommige kinderen van vriendinnen, die vertrokken waren om een jaar lang de wereld rond te reizen. Jon zou ruim voor de kerst weer terug zijn. En bovendien zat hij op een van de meest prestigieuze universiteiten van het land. Was ze dan zo egoïstisch, dat ze hem zo miste?

Gelukkig leek hij wel meer te wennen daar, dacht Lucy bij zichzelf terwijl ze zocht naar de oorbellen van onyx die zo goed bij haar jurk pasten. Ze had geen ongemakkelijke telefoontjes meer gekregen waarin hij duidelijk zijn ware gevoelens verborg, net zoals Luke vaak deed.

Mike gaf haar plagend een tik op haar billen en onderbrak haar gemijmer. 'Mooie jurk, schatje. Je hebt een heerlijke kont, weet je dat?'

Als iemand anders haar zo'n compliment had gegeven, zou Lucy zich enorm generen. Luke zou in geen duizend jaar een uitbundiger commentaar hebben dan het verplichte 'wat zie je er leuk uit'. Maar Mike gaf haar een heel ander gevoel. Sexy. Alsof ze iemand anders was.

Toch voelde ze zich niet op haar gemak sinds ze dat bonnetje had gevonden. Toen ze hem er eindelijk naar gevraagd had, had hij luchtig beweerd dat het bonnetje van een werknemer was die zijn onkosten declareerde. Dat kon waar zijn. Dat moest waar zijn. Hij was te vertrouwen. Goudeerlijk. Anders zou ze niet bij hem zijn.

'Hoe ging je bijeenkomst vanmorgen?' vroeg ze, voor de spiegel frummelend aan haar ketting.

'Kom, laat mij dat maar doen.' Hij kriebelde met zijn vingers in haar nek en haar huid tintelde. 'Het ging wel, dank je. Ik kreeg niet alles wat ik wilde, maar wel een paar toezeggingen.'

Het was niet de eerste keer dat Lucy wilde dat ze meer verstand had van projectontwikkeling. 'Dit ging over de Ringer-locatie, toch?'

Hij knikte.

'En, mag je het van ze kopen?'

Hij begon de rits van haar jurk naar beneden te trekken.

'Misschien. Als ze een goede prijs noemen.'

'Mike!' Ze duwde hem zachtjes weg. 'We hebben geen tijd.'

Zijn handen lagen al om haar borsten, strelend, aaiend.

'Spelbreker,' mompelde hij. 'Chrissie is toch nog niet klaar, dat weet je.'

Lucy had bijna geen weerstand meer. 'Maar de kinderen...'

Mike liep snel naar de deur en draaide hem op slot, om haar vervolgens weer in zijn armen te nemen.

'De kinderen maken beneden ruzie met Eleanor over de afstandsbediening.'

'Ze kunnen ons horen...'

Mike deed de radio aan. 'Nee hoor.' Hij boog voorover naar haar borsten en zoog op haar tepels. Tegelijkertijd liet hij zijn andere hand in haar slipje glijden. Lucy kreunde onwillekeurig. Mike wist precies hoe hij haar warm kon krijgen. Tot ze niet anders kon dan meedoen. Haar verstand volledig uitgeschakeld. Hij keek nu op haar neer, het leeslampje was nog aan. Hij wilde haar gezicht zien, zei hij altijd, als hij bij haar binnenkwam.

'God, dit is zo lekker,' zei hij inhoudend op het moment dat haar lichaam zich lichtjes verzette. Langzaam en voorzichtig duwde hij weer, en deze keer gleed hij naar binnen.

Lucy sloeg haar benen om hem heen. Ze pasten zo goed bij elkaar. Beter dan ze ooit bij iemand anders had gepast, zelfs al had ze niet bijzonder veel ervaring.

'Ik hou van je, Lucy,' fluisterde Mike terwijl hij in haar op en neer bewoog. Haar lichaam strekte zich als een kat tegen het zijne. 'Ik hou ook van jou,' kreunde ze.

'Mam, MAM!' Er klopte iemand op de deur, die godzijdank op slot zat. 'Hebben we nog iets te eten? Ja, we hebben al gegeten, maar ik heb zo'n honger...'

'Sorry dat we zo laat zijn,' zei Lucy met de blossen nog op haar wangen terwijl Martin hen binnenliet.

'Geen probleem. We hebben George net pas weggelegd, dus we lopen zelf ook wat achter.'

Mike kneep in haar hand, wat zoveel betekende als 'ik zei het toch'.

Lucy voelde hem nog in haar, als een voetafdruk vanbinnen. Totdat ze Mike ontmoette, was seks voor haar iets wat je deed omdat, tja, omdat je dat gewoon deed, en omdat ze kinderen wilde. Maar nu ze begreep waar al die heisa vandaan kwam, was ze gaan nadenken over haar leven. Waarom had ze zich met Luke nooit zo gevoeld? Waarom hadden ze het er nooit over gehad? En als ze dat wel hadden gedaan, zou hij dan niet...

'Hoi Lucy, waarom zijn jullie zo laat?'

Haar zus keek haar veelbetekenend aan. 'O, Eleanor hield ons op en daarna besloten de kinderen dat ze nog een keer wilden eten.'

Jenny snoof. 'Je hoeft niet alles te pikken van die lui, vooral niet van die vrouw. Mike, kun jij het haar niet zeggen?'

Mike sloeg een arm om Lucy heen. 'Lucy moet doen wat zij denkt dat goed is. Het is ook niet makkelijk voor Eleanor. Ze is oud en eenzaam. Dat gaat ons allemaal overkomen.'

Lucy kroop tegen Mikes schouder aan. Ze hield van de manier waarop hij zich in anderen wist te verplaatsen, hoewel ze wilde dat hij dat bij de kinderen ook zo goed kon. Als hij zelf kinderen zou hebben, zou hij het misschien beter begrijpen.

'Ondertussen,' ging Mike door, 'zie jij er nogal fantastisch uit, Jenny. Mag ik vragen wie de gelukkige is?'

'Niemand. Ik kan me prima voor mezelf opdoffen,' antwoordde Jenny koeltjes.

Lucy gromde inwendig. Waarom streken die twee elkaar altijd tegen de haren in? 'Ik ga even kijken of Chrissie hulp nodig heeft in de keuken.'

Haar vriendin stond champignons in bakjes van bladerdeeg te scheppen. Ze keek er twijfelend naar. 'Heb je hulp nodig?'

'Rotdingen,' hijgde Chrissie. 'Volgens het recept waren ze zo makkelijk te maken! Ik had kant-en-klare moeten kopen. Moet je nou kijken! De helft is ingestort. Ze hebben plastische chirurgie nodig om weer toonbaar te worden.'

'Als je de vulling erin doet, ziet het er waarschijnlijk prima uit.' Lucy deed een schort aan dat ze over de stoelleuning vond. 'Kijk, deze is prima.'

'Dank je. Kun jij hier verder mee gaan, dan bemoei ik me met de lamsbout. O god, ja, laten we de spinazietaart voor mevrouw Vegetarisch niet vergeten.' Chrissies ogen schitterden. 'Dit ga je niet geloven, ze komt zonder Antony.'

'Echt waar? Waarom?'

'Schijnbaar heeft Maggie hem op het laatste moment gevraagd om op de kinderen te passen tot de babysitter er is, maar Patsy komt er bij haar niet in.'

'En daar ging hij mee akkoord?'

'Ik denk dat hij de kinderen wilde zien. Hij komt later en Patsy zei dat ze toch wilde komen, hoewel ik niet weet hoe ze dan hier moet komen. Ze rijdt niet, wist je dat, ondanks dat ze waarschijnlijk met haar tieten zou kunnen sturen. O, en Eleanor belde net voordat jullie er waren. Of je terugbelt.'

Lucy sloot haar ogen terwijl Eleanor door de telefoon een spervuur van vragen op haar afzond. Het waren allemaal dingen die ze al hadden besproken maar die Eleanor (opzettelijk?) was vergeten. Waar zat de hoofdschakelaar, voor het geval dat de stoppen doorsloegen? Moest de hond nog eten? Hoe laat kwam Lucy weer thuis?

'Dat weet ik niet precies, maar wacht maar niet op ons.'

'Ons? Michael blijft toch niet slapen?'

'Misschien wel.'

'Is dat wel verstandig, met de kinderen thuis? Dat zou de verkeerde signalen uitzenden.'

'Dat begrijp ik niet helemaal,' zei Lucy voorzichtig.

'Nou ja, jullie zijn toch niet getrouwd, of wel dan, liever? Hij heeft al heel veel vriendinnen gehad, toch? Hoe weet je nou dat hij je trouw zal blijven, ook gezien het verschil in leeftijd?'

Die vrouw sloeg werkelijk alles! 'Eleanor, ik weet dat het moeilijk te accepteren is voor je, maar we zijn verloofd.'

'Dat zal wel,' smaalde Eleanor. 'Maar dat is niet hetzelfde als getrouwd zijn, of wel dan, lieverd?'

Dat zou ze negeren. 'Gedraagt Sam zich een beetje?'

'Nu wel, lieverd. Ik heb hem een druppeltje Bach Rescue gegeven. Gewoon in zijn jus d'orange gedaan. Werkt altijd. Zou je ook eens moeten proberen.'

Toen ze terugkwam in de woonkamer, was Mike in gesprek met Patsy, die een oogstrelend veelkleurig zijden jurkje droeg met lange dansende oorbellen van jade. Lucy moest toegeven dat ze er fantastisch uitzag en even voelde ze een steek van jaloezie. Toen keek Mike op en trok haar tegen zich aan.

'Alles goed thuis?'

'Prima, Eleanor heeft Sam verdoofd en ze doet Dirty Scrabble met Kate.'

'Wat is dat?'

'Dat was Lukes... dat vertel ik nog weleens. Hoi Patsy. Ik begrijp dat Antony later komt?'

Patsy haalde elegant haar schouders op. 'Nu kan hij tenminste de kinderen even zien, ook al was het wat onverwacht. Jouw vriendin, Maggie, ging uit.'

Dat wist ze niet.

Een lange donkere man kwam naar hen toe met in elke hand een glas witte wijn. Lucy herkende hem vaag van het etentje bij Patsy.

'Hoi.' Hij schudde haar stevig de hand. 'Ik ben Dan. We hebben elkaar al een keer gezien. Lucy, toch? Een vriendin van Chrissie, dacht ik? Ik ben een vriend.'

Dat wist ze niet. 'Hebben jullie samengewerkt?'

Dan schudde zijn hoofd. 'Nee, maar we kennen elkaar al heel lang.'

Lucy had nog veel meer willen vragen, maar Martin klapte in zijn handen. 'Hallo allemaal! Het eten is klaar. Zouden jullie willen gaan zitten?'

Ze volgde de anderen de eetkamer in. Chrissie had de tafel prachtig gedekt met een wit tafelkleed en naamkaartjes met gekalligrafeerde namen. In het midden stonden twee mooie peervormige kristallen kandelaars. Alleen het peuterspeelgoed in de hoek van de kamer verraadde dat hier een gezinnetje woonde.

'Chic hoor,' hoorde ze Patsy mompelen.

'Lucy, wil jij hier zitten? En Dan, we wisten niet dat je zou komen, dus neem Antony's plek maar.'

Martin probeerde zijn lachen in te houden terwijl hij de lijst namen oplas. 'Goed, jongen, meisje... Mike! Dit is jouw plek.'

'Lucy!' Chrissie kwam uit de keuken met de telefoon in haar handen. 'Het is voor jou.'

Jenny kreunde. 'Vast weer Eleanor.'

'Ssst.' Lucy trok een gezicht. 'Straks hoort ze het.'

125

'Het is Jon.' Chrissie gaf haar de telefoon aan, maar liet hem uit haar handen vallen. 'Och, nu is de verbinding verbroken. Nou ja, hij belt vast zo terug, of jij kunt hem bellen. Sorry, allemaal, ik heb mijn schort nog om. Het eten is bijna klaar.' Toen viel haar blik op Dan en trok ze asgrauw weg.

'Hallo, Chrissie,' zei Dan rustig.

'Dan heeft Patsy hier gebracht met de auto, schat,' zei Martin, die met de kurkentrekker worstelde. 'Dus ik heb hem uitgenodigd. Er kan er wel eentje bij, toch? Antony is er voorlopig toch niet. Je kent Dan toch nog wel? Hij was laatst ook bij Patsy.'

'Chrissie en ik hebben elkaar eerder al eens ontmoet,' zei Dan op dezelfde rustige toon.

Even dacht Lucy dat Chrissie het zou ontkennen. Toen knikte ze langzaam. 'Ja,' zei ze. 'Dat klopt.'

Martin fronste. 'Echt waar? Hoe dat zo?'

Op dat moment ging haar mobiel over en moest Lucy Chrissies antwoord missen. In plaats daarvan hoorde ze iemand verschrikkelijk huilen aan de andere kant van de lijn. Het gehuil werd heviger, en heviger tot het bijna een beestachtig gebrul was.

'Jon!' riep ze. 'Jon? Wat is er gebeurd?'

22

'Hints, iemand?' brabbelde Martin vrolijk.

Het was het soort vrolijkheid, dacht Chrissie geïrriteerd, dat door te veel wijn en een groot glas cognac en een gast met een huiselijke crisis werd ingegeven. Lucy zat al bijna een uur met Jon aan de telefoon, dus Chrissie had uiteindelijk het eten geserveerd zonder op haar te wachten. Gelukkig kon ze zo wel uit de buurt van Dan blijven.

'Geen hints, lieverd,' zei ze ferm. 'We hadden afgesproken dat we dat de gasten niet aan zouden doen.'

Martin keek haar nietszeggend aan. 'Jij bent gewoon chagrijnig omdat je sorbet gesmolten was.'

'Onzin.' Mikes kalme stem onderbrak hen. 'Het was heerlijk.'

Ze keek hem dankbaar aan. 'Niet waar, Mike, het smaakte naar plastic.'

'O god.' Martin deed net of hij steil achteroversloeg. 'Je hebt toch niet je eigen melk gebruikt, hè?'

Dan schraapte zijn keel. 'Over hints gesproken, ik herinner me een tijd dat Chrissie voor alle spelletjes wel in was.'

Er viel een korte, angstaanjagende stilte, die Chrissie benutte om te bedenken hoe ze ook alweer moest ademen. 'O ja, dat was ook zo,' zei Martin langzaam. 'Je zou ons, vlak voordat Jon belde, geloof ik, nog vertellen waar je mijn vrouw van kent.'

'We zaten samen op Durham,' zei Chrissie snel. 'We kenden elkaar niet echt.'

'Dat zou ik niet zeggen.' Dan grinnikte. 'We zaten op dezelfde gang in het studentenhuis. Chrissie was een behoorlijk fanatieke hockeyer. Doe je dat nog?'

Hij probeerde haar uit te lokken. Ze had nog nooit gehockeyd in haar leven. 'Daar heb ik geen tijd voor.'

'Wat heb jij gestudeerd, Dan?' vroeg Mike.

Hij zei het met iets van jaloezie in zijn stem, merkte Chrissie. Afgezien van Mike hadden ze allemaal een bul en dat voelde hij blijkbaar al te goed.

'Politicologie en economie.' Hij sprak het uit alsof dit de enige twee onderwerpen waren die de moeite waard waren om te studeren. Arrogante klootzak.

'En jij, Chrissie?' Mike was niet van plan zich af te laten schepen.

'Engels.'

'Dat had ik ook wel willen doen.' Mike zat op de bank en leunde voorover. 'Heb je je nog gespecialiseerd in een bepaalde periode?'

'Victoriaanse en eigentijdse werken.' Ze wilde hier helemaal niet over praten; ze wilde de aandacht afleiden van Dan. Misschien was hints toch wel een goed idee.

Ze keek overdreven opvallend op haar horloge. 'Zullen we dan maar een potje? Martin, maak jij teams? Dan kijk ik even bij George.'

Martin gromde en schonk zijn glas cognac bij. 'Je gaat hem wakker maken. Dat gebeurt altijd, maar je wilt het gewoon niet weten.'

'Ik wil gewoon zeker weten dat alles goed is.'

'Dat snap ik wel.' Patsy's stem klonk onverwacht. 'Hij is nog maar zo klein.'

Chrissie merkte dat ze dankbaar was. 'Waar kennen jullie elkaar eigenlijk van?'

'Wij komen uit dezelfde buurt,' zei Dan.

'Was dat in Patsy's centerfolddagen?' brabbelde Martin.

Nog zo'n opmerking en ze zou hem slaan!

'Ver daarvoor. Vroeger in Liverpool, in onze kindertijd. Toen ik een paar jaar geleden naar Londen kwam, zocht hij me op.'

'En bleef hij slapen, zou ik zeggen,' brabbelde Martin.

Shit, dit ging verkeerd.

'En daarna hebben jullie altijd contact gehouden?' vroeg Mike nieuwsgierig.

'Alleen boven de gordel, hoop ik!'

'Martin!'

'Sorry, schat, het flapte er zo uit.'

Patsy lachte ongemakkelijk. 'We zijn goede vrienden, toch, Dan?'

Chrissie stond op, terwijl ze zich pijnlijk bewust was van haar postzwangerschapsbuikje onder haar meerekkende rok. 'Ik ga even bij George kijken voordat we beginnen. Martin, zullen we de mannen tegen de vrouwen doen?'

Hij knikte. 'Dat is goed.'

Op deze manier hoefde ze in elk geval niet met Dan in een team, dacht Chrissie.

'Film!' zei Mike.

'Wat?'

'Ik zei FILM.'

Ze moesten schreeuwen om boven Georges extreem harde gegil uit te komen.

'Ik zei toch dat je hem wakker zou maken als je naar binnen ging,' mopperde Martin.

'En ik zei toch dat je te veel zou drinken,' kaatste Chrissie terug met een klaarwakkere George op haar knie. 'Dat is je derde glas cognac al.'

'Nou en? Ik hoef toch niet naar huis te rijden, of wel dan?'

'Drie woorden!'

Mike had er duidelijk plezier in, ook al was hij de enige.

Patsy schudde haar hoofd, wat enkele andere lichaamsdelen enthousiast mee deed schudden, waar Martin vervolgens duidelijk van genoot. Zelfs Mike vond het moeilijk om niet te kijken. Hoe iemand in dit seizoen zo'n luchtig jurkje kon dragen, kon Chrissie maar moeilijk vatten.

'Eerste woord, drie lettergrepen,' riep Dan uit.

Patsy knipte heftig met haar vinger in de lucht.

'Eerste lettergreep!' riep Martin.

Patsy ging op haar handen en knieën zitten en begon te hijgen als een hond.

'Seks,' riep Dan.

Ze schudde haar hoofd.

George begon nog harder te huilen. Chrissie liet hem op haar knie op en neer wippen.

'Paard,' riep ze.

'Jij zit in haar team,' zei Martin snibbig.

Idioot! Dat deed het moederschap met je: je hersenen vertroebelen zodat je de eenvoudigste dingen niet meer wist. Dat, en de ontmoeting met iemand die ze niet had verwacht ooit weer te zien, maakte dat ze niet veel meer kon dan George vasthouden. Chrissie hield haar zoon nog iets steviger vast en snoof gretig zijn geur op. Hij maakte haar zo heerlijk rustig; een buffer tussen haar en de echte wereld. Hoe kon ze tegelijkertijd zoveel van iemand houden en hem net zo intens haten?

'Hond,' opperde Dan.

'Wat?'

Georges gehuil maakte het bijna onmogelijk. Ze moest hem meenemen.

'Ik zei: hond.'

Patsy schudde wanhopig haar hoofd.

'Doe "klinkt als",' stelde Chrissie voor.

Patsy keek vragend. 'Wat is dat?'

Ze hadden de basisregels al uit moeten leggen, omdat Patsy nog nooit hints had gedaan.

'Dan hou je je hand achter je oor om aan te geven dat je een woord uitbeeldt dat klinkt als het woord dat wij moeten raden,' zei Martin dronken. 'Je weet wel, zoals kat en rat.'

Patsy leek even na te denken. Daarna gooide ze zichzelf voorover, naast Martin, en deed tot iedereens verbazing een handstand.

'Sodeju,' hijgde Martin. 'Over atletisch gesproken.'

Chrissie kon het bijna niet aanzien. Wist Patsy wel wat iedereen zo kon zien? De ogen van de mannen, inclusief die van Mike, stonden wijd open. Alleen Dan leek onaangedaan. Misschien had hij het allemaal al eens gezien.

George begon nog harder te huilen, alsof hij het er helemaal niet mee eens was. Chrissie was het met hem eens. 'Laten we naar de slaapkamer gaan,' fluisterde ze. Als Martin het leuk vond om zich aan zoiets te vergapen, moest hij dat zelf maar weten. Zij had eerlijk gezegd alleen maar zin om met haar kindje op bed te gaan liggen, weg van al deze mensen. Eens waren zij en de levens die ze leidden belangrijk voor haar geweest, maar nu leek het allemaal zo nietszeggend. Het enige belangrijke in deze wereld was het opvoeden van kinderen. Als George nou maar even ophield met huilen... Als Patsy Dan nou maar niet meegenomen had.

Chrissie wist niet hoe lang ze al boven was toen de deur openging. De anderen hadden het duidelijk naar hun zin, want ze hoorde ze beneden hard lachen. 'Wie is daar?'

'Ik. Lucy.'

Haar vriendin klonk dof, alsof er iemand dood was. Chrissie voelde een golf van onbehagen door haar lijf. 'Wat is er?'

'Het is Jon. Hij wil weg uit Oxford. Hij vindt het niet leuk.'

'Maar dat kan hij niet maken! Het is een geweldige kans.'

'Dat zei ik ook, maar hij zegt dat hij geen vrienden heeft gemaakt en dat de studie hem niet bevalt.'

'Kun je niet naar hem toe gaan? Hem overtuigen dat het wel goed komt?'

'Dat ga ik ook doen. Morgen.'

Chrissie reikte in het donker naar Lucy's hand en kneep er even in. Ze fluisterden; Lucy wist instinctief dat baby George in slaap was gevallen.

'Sorry dat ik het eten heb verpest.'

'Dat heb je niet, we zijn maar zonder jou gaan eten.'

'Dat is prima, gelukkig maar.'

'Het is helemaal niet prima.' Chrissie voelde de hete tranen die ze al zo lang binnenhield langs haar wangen stromen.

'Waarom niet?' Nu was het Lucy die zich afvroeg wat er aan de hand was.

'Omdat die stomme trut van een Patsy iemand heeft meegenomen die ik van vroeger ken. Dat probeerde ik je vorige week te vertellen.'

'Bedoel je Dan?'

Chrissie knikte in het donker.

'Waar ken je hem van?'

'We hebben samen op de universiteit gezeten.'

'Was het een...'

'Ja. We hebben iets gehad. Kort.'

'Is dat erg? Martin is toch niet jaloers, of wel?'

'Nee. Omdat hij niet weet wat er gebeurd is.'

'En wat is er dan gebeurd?'

Chrissie kon niet meer stoppen met huilen. 'Die man heeft mijn leven verwoest, Lucy. Hij heeft mijn hele leven verwoest. En nu is hij terug om het nog een keer te doen.'

23

Ademloos plofte Patsy neer op de luxe crèmekleurige zitbank met de hoge rugleuning en de zachte zilver-beige kussens van een duur merk. Ze had het leuk gevonden toen het haar beurt was. Raar, eigenlijk. Ze had altijd gedacht dat spelletjes op feestjes alleen voor snobs waren, behalve dan de spelletjes die zij vroeger op feestjes deed, natuurlijk.

Maar nu zag ze wel wat er leuk aan was. Het zette je aan het denken. En ze vond het altijd leuk om voor wat opschudding te zorgen met haar acrobatische toeren.

'Wie is er nu?' vroeg ze opgewonden. Eerder op de avond was ze nogal moe geweest, maar die pillen die een van de fotografen haar had aangeraden, hadden haar weer opgepept.

Martin kreunde. 'Ik niet. Ik heb het wel gehad.'

Dan klopte haar op de knie. 'Zie je wel? Niemand kan aan jou tippen.'

Ze gaf hem een plagerige buiging. 'Dank u zeer, meneer.'

Mike stond op. 'Ik ga even kijken hoe het met Lucy is.'

Patsy keek hem na toen hij de kamer uit liep. Mooi kontje. Helemaal geen onknap type. Overigens niet het soort kerel waar zij Lucy mee thuis zou zien komen, maar dat bewees het maar weer eens. Over smaak valt niet te twisten. En ze wist maar al te goed dat je soms helemaal niet zoveel te kiezen had.

Opeens verlangde ze hevig naar Antony, een verlangen dat haar verbaasde. Ze vond hem natuurlijk wel leuk, maar ze had er een gouden regel van gemaakt dat ze nooit afhankelijk van een man zou worden. Toch miste ze hem vanavond, ondanks dat hij haar nog altijd kwalijk nam dat de kinderen van de wodka hadden gedronken. Toen Maggie met haar vingers had geknipt en geëist had dat Antony op de kinderen zou passen, had ze toegestemd om hem tegemoet te komen. Maar toen had Dan gebeld voor een babbeltje en aangeboden om haar te brengen. Ze had niet verwacht dat hij ook uitgenodigd zou worden, maar het zou goed zijn als Antony ervan wist.

'Antony is wel erg laat,' zei Martin.

'O, had ik dat niet gezegd. Hij heeft gebeld dat de babysitter helemaal niet gekomen is en hij moet blijven tot Maggie terug is. Oeps, ik had niet door dat het al zo laat was. Kun je me naar huis brengen, Dan? Ik moet morgen werken.'

'Op zondag?' vroeg Martin.

Oef! Ze kon zijn adem hier ruiken. Patsy was vanavond bepaald niet jaloers op Chrissie, met aan de ene kant een schreeuwende baby en aan de andere kant een dronken echtgenoot.

'Ben bang van wel,' antwoordde ze opgewekt terwijl ze iets achteruitdeinsde. 'Ik heb een grote modeshoot voor een Amerikaans tijdschrift in het Hilton.'

'Een beroemdheid?'

'Een beetje.' Ze noemde de naam van een beroemd Amerikaans model dat nu in Frankrijk woonde.

'Wauw,' zei Martin, die achterover ging liggen in de kussens en zijn arm achter haar op de leuning legde zodat hij haar net niet aanraakte, maar dichtbij genoeg was om er iets van te denken. 'Nog een wijntje, Patsy?' Hij knipoogde weer. 'Hij heeft een heerlijk aroma en glijdt zo naar binnen.'

'Dan, ik wil graag naar huis.'

Hij gaapte. 'Als ik nog iets langer blijf, val ik waarschijnlijk ter plekke in slaap. Niets ten nadele van het gezelschap, Martin. Als het al ergens door komt, is het de geweldige wijn die je schenkt.'

Wijn! Waarom probeerde Dan indruk te maken op dit soort mensen? Zag hij niet hoe ze hem, en haar trouwens ook, verafschuwden omdat ze niet bij hen hoorden?

De bel! Antony was toch gekomen! Helaas, een vrouwenstem.

'Shit, het is stervenskoud buiten.' Jenny stampte met haar voeten om het ijs van haar laarzen te schudden. 'Sorry dat ik zo laat ben, maar ik heb een ongelooflijke klotedag achter de rug en ik dacht eigenlijk dat ik helemaal niet meer zou komen. Toen dacht ik: ach, waarom niet?' Ze gooide hoog lachend haar hoofd in haar nek. 'Trouwens, iemand gaat me aanklagen, dus ik kan alle vrienden gebruiken die ik kan vinden.'

Ze had gedronken, zag Patsy, hoewel ze er iets beter tegen kon dan Martin, die nog steeds op de bank zat.

'Wie gaat je aanklagen?' vroeg Martin, bijna onverstaanbaar nu. 'Kom maar eens naast me zitten en vertel wat er aan de hand is. Ik vraag wel of Chrissie iets te eten voor je maakt. Chrissie, waar ben je? Kom eens voor je gasten zorgen.'

Eikel! 'Ik haal wel iets uit de keuken,' hoorde Patsy zichzelf zeggen. 'Ik denk dat je vrouw met jullie kindje bezig is. Sorry, Jenny, dit is Dan. Dan, Jenny!' Jenny stak haar hand uit en Patsy keek naar de mooie armband van groene jade om haar pols. 'Aangenaam, Dan.' Haar ogen straalden. 'Wat heb je met Antony gedaan, Patsy?'

'Hij past op de kinderen.' Ze keek Jenny uitdagend aan. 'Dan is een oude vriend die me een lift heeft gegeven.'

Jenny lachte ondeugend naar Dan. 'Kan ik ook reserveren?'

Dans ogen lachten. 'Dat hangt ervan af. Vertel nu eens over je juridische akkefietje. Dat klinkt niet al te best.'

Wat was dat toch met mannen, dacht Patsy terwijl ze op zoek ging naar de keuken, dat ze stuk voor stuk als een blok vielen voor een leuk smoeltje? Aan Dans blije gezicht te zien zouden ze de komende uren waarschijnlijk nog niet vertrekken.

Geïrriteerd duwde Patsy een deur open. Nee, dat was de speelkamer, vol speelgoed, met een televisie in de hoek. Al dat speelgoed! Zoveel terwijl zij en Babs zo weinig hadden gehad.

De deur ernaast leidde naar een bijkeuken die groter was dan haar hele appartement. Hoeveel geld verdienden deze mensen? De ruimte stond vol met emmers, dweilen en bezems, een porseleinen wasbak en een op en top moderne wasmachine en god weet wat nog meer. Patsy kon zich niet bedwingen en deed nog een deur open.

Wauw, wat een studeerkamer! Patsy keek naar de lange eikenhouten tafel met aan elke kant een flatscreencomputer erop. Eén voor hem, één voor haar. Er hingen ook foto's aan de muur. De onvermijdelijke trouwfoto met Chrissie in een wit meringue-gevalletje en Martin met een nerveuze blik in zijn ogen. Verschillende foto's van die lelijke baby (hoe heette hij ook alweer?) en nog een van een veel jongere Chrissie en Martin, arm in arm op een boot, met Lucy en een man die zeker niet Mike was. De overleden echtgenoot? Tamelijk knap. Lang. Zandkleurig haar. Indringende ogen. Roze overhemd.

In haar familie, dacht Patsy, maakte niemand foto's. Je was de hele dag veel te druk met overleven om je Kodak te trekken. Chrissie had duidelijk een heel ander leven achter de rug. Neem deze foto van haar afstuderen. Ze leek een stuk slanker, mooi zelfs.

Natuurlijk wist ze dat Dan in Durham had gestudeerd, maar ze was verrast geweest dat hij Chrissie kende. 'Hoe goed kende je haar?' had ze na het vorige etentje gevraagd.

Hij had zijn schouders opgehaald. 'Ze was een vriendin, meer niet.'

De wereld was klein. Dat was zeker.

Sodeju! Ze had een andere deur opengedaan en keek met grote ogen naar de granieten aanrechten, het enorme kookeiland in het midden met de rieten groentemanden eronder en het grote groene fornuis. In deze keuken kon je wonen! Zij zou ervoor tekenen. Welk recht had die Chrissie om er de hele tijd zo afgemat en ongelukkig uit te zien?

De restjes zaten nog in de schalen, naast het messenblok, maar over elke schaal zat netjes een stuk plasticfolie gespannen. Zou ze gewoon wat op een bord leggen voor Jenny, zoals ze had gezegd, of zou dat niet gewaardeerd worden? Ach ja, ze was er nu toch.

Gatver! Het gevoel van het vlees terwijl ze er een mes door liet glijden, deed haar bijna walgen. Hoe konden mensen dit eten? Ze konden net zo goed een stukje van hun eigen lijf afsnijden en...

Jezus.

In eerste instantie voelde ze het niet eens.

Pas toen het bloed eruit spoot, had ze door dat het uit haar kwam. Vol afschuw staarde ze naar haar linkerhand.

'Dan,' riep ze zwakjes. Ze greep een theedoek en bond die om haar vingers. Bijna meteen sijpelde de rode kleur erdoorheen.

'Dan!' riep ze, en ze wankelde de gang op. 'Martin. Iemand. Help!'

24

Jenny huiverde even toen zij en Dan bij de Eerste Hulp zaten te wachten terwijl Patsy onderzocht werd. Het was allemaal zo snel gegaan. Eerst die enorme ramp in het zwembad gisteren, waarbij iedereen groen werd en Alicia dreigde er een zaak van te maken. En vanmorgen in paniek wakker geworden. Ging dat groene spul er nog af? Hoeveel zou ze moeten betalen? Zou ze failliet gaan?

Jenny had zin om alles eruit te kotsen. Ze had zo hard gewerkt om te bereiken wat ze had bereikt en nu zou iemand, die Alicia, alles tenietdoen, terwijl het helemaal haar schuld niet was. Ze had geprobeerd haar advocaat te bellen, maar alle kantoren waren tot maandag gesloten. Geen wonder dat ze zich gisteravond bedronken had en in zo'n toestand bij Chrissie was gearriveerd. Maar toen had deze sexy, boomlange, donkere man met de meest fantastische, indringende blauwe ogen de deur opengedaan en alles wat zij had kunnen denken was: o mijn god, o mijn goeie god.

En het toppunt was dat hij er ook zo over leek te denken. Hij had haar een drankje gegeven en haar naar de bank geleid, waar ze hadden gepraat en gepraat en gepraat. Het was alsof hij de g-spot van haar stembanden had gevonden. Er was maar één persoon bij wie ze dat ooit eerder had gehad, iemand die ze had gezworen nooit meer te zien.

Jenny had gewild dat Dan haar kleren uittrok en tegen haar bleef praten. Ze vertelde hem over de krokodil en de dreigende aanklacht; hij vertelde haar over zijn werk (handel en verkoop, als ze het goed had begrepen) en hoe hij met Patsy was opgegroeid en, wie had dat gedacht, Chrissie kende van de universiteit. En toen, net toen hij aanbood om haar naar huis te brengen, omdat ze echt te veel chardonnay had gedronken om zelf te rijden, was Patsy letterlijk de kamer binnengevallen, terwijl het bloed uit haar linkerhand vlekken maakte op het lichte tapijt. Waarom was ze überhaupt naar de keuken gegaan?

Iedereen was door elkaar gaan schreeuwen en dingen gaan roepen. Maar Dan had de leiding genomen en voorgesteld dat hij en Jenny met Patsy naar de Eerste Hulp zouden gaan, dat Lucy zou uitzoeken hoe het verder moest met Jon en dat Chrissie bij de baby zou blijven.

'We zitten hier al tweeënhalf uur,' zei ze, weer rillend en hopend dat hij zijn arm om haar heen zou slaan, al was het maar voor de warmte. 'Hoe lang nog?'

'Je weet hoe dat hier gaat. Kan uren duren. Hé, je hebt het ijskoud. Neem dit maar.'

'Nee joh.'

'Jawel, toe maar.' Hij knoopte zijn donkerbruine suède jasje los en sloeg het teder om haar heen. Zijn aanraking bezorgde haar rillingen van heerlijke anticipatie. Als Patsy niet op zoek was gegaan naar een tweede ronde in de keuken hadden zij en Dan allang ergens anders kunnen zijn.

'Ze heeft geluk dat haar vinger er nog aan zit.'

'Sorry?' In gedachten lag ze nog in bed met hem. 'O, ja.'

Dan rekte zich uit in zijn stoel. 'Patsy is er wel aan gewend hoor.'

'Hoe bedoel je?'

'Nou, haar vader heeft haar vaak genoeg alle hoeken van de kamer laten zien. En haar zus.'

Ze was geschokt. 'Echt?'

Hij knikte ernstig. 'Als tiener heb ik haar regelmatig naar het ziekenhuis gebracht. We moesten altijd net doen of ze een ongeluk had gehad, maar na een tijdje begonnen ze iets te vermoeden.'

'En Patsy's moeder dan? Kon zij er niets aan doen?'

Dan stond op en zocht in zijn zakken naar kleingeld. 'Die was er toen al vandoor.'

'Weg?'

'Ja.' Hij zei het alsof het de normaalste zaak van de wereld was. 'Opgehoepeld. Patsy en haar zus bleven achter bij pa.'

'Wat verschrikkelijk.'

Hij schudde zijn hoofd en keek glimlachend op haar neer, alsof hij iets uitlegde aan een kind. 'Niet zo verschrikkelijk als dat de moeder was gebleven. En wat dacht je van een plastic bekertje ziekenhuiskoffie om warm te worden?'

Een uur later kwam Patsy eindelijk tevoorschijn, bleek en mooier dan ooit met haar linkerhand in het verband.

'Doet het pijn, schat?' vroeg Dan teder.

Jenny keek hem even scherp aan.

'Een beetje,' zei Patsy zacht. Als zij het was geweest, zou ze het uitschreeuwen van de pijn, dacht Jenny. Het was onmogelijk om niet iets van bewondering voor haar te hebben. 'Ik heb Antony gebeld en hij is thuis. Hij zei dat hij me op zou halen.'

'Onzin. Wij brengen je thuis.'

'Dank je.'

Ze reden in stilte naar het huis; Jenny zat zich af te vragen of Dan haar straks naar huis zou willen brengen of haar mee zou vragen naar zijn huis. Ze realiseerde zich opeens dat ze niet eens wist waar hij woonde.

Ze stopten bij het gebouw waar Patsy woonde. Sociale woningbouw, dacht Jenny meewarig. 'Ik breng je even boven,' zei Dan.

'Nee, dat hoeft echt niet, het gaat wel. Kijk, Antony staat al bij de deur.'

Jaloers zag Jenny hem aan komen lopen om haar te begroeten, zag hem haar innig omhelzen. Fijn voor Patsy. Jammer voor Maggie. Waarom was het leven zo ingewikkeld?

'Goed.' Dan keek haar aan vanaf de bestuurdersstoel, zijn ogen hielden de hare vast. 'Zal ik jou dan maar thuisbrengen?'

'Dat is best een eindje.'

'Dat geeft niets.' Hij deed de cd-speler aan. 'Ik heb goede muziek en we kunnen praten.'

Ongelooflijk, dat ze maar niet uitgepraat raakten. Maar de hele tijd tintelde ze van hoopvolle verwachting. 'Leuk,' zei Dan goedkeurend toen ze voor haar appartement stopten. 'Ik heb altijd wat gehad met die jarendertigbouw.'

Ze was zo nerveus dat ze over haar woorden struikelde. 'Heb je zin om binnen te komen?'

Hij keek haar zo lang aan zonder iets te zeggen dat ze zich afvroeg of ze wel iets gezegd had.

'Beter van niet,' zei hij uiteindelijk.

Golven van teleurstelling overspoelden haar.

'Maar ik wil je wel graag nog een keer zien. Hier is mijn nummer.' Hij gaf haar een kaartje. 'Bel je me?'

Als een zombie deed ze de deur naar haar donkere appartement open. Waarom wilde hij niet binnenkomen? Vond hij haar niet leuk? Waarom vroeg hij dan of ze wilde bellen? En waarom had hij haar niet naar haar nummer gevraagd?

Shit. Shit.

In een teleurgesteld automatisme drukte ze haar antwoordapparaat aan.

'Jenny. Met Alan. Sorry dat ik je in het weekend bel, maar zou je me morgen even terug kunnen bellen? Ik zou graag iets dringends met je bespreken.'

'Jenny, met Lily. Bel me alsjeblieft.'

'Hoi Jenny. Met Steve. Luister, misschien is het niet aan mij om te bellen, maar ik zag Jon vanavond. De zoon van je zus. Ik denk dat het niet zo goed met hem gaat. Bel me zo snel mogelijk, oké? Maakt niet uit hoe laat.'

'Tante Jenny? Met Kate. Kun jij mama even bellen? We hebben een klein feestje gevierd toen ze vanavond uit was en nu gaat ze uit haar dak. Het zou fijn zijn als jij haar wat kunt kalmeren.'

NOVEMBER

Avocadoverrassing uit
Recepten voor alleenstaanden *uit 1971*

*Marguerite Pattens beste vegetarische ovenschotel
(speciale editie van Eleanor)*

Kates magic brownies

25

De winkels lagen al tijden vol met kerstartikelen en schreeuwerige posters riepen de mensen op om vooral nu te kopen, voordat alles uitverkocht was. Het werd ook weer drukker op kantoor en ze was al een week bezig om een loodgieter te vinden voor de douche van een huurder. Het was een van Maggies huurders, maar het was haar ontschoten.

'Ik kan niet alles van je blijven overnemen,' wilde Lucy eigenlijk tegen haar vriendin zeggen. Maar ze moest wel. Het seizoen van de familiefeesten zou zonder Antony heel moeilijk worden voor Maggie. Ze kon daarbij niet ook nog haar baan verliezen.

Er waren tijden in haar leven geweest, vooral nadat Luke was overleden, dat ze de kerst wel helemaal wilde overslaan. Maar dit jaar was dat gevoel sterker dan ooit. En of Mike daar nu wel of niet in meeging, maakte haar niet eens zoveel uit.

Wanneer was ze afstand tussen hen gaan voelen? Dat was waarschijnlijk rond de tijd geweest dat Jon naar Oxford vertrok en zij zich zo ontzettend leeg had gevoeld.

'Dat is logisch na al die jaren dat je voor hem gezorgd hebt.' Mike had haar op haar voorhoofd gekust. 'Misschien, schatje, als je niet zo boven op hem had gezeten, was het voor jullie allebei wel wat makkelijker geweest.'

'Dus jij denkt dat hij daar niet kan wennen omdat ik hem te veel bemoederd heb?'

Mike had zijn schouders opgehaald. 'Nou ja, misschien was je wel wat overbezorgd. Trouwens, schatje, iemand heeft het licht in de badkamer boven aan gelaten. Geen wonder dat je zo'n hoge energierekening hebt.'

'Mam?' Sam was binnengekomen met zijn alsjeblieft-zeg-dat-het-toch-mag-gezicht op.

'Ja?'

'Mag ik alsjeblieft toch naar dat concert van de Wattevers? Het is de laatste kans om nog kaartjes te krijgen.'

'Absoluut niet,' had Mike gezegd voordat zij de kans kreeg het zelf te zeggen. 'En als je er ook maar aan denkt om toch te gaan, krijg je het met ons aan de stok.'

Hij had natuurlijk gelijk, maar de blik die Sam haar toezond, had haar koude rillingen gegeven. Als Mike op deze manier doorging, zou hij zich niet alleen van de kinderen vervreemden, maar ook van haar.

Jon leek tenminste eindelijk zijn draai te hebben gevonden na zijn telefoontje tijdens het etentje bij Chrissie, tien dagen geleden. Hij was niet, zoals hij gedreigd had, teruggekomen uit Oxford. Maar zijn stem klonk nog steeds vlak door de telefoon. Ja, zei hij elke keer dat ze belde (hij belde zelden zelf), de studie ging prima, maar het was hard werken. En ja, hij had een paar vrienden gemaakt.

Ze maakte zich ook zorgen over Chrissie. Haar vriendin was begonnen iets te vertellen over die jongen Dan, maar stopte toen en zei dat het niets te betekenen had. Maar dat had het duidelijk wel. En dan dat gedoe met Kate, die een feestje had gehouden zonder dat met haar te overleggen. 'Hoe kon je?' had ze gevraagd toen ze bij hun terugkomst van het etentje bij Chrissie de biervlekken op het tapijt aantrof en het naar beneden gekomen gordijn in de kamer, de stinkende bakjes van de afhaalchinees, en de lege bierflesjes op de rand van het bad.

'We hebben opgeruimd,' verdedigde Kate zich.

Mike keek haar koel aan. 'Daarom wilde je weten hoe laat we thuis zouden zijn.'

'Wat heb jij daarmee te maken? Dit is ons huis. Niet het jouwe.'

'Ik snap nog steeds niet hoe Eleanor overal doorheen heeft kunnen slapen.'

'Dat zei ik toch, mam. Ze heeft zo'n pil voor d'r hart genomen nadat ze een paar van mijn brownies ophad. Daarvan gaat ze gegarandeerd knock-out.'

'En mevrouw Thomas aan de overkant? Die geklaagd heeft. Heb je een excuusbriefje geschreven?'

'Ja, mam.'

Alles bij elkaar hadden ze het daarna niet makkelijk gehad. Misschien moesten ze er eens tussenuit, ook omdat de vakantie naar de meren niet door was gegaan, omdat Mike te druk was geweest op zijn werk.

'Ik wil dit weekend Jon eens op gaan zoeken,' zei Lucy onaangekondigd tijdens het ontbijt.

'Echt waar?' Mike hield even op met het besmeren van zijn boterham. 'Ik dacht dat we hadden afgesproken dat we niet meer langs zouden gaan, omdat dat te onrustig voor hem zou zijn? Niet normaal dat ze blokken van maar acht weken hebben. Hoeven ze niets te doen voor die studie?'

Eleanor keek hoe Mike zijn mes vasthield. 'Volgens mij is dat een geweldig idee. Waarom gaan we zaterdag niet allemaal?'

'Geweldig. Het is hier zo saai zonder hem.'

'Sam, lieverd, eet je mond leeg voordat je wat zegt.' Eleanor keek afkeurend de tafel rond. 'Dat is zo onbeleefd. En gebruik je mes zoals het hoort, Kate.'

'Dat doe ik, oma.'

Dat deed ze ook, en Lucy wist dat de opmerking eigenlijk voor Mike bedoeld was. Eleanor logeerde nu al een paar weken bij hen, maar elke keer dat Lucy voorzichtig opperde dat ze haar eigen huis nu wel zou missen, verzekerde Eleanor haar dat dat absoluut niet het geval was en dat ze bovendien liever niet alleen was, voor het geval ze weer zo'n 'rare bui' zou krijgen.

'Zaterdag is het lastig parkeren daar,' zei Lucy behoedzaam, Mikes blik ontwijkend. 'Maar we zouden zondag kunnen gaan.'

'Wat je wilt, schatje.' Mike stond van tafel op, hoewel Eleanor nog aan het eten was. 'Maar ik weet niet of ik mee kan. Ik moet een locatie bekijken.'

'In het weekend?'

'Ben bang van wel.'

'Waar?'

'Bristol. Dan moet ik heel vroeg weg, of misschien zaterdagavond al.'

Lucy voelde weer die golf van onbehagen. 'Dat is jammer.'

'Het geeft niet,' zei Eleanor opgewekt. 'Misschien vindt Jon het wel heel fijn om even wat familie te zien. Lucy, zit er nog thee in de pot? Kinderen, blijf zitten. Het is zo onbeleefd om op te staan voordat iedereen klaar is.'

Mike liep de kamer uit en deed de deur luidruchtig achter zich dicht; het kon weleens een reactie op die opmerking zijn.

'Sam,' zei Lucy zwakjes, 'niet vergeten je bed op te maken, zoals we hebben afgesproken.'

Haar jongste keek haar aan. 'Wat heeft dat nou voor zin als ik er vanavond toch weer een zootje van maak. Ik doe het alleen als ik naar het Wattevers-concert mag.'

'Goeie god.' Eleanor tuitte afkeurend haar lippen. 'Als je vader er nog was geweest, Sam, had hij wel raad geweten met jou. Lucy, zeg je er niets van? Echt waar, sorry dat ik het zeg, maar de normen in dit huis zijn niet meer wat ze geweest zijn.'

Lucy wilde tegen haar schreeuwen, haar vragen waarom ze dan niet naar huis ging. Maar als ze dat deed, zou ze niet loyaal zijn tegenover Luke. Eleanor was wel de oma van haar kinderen. 'Sam, zo praat je niet tegen mij. En Kate, help jij even met afruimen?'

'Gaan we nou of niet?'

'Waarheen?'

'Naar Oxford in het weekend, natuurlijk.'

Lucy knikte voor ze er erg in had. 'Ja, we gaan.'

Met of zonder Mike, dacht ze stilletjes bij zichzelf.

'Misschien heeft tante Jenny ook wel zin om mee te gaan,' zei ze hardop.

'Super.' Kates ogen glommen. 'Denk je dat Jons vriend, Pete, er ook is?'

Elke keer dat Lucy naar Oxford ging, werd ze verrast door de schoonheid van de plaats. Al die prachtige gebouwen, allemaal even mooi, maar allemaal met hun eigen majestueuze karakter. De universiteit met de imposante, bijna feestelijke gevel. Magdalen met de oranjerode bakstenen aan de oever van de rivier. Balliol met de keurige uitgestrekte grasvelden. Maar haar favoriet was het historische New College, waar Luke had gestudeerd en waar Jon nu zat. Er was weinig nieuws aan, behalve dan de aangebouwde vleugel.

Alles is een keer nieuw, mijmerde Lucy terwijl de portier gebaarde dat ze door kon rijden. Maar wanneer beslist iemand dat iets oud is? Hoe lang duurt de tijd daartussenin? Mocht zij na zes jaar weduwschap zeggen dat ze al lang weduwe was of moest ze het zien als een middellange periode?

Jon had gezegd dat hij op de binnenplaats op hen zou wachten.

'Niet op het gras lopen, Sam. Kijk, daar staat een bordje dat het verboden is.'

'Nou, iemand heeft wel op het gras gestaan om dat daar neer te zetten, of niet dan? Waar is Jon?'

'Misschien is hij op zijn kamer,' zei Jenny opgewekt. 'Je moeder en ik gaan naar boven. Jullie wachten hier en laten oma de tuinen zien. En Sam, gedraag je. Als ik je moeder was, kreeg je een draai om je oren!'

Haar zus, dacht Lucy spijtig, kon haar gezin zoveel beter aan dan zijzelf.

'Wanneer gaat die vrouw nou eens weg?' vroeg Jenny terwijl ze over de binnenplaats naar het trappenhuis van Jon liepen. 'Het verbaast me niets dat ze van één glas wijn al draaierig wordt.'

'Hoe bedoel je?'

Jenny lachte ondeugend. 'Nou, alcohol heeft meer effect als je het op grote hoogte nuttigt, zoals in de lucht, weet je wel? En Eleanor blaast nogal hoog van de toren.'

'Erg grappig.' Lucy stak haar arm door die van Jenny en genoot van een vlaag van zusterlijke liefde. 'Maar ze denkt inderdaad dat ze beter is dan iedereen. We worden er allemaal gek van, zelfs Mike, die zich normaal gesproken door niemand op de kast laat jagen.'

'Is hij daarom aan het werk vandaag?'

'Nee.' Lucy was verontwaardigd. 'Dat moest sowieso.'

'Hoor eens, Lucy.' Jenny had haar hand op haar elleboog gelegd en hield haar staande voordat ze bij Jons kamer waren. 'Ik moet je iets vertellen. Ik wil het je al heel lang vertellen, maar het was nooit het goede moment.'

Iets vertellen. Dezelfde woorden die de politie had gebruikt toen ze haar vertelden wat er met Luke was gebeurd voordat het overal op het nieuws te zien was.

'Wat?'

'Het is, nou, weet je mijn vriend Steve nog? Nou, hij zag, of hij dacht dat hij Jon gezien had in een...'

'Mam!'

Jon deed de deur al open. 'Ik hoorde jullie omhoogkomen. Sorry, ik was van plan jullie buiten op te wachten, maar ik ben in slaap gevallen.'

Lucy keek naar zijn verwarde kapsel, zijn spijkerbroek die los om zijn heupen hing en zijn bleke gezicht. 'Lieverd, je bent afgevallen!'

'Maak je niet druk. Nee, niet naar binnen gaan; het is een zootje. Kunnen jullie heel even hier wachten, dan pak ik mijn portemonnee.'

Jenny gluurde naar binnen. 'Typische ranzige studentenkamer. Ik dacht dat er mentoren rondliepen hier op Oxford, of zou Jon de zijne verboden hebben om op zijn kamer te komen? Doet me denken aan mijn eerste hok.'

'Mij ook,' huiverde Lucy.

'Jij was netjes! Alles had een plekje. Volgens mij raakte jij nooit werkstukken kwijt.'

Lucy lachte. 'Nee, dat klopt.'

Ze probeerde niet door de spleet van de deur te kijken. Jons bed was duidelijk dagenlang niet opgemaakt. Zijn kleren lagen overal en nergens en er stond een halfvol bierglas op de vloer. Lucy moest zich bedwingen om niet naar binnen te gaan en het op te ruimen.

'Mam,' riep Jon. 'Ik moet even iets afmaken. Ga maar naar beneden, dan kom ik zo ook.'

'Vreemd,' zei Jenny achteloos. 'Waarom vroeg hij ons niet om binnen te komen?'

'Dat snap ik best.' Lucy liet haar wijsvinger langs de stenen muur glijden terwijl ze de trap af liepen.

'Nou, studenten hebben toch het recht om er een zootje van te maken...'

'Dat is het niet. Er lag iemand onder de dekens.'

'Weet je dat zeker?'

'Zo goed als. Is dat ook niet wat je me wilde vertellen toen we net naar boven liepen? Je ging waarschijnlijk zeggen dat jouw vriend Steve Jon heeft gezien in een homobar.'

'Nou,' aarzelde Jenny. 'Zo direct had ik het niet willen brengen, maar ja, dat klopt.'

'Ik weet, voel het, al jaren.' Lucy hoorde zichzelf alsof er iemand anders aan het woord was. 'Jon is... anders. Net als Luke was. Het kan genetisch bepaald zijn, wist je dat? Ik heb er wat over gelezen.'

'Wat?' sputterde Jenny. 'Je maakt een grapje!'

'Nee.' Nu ze het eindelijk hardop zei, voelde het als een bevrijding. 'Luke heeft het me verteld, kort voordat hij... kort voordat hij overleed.'

'Zei hij letterlijk dat hij homo was?'

'In iets andere woorden.'

'Geloof je het?' vroeg Jenny zachtjes.

'Jenny, ik was met hem getrouwd. Als je dag en nacht met iemand samen bent, voel je bepaalde dingen echt wel.'

'Niet altijd.' Haar zus klonk opgewonden. 'Wat dacht je van al die vrouwen met mannen die vreemdgaan zonder dat zij er iets van weten?'

'Daar heb ik medelijden mee.' Lucy begon te wensen dat ze er nooit over was begonnen. 'Sst, daar komt Jon.'

'Ga je het hem nu vertellen?' siste Jenny.

'Ja.'

'Wanneer?'

'Op een geschikt moment.'

Ze vonden een aardig café in Turlstreet, hopelijk zo aardig dat Eleanor even haar mond zou houden. Onderweg ernaartoe had ze het nodig gevonden om Jon te ondervragen over de horden 'jonge dames' die Jon vast had ontmoet.

'Ik weet nog dat je lieve vader hier was,' zuchtte ze boven haar kopje earl grey. 'Hij ging altijd naar dansfeesten en soirees en sherryavondjes met de professoren.'

Jon veegde bedachtzaam een paar kruimels van zijn trui. 'We moeten best hard werken, oma.'

'Jahaa, zeg dat maar eens tegen Sam,' onderbrak Kate hen honend. 'Hij doet helemaal niets. Hij zit altijd op msn als hij eigenlijk huiswerk moet maken.'

'Jij ook!' Sam schoof een cakeje in zijn mond. 'Trouwens, wie ben jij om te beslissen wat goed is en wat niet? Goedheid heeft geen maat, hoor.'

'God,' mompelde Jenny terwijl ze haar bord wegschoof. 'Dat is diep.'

Kate trok een gezicht. 'Dat heeft ie overgeschreven uit een werkstuk van een of andere studiebol dat ie voor geschiedenis nodig had.'

Lucy verslikte zich bijna in een hap. 'Is dat waar?'

'Ik liep alleen een beetje achter met mijn aantekeningen.'

'Hij liegt, mama. Hij heeft hem vijf pond gegeven. Uit jouw portemonnee. Vraag het hem maar.'

Eleanor fronste boos haar wenkbrauwen. 'Samuel, als dat waar is, heb je gestolen.'

'Ik heb het niet gejat,' mompelde Sam. 'Ik heb het geleend. Ik wilde het vertellen, maar ik was het vergeten.'

'Waarom vertel je Jon en mama niet over je mondeling voor Frans,' ging Kate door.

'Kop dicht.'

Jon glimlachte voor het eerst sinds ze er waren, zag Lucy. 'Dit heb ik gemist. Ik was vergeten hoe verschrikkelijk jullie samen zijn. Toe maar, Sam, vertel het eens.'

Sam grinnikte. 'Nou, we hadden een toets dat je Frans moet praten en zo.

Dus Dave, ze heet mevrouw Davis maar we noemen haar Dave, vroeg wat ik in de pauze had gedaan. En toen zei ik: *"J'ai fumé avec mes amis."'*

Jon lachte hardop. 'Zei je dat je had gerookt met je vrienden?'

'Yep,' straalde Sam vrolijk.

'Had je gerookt?' vroeg Lucy, die haar schoonmoeder niet aan durfde te kijken.

'Tuurlijk niet. Maar het leek me wel leuk om te zeggen, want ze kon er niks aan doen. Iedereen zegt rare dingen tijdens mondelinge toetsen, want alles kan als je maar Frans spreekt. Ze denkt trouwens ook dat ik Tom heet.'

'En waarom denkt ze dat, Samuel?' vroeg Eleanor streng.

'Omdat we haar, toen ze onze namen vroeg aan het begin van het jaar, de verkeerde namen hebben gegeven. Tom zit naast mij.'

'Ik hoop dat hij beter in Frans is dan jij,' zei Jon.

Sam snoof vrolijk. 'Nee, hij is nog slechter.'

'Vandaar dat slechte rapport, zeker.' Eleanor depte elegant haar mondhoeken. 'Het is niet meer zoals vroeger.'

Jenny haalde een dun zilveren sigarettenkokertje uit haar tas en Lucy voelde even een steek. Daar was het gebleven! Ze wist nog dat haar moeder het gebruikte toen roken nog mocht.

'Vinden jullie het goed dat ik even een sigaretje rook?'

'Ik dacht dat je gestopt was.'

'Dat was ik ook, maar nu ik jullie zie, ben ik spontaan weer begonnen. Ik snap niet hoe jullie moeder het volhoudt.'

'Zeg, lieverd, dat wilde ik nog vragen.' Eleanor zette haar kopje neer. 'Gaat die vreselijke vrouw nog een aanklacht indienen?'

Lucy kon wel door de grond zakken. Eleanor had gehoord wat ze tegen Mike had gezegd over Alicia King en ze had niet anders gekund dan haar in het kort vertellen wat er gebeurd was. Maar ze had Eleanor gezegd dat het vertrouwelijk was.

Jenny schonk haar een vernietigende blik. 'Nu je het zegt, ja, dat gaat ze doen.' Ze deed haar jas aan. 'Maar ik wil het er niet over hebben. Tot straks, allemaal. Ik laat jullie even alleen. Om vijf uur ben ik bij de auto. Eleanor, als jij nou eens met Sam en Kate de stad in gaat, dan hebben Lucy en Jon even wat moeder-en-zoontijd.'

Lucy had het niet in haar hoofd gehaald om haar schoonmoeder op zo'n manier uit de weg te werken. Maar daar liepen ze dan samen door Oxford. Zij en haar onwaarschijnlijk lange en knappe zoon. Wat één-op-ééntijd samen was zo waardevol als je drie kinderen had die allemaal om jouw aandacht vochten. En nu moest ze een van de moeilijkste onderwerpen aansnijden die ze kon bedenken.

'Gaat alles goed met je?' vroeg ze terwijl ze voor de bibliotheek stonden en omhoogstaarden naar de fantastische koepel.

'Ja hoor, prima.'

'Is het al makkelijker?'

'Het is oké.'

'Maar is het beter dan eerst?'

'Soms, niet altijd.'

Ze wilde haar hand in de zijne laten glijden en hem troosten zoals ze vroeger deed als hij zich bezeerd had.

'Is Peter langs geweest?'

'Ja, vorig weekend. Voor een feest. O, en zeg Kate dat ze ophoudt met berichtjes sturen, oké? Hij vindt haar niet leuk en hij wordt er gek van.'

'Waar heeft hij geslapen?'

Stomme vraag.

'In mijn kamer. Met een paar andere gasten die ook mee waren.'

'Jongens die ik ken?'

Ze probeerde luchtig te klinken.

'Sommigen. Greg. Harry.'

Ze kende ze nog vaag van school. Aardige jongens. Rustig, net als Jon. De ene had al tijden dezelfde vriendin van de meisjesschool.

'Was het een leuk feestje?'

'Prima.'

Zeg het nu maar. Gooi het eruit. Zeg hem dat het goed is en dat je het begrijpt en dat hij je zoon is en dat dat het enige is wat telt.

'Gaat alles goed met jou en Mike?'

Die vraag kwam als een totale verrassing.

'Ja, natuurlijk. Hoezo?'

'Nou, hij is er nu niet bij. En je hebt het bijna niet over hem.'

'Hij is heel druk met zijn werk. Ik zei toch dat hij vandaag naar Bristol moest?'

Jon gaf haar een arm en zij pakte hem dankbaar vast. 'Weet je, mam, in het begin had ik het niet zo op Mike. Het was gewoon raar, zo na papa. Maar nu mag ik hem wel. Het is een prima kerel.'

'Dank je.' Ze probeerde de grote brok in haar keel weg te slikken. 'Jon, ik wilde je iets vragen. Het gaat over...'

'MAM!'

Een klein kaal figuurtje zwaaide naar hen van een afstandje.

'Alsjeblieft,' zei Lucy, haar ogen dichtknijpend tegen de zon, 'zeg me dat dat niet Sam is.'

Jon lachte. Het was een vreemde lach, merkte Lucy. Hol, zonder vreugde.

'Wat heeft hij nu weer met zijn haar gedaan?'

26

'*Row, row, row your boat, gently down the stream. Merrily, merrily, merrily, merrily, life is but a dream.*'

Jezus, als ze het nog één keer moest zingen met het moeder-en-peuterkoor, zou ze gillend gek worden. Het leven is een droom? Meer een afschuwelijke nachtmerrie. Hoe was zij, Chrissie Richards, voormalig hr-manager, met een salaris van meer dan 60.000, terechtgekomen in een kil buurthuis met een niet-sprekende melkzuiger op haar knie, omringd door vrouwen die het verschil tussen de tegenwoordige tijd en de verleden tijd niet kenden?

'Dus hij komt op me af, hoe bedoel je dat je niet "all the way" gaat. Daar betaal ik je toch voor. Dus ik...'

Chrissie stond op. Ze kon de stem van Tracey onmogelijk nog langer verdragen. Nog even en ze zou het uitschreeuwen. Geen wonder dat die arme Sting daar in die hoek stond te gillen.

'Gaat het wel met hem?' probeerde ze.

Tracey keek even verstoord op. 'Hij is gewoon kwaad dat ik zijn iPod heb afgepakt omdat ie een grote bek had.'

Had dat kind nu al een iPod? Chrissie liep naar hem toe (alles om de ochtend door te komen), en George waggelde met haar mee, met zijn handje stevig in de hare, alsof hij aanvoelde dat ze eigenlijk weg wilde rennen om dit allemaal achter haar te laten.

'Sting, lieverd, gaat het een beetje?' Ze knielde naast hem. Het gezicht van de peuter was knalrood geworden, met hete tranen over zijn wangen, vergezeld door twee glimmende strepen snot. Door het gebrul heen kon ze met moeite 'Wil pod' onderscheiden.

'Wil je iets drinken, lieverd?'

Sting knikte heftig, met vrolijk meewippende vlechtjes.

'Dink, dink,' riep George. Het was zijn eerste en enige woord. Niet 'mama' of 'papa' maar 'dink'. Om van een volledige zin nog maar niet te spreken.

'Nee, niet zo drinken,' sprak ze George streng toe. 'Grote mensen drinken. Kijk maar naar Sting.'

Ze gooide zestig cent in het doosje naast de drankautomaat en gaf Sting een plastic beker. Het kind dronk de beker in één keer leeg en stak hem toen naar haar uit. 'Meer.'

'Meer, alsjeblieft,' corrigeerde ze hem, en ze schonk nog wat in. 'Alsjeblieft, George, zullen wij dit ook proberen?'

Misschien zou hij het wel doen als Sting het ook deed, hoewel ze hoopte dat George zijn manieren niet zou overnemen. Voorzichtig goot ze het suikervrije fruitdrankje in een van de vele tuitbekers die ze voor haar zoon had gekocht. 'Nou, laat maar eens zien hoe knap je bent,' moedigde ze hem aan. 'Goed zo. Hou maar zo vast. Nee George, niet mee zwaaien. Nee, niet gooien. Nee...'

Stings gebrul overstemde de klanken van '*Row the boat*'. O mijn god! De twee straaltjes groene snot waren dieprood geworden en druppelden gestaag over haar heen en op de houten vloer.

'Wat doe je goddomme met mijn zoon?' snauwde Tracey, die aan was komen rennen.

Chrissie zocht naarstig in haar tas naar een zakdoekje en vond een voorraad keukenpapier voor nasale of anale noodgevallen. 'Hier, pak dit maar.'

'Nee, dank je.' Tracey stond op, met haar nog steeds uit zijn neus bloedende zoon in haar armen. 'Jij bent me een mooie. Jij kunt niet eens voor je eigen zoon zorgen, laat staan voor die van iemand anders.'

'Ho eens. Ik liep hiernaartoe omdat Sting stond te huilen en jij hem negeerde omdat je het zo nodig over je zogenaamde telemarketingbaantje moest hebben.'

Traceys ogen vernauwden zich. 'Hoe bedoel je, mijn zogenaamde baantje?'

Chrissie snoof. 'Nou ja, alsof het verbaal pijpen van vreemde mannen door de telefoon zo vermoeiend is.'

Tracey zette Sting hardhandig op de grond en kwam op haar af. Chrissie werd misselijk. 'Eigenlijk is het bijzonder hard werken, mevrouw de Opperkoningin. Wat deed jij nou helemaal voordat je je debiele zoon kreeg?'

'Debiel?'

'Hij zegt niet erg veel, of wel dan? En hij kan niet uit een beker drinken omdat je hem nog voedt. Smerig, dat is het. Ik wil echt niet weten wat er achter jouw voordeur gebeurt.'

Chrissie voelde de kou langs haar ruggengraat omhoogkruipen. 'Wat bedoel je daarmee?'

Tracey grijnsde vals. 'Nou, hij heeft toch overal blauwe plekken?'

'Hij valt veel.'

Ze zette haar handen op haar heupen. 'Dat zeg jij.'

'Het is waar.' Chrissie keek om zich heen voor steun. 'Ze lopen toch overal tegenaan op deze leeftijd.'

Niemand zei iets. Ze keken allemaal naar haar, of naar de grond, of ze vonden het opeens hoog tijd om met hun kind te gaan spelen in plaats van het gebruikelijke bespreken van de laatste roddels en nieuwtjes.

'Ik ga.' Chrissie begon Georges spullen bij elkaar te rapen, terwijl ze vocht tegen de tranen. Ze had hier nooit moeten komen. Ze zocht wel iets anders. Er moest iets anders zijn, moeders die net als zij waren. Moeders die interessante banen hadden gehad, moeders met onhandelbare peuters, moeders met echtgenoten die niet meer vroeg thuiskwamen.

'Chrissie?'

Ze keek met een schok op. Linda, een zachte moeder van een tweeling, die nooit haar stem verhief en wier kinderen keurig gekleed en welgemanierd waren, keek haar zenuwachtig aan. Chrissie voelde een golf van dankbaarheid opkomen. Iemand kwam haar te hulp!

'Ja?' zei ze hoopvol.

'Volgens mij moet je nog dertig cent in het doosje doen.'

'Pardon?'

'Voor het sapje. Je hebt een extra sapje gepakt maar niet betaald.'

Chrissie had George op één arm en de babytas in haar andere hand. 'Dat was voor Sting,' spuugde ze. 'Zeg maar tegen zijn moeder dat ze moet betalen. Ze verdient vast genoeg met die geile praatjes door de hoorn.'

En daarop vloog ze het buurthuis uit en liet de deuren achter zich dichtslaan.

Toen ze thuis aankwam, stond er een onbekende auto op de oprit. Een groene sportwagen met een beige dak en hippe aluminium velgen. Had Martin eindelijk zijn nieuwe leaseauto gekregen?

Vol ongeloof keek ze hoe de bestuurder zijn deur opendeed en soepel uitstapte op de manier die ze zo goed kende. 'Dan?'

'Hoi Chrissie.'

'Wat doe jij hier?'

'Je hoeft niet boos te worden. Ik was in de buurt en kwam even langs. Maar je hebt gehuild.' De uitdrukking op zijn gezicht veranderde meteen en hij raakte zacht haar wang aan met zijn wijsvinger. Ze had opzij moeten stappen, maar ze kon het niet. 'Wat is er, Chrissie?'

'Niets.' Ze begon te trillen op haar benen. Toen schudde ze helemaal. En opeens, god weet hoe, stond ze tegen zijn schouder aan te snikken, zijn schouder in het dure grijze kasjmier pak, terwijl zijn arm haar rug streelde zoals die jaren geleden ook had gedaan.

'Laat het maar gaan,' mompelde hij. 'Dat lucht op.'

Maar niets kon boven Georges gebrul uit komen. 'Ik moet hem uit de auto halen.'

'Ik pak hem wel.'

En voordat ze hem tegen kon houden, maakte hij George los met de trefzekere bewegingen van iemand die het zeker vaker had gedaan. En nog verbazingwekkender was het dat George gestopt was met huilen. Hij lachte zelfs en trok Dan aan zijn kraag.

'Ik heb dat effect op kinderen,' grapte hij. 'Ze zien dat ik er een van hen ben. Kom op, George, we brengen mama naar binnen en zetten een lekker kopje thee voor haar.'

Hij wist nog hoe haar zoon heette! Verbluft volgde ze hem naar de deur en zocht in haar tas naar haar sleutels. 'Waarom ben je gekomen?' kon ze met moeite uitbrengen.

'Omdat ik niet blij ben met de manier waarop we afscheid hebben genomen,' zei hij zachtjes terwijl hij de deur achter zich dichtdeed.

'Na het eten, bedoel je?'

'Nee, twintig jaar geleden, bedoel ik.'

Ze stak haar hand omhoog. 'Laat toch zitten.'

Hij greep haar hand in de lucht en dwong haar hem aan te kijken. 'Snap je het dan niet, Chrissie? Dat kan ik niet. Dat is me nooit gelukt. Je weet niet half hoe het voor mij was om jou weer te zien. Ik ging uit mijn dak.'

'Je leek anders nogal rustig.'

'Dat was omdat ik het verborg. En omdat ik wist dat je zou komen.'

'Wat?'

Hij zuchtte. 'Patsy had het over Antony en zijn vrienden. Ze heeft jullie omschreven...'

'Je bedoelt dat ze ons belachelijk maakte.'

'Nee. Ja. Oké. Een beetje wel. Maar toen had ze het over jou. Patsy onthoudt veel dingen en ze wist zelfs je achternaam nog. En toen begreep ik dat jij ook bij dit kookclubje zat.'

'Maar ik ben getrouwd. Ik heb een andere naam.'

'Dat weet ik.'

'Hoe dan?'

'Omdat het in het universiteitsblad heeft gestaan. Onder alumninieuws. Er stond zelfs bij dat je naar Great Piddington ging.'

'Heb je Patsy verteld dat je mij kende?' Het duizelde Chrissie een beetje.

'Niet meteen. Maar ik was bij haar toen Antony belde dat hij bij zijn kinderen moest blijven en toen bood ik aan om haar te brengen.'

'Zodat je mij kon zien?'

'Zodat ik jou kon zien.'

'Maar waarom?'

Dan keek naar beneden, naar George, die zowaar aan hun voeten met zijn blokken aan het spelen was in plaats van dat hij zat te piepen. 'Ik zei toch al dat ik die... die toestand... nooit uit mijn hoofd heb kunnen zetten?'

Chrissie brieste. 'Die toestand, zoals jij het noemt, heeft bijna mijn leven verwoest.'

Hij legde een hand op haar schouder. Ze trok zich terug alsof ze zich gebrand had.

'Geloof me, Chrissie, ik heb er alles voor over om het goed te maken.'

'Dat kan niet.' Haar ogen werden weer nat. 'Nu niet.'

'Was je daarom aan het huilen toen je net aankwam?' vroeg hij zacht.

'Natuurlijk niet.' Ze stapte over George heen naar de keuken om water op te zetten. 'Dat heb ik jaren geleden uit mijn hoofd moeten zetten om überhaupt op de been te blijven.'

'Wat was er dan gebeurd?'

'Iets met stomme wijven.'

Ze vertelde kort iets over de speelgroepmaffia.

'Dat lijken me niet echt jouw soort mensen.' Hij hing over het aanrecht en keek naar haar. 'Waarom ga je niet weer aan het werk?'

'Omdat ik fulltimemoeder wil zijn. Dat verdient George.'

'Verdient George geen moeder die zichzelf recht aan kan kijken?'

Ze voelde dat hij achter haar ging staan, voelde zijn warmte, net als al die jaren geleden.

'Of,' ging hij door, 'is dit wat Martin wil dat je doet?'

In een flits dacht ze aan Martin, die een sleutel-in-de-brievenbuskind was geweest omdat zijn moeder werkte en die vastbesloten was dat zijn eigen kind niet aan te doen. 'Dat willen we allebei,' zei ze vinnig.

'En sla je hem?'

Ze draaide zich razendsnel om. 'George? Natuurlijk niet.'

'Sorry, ik zag gewoon zoveel blauwe plekken op zijn benen.' Er gleed een schaduw over zijn gezicht. 'Het gebeurt, hoor. Mijn ouweheer leefde zich altijd op mij uit en mijn moeder had er ook weinig op tegen.' Hij lachte bitter. 'Dat is waarom Patsy en ik altijd contact hebben gehouden. Dat was normaal in onze wereld.'

'Ja,' zei ze gelaten. 'Dat heb je me verteld.'

Op de universiteit was Dan de socialist geweest die ze nog nooit had ontmoet. Een leidend licht van de studentenbeweging. Hij spaarde zelfs bij een coöperatieve bank. Tot die tijd wist zij niet eens dat die bestonden.

'Maar,' zei Dan, die haar designkeuken bekeek, 'ik zie dat je de juiste vent getroffen hebt.'

'We hebben het geluk gehad elkaar te vinden,' zei ze met haar blik op het theezakje dat ze in de pot hing.

'Heeft wel even geduurd, toch? Drie jaar getrouwd, nu? Jaja, het universiteitsblad. Ik zei toch dat ik je lang ben blijven volgen.'

'Uit schuldgevoel,' kaatste ze terug.

'Waarschijnlijk. Wow, mannetje, die zag ik niet aankomen.' Hij keek grijnzend op toen George langsraaste. 'Snelle duvel, hè?'

'Bijzonder,' zei Chrissie grimmig. 'Je kan hem geen seconde alleen laten. Ik heb nog nooit zoiets vermoeiends gedaan.'

'Je ziet er tamelijk moe uit, ja.'

'Bedankt voor het compliment.'

'Nee, dat is niet onaardig bedoeld. Ik maak me zorgen.'

Ze gaf hem thee in een blauwgestippelde Emma Bridgewater-mok en ze gingen aan de keukentafel zitten, waar George over Dan heen klauterde en aan zijn neus en haren trok. 'Dat hoeft niet. En jij? Ooit getrouwd?'

Hij schudde zijn hoofd. 'Nooit de juiste vrouw gevonden. Of misschien wel, maar zij dacht daar anders over.'

Ze moest het vragen. 'Kinderen?'

Hij schudde zijn hoofd. 'Dat had ik nu wel leuk gevonden, trouwens.'

Ze snoof. 'Krijg ze dan met Patsy. Jullie zijn toch zulke goede vrienden? Of Jenny. Je vond haar toch zo leuk?'

'Patsy is gewoon een vriendin. Jenny is leuk, maar ze is mijn type niet.' Hij keek haar indringend aan. 'Ik heb een fout gemaakt, Chrissie. En soms denk ik dat ik er nooit overheen kom.'

'Hé, als je hier gekomen bent om...'

Hij reikte over de tafel heen en greep haar pols stevig beet. Dat doet pijn, wilde ze zeggen, maar de schok van het fysieke contact snoerde haar de mond. 'Is hij goed?' gromde hij. 'Is hij goed in bed?'

'Het gaat,' zei ze.

'Het gaat? Is dat het? Weet je nog...'

'Nee.' Ze trok haar pols terug. 'Nee, snap dat dan. Ik heb het moeten blokkeren, zodat ik kon blijven ademen. Jarenlang kon ik met niemand anders naar bed en nu heb ik een goede man gevonden. Een aardige man die me niet in de steek zal laten. Dus doe me een plezier en verdwijn uit mijn leven. Nu meteen, graag.'

George begon te mekkeren en op hetzelfde moment ging de telefoon.

'Ik neem wel op als jij weg bent.'

'Misschien is het belangrijk.' Hij nam de hoorn van de haak. 'Hallo, met het huis van de familie Richards.'

Wat een lef. Wat als het Martin was?

'Ja, ze staat hier naast me.'

'Hallo?' Het was moeilijk iets te verstaan met Georges gehuil op de achtergrond.

'Wat? Over tien minuten? Nou, als jullie het echt nodig vinden, maar George eet inmiddels ook vast voedsel, dus ik denk niet dat we nog extra hulp nodig hebben. Nee, natuurlijk komt het wel uit. Tot straks dan.'

'Problemen?'

'Dat was de wijkverpleegkundige. Ze wil langskomen. Kun je alsjeblieft gaan, Dan? Ik heb al genoeg aan mijn hoofd zonder dat jij hier met je schuldgevoel op de stoep staat over iets wat honderd jaar geleden is gebeurd.'

Zijn ogen fixeerden zich op de hare. 'Maar ik wil weten of je in orde bent. Of je me kunt vergeven.'

Ze zuchtte. 'Ja, ik ben in orde, maar nee, ik weet niet of ik het je vergeef. Wegwezen nu, ga iemand anders' leven maar in de war schoppen.'

'Zeg dat nou niet.' Hij keek uit het raam. 'Daar is je bezoek al. Weet je zeker dat je niet wilt dat ik blijf?'

Chrissie verslikte zich. 'Shit. Het is Martin. Snel, naar de achterdeur.'

Te laat. Martin stak de sleutel al in het slot. 'Hallo schat.' Chrissie vloog op hem af en kuste hem op de wang.

'Wiens auto staat er op het pad?'

'Hallo Martin, ik ben het. Weet je nog? Een vriend van Patsy. Ik was vorige keer mijn jasje vergeten en Patsy had met Chrissie geregeld dat ik het vandaag kon ophalen.'

Martins gezicht was gespannen. 'Wat? O, ja.'

Er was iets aan de hand. Verdacht hij Dan ergens van?

'Goed!' Dan sloeg zijn handen in elkaar; Chrissie schrok ervan. George brabbelde en greep Dans been. 'Ja, kleine man, ik moet ervandoor.' Hij streek door zijn haar. 'Misschien tot de volgende keer.'

Martin begon al te praten toen de deur nog niet eens dicht was. 'Ga zitten, ik moet je iets vertellen.'

'Wat is er? O, shit, de bel.'

'Laat gaan.'

'Dat kan niet.'

Ze was de wijkverpleegkundige vergeten!

'Mevrouw Richards, fijn dat we langs konden komen.'

Chrissie zette zich schrap voor wat er komen ging. De wijkverpleegkundige noemde haar anders altijd bij haar voornaam. Ze had bovendien een strenge oudere dame bij zich in een marineblauw mantelpak. 'Natuurlijk, geen probleem. Dit is mijn echtgenoot, Martin. Schat, dit is Sandra, de wijkverpleegkundige van het gezondheidscentrum.'

Martin gaf een kort knikje.

'Ah, mooi. Het is fijn dat uw echtgenoot er ook is.'

'Wat bedoel je?'

De vrouw keek vertwijfeld. 'We hebben helaas een klacht over u ontvangen.'

'Van wie?'

'Dat kunnen we nu nog niet zeggen. Maar deze persoon liet ons weten dat zij vermoedt dat George wordt mishandeld.'

Ze voelde haar wangen rood worden. 'Dat was die Tracey van de peutergroep zeker? Alleen omdat George iets naar haar zoon heeft gegooid. Dat was een ongelukje.'

'Wat bedoel je met "mishandelen"?' vroeg Martin.

'Ik bedoel,' zei de vrouw in het blauwe pakje, 'dat wij het vermoeden hebben dat George wordt geslagen.'

'Hoe durft u ons zo te beschuldigen.' Martin sprak op een lage, dreigende toon. 'En wie bent u trouwens?'

'Ik ben van de sociale dienst.' De vrouw haalde een identiteitsbewijs uit haar portemonnee. 'We willen u graag wat vragen stellen.'

27

Fantastic Fawn foundation. Dat had ze nog niet eerder gebruikt. Mooie kleur. Glad. Makkelijk spul. Dat kon je van deze trut niet zeggen.

'Mijn gezicht jeukt.'

De vrouw, een opkomend actrice, had doorlopend zitten klagen vanaf het moment dat Patsy was begonnen.

'Waar?' Patsy ging door met het aanbrengen van de foundation.

'Hier. Op mijn jukbeenderen.'

Ze zagen er inderdaad een beetje rood uit, maar Imogen was dan ook gearriveerd met de nodige blosjes op haar wangen. Patsy moest altijd stiekem lachen als de modellen binnenkwamen. De ervaren modellen wisten dat ze geen make-up op moesten doen, zodat de visagiste een schoon gezicht had om mee te werken. En zonder die make-up zagen de meesten er nogal gewoontjes uit.

'Volgens mij ben ik allergisch voor die foundation.' Imogen wees met haar korte vingertje naar het flesje. Gelukkig hoeven haar handen niet op de foto, dacht Patsy, met een afkeurende blik op haar afgekloven nagels.

'Dat lijkt me stug,' zei ze voorzichtig. 'Deze lijn is speciaal voor de gevoelige huid.'

'Nou, ik krijg er anders iets van. Het brandt.' Het meisje pakte een handspiegel. Kalm blijven. 'Als je wilt, halen we het er af en beginnen we opnieuw.'

'Ik zei toch dat je mijn foundation moest gebruiken.' Het meisje keek haar koel aan. 'Hoe lang doe je dit werk al?'

Patsy dwong zichzelf om rustig te spreken. 'Bijna tien jaar. Excuseer me even, mijn telefoon gaat. Ik ben zo terug.'

Ze had Antony sinds gisteravond niet meer gesproken. Vanaf het wodkamoment van Alice was Antony afstandelijker geworden en koel. Toen ze vorige week om huishoudgeld had gevraagd, had hij iets gemompeld over zuiniger aan doen. Vanmorgen was hij naar zijn werk vertrokken voordat zij wakker was. En haar mobiel had de hele dag aangestaan, maar hij had niet gebeld.

Het was hem niet.

'Zeg dat nog eens?'

Patsy werd gloeiend heet vanbinnen terwijl de vrouw aan de andere kant van de lijn haar verhaal deed.

'Nee. Natuurlijk niet. Ja, ik begrijp het. Ik kom zo snel mogelijk. Ja, binnen het uur. En doe...' Haar stem trilde. '... doe alsjeblieft niets voordat ik er ben.' Trillend liep ze de studio weer in en begon in een roes haar handtas en jas te pakken. 'Waar ga jij heen?' vroeg het model.

Patsy was bijna vergeten dat zij er nog was. 'Sorry, er is iets tussen gekomen. Een noodgeval.'

Ze keek naar de fotograaf; hij stond met zijn rug naar haar toe de lichten in te stellen. 'Zeg maar tegen Carl dat hij een vervanger moet zoeken. Trouwens, volgens mij heb je gelijk over die foundation. Ik zie een beetje uitslag verschijnen.'

Ze hoorde nog net de gil terwijl ze de deur dichttrok. Maar het was niet belangrijk. Niet vergeleken met dit.

Ze lieten haar meteen binnen.

'We hebben hem moeten verdoven,' fluisterde de verpleegkundige indringend terwijl ze achter haar aan de trap op snelde. 'Ik heb je laatst al gezegd dat hij naar een beter bewaakte afdeling moet.'

'Laat mij maar even met hem praten.'

De verpleegkundige kneep haar lippen samen. 'Ik heb de dienstdoende arts al gebeld. Hij is onderweg.'

'Alstublieft. Vijf minuten.'

De vrouw knikte weifelachtig. 'Wil je dat er iemand met je meegaat?'

'Nee.' Patsy schudde haar hoofd. 'Mij zal hij niets doen.'

Niet meer, dacht ze, terwijl ze de kamer in glipte en de deur achter zich dichtdeed. Hij lag op het bed met zijn rug naar haar toe. Boos. Net zoals hij altijd deed toen mama er nog was. Hij droeg zwarte kleding, zoals altijd. Hij had sinds het ongeluk geen andere kleur meer gedragen.

'Pap.' Ze trok een stoel bij. 'Ik ben het, Patsy.'

Hij bewoog niet.

Ze stak een hand uit om hem aan te raken, maar trok hem terug. Waarom zou ze, zei een stem in haar hoofd, na alles wat hij had gedaan?

'Dat was niet zo verstandig, pap.'

'Wat?'

Hij sprak zo zacht dat ze hem bijna niet verstond.

'Uithalen naar de zuster. Ze probeerde je gewoon je eten te geven.'

'Ik hou niet van erwten.'

Patsy zuchtte. 'Daarom hoef je iemand nog niet aan te vallen. Als je zo doorgaat, word je eruit gegooid, en dan moet je ergens heen waar je veel minder vrijheid hebt. Dit is een prima plek. Het kost me genoeg.'

Stilte. Stomme, koppige oude man. Waarom, waarom begreep hij niet dat ze hem probeerde te helpen? Wat haatte ze hem. En toch was er iets, god weet wat, wat haar ervan weerhield hem aan zijn lot over te laten.

'Pap? Ik weet dat je me hoort.'

'Babs? Babs, ben jij dat?'

Patsy bevroor. 'Nee, je weet dat ik het ben. Patsy.'

Hij kreunde lang en laag. 'Ik wil Patsy niet. Ik wil Babs.'

'Zij is er niet, pap. Dat weet je best.'

'Ga haar dan halen. Ga Babs halen, dan zal ik voortaan braaf zijn.'

Patsy stond trillend op. Misschien had de zuster gelijk. Misschien kon hij beter naar een afdeling met meer toezicht gaan. Wat als hij, god verhoede, iemand iets aandeed? Hij ging niet alleen fysiek maar ook mentaal achteruit... Gatver! Ze rook iets. Iets afschuwelijks.

'Pap, moet je naar het toilet?'

Hij draaide zich om; zijn gezicht was nog magerder dan de keer ervoor. De donkere kringen onder zijn ogen lagen dieper dan ooit. 'Naar het toilet? Nu niet.'

Hij grijnsde en ze voelde dat ze bijna moest overgeven.

'Ga je me niet wassen, Babs?'

'Hou op.' Ze wilde hem door elkaar schudden. Net zo lang schudden tot hij stopte met ademen. 'Hou op. Je weet dat ik Babs niet ben. Je weet dat zij...'

'Nee.'

Zijn handen grepen naar haar keel. Net op tijd ving ze ze op. Zijn nagels duwden in haar handen, maar ze dwong zichzelf niet te schreeuwen. Als hij doorhad dat hij aan het winnen was, zou hij doorgaan. 'Dat moet je niet zeggen. Babs komt op bezoek. Ze heeft gebeld. Ze komt volgende week. En dan heb ik jou niet meer nodig.'

Hij liet haar handen los, met een duw, zodat ze op de grond viel.

'En nu wegwezen, kleine slet. Zo moeder, zo dochter. Ik wil je zus. Niet jou. En kom maar niet meer terug.'

Verstijfd van schrik zat ze in de metro terug naar huis, haar hoofd duizelend van de mogelijkheden.

'Dan?'

Haar vingers hadden het nummer automatisch ingetoetst, zoals altijd wanneer er iets mis was met haar.

'Wat is er?'

'Ik ben net naar papa geweest.'

Zijn stem klonk scherper. 'En?'

'Hij heeft weer herrie geschopt.'

'Moet hij weg?'

'Ze geven hem nog een laatste kans.'

Ze sloot haar ogen, dacht terug aan hoe ze had moeten smeken bij de zuster en haar het pakje bankbiljetten (dat Antony haar eerder in de week had gegeven) in de hand had gedrukt.

'Maar als hij het weer doet, ligt hij eruit.'

Er viel een stilte. 'Dan, ben je er nog?'

'Ja. Ik denk. Weet je, Patsy, misschien is dat niet eens zo'n slecht idee. Misschien kan hij beter naar een veiliger plek.'

'Nee. Je weet toch wat er de vorige keer gebeurde. Hij ging er bijna aan onderdoor. Hij is in de war, dacht dat ik... dat ik Babs was. En dan is er nog iets.' Ze aarzelde. 'Ik haat het dat ik het moet vragen.'

'Sorry, Patsy, dat lukt me niet.'

'Je weet helemaal niet wat ik ga vragen.'

'Dat weet ik wel. Je hebt geld nodig voor die plek, maar ik heb deze maand een paar keer goed verloren. Sorry.'

Ze zuchtte. 'Ik wilde dat je stopte met gokken.'

Te laat. 'Laat het los. Moet gaan. Dag.'

Ze zou Antony om geld moeten vragen. De rekening had allang betaald moeten zijn, zoals de zuster haar nog eens koeltjes had laten weten. Maar als ze het Antony zou vragen, zou hij willen weten waar al het geld van vorige week gebleven was. En dan zou ze het moeten vertellen of weer moeten liegen, zoals ze meestal deed...

Nee, dat nooit meer.

Patsy zuchtte terwijl ze de trap op rende naar haar appartement. Ze was moe van het smoesjes verzinnen. Moe van net doen alsof. Misschien zou ze Antony de waarheid vertellen.

'Wat gebeurt er? Antony? Waarom staan er koffers in de gang?'

Ze kreeg bijna geen lucht en voelde een golf van misselijkheid. Nu ging hij dan echt bij haar weg...

'Hoi, Patsy.'

Een ernstig klein meisje zat aan haar keukentafel met een theelepel uit een pot pindakaas te snoepen. Matt zat naast haar naar de kleine televisie op het aanrecht te kijken. Antony was bezig een fles wijn te openen.

'Wat is dit?' siste ze opgewonden. 'Waarom ga je weg?'

'Weg?' fronste hij.

'De koffers. In de gang.'

'Die zijn van de kinderen.' Met een arm om haar schouder voerde hij haar mee naar de gang. 'Het gaat niet zo goed met Maggie. Het is allemaal een beetje veel voor haar. Ik dacht dat het goed voor haar zou zijn als ik een paar dagen de kinderen neem, zodat ze wat kan rusten.'

'Dan moeten ze samen op de bank.'

Hij haalde zijn schouders op. 'Het is maar voor een paar dagen.'

'Maar ik heb niet genoeg in huis. Dan heb ik meer geld nodig.'

'Dat is geen probleem.' Hij trok haar naar zich toe. 'Ik wist dat je het zou begrijpen.'

Ze werd heen en weer geslingerd tussen opluchting dat hij niet wegging en de schok van de kinderen. 'Oké. Dan moeten ze maar blijven. Maar jij moet ze naar school brengen en zo. Ik heb de hele week klussen.'

'Prima. O, er heeft nog iemand voor je gebeld.'

Hij gaf haar een briefje. Patsy werd koud vanbinnen toen ze de naam las. 'Ik moet even bellen,' zei ze. 'Wil je de deur dichtdoen?'

Ze wachtte tot ze de deur dicht had horen vallen voordat ze de cijfers in-toetste.

'Drydale-kliniek. Met zuster Brown.'

'Met Patsy. Ik heb net uw boodschap gekregen. Is alles in orde?'

'Nee, dat is het niet.'

De kille toon was onheilspellend.

'Heeft hij iemand verwond?'

'Nee.'

'Wat dan?'

Allerlei mogelijke scenario's gingen door Patsy's hoofd.

'Toen we hem zijn avondeten wilden brengen, was zijn deur op slot.'

'Maar hij heeft geen sleutel.'

'Hij had het bed tegen de deur geschoven.' De zuster klonk alsof ze er wel plezier in had. 'Toen we eindelijk binnen waren, stond het raam open. Je vader was weg.'

161

28

Hij had niet van zich laten horen. Net als de rest, dacht Jenny gelaten terwijl ze net deed of ze haar bureau opruimde. Op een of andere manier had ze gedacht dat Dan anders was. Die schittering in zijn ogen, de manier waarop hij het kopje koffie had afgeslagen omdat hij (in haar beleving) niet te hard van stapel wilde lopen.

Twee weken geleden was het. Te lang om nog een smoesje te kunnen bedenken.

Wat had ze gedaan om hem af te schrikken? Lag het er te dik bovenop? En waarom voelde ze niets voor de mannen die haar leuk vonden?

'Jenny.' Lily hing ongemakkelijk rond haar bureau. 'Heb je even?'

Dat kon er ook nog wel bij! Lily gedroeg zich al een paar weken anders dan anders. Neem nou die nacht dat ze op haar antwoordapparaat had ingesproken of Jenny haar alsjeblieft in het weekend wilde bellen. En toen ze belde, had Lily gezegd dat het niet meer uitmaakte. Sinds dat weekend was ze stilletjes maar beleefd geweest. Of ze wilde opslag, of er was privé iets aan de hand. Ach ja, bij wie niet.

'Vijf minuutjes, oké, Lily? Ik moet een paar dringende telefoontjes plegen.' Lily haalde elegant haar schouders op. 'Prima.'

Jenny pakte haar telefoon, wachtte tot Lily de kamer uit was en legde hem toen weer neer. Ze moest haar zus bellen, maar ze hadden niet meer echt gepraat na hun bezoek aan Oxford en Lucy's onthulling over Jon en daarna ook nog over Luke. Natuurlijk was Jon homoseksueel, maar ze had niet verwacht dat zijn moeder er zo koel onder zou blijven. En Luke ook... Ze had wel gehoord dat extreem verdriet ervoor kon zorgen dat je de overledene anders ging zien, maar dit was compleet verzonnen.

Jenny liet haar hoofd in haar handen rusten. Werk! Dat zou ervoor zorgen dat ze er niet meer aan dacht. Dat was het enige waar ze goed in was. Tenminste, dat was zo geweest totdat die stomme koe had gedreigd haar aan te klagen. Er was echter, zoals haar advocaat had gezegd toen ze hem eindelijk had gevonden, nog geen officiële klacht ingediend. 'Het is zeer waarschijnlijk dat mevrouw King van haar eigen raadsman heeft gehoord dat ze geen poot had om op te staan. Ja. Ik snap dat die afgevende kleur vervelend was. Maar je zei zelf al dat het niet blijvend was.'

Ondertussen moest ze ook Alan bellen. Hij wilde dat zij een soort wintercruise over de Tyne zou organiseren ter ere van het vijftigjarig bestaan van zijn bedrijf. Cruises waren zo suf. Maar werk was geld. Ze kon het zich niet veroorloven om het niet te doen.

'Alan. Met Jenny.'

'Hé, meisje. Hoe is het met je?'

Zijn warme stem deed haar altijd goed. Hij was als een soort jonge oom, die ze nu goed kon gebruiken.

'Prima, dank je. Ik heb een ticket voor morgen en dan neem ik een taxi en zie ik je op kantoor.'

'Jij gaat helemaal geen taxi nemen, meisje. Ik kom je ophalen.'

'Dat hoeft echt niet, hoor.'

'Onzin! Wij noorderlingen staan bekend om onze gastvrijheid. Je zei dat je hier nog nooit was geweest, toch? Nou, ik zal je weleens laten zien wat je gemist hebt. In de haven weet je weer echt dat je leeft.'

Jenny onderdrukte een diepe zucht. Wat was het toch met mensen uit bepaalde delen van het land – Wales, Schotland, het noorden – dat ze altijd maar zeurden over mensen uit het zuiden die 'niet zouden weten wat ze misten'. Het leek wel een religieuze kruistocht.

'Ik verheug me erop.'

'Nog één ding, meisje.' Alan grinnikte in de hoorn. 'Zorg dat je genoeg warme kleren meebrengt. Het is hier nogal fris in deze tijd van het jaar.'

Jenny legde de telefoon neer en drukte op de microfoon op de intercom. 'Lily. Wil je nu even komen?'

'Nu zit ik eigenlijk midden in de Macintyre-papieren. Het komt een andere keer wel.'

'Nou, wat je wilt.'

'Dank je.'

Lily had zo'n klein stemmetje.

Ze zou eigenlijk na het werk iets moeten gaan drinken met haar assistente, eens kijken wat haar dwarszat. Maar vanavond niet. Ze was kapot. Haar hand hing boven de telefoon. Ze zou Dan kunnen bellen. Een smoes verzinnen. Een drankje voorstellen. Hij hoefde alleen maar nee te zeggen. Ze was vaak genoeg afgewezen in haar leven. Een keer meer of minder maakte ook niet uit.

'Hoi, met Dan. Ik kan je telefoontje helaas niet beantwoorden, maar laat een boodschap achter en dan...'

Zachtjes legde Jenny de hoorn neer.

'Eh, heb je even?' Lily stond weer te dralen en Jenny dwong zichzelf haar vriendelijk toe te lachen. 'Ja, Lily. Wil je me toch even spreken? Ik heb tien minuten voordat ik weer in bespreking moet.'

'Nee.' Lily had een grote witte enveloppe in haar hand. 'Deze is net met een koerier bezorgd.'

Jenny kreeg een droge mond. Het kon natuurlijk van alles zijn. Ze kreeg zoveel aangetekende post. Misschien was het van de cruiseschepen die ze had aangeschreven voor Alans tochtje over de Tyne. Misschien was het de offerte voor dat kerstfeestje in Syon House. Het zou... shit. Shit.
'Wat is er?' vroeg Lily.
Jenny kreeg het benauwd. 'Het is die verschrikkelijke Alicia King. Ze zei dat ze me zou aanklagen en dat heeft ze nu gedaan. Ze beweert dat twee mensen van haar personeel tijdens die dag ziek zijn geworden en ze zegt dat het door die groene verf komt.'
Lily fronste, waardoor er plooien in haar mooie gezichtje ontstonden. 'Hoezo "ziek" dan?'
'Dat zegt ze niet.' Jenny zat al driftig een telefoonnummer in te toetsen. 'Maar ik weet wel dat we hier iemand bij moeten halen, en snel.'

De treinreis was lang. Ongelooflijk, dacht Jenny, die het veranderende landschap bekeek, dat je het weer voelde omslaan naarmate je verder naar het noorden reisde. Ze waren net bij York en ze was nu al bevroren, ondanks haar vest van kasjmier. 'Koop wat thermo-ondergoed,' had Lucy geadviseerd. Jenny had haar hartelijk uitgelachen, maar nu wilde ze dat ze had geluisterd. Geen wonder dat het leek of iedereen tegen de wind in liep. Het was alsof je aan het einde van de wereld was.
'Ik dacht dat we na de lunch wel naar de haven konden gaan om de boten te bekijken.'
Jenny haalde haar map uit haar koffertje. 'Goed idee. Ik heb een aantal afspraken gemaakt en ik heb al naar de muziek gekeken. Ik had ook nog een ander idee. Wat dacht je van een themafeest? Misschien iets met de zee?'
Alan knikte. 'Klinkt goed. Ik heb maar één voorwaarde.'
'Wat dan?'
'Dat iedereen het naar zijn zin heeft. Daar gaat het tenslotte allemaal om.'
Jaja.
'Want,' zei Alan, met zijn blik uit het raam, 'sommige mensen zijn vergeten hoe dat moet in dit leven.' Hij keek haar weer aan. 'Denk je ook niet?'
Ze gingen naar een restaurant boven op het dak van een hoog gebouw met, zo beweerde Alan, het beste uitzicht in de wijde omtrek. Het eten lag als een schilderij op haar bord en de sint-jakobsschelpen smolten letterlijk op haar tong.
'Weet je zeker dat je geen wijn wilt?' vroeg Alan.
'Nee, dank je, als ik aan het werk ben, blijf ik graag helder.'
'Nou, dan hoop ik dat je vanavond niet als werk ziet. Ik heb gereserveerd bij Sharrow Bay.'

'Dé Sharrow Bay? Waar Paul McCartney Heather ten huwelijk vroeg, als je de glossy's moet geloven?'

Zijn ogen schitterden. 'Ik neem aan dat je er nog nooit bent geweest. Mooi! Ik wilde je verrassen. Je snapt zeker wel waar ik mee bezig ben?'

Nee! Alsjeblieft niet. Hij was stokoud, met zulke rechte tanden dat ze onmogelijk echt konden zijn. En getrouwd, niet te vergeten.

'Het is mijn missie,' ging hij door, 'om ervoor te zorgen dat jij als je thuiskomt iedereen vertelt hoe geweldig het is in het noorden.'

Ze ontspande. 'Daar hoef je je geen zorgen over te maken.'

Ze bekeken vijf mogelijke schepen; drie ervan waren ongeschikt door hun ordinaire aankleding. Het vierde zou eventueel kunnen, maar het vijfde was het helemaal. De kapitein was zakelijk en beheerst en noemde haar niet de hele tijd 'schat', zoals de anderen. En de bar was mooi strak, met genoeg ruimte om te dansen in de lounge. Ze controleerde wat zaken zoals veiligheidsrapporten en vergunningen en de kapitein was verre van beledigd toen ze hem om zijn papieren vroeg (in tegenstelling tot sommige anderen).

'Volgens mij is dit hem,' zei ze zachtjes tegen Alan terwijl ze de trap op liepen naar het dek.

'Dat denk ik ook. Alleen even over de band. Ik weet dat jij er al een paar op het oog hebt, maar een vriend van een neef, of eigenlijk een neef van mijn vrouw, heeft pasgeleden een jazzbandje opgericht en ik wil hem graag een kans geven.'

Jenny's gezicht betrok. 'Weet je het zeker? Ik bedoel, het is leuk dat je hun een kans wilt geven, maar dit is wel een bijzondere gebeurtenis.'

Alan knikte. 'Hierin moet je me maar vertrouwen, Jenny.'

'Kan ik ze een keer horen spelen?'

'Dat kan absoluut. Vanavond, onderweg naar Sharrow Bay. Trouwens, meisje, sorry dat ik het zeg, maar je lijkt wat gespannen. Ik zag het al toen je uit de trein stapte. Is alles wel goed?'

Totaal tegen haar principes overwoog Jenny heel even om Alan in vertrouwen te nemen, hem te vertellen over de dagvaarding. Of zelfs over Lucy en haar toestanden.

'Ja hoor,' antwoordde ze lauwtjes. 'Gewoon een beetje moe van de reis, verder niets.'

Het was een uur rijden naar Sharrow Bay, dat in het gebied rond de meren lag. Jenny had nooit geweten dat het landschap rondom Newcastle zo ontzettend mooi was. Vooralsnog had ze altijd een soort uitgestrekte stad voor zich gezien, met niets eromheen.

'Wanneer gaan we naar de band van je neef luisteren?' vroeg ze terwijl Alan zich concentreerde op het nemen van een haarspeldbocht.

'Dat gaan we niet.' Hij boog naar voren en drukte op een knop. 'Ik heb hier een cd-opname. Maak je geen zorgen over deze bochten. Ik dacht dat de toeristische route je wel zou bevallen. Het is wel donker, maar zo krijg je toch een beetje het idee. Deze velden gaan nog kilometers zo door. Zie je die boerderij daar? Geen buren. Niets. Als ze ingesneeuwd raken, kunnen ze wekenlang niet weg. Vorige winter hebben ze per helikopter de voorraad aan moeten vullen. En daar is de Muur van Hadrianus.'

Ze probeerde iets te zien in het donker.

'Nu kun je het niet zien, maar we komen hier nog weleens terug.'

Terugkomen? Ze wilde bijna iets zeggen, maar hield in toen er een volle, ruige stem uit de luidsprekers knalde. Op zo'n manier vol en ruig dat ze het warm en koud tegelijk kreeg. *Ole man River, he can't stop turning...*

'Ik ben gek op dit nummer,' zei ze verrukt. 'Mijn vader had de uitvoering van Paul Robeson.'

Alan knikte. 'Hield je vader van jazz?'

Jenny keek weg. 'Dat denk ik. Hij is weggegaan toen wij nog klein waren. Dat van die plaat weet ik alleen omdat hij hem achterliet.'

'Toen mijn vrouw overleed,' zei Alan langzaam, 'heb ik al haar favoriete nummers gedraaid. Zo was ze nog een beetje bij me.'

'Sorry. Ik wist niet... ik bedoel, je had wel gezegd dat ze ziek was.'

Hij hield zijn ogen strak op de weg gericht. 'Ze is vijf jaar geleden overleden.'

Een jaar nadat Lucy Luke was verloren. Maar wie was die Doris over wie hij het laatst had dan? Een vriendin?

'Zie je dat?'

In het donker zag ze iets glinsteren op het water.

'Dat is Ullswater. We zijn er bijna.'

Jenny was in haar leven naar behoorlijk wat mooie restaurants geweest, maar zoiets als Sharrow Bay had ze nog niet gezien. Mijmerend vroeg ze zich af hoe het zou zijn om in een van de bekendste hotels van Engeland te overnachten. Ze dronken wat in een heerlijke ruimte met zachte banken en stoelen waar je de hele dag wel in kon blijven zitten, vooral als het regende. Er lagen zelfs exemplaren van het tijdschrift *Country Life* voor mensen die elkaar niets meer te zeggen hadden, hoewel dat met Alan welhaast onmogelijk was. Hij wist zoveel en vertelde zulke fascinerende verhalen, dat Jenny zich behoorlijk suf voelde naast hem. Het mooiste aan de ruimte was dat een van de wanden helemaal van glas was. Erachter lag het meer, verlicht door buitenlampen. Het was alsof je naar een bioscoopscherm zat te kijken.

'Overdag is het nog mooier, dan kun je de boten en dennen zien,' zei Alan opgewonden. 'Ik was hier vorige week om te lunchen, ook al hadden we net zo goed alleen kunnen komen om van het uitzicht te genieten.'

We? Ze wilde het bijna vragen, maar de ober stond naast hen te dralen om te melden dat hun tafel gereed was. 'Dit is fantastisch,' zuchtte ze toen ze aan hun tafeltje in de erker zaten met uitzicht over het meer.

Alan keek verheugd. 'Het is niet makkelijk om een tafeltje met uitzicht te krijgen, maar ze kennen me hier.'

Jenny, die meestal maar weinig at na zes uur 's avonds, om haar maatje achtendertig te behouden, had zich voorgenomen om alleen een paar kleine hapjes van het een of ander te proeven. Maar alles, van de zalm tot de perziksorbet om 'het smaakpalet te reinigen', was zo ontzettend lekker dat ze tot grote verbazing van zichzelf opeens achter een chocoladesoufflé als nagerecht zat.

'Dat was fantastisch,' zei ze toen ze aan de koffie toe waren.

'Het is een bijzondere plek,' beaamde Alan.

Het was even stil. 'Zullen we de details nog een keer doornemen?' opperde ze.

'Nee. Volgens mij hebben we alles besproken.'

'Ik zal volgende week de uitnodigingen versturen.'

'Dat zou geweldig zijn.'

Wat gebeurde er nu, dacht Jenny. Het was een gezellig etentje geweest en Alan was aangenaam gezelschap, maar iets klopte er niet. De ene keer vond ze hem net iets te vriendelijk, hoewel dat de noordelijke gastvrijheid zou kunnen zijn, en op andere momenten was hij onmiskenbaar afstandelijk, zoals nu, terwijl hij over het meer uitkeek met die strakke blik in zijn ogen. Ze stond op. 'Even op zoek naar het toilet.'

Hij stond in een fractie van een seconde rechtop om haar stoel naar achteren te schuiven. 'Natuurlijk.'

Het damestoilet bleek van het soort boudoir te zijn waar ze de hele avond zou kunnen doorbrengen. Roze behang in chintz, een zachte fauteuil met tijdschriften op een tafeltje ernaast, fijne handcrème. Perfect om even te ontsnappen. Op een bepaalde manier zou ze alles geven om hier te mogen blijven en niet terug te hoeven gaan om die verschrikkelijke, nare aanklacht af te handelen. Wat zou er gebeuren als ze voor moest komen? Zelfs als Alicia niet zou winnen, konden de juridische kosten haar ondergang betekenen. Alles waar ze voor gewerkt had, zou in één keer door haar vingers kunnen glippen.

Ze kon maar beter even kijken of haar advocaat misschien gebeld had.

Ja!

Jenny! Ik ben het, Dan. Ik zag dat ik je telefoontje gemist had. Hé, heb je morgenavond toevallig al iets te doen? Bel me.'

29

'Je redt het zeker niet? Chrissie, ben je er nog?'

George schreeuwde om het hardst op de achtergrond. Hemeltjelief, ze wist nog wel hoe dat was! Arme Chrissie. Het was al moeilijk genoeg om drie drukke tieners te hebben, maar een schreeuwende peuter was zeker niet iets waar ze naar terugverlangde. En dat deed haar ergens aan denken. Ze had geen Bach Rescue-druppeltjes meer voor Sam.

'Sorry. Wat zei je?'

'Je redt het zeker niet? De 15e. Bij Mike?'

'Waarom bij Mike?'

Lucy zuchtte. Er was echt iets met Chrissie. Toen ze vorige week even kort samen koffiedronken, had ze het idee dat Chrissie totaal ergens anders zat met haar gedachten.

'We gaan bij Mike eten om even geen Eleanor om ons heen te hebben.'

'Is ze dan nog steeds bij jullie?'

'Dat heb ik je laatst nog verteld. Weet je dat niet meer? Haar nieuwste ex-cuus om niet naar huis te gaan is dat het zo koud is in haar huis.'

'En toen stelde ik voor dat jullie de thermostaat lager zouden zetten, zodat het bij jullie ook niet meer zo aangenaam was,' vulde Chrissie aan.

'Inderdaad,' zei Lucy opgelucht. Ze wist het dus nog wel. 'Chrissie, is alles in orde?'

'Hoezo?' Ze klonk afgemeten.

'Je lijkt gewoon zo afwezig de laatste tijd.'

'Nou, zo voelt het ook. Dat zou iedereen zijn met zo'n kind. Ik kan niet slapen omdat hij alleen slaapt als hij in ons bed ligt en daar ligt hij vervolgens de hele nacht te draaien. Dus Martin staat op om in de logeerkamer te gaan liggen en ik slaap nog steeds niet. En overdag loopt George of te drei-nen of hij probeert me als een enorme bloedzuiger leeg te zuigen. Maar ik moet gaan, Lucy. De wijkverpleegkundige komt zo.'

'Al weer? Ze komen wel een stuk vaker op bezoek dan toen ik kleintjes had.'

'Tja, ach...' Chrissie klonk bedeesd. 'Dat had ik je nog willen vragen. Heb jij ooit...'

'Mam, mam! Waar heb je m'n spijkerbroek gelaten?'

'Chrissie, heb je heel even?'

'Laat maar.'

'Een seconde.'

'Nee. Die vrouw kan elk ogenblik hier zijn. Bel maar als je tijd hebt.'

'Maar ik heb altijd tijd voor jou,' begon Lucy.

Te laat. Chrissie had de verbinding verbroken.

'Mam!' Kate kwam binnenstormen. 'Waar was je? Ik heb overal naar je gezocht. Ik heb mijn spijkerbroek nodig!'

'Hij zit in de droger. Hij is bijna klaar.'

'Ik moet hem nu hebben.' Kate was al begonnen de broek uit de machine te trekken.

'Niet doen! Hij is nog niet droog.'

'Kan me niet schelen. Ik ben weg. Tot straks!'

Lucy hoorde de deur dichtslaan. *Two down, one to go.* Sam lag nog in bed, wat niet ongewoon was voor een zaterdagochtend, hoewel ze sinds het haarincident nog steeds elke keer een schok kreeg als ze naar hem keek (haar jongste was bloedkalm een kapper in Oxford binnengelopen en had om een 'nummer één' gevraagd in het kader van een weddenschap op school). Was dit er een van haar? Kinderen! Je kunt niet zonder ze en je kunt niet met ze. Arme Chrissie. Als ze nu al dacht dat ze het moeilijk had, moest ze maar eens afwachten tot George zijn haar afschoor of homoseksueel werd.

Nee, daar wilde ze nu niet aan denken. En Jon had laatst aan de telefoon al een stuk blijer geklonken. Naar Oxford gaan en met hem gaan lunchen was een goed idee geweest. Het was fijn geweest als ze een gesprekje gehad hadden over zijn 'seksuele voorkeur', zoals een van de boeken die ze erover las het noemde, maar Mike had gelijk dat het wel zou gebeuren als de tijd er rijp voor was.

Ergens was ze opgelucht geweest. Hoe begin je zo'n gesprek in hemelsnaam? 'Schat, ik heb er eens over nagedacht. Ben je soms homo? Want als dat zo is, is dat prima. En als je het niet bent, is dat ook oké.'

'Ah. Lucy, daar ben je! Ik vroeg me af waar je de schoonmaakmiddelen bewaart. Ik wil graag een bad nemen, maar er zit al een paar dagen een vieze rand in. Ik dacht eigenlijk dat die inmiddels wel weg zou zijn.'

'Echt?' Lucy beet op haar lip. 'Sorry daarvoor. Ik loop een beetje achter met schoonmaken. Ik doe het zo even.' Tot vijf tellend om rustig te worden, begon ze door haar verzameling Mary Berry-boeken te bladeren.

'Zoek je een recept voor het volgende etentje, lieverd?' Eleanor keek over Lucy's schouder. 'Ik moet zeggen dat ik weinig heb met die zogenaamde nouvelle-cuisinegerechten. Wat mij betreft gaat er weinig boven een goede traditionele maaltijd, zoals een braadschotel.'

'Antony's vriendin is vegetarisch,' zei Lucy.

'Wat dom van haar.'

'Iedereen heeft recht op een eigen voorkeur.'

Eleanor snoof. 'Als je het mij vraagt, is er veel te veel keus tegenwoordig.'

Lucy dacht even aan Jon en Luke.

'Is het etentje hier, lieverd?'

'Nee, bij Mike.'

'O gut. Heeft hij wel de juiste spullen om mee te koken?'

'Mike is zeer georganiseerd. En hij heeft jarenlang voor zichzelf gekookt.'

'Echt? Nou, ik ben best benieuwd naar zijn huis.'

Ze was aan het vissen naar een uitnodiging voor het etentje. Lucy had zich al eerder schuldig gevoeld als Mike en zij uitgingen en Eleanor alleen thuis achterlieten. 'Nou, als je zin hebt om mee te gaan,' hoorde ze zichzelf zeggen, 'ben je van harte welkom. Hoewel...'

Eleanor klapte verheugd in haar handen. 'Dat lijkt me heel leuk. Maar op één voorwaarde. Laat mij het hoofdgerecht maken. Nee, ik sta erop. Dat geeft jou wat lucht. En sorry dat ik het moet zeggen, Lucy, maar je ziet er de laatste tijd enorm gespannen uit. Ik hoop dat alles goed zit tussen jou en Mike.'

'Natuurlijk.' Lucy brieste. 'Ik heb gewoon nogal veel op mijn bord. Sterker nog, ik moet nu naar kantoor.'

'Op zaterdag?'

'Ja, sorry. Maggie heeft vanmorgen vroeg waargenomen en ik heb beloofd dat ik haar af zou lossen. Ik ben rond lunchtijd weer terug.'

'Als het echt moet, schat. Maar vergeet het bad niet, oké?'

Wat een lef! En nog stommer van haar, zou Jenny zeggen als ze er was geweest, was dat ze erop inging en het bad ging schoonmaken terwijl ze eigenlijk naar haar werk moest. Soms wilde Lucy dat ze assertiever was, zoals haar zus. In plaats daarvan zat ze hier met een schuursponsje driftig te schrobben over de vieze rand in het bad, die niet van plan leek te verdwijnen. Ach, ze had het geprobeerd. Dan maar even de vuilnisbak in de badkamer legen nu ze toch bezig was. Het was zo'n model van roestvrij staal waarin papieren zakdoekjes, watten en wat dies meer zij altijd aan de bodem bleven kleven. Ze zou er een zak in moeten doen, maar... O mijn god!

Eleanor kwam naar binnen vallen alsof ze aan de andere kant had staan controleren wat ze aan het doen was. 'Wat is er, schat? Och, hemeltje. Het is lang geleden dat ik er zo een gezien heb. Je zou denken dat Michael beschaafd genoeg was om er iets omheen te doen.'

'Deze is niet van Mike,' zei Lucy zachtjes. 'Wij doen het niet... ik bedoel...'

Eleanors mond verstrakte. 'Nou, er is maar één andere man in dit huishouden.'

Lucy wikkelde er snel wat toiletpapier omheen. 'Ik zal wel even met hem praten.'

Dat had ze gedacht. Haar zoon lag begraven onder het dekbed en ze wist uit ervaring dat hij op zaterdagochtend met geen mogelijkheid wakker te krijgen was.

'Sam, luister eens.'

Hij gromde.

'Alsjeblieft!'

'Ga weg.'

'Kijk eens wat ik gevonden heb!'

Hij deed één oog heel even half open. 'Wat?'

'Het is een... je weet wel... een condoom! Waar had jij die voor nodig?' Opeens herinnerde ze zich het feestje. Had ze daarna de vuilnisbak nog geleegd? Een golf van paniek overspoelde haar. 'Jij hebt toch niet... iemand heeft toch...'

'Hou op, mam. Hij was van mij. Dat noemen ze een "chique beurt".'

'Een wat?'

'Doe-het-zelf, mam. Stop met flippen. Denk er liever eens aan hoe het voor mij is om naar jou en Mike te moeten luisteren.'

O, god, hij zou toch niet echt? Lucy zocht naar woorden. Ze had vaak gedacht dat het zo ironisch was dat tieners zelf wanhopig op zoek waren naar seks maar er werkelijk niet aan moesten denken dat hun ouders het deden. En dan deed zij het met iemand die nog niet eens hun vader was...

'En, wat had hij te zeggen?' Eleanors ogen schitterden van verwachting toen ze naar beneden kwam.

Ze bloosde. 'Het was onschuldig. Hij... eh... experimenteerde maar wat. Dat is natuurlijk gedrag, hoor, Eleanor. Jongens denken nergens anders aan.'

'Nou!' Eleanor kreeg een kleur van verontwaardiging. 'Het glijdt hier allemaal behoorlijk af. Het is maar goed dat ik een tijdje bij jullie ben, of niet dan?'

Maggie keek op van haar bureau bij Right Rentals. 'Wat doe jij hier? Het is toch mijn ochtend?'

Lucy zakte in haar stoel. 'Ik weet het, maar ik moest even het huis uit. Sam is... nou ja, Sam, en ik word gillend gek van Eleanor. Ze is constant aanwezig, met zoveel eisen. Ze blijft volkomen correct en beleefd, maar het huis is gewoon niet meer van mij.'

'Vraag dan of ze naar huis gaat.'

'Dat kan ik niet.'

'Je bent veel te goed voor haar. Mijn schoonmoeder heeft me nog niet eens gebeld sinds Antony de benen nam. Eerlijk waar. Twaalf jaar getrouwd, waren we. Twaalf kerstmissen met haar, verjaardagen onthouden, lunchafspraken. En nu laat ze me vallen als een baksteen. Ze heeft haar kleinkinderen niet eens gebeld om te vragen hoe het met ze is.'

Lucy was geschokt. 'Dat is verschrikkelijk.'

'Ik weet het. En ik wed dat Antony zijn sloerie al aan haar voorgesteld heeft. Nou, veel plezier met de televisie die altijd aanstaat en die irritante parkiet die nooit z'n snavel houdt en de...'

'Ssst, sst, toe maar.' Lucy trok haar snikkende vriendin naar zich toe. 'Alles komt weer goed.'

'Echt waar?'

'Echt waar.'

Maggie snoot haar neus. 'Hoe is zij? Ik bedoel, ik weet dat ze mooi is, want ik heb haar gezien, maar is ze slim?'

Lucy zocht naar de juiste woorden. 'Ze is zeker niet dom.'

'Zien ze eruit alsof ze wilde seks hebben?'

'Hé, Mags. Laten we het daar niet over hebben, oké? Daar heb je niets aan.'

Maggie haalde haar neus op. 'Wel, dus.'

Lucy probeerde er niet aan te denken hoe Antony bijna boven op Patsy was gekropen, alsof hij haar wilde opeten. 'Ze lijkt hem echt leuk te vinden.'

'En vindt iedereen haar leuk?'

'Hoe bedoel je, "iedereen"?'

'Iedereen bij die duffe knusse etentjes die jullie hebben met Chrissie en Jenny.'

'Nou, zoveel hebben we er niet gehad. Hé, volgende week eten we bij Mike. Kom je dan ook?'

'Met die twee?'

'Dan nodig ik ze niet uit.'

'Dat heb je waarschijnlijk al gedaan, of niet?'

'Eh, ja, maar dan zorg ik gewoon dat ze niet komen.'

'Doe niet zo raar. Bovendien, ik weet niet eens of ik wel zin heb om jouw zus te zien. Ze wordt steeds erger, of niet dan? Slijpt ze haar tong soms aan die chique nagelvijlen die ze in haar tasje heeft?'

Lucy giechelde onwillekeurig.

'En ik maak me zorgen om Chrissie. Ik kwam haar laatst toevallig tegen en de benen van dat mannetje zaten onder de blauwe plekken. Denk jij dat er iets aan de hand is?'

'Nee,' zei Lucy aarzelend. 'Zo is ze niet.'

Maggie snoof. 'Dat dacht ik ook van Antony. Maar even terugkomend op je uitnodiging, ik heb waarschijnlijk iets anders, dan.'

'Dat is super! Wat?'

Maggie klonk weer stoïcijns. 'Niet te hard juichen. Het is gewoon een soort gezelschapsgroepje waar ik bij ben gegaan. Geen datingclub of zoiets. Gewoon een stel mensen die alleen zijn. We gaan naar het theater of uit eten. Dat soort dingen.'

'Nou, laat het maar weten als je niet gaat. We zouden het heel leuk vinden als je komt. Ik maak me trouwens echt zorgen om Chrissie. Volgens mij valt de verzorging van George haar nogal zwaar.'

Maggie lachte schamper. 'Daar begon het mis te gaan. Alles ging prima, maar toen Alice erbij kwam, kon Antony de ongeorganiseerde drukte van een gezinsleven niet aan. Hij is zelf een kind. Wil zelf alle aandacht.'

'Daar hebben er meer last van,' zei Lucy zachtjes.

'Hoezo? Heeft Mike dat ook?'

'Soms. Hij begrijpt heel goed wat ik nodig heb, hoewel hij de laatste tijd totaal in beslag wordt genomen door zijn werk. Maar hij denkt dat hij ook heel goed weet wat goed is voor mijn kinderen.'

'En hij is zelf geen vader, dus hij kan het weten.' Maggie maakte de zin voor haar af.

Lucy knikte. 'Ik weet dat het niet eerlijk is, maar ik kan er niet tegen dat hij ze corrigeert. Hij ging laatst enorm tekeer tegen Sam omdat hij zijn kamer niet had opgeruimd. En ik weet wel dat hij gelijk heeft, maar ik denk dat hij te veel van ze verwacht. Tieners zijn slordig en Sams kamer viel nog best mee.'

'Het is voor hem vast ook niet makkelijk, of wel?'

'Waarschijnlijk niet.'

'En jij bent eraan gewend geraakt om alles zelf te doen op jouw manier.'

Lucy dacht even aan haar gewoonte om een paar lampen aan te laten, omdat ze niet van het donker hield. Mikes idee was dat lichten uitgingen als je een kamer uit ging en pas weer aan als je naar binnen ging. 'Misschien heb je gelijk.' Ze had geen zin hier nog dieper op in te gaan en scrolde door haar Postvak In. 'Nog iets belangrijks gebeurd vandaag?'

'Twee bezichtigingen en een afzegging. O, en die cheque van dat stel in Acorn Drive was niet te incasseren, dus ik probeer ze te pakken te krijgen. Mevrouw Thomas is eindelijk vertrokken van Abbots Road, maar niemand lijkt erin te willen.'

'Was dat het?'

'Ja. Wat had ze gemaakt?'

Lucy keek op van haar dossier. 'Wat?'

'Wat had dat Patsy-geval gemaakt toen jullie daar waren? Die avond dat ze mijn kinderen dronken probeerde te voeren.'

'Ze probeerde niet...' begon Lucy. 'Waarom wil je weten wat ze gemaakt had?'

Maggie keek uit het raam. 'Gewoon nieuwsgierig, denk ik.'

'Nou, niets dus. Het was allemaal kant-en-klaar, behalve de fruitsalade, die zo melig was dat we allemaal over onze nek gingen.'

Een brede lach gleed over Maggies gezicht. 'Mooi zo.'

Lucy voelde een golf van opluchting. Het was zo fijn om haar vriendin weer eens te zien lachen. Dat was dit kleine leugentje wel waard.

'Misschien komt hij wel weer naar huis als de seks uitgewerkt is.'

Maggies ogen lichtten op. 'Hij vond altijd dat ik lekker kookte.'

'Zou je hem terugnemen?'

'De kinderen hebben een vader nodig die bij hen woont en ik hou er niet van om alleen te zijn. Ik heb in elke kamer de radio aan, voor het geluid van de stemmen.' Ze was even stil. 'Zou jij Mike terugnemen als hij iets verschrikkelijks had gedaan?'

Lucy aarzelde en bedacht hoe akelig het de laatste tijd was, het ene moment ijskoud en dan weer warm. Hij was niet het type om vreemd te gaan, maar dat hadden ze van Antony ook allemaal gedacht.

'Ik weet het niet,' zei ze langzaam. 'Ik weet het echt niet.'

Ze hoorde de ruzie al voordat ze bij de voordeur was. Het was Kate die tegen iemand aan het schreeuwen was, waarschijnlijk Sam. Daar ging de gezellige zaterdagmiddagfamilielunch die ze na een zware ochtend op kantoor bedacht had.

'Wat is er aan de hand?' vroeg ze luchtig terwijl ze haar jas uitdeed.

Kates ogen spuwden vuur. 'Hij heeft mijn lievelings-cd van Westlife stukgemaakt.'

'Deed Sam dat expres?'

'Het was Sam niet, het was jouw vriendje.' Kate spuugde zijn naam uit. 'Mike.'

Lucy ging de keuken in, op de voet gevolgd door Kate. 'Nou, ik weet zeker dat hij het niet expres heeft gedaan.'

'Dat klopt.' Mike stond bij het fornuis in een pan kaassaus te roeren. 'Als Kate hem niet op de grond had laten liggen, was ik er ook niet op gaan staan. Hoe vaak moet ik hun nog zeggen dat ze niet zo slordig moeten zijn.'

'Dat zijn we niet.' Kate bleef op hoge toon praten. 'Jij zou wat voorzichtiger moeten zijn in andermans huis.'

'Kate!' Lucy kon haar oren niet geloven. 'Dat is niet eerlijk. Je weet dat Mike in twee huizen woont. Als zijn huis verkocht is, komt hij hier wonen. We zullen allemaal een beetje moeten geven en nemen.'

Kate nam uitdagend een grote slok uit een tweeliterfles cola. 'Nou, ik hoop dat hij zijn huis nooit verkoopt.'

'"Hij", zoals jij dat zegt,' zei Mike droog, 'heeft dat toevallig net gedaan. Vanmorgen.'

'Lieverd!' Lucy sloeg haar armen om zijn nek. 'Dat is geweldig.'

'O ja?' gromde Kate.

Mike trok zijn schouders op. 'Nou ja, ik hoef hier niet te komen wonen. Ik kan ook iets huren.'

'Goed plan.'

'Kate. Mike. Alsjeblieft. Allebei.' Lucy liet zich op een stoel aan de keukentafel zakken. 'Ik weet dat dit niet makkelijk is. Maar we vinden vast een oplossing. Kate, kan ik boven even met je praten? Mike, dat ruikt heerlijk. Ik ben zo terug.'

'Waarom kunnen we niet gewoon met ons gezin blijven?'

Kate zat op het bed met haar rug naar Lucy.

'Omdat ik van hem hou, Kate.' Ze liep naar haar dochter toe en streelde haar haren. 'Ik weet dat het moeilijk voor je is, maar we moeten het accepteren. Papa komt niet meer terug. Wil je dan dat ik de rest van mijn leven alleen blijf?'

'Dat niet.'

'Ik dacht dat je Mike aardig vond.'

'Hij is wel oké. Tenminste, dat dacht ik. Maar de afgelopen weken is hij zo kattig. Het lijkt wel of hij eerst zijn beste beentje voor heeft gezet voor ons en dat nu zijn ware aard naar boven komt.'

Lucy voelde een steek van onbehagen. 'Hij heeft het moeilijk op zijn werk. De zaken gaan niet zo goed als eerst.'

'Dan hoeft hij nog niet zo lullig te doen tegen ons.'

'Dat doet hij toch niet?'

'Hij viel echt uit tegen Sam toen jij weg was. En ik mocht de kaassaus niet maken, terwijl hij weet dat ik gek ben op koken. En hij was ook niet echt aardig tegen Jon aan de telefoon.'

'Heeft Jon gebeld? Dat heeft hij niet gezegd. Wanneer?'

'Toen jij net weg was.'

'Wat zei hij?'

'Kweeniet. Dat moet je aan je vriendje vragen.'

Lucy zuchtte. 'Luister, Kate, waarom blijf je niet nog heel eventjes boven en dan kom je straks naar beneden om te lunchen.'

'Ik heb geen honger.'

'Alsjeblieft?'

'Ik zal erover denken.'

Mike was nog in de keuken. 'Je hebt niet gezegd dat Jon heeft gebeld.'

'O ja, sorry. Helemaal vergeten toen Kate haar driftbuitje had.'

Lucy voelde de irritatie naar haar wangen stijgen. 'Dat was geen driftbuitje. Het is niet makkelijk voor de kinderen.'

Mike bleef in de kaassaus roeren. 'Dan zal ik maar iets huren, zoals ik al zei.'

'Nee.' Lucy sloeg haar armen om zijn rug. 'Ik wil je hier. Anders kunnen we geen gezin vormen.'

Hij maakte zich van haar los om de Parmezaanse kaas te pakken. 'Alleen

175

als we een paar behoorlijke regels opstellen.'

'Dat doen we. Maar wat een goed nieuws over het huis. Wat hebben ze geboden?'

Hij vertelde het haar.

'Niet slecht. En heb je het aangenomen?'

'Ja. Het lastige is alleen dat ze aan het eind van de maand al de overdracht willen doen en een week daarna erin willen.'

'Dat is snel. Dan moet je snel wat meubilair verkopen.'

'Dan moeten wij beslissen wat we willen houden en wat er weg mag. Ik dacht dat mijn banken hier wel zouden staan.'

Een koude rilling bekroop Lucy. 'Bedoel je die chromen met koeienvel?'

'Die zitten heerlijk, vind je ook niet? Ze zijn nog geen jaar oud.'

Maar ik vind ze verschrikkelijk, wilde ze uitschreeuwen. Ik hou van mijn gebloemde Laura Ashley-banken.

'Denk je dat ze bij mijn meubels passen?' probeerde ze.

Mike haalde zijn schouders op. 'Dat valt te bezien. Dat is maar een detail, toch? En zoals je al zei, we moeten allemaal geven en nemen. Proef dit nou maar eens, schatje. Het is een probeersel, voor als iedereen volgende week bij mij komt eten. *Hatsjie!*'

'Ben je verkouden?'

Mike snoot zijn neus. 'Nee, het komt door die hond.'

'Hoe bedoel je?'

'Dat heb ik toch al eens gezegd, schatje. Ik weet zeker dat ik allergisch voor hem ben. Het is zijn vacht. Ik nies anders nooit zo.' Hij snoot nogmaals zijn neus. 'Dat is nog iets waar we over na moeten denken, schatje. Oké?'

30

Geen van beiden hadden ze zin om naar Mike te gaan, ieder om hun eigen reden. Martin wilde niet dat de anderen wisten dat hij zijn baan kwijt was. En Chrissie wilde George niet alleen laten.

'Iedereen heeft een babysitter! We worden allebei gek als we nooit iets zonder hem doen.'

'Je hebt waarschijnlijk gelijk,' zei Chrissie, die een te strakke broek opzij gooide en wilde dat ze dat dieet uit dat babytijdschrift wat strenger had gevolgd, 'dat het daardoor komt dat die vrouw van de kinderbescherming dacht dat we hem sloegen.'

'Hé, dit hebben we toch besproken. Ze letten even extra goed op ons, dat is alles. Je moet hun standpunt begrijpen. Ze moeten wel vandaag de dag. En dokter Smith staat aan onze kant.'

Daar was Chrissie niet zo zeker van. Na dat verschrikkelijke bezoek van de kinderbescherming had ze in tranen de dokter opgebeld. Toen bleek dat de dokter ook al ondervraagd was. Chrissie mocht het rapport niet inzien; dokter Smith had haar echter verzekerd dat iedereen het beste met haar gezin voorhad en dat peuters inderdaad veel vallen, maar dat het ouderschap ook bijzonder zwaar kon zijn.

Ondertussen kwam de wijkverpleegkundige regelmatig langs om 'even te kijken of alles in orde was'. Hierdoor werd Chrissie paranoïde over het vallen en de blauwe plekken van George.

'Wat als hij zich bezeert als wij weg zijn?' klaagde ze terwijl ze in haar la zocht naar mascara; iets wat ze al maanden niet gebruikt had. Waarom zou je er goed uit willen zien als je toch onder de babysmurrie zat?

'Dat doet ie niet.' Martin hield een overhemd omhoog dat hij net uit de kast had gehaald. 'Ze is een ervaren oppas. De wijkverpleegkundige heeft haar zelf aangeraden. Dat weet je. Heb jij dit hemd gestreken?'

'Nee. Oeps.' Het borsteltje van de mascara gleed uit haar handen en liet een grote zwarte vlek onder haar rechteroog achter. Hoe meer ze probeerde het weg te wrijven, hoe erger het werd. 'Ik had geen tijd meer omdat jouw zoon...'

'De bel!' Martin stond nog in zijn boxershort. 'Ze is vroeg.'

'Ik ben nog niet aangekleed.'

'Ik ook niet.'

Chrissie greep haar kimono van de haak op de deur. 'Dan zal ik maar gaan. Ik wilde maar dat we niet weg hoefden.'

'Ik ook.' Martin trok het overhemd van de hanger. 'Waar ligt het strijkijzer? Ik zal het zelf maar doen, dan.'

Kim was jonger dan Chrissie had gedacht. Heel klein en tenger en best knap, met donker haar dat netjes opgestoken was en hoge jukbeenderen. Zeker geen uitgesmeerde mascara. Martin was in elk geval aangenaam verrast toen hij beneden kwam in een verbazend netjes gestreken shirt en blauwe spijkerbroek.

'Ontzettend fijn dat je kon komen,' zei hij terwijl hij haar warm de hand schudde alsof Kim een gast was in plaats van iemand die ze betaalden voor een dienst. Hij keek naar George, die in zijn wipstoeltje zat en zowaar met de figuurtjes speelde die boven zijn hoofd hingen. 'George heeft al gegeten, maar misschien wil hij nog een fles. Hij is nogal dol op het zuigen, ben ik bang.'

'Dat maakt hem rustig,' zei Chrissie verdedigend, en ze trok haar kimono wat dichter om zich heen.

Kim trok een perfecte wenkbrauw op. 'Natuurlijk. Dan zijn er een paar dingen die ik van jullie moet weten, zoals waar de luiers zijn, bijvoorbeeld. Hij is nog niet zindelijk, toch?'

'Nee,' zei Chrissie bits. 'Daar zijn we mee bezig.' Zij kon het toch ook niet helpen dat George werkelijk niet geïnteresseerd leek in het binnenhouden van wat dan ook, zoals een normaal mens. 'Martin, kun jij Kim laten zien waar de luiers en alle andere dingen liggen, dan kan ik me gaan aankleden.' Dat zal hem leren na zijn opgeblazen verhaal over George en zijn eetgedrag. Martin was hopeloos als het ging om weten waar iets lag in huis. Het werd behoorlijk ondraaglijk, zelfs. Sinds hij thuis zat, had hij overal kritiek op.

Als hij niet snel een baan vond, dacht Chrissie grimmig, terwijl ze zich in hetzelfde shirt wrong dat ze de vorige keer aan had gehad, zouden ze de hypotheek niet meer op kunnen brengen. En wat zou er dan gebeuren? Er was een reportage op de radio geweest waarin gezegd werd dat een op de twintig paren – of was het dertig? – tenminste een van de twaalf maanden hun hypotheek niet kon betalen. Niet lang geleden zou ze nooit gedacht hebben dat hun dat ook kon overkomen. Maar inmiddels was het een reële mogelijkheid aan het worden.

'Wie komen er allemaal?' vroeg Martin terwijl hij voor Mikes huis stopte.

'Weet ik veel,' beet Chrissie hem toe terwijl ze haar gezicht bestudeerde in de zijspiegel. De tweede laag mascara was uitgelekt tot onder haar ogen, waardoor ze er nog vermoeider uitzag dan ze was. 'Mike heeft geen gastenlijst rondgestuurd.'

'Je hoeft niet zo kattig te doen.' Martin keek uit het raam naar Mikes huis.

'Dit is niet wat ik verwacht had.'

Het was ook niet wat Chrissie verwacht had. Grappig dat je iemand kent, of denkt dat je hem kent, en dat je dan een beeld hebt van zijn huis. Maar als je het dan zag, was het vaak toch niet wat je ervan gedacht had. Mikes huis was een modern, half vrijstaand huis in een keurig bijgehouden woonwijk, ongeveer twintig minuten bij Lucy vandaan. Het heeft geen karakter, dacht Chrissie terwijl ze over de ongelijke, onverlichte stenen naar de voordeur liepen. De ramen hadden van die lelijke bruine kozijnen en de voortuin, als dat het al was, was compleet bestraat met kiezelstenen, met in het midden twee enorme vazen waarin nog meer kiezelstenen lagen.

'Kom binnen!' Mike stond al bij de deur. 'Konden jullie het goed vinden?' Ze schoof de kleine hal in, die bijna geblokkeerd werd door een tafel met daarop keurige stapels post met briefjes erop zoals *Op de post* en *Nog af te handelen.*

'Prima routebeschrijving,' antwoordde ze met haar gezicht opgeheven om een zoen te ontvangen. 'Hmmm, iets ruikt heerlijk.'

'Ik hoop het.' Mike wreef in zijn handen. 'Eleanor heeft me geholpen.' Hij ging zachter praten. 'Ze voelde zich niet zo happy, dus we hebben haar uitgenodigd om mee te eten.'

Wat een goeie vent! 'Misschien moet jij ook gaan koken nu je meer tijd hebt,' zei ze tegen Martin terwijl ze Mike naar binnen toe volgden. Zittend op een wanstaltige bank (was hij echt van dierenhuid gemaakt?), kon ze het niet helpen dat ze onder de bank en onder de bijpassende bank aan de andere kant van de kamer stapels papieren en mappen zag liggen alsof iemand nogal haast had gehad bij het opruimen.

'Meer tijd?' ving Mike op. 'De vorige keer dat we elkaar zagen, zat je tot over je oren in het werk.'

'Nog steeds.' Martin sprak afgemeten. 'Chrissie probeert grappig te zijn.'

Daarna sprak hij nauwelijks meer tegen haar. Het was niet eerlijk, dacht Chrissie, die het zich gemakkelijk probeerde te maken op de bruin-witte bank van koeienvel die in een hoek van ten minste dertig graden leek te zijn gekanteld. Het was haar per ongeluk ontglipt en nu ging hij zeker straks de hele weg naar huis zitten mokken. Terwijl ze een grote slok van haar gintonic nam, haar eerste sinds de geboorte van George, voelde ze een mengeling van schuld en genoegdoening. Misschien ging hij er extra diep van slapen en kon zij vannacht eindelijk ook eens doorslapen.

'Hoi.' Lucy kwam naast haar op de bank zitten. Martin was een paar minuten eerder opgestaan om naar het toilet te gaan.

'Hij gedraagt zich verschrikkelijk,' zei Chrissie zacht.

'Arme ziel. Maar ze red het wel. Ze is een ervaren oppas, toch? En de wijkverpleegkundige heeft haar aangeraden.'

'Wat?' Chrissie had het over Martin gehad. 'O, ja, vast.'

'De eerste keer dat ik Jon achterliet, was ik ervan overtuigd dat niemand anders wist hoe hij voor hem moest zorgen.'

Ze nam nog een slok gin. 'Het gekke is dat nu ik George heb achtergelaten, het helemaal niet meer zo akelig is als ik had gedacht. Alleen het afscheid nemen was even heel moeilijk.'

'Ik ken het. Maar ze heeft je mobiele nummer, toch? Ze belt vast als er iets aan de hand is.'

Chrissie overwoog al een paar dagen om Lucy te vertellen over het bezoek van de kinderbescherming. Van iedereen die ze kende zou Lucy het begrijpen, maar ze schaamde zich zo. Aan de andere kant zou het zo'n opluchting zijn om het aan iemand te vertellen.

'Ik vroeg me trouwens af,' begon ze. 'Heb jij ooit...'

'Lucy. Daar ben je.' Ze keken allebei op naar Eleanor, die binnen kwam stuiven in een opzichtig blauw-wit gestreept keukenschort met het label Fortnum & Mason duidelijk zichtbaar aan de voorkant. 'Sorry dat ik je van je gasten weghaal, maar ik vroeg me af of je heel even zou kunnen helpen in de keuken.'

Ze ging zachter praten. 'Het is behoorlijk afzien daarbinnen. Michael is behoorlijk eigenzinnig, of niet dan? Ik kreeg gewoon op mijn kop omdat ik de theelepels niet in de la had teruggelegd. Ach, het zal wel komen doordat hij zoveel jaar alleen heeft gewoond.'

Lucy schonk Chrissie een blik waarvan ze hoopte dat Eleanor het niet zag. 'Ik kom er zo aan.'

'Ik ben bang dat het een beetje haast heeft, lieverd. Chrissie begrijpt het wel. Je andere gasten zullen zo ook wel komen. Ah, daar zijn ze al. Ik hoor Sam opendoen.'

'Is Sam hier?' vroeg Chrissie.

'Ja,' zei Lucy opgewekt. 'En Kate. Mike vond dat het tijd werd dat ze gingen werken voor hun zakgeld. Dus vanavond nemen ze jassen aan en doen ze de afwas.'

'Wat een goed idee.'

'We zullen zien.'

Ze had gehoopt dat het Jenny was, maar de nieuwe gasten waren Antony en Patsy. Deze laatste had zichzelf overtroffen met een rokje dat weinig aan de verbeelding overliet, ondanks de vrieskou buiten. Binnen was het overigens ook niet overdreven warm, bedacht Chrissie, zich afvragend of ze Mike durfde te vragen om die verschrikkelijke elektrische open haard met drie nepblokken hout en nepkolen aan te steken.

'Hallo. Hoe is het met jullie?' vroeg ze koeltjes.

'Prima, dank je,' zei Antony, en hij plaatste twee natte kussen (bleegh!) op haar wangen. Hij zag er magerder en bruiner uit, wat hem niet misstond.

'En,' zei ze terwijl ze haar glas leegdronk, 'wat hebben jullie allemaal gedaan sinds de vorige keer dat ik jullie sprak?'

Patsy zag eruit alsof ze haar prachtig opgemaakte mond ging opendoen om iets te zeggen en ging toen opeens zitten, om daarna meteen weer op te staan om de kamer te verlaten.

'Heb ik iets verkeerds gezegd?' vroeg Chrissie verbaasd.

Antony haalde zijn schouders op. 'Ze is een beetje gespannen de laatste tijd.'

Chrissie lachte schamper. 'Ik ook.'

Antony ging naast haar zitten. 'Dat klinkt niet zo best. Is er iets?'

Haar ogen werden opeens loodzwaar. 'Niets, behalve een peuter die niet eet, niet slaapt en de hele tijd struikelt, waardoor hij van onder tot boven onder de blauwe plekken zit en de wijkverpleegkundige denkt dat wij hem slaan.'

'Je maakt een grapje, toch?'

'Nee.' Te laat. Chrissie vroeg zich af of ze te veel had gezegd, maar Antony leek met haar te doen te hebben, dus ze kon niet meer stoppen. 'En dan is er nog dat akkefietje met die echtgenoot die ontslagen is, helaas zonder gouden handdruk, omdat hij niet lang genoeg in dienst was.'

Antony zoog een teug lucht naar binnen. 'Hij vindt wel iets anders. Dat weet ik zeker.'

'Nou, dat is nog niet gebeurd. En als het niet zo is, kunnen we de hypotheek niet betalen, en wie weet wat we dan moeten?'

'Kun jij weer gaan werken?'

Chrissie snoof. 'En dan? George bij Martin laten? Hij weet niet eens waar het strijkijzer ligt, laat staan de rest. Ik wil niet weten wat er gebeurt als ik dat doe.'

'Nou, bedankt.'

Hoe lang stond haar man daar al? Misschien had hij alleen het strijkijzer-gedeelte gehoord. 'Ik had het er net over dat mannen altijd zo slecht zijn in het vinden van dingen,' begon ze.

'Echt wel,' hielp Antony. 'Daar is zelfs een boek over geschreven.'

'Is er ook een boek over mannen die ontslagen worden zonder gouden handdruk?'

Chrissie verstijfde. 'Martin, sorry. Ik meende het niet zo, het glipte er zo uit.'

'Laat maar.' Martin ging op de bijpassende bank tegenover haar zitten met een glas wijn in zijn hand. 'Het is waar wat je zegt. Proost!'

'Ik dacht dat jij zou rijden,' zei Chrissie uitgestreken.

Martin haalde zijn schouders op. 'Dan nemen we maar een taxi. En ja, ik weet dat we dat niet kunnen betalen met een dubbel inkomen in de min, maar het ziet ernaar uit dat jij ook al wat ophebt.'

'Sorry dat ik jullie onderbreek.'

Was dat Kate? Chrissie had haar al een tijdje niet gezien en ze leek ongelooflijk volwassen met haar perfecte make-up en zelfverzekerde houding. Waar maakten ze zulke tieners? En die spijkerbroek! Er zaten zoveel gaten en scheuren in dat zij, als ze Lucy was, hem allang had weggegooid.

'Het is voor jou,' zei Kate, koeltjes haar een draadloze telefoon in de hand schuivend. 'Kim nog wat. Blijkbaar probeert ze je al een eeuwigheid te pakken te krijgen.'

31

Patsy speelde met het eten op haar bord en liet in haar hoofd voor de tril-joenste keer alle opties de revue passeren. Hij was niet teruggegaan naar het huis in Liverpool, wat haar eerste gedachte was geweest. Ze had meteen gebeld naar de mensen die het jaren geleden gekocht hadden, maar zij had-den haar verzekerd dat hij daar niet was. Ze hadden bezorgd geklonken en dat was niet zonder reden. Je hoefde haar vaders naam maar te noemen in bepaalde delen van de stad en een heleboel mensen werden bezorgd.

Hij was ook niet naar de begraafplaats gegaan. Daar had ze ook iemand om dat voor haar te controleren. Of als hij er wel was geweest, had hij niet de gebruikelijke bos chrysanten achtergelaten bij de eenvoudige steen in de grond. Hij was zelfs niet teruggegaan naar de fabriek waar hij in zijn jeugd had gewerkt. Dat was een ander favoriet schuilhol geweest waar hij eerder naartoe gevlucht was. Het was alsof hij zich daar veilig voelde; een plek van voordat er iets van dit alles gebeurd was.

Dat kon dus maar één ding betekenen: hij was in de buurt. Op zoek naar haar.

'Iemand nog garnalen?' vroeg Mike, die aan het hoofd van de tafel zat.

'Nee, dank je, Michael.' Eleanor zat kaarsrecht, met een ketting van smaragd om haar hals en een zwarte fluwelen jurk aan alsof ze naar een bal ging in plaats van een eenvoudig etentje. Te veel rouge. Rode lippenstift, terwijl zachtroze veel beter bij haar teint stond.

'Niemand meer?' Mike klonk teleurgesteld.

'Het was heerlijk, lieverd,' zei Lucy bemoedigend.

Patsy snoof bijna. Heerlijk? Ze had nooit gedacht dat iemand nog avocado-garnalenbootjes maakte. De avocado's waren bovendien al behoorlijk grijs uitgeslagen aan de randjes.

Haar vader had er grauw uitgezien toen ze er laatst was. Er was iets vreemds met zijn ogen geweest, een soort opengesperde blik van wanhoop die ze eerder had gezien. Ze had het moeten zien aankomen. Godsamme, ze had het vaak genoeg zien aankomen.

'Is het gelukt met de babysitter?' vroeg Antony.

Patsy kon het wel uitschreeuwen. Alsof dat hem iets kon schelen. En alsof het haar kon schelen.

'Ik denk het.' Chrissie, die een soort afschuwelijke stretchrok droeg waar haar buik in uitpuilde, en wiens lijn vast niet gebaat was bij de smerige garnalensaus, trok een gezicht. 'Ze wilde weten of we een nachtlampje hadden om George te helpen in slaap te vallen.'

'In onze tijd,' zei Eleanor gewichtig, 'hadden we geen nachtlampjes en zo. We legden onze baby's gewoon neer en dat was het.'

'Maar als ze dan huilden?' Chrissies stem klonk hoog van verbazing.

'Dan lieten we ze huilen, schat. Ze leerden het vanzelf. Dat is echt veel beter, hoor. Als je toegeeft, gooi je je eigen glazen in. En als jullie het goedvinden, ga ik nu even kijken of mijn vegetarische ovenschotel klaar is.'

Mike stond snel op. 'Ik help wel.'

'Dat hoeft echt niet, Michael.' Eleanor keek de tafel rond. 'Dit is mijn bescheiden bijdrage aan de avond.'

'Nee, echt, ik doe het graag. Jij weet niet waar alles ligt.'

Gut, dacht Patsy. Voor een man met zo'n slordig huis was hij irritant moeilijk. Hopelijk wist Lucy waar ze aan begon. Mannen zoals Mike, die jaren alleen hadden gewoond, deden de dingen graag op hun eigen manier. Net als haar vader. O god, wat deed ze hier terwijl haar vader verdwenen was? Misschien moest ze contact opnemen met zo'n organisatie voor vermiste personen waar ze laatst over had gelezen in de krant. Maar moest ze dan alles vertellen wat ze wist over zijn verleden? Dan zouden ze misschien niet willen helpen.

'Klaar?' Patsy merkte plotseling dat een van Lucy's kinderen achter haar stond. De jongen wrong zich langs haar heen om haar bord te pakken. 'Voorzichtig!'

'Sorry. O, fuck.'

Patsy keek vol afschuw naar haar witte rok, die langzaam de kleur van garnalensaus aannam. 'Stomme idioot. Kijk nou wat je gedaan hebt.'

'Het was een ongeluk.'

'Sam!' Lucy leunde over de tafel. 'Wat onbeleefd.'

'Nou ja, het was toch een ongelukje? Ik deed het niet expres.'

'Kom even mee naar de keuken, Patsy,' zei Antony. 'We boenen je snel weer schoon.'

Ze kon haar woede bijna niet bedwingen. 'Ik wil niet schoongeboend worden. Deze rok is een originele Betty Barclay. Weet je hoeveel die me had gekost als ik hem had moeten betalen? Hij is verpest. Compleet verpest.'

'Klinkt als veel geld voor bijzonder weinig rok,' grapte Martin.

Patsy schoot een vernietigende blik zijn kant op. Die viezerik had haar de hele avond dubbelzinnige blikken gegeven. Zijn zwaarlijvige eega mocht 'm hebben, dacht ze terwijl ze zich niet geheel van harte door Antony mee liet nemen naar de keuken.

'O jee,' zei Eleanor, die in een pan op het elektrische fornuis stond te roeren.

'Heb je geknoeid?'

'Nee,' antwoordde Patsy met haar tanden op elkaar. 'Jouw kleinzoon knoeide toen hij mijn bord weghaalde.'

Mike, die een rode peper in minuscule, zeer precieze stukjes hakte, keek op. 'Ik hoop dat hij sorry heeft gezegd.'

'Nee, dat deed hij toevallig niet. Hij zei dat het een ongelukje was en niet zijn schuld.'

Mikes mond verstrakte en eventjes kreeg Patsy het benauwd. Zijn gezicht deed haar denken aan dat van haar vader als hij boos was. 'Ik praat straks wel met hem.'

'Ik weet zeker dat het niet expres was,' zei ze snel. 'Heb je een doekje?'

'Ik zorg wel dat Sam de stomerij betaalt van zijn zakgeld.'

'Nee, joh, dat hoeft echt niet.' Haar hart bonsde; Mikes gezicht bracht haar jaren terug in de tijd, toen alles wat ze deden, hoe onbenullig ook, haar vaders ogen deed oplaaien met zo'n onbedaarlijke woede dat niets en niemand hem kon bereiken. 'Het gaat er vast wel uit.'

God, ze zou gek worden als ze hier nog langer leuk moest zitten doen. 'Je laat je zakdoek vallen,' zei ze tegen Chrissie, die naast haar zat. Ieuw! Hij was nat en zompig.

'Dank je.'

Patsy keek vol afschuw toe hoe ze hem door haar open blouse in haar beha stopte. Wat een plek om zoiets in te stoppen!

'Hier zijn we dan!' Eleanor kwam de kamer in met een grote ovenschotel in haar in ovenwanten gestoken handen. 'Sorry dat het zo lang duurde, maar Michaels oven is een beetje langzaam.'

'Ik heb er helemaal geen problemen mee,' zei hij afgemeten. 'Laat mij maar, Eleanor.'

'Het lukt wel, dank je.'

Met een triomfantelijk gebaar zette ze de schaal midden op tafel. Onmiddellijk pakte Mike de schotel weer op.

'Als je geen onderzetter gebruikt, komt er een plek op de tafel,' zei hij knarsetandend.

'Die zijn er niet,' zei Eleanor fijntjes. 'Wie heeft de tafel gedekt?'

'Ik had Kate opdracht gegeven. Lucy, pak een onderzetter. Ik brand mijn handen.'

Eleanor was misschien een verschrikkelijke vrouw, maar de ovenschotel was geweldig. Patsy kon zich niet herinneren wanneer ze voor het laatst een gezonde, warme maaltijd had genoten.

'En, Martin,' zei Antony, die zijn glas bijvulde en de fles doorgaf. 'Ben je al aan het solliciteren?'

'Jazeker, hoewel mijn vrouw van mening is dat ik niet hard genoeg mijn best doe.'

'Dat zei ik niet. Ik zei alleen dat de hele dag achter de computer zitten niet bijzonder effectief was.'

'En toen zei ik dat dat tegenwoordig juist de manier is om aan een baan te komen. Nu ben jij natuurlijk al een tijdje weg van de arbeidsmarkt, dus dat kun je ook niet weten.'

God, wat kon ze slecht tegen ruziemakende stellen. Dat was zo fijn van Antony. Op die ene keer na, toen zijn kinderen dronken waren geworden, was hij zo relaxed. 'Deze ovenschotel is overheerlijk, Eleanor,' zei ze in een poging de aandacht af te leiden. 'Hoe heb je die tofoe zo zoet gekregen?'

'Tofoe?' Eleanor fronste. 'Wat zeg je, schat?'

Patsy prikte een stukje aan haar vork. 'Zo wordt sojavlees ook wel genoemd.'

'En wat is soja precies?'

Patsy voelde zich wee worden. 'Dit, dacht ik.'

'Nee, schat. Dat is kipfilet. Best lekker, toch? Ik heb het van een heel goede slager hier in de buurt, die...'

Patsy voelde haar eten terug omhoog komen. 'Maar je zei dat het een vegetarische ovenschotel was!'

'Dat is het ook, schat. Er zit een heleboel groente in. Het is een recept van Marguerite Patten. In de jaren zeventig zwoeren we erbij.'

'Maar Eleanor,' zei Lucy voorzichtig, 'als er kip in zit, is het niet vegetarisch.'

Eleanor keek verbijsterd. 'Kip telt toch zeker niet? Ik bedoel, ik snap dat mensen geen rundvlees meer eten na die gekkekoeientoestand. En varkensvlees kan ook eng zijn als je dat niet goed klaarmaakt. En je moet nu eenmaal iets smakelijks in zo'n vegetarische schotel doen. Met alleen wortelen en knollen wordt het niets, hoewel deze wel biologisch zijn en uit...'

Waar was het toilet?

'Sorry, schat?'

'Het toilet.' Patsy kon nauwelijks een woord uitbrengen.

'Ze ziet eruit alsof ze gaat overgeven,' hoorde ze iemand zeggen.

Patsy voelde de stukjes vlees omhoogkomen. Kip! Ze had geen vlees gegeten sinds...

'Snel, iemand. Haal een emmer.'

Te laat. Terwijl alles eruit kwam, voelde Patsy een heerlijke golf van opluchting. Ze gooide het eruit. En de afschuwelijke herinneringen aan de avond dat ze gezworen had nooit meer vlees te eten erbij. Daar kwam het, omhoog en eruit, een afschuwelijke, bijna chemische smaak achterlatend in haar mond.

Het enige goede was dat ze over Eleanors zwarte fluwelen jurk had overgegeven.

32

'Heb je Patsy verteld dat je langskwam?' vroeg Jenny tussen neus en lippen door terwijl ze uit de auto stapte, waarbij ze net genoeg bloot been liet zien. 'Nee.' Dan deed de deur achter haar dicht en sloeg losjes zijn arm om haar heen. 'Ik wilde haar verrassen.'

Ergens had ze liever gehad dat hij het wel verteld had. Het leek wel of hij er plezier in had, alsof ze gebruikt werd voor een kinderachtig spelletje. Ze wist nog steeds niet wat Patsy en Dan samen gehad hadden, of hadden. Hij had meerdere malen laten doorschemeren dat ze samen opgegroeid waren en ze had sterk het gevoel dat ze meer dan een gewone band met elkaar hadden gehad. Maar Patsy had duidelijk iets met Antony.

'We zijn behoorlijk laat,' zei ze, rennend om hem bij te houden.

Hij keek lachend terug. 'Maar het was het waard, of niet?'

Ze voelde dat ze bloosde in het donker toen ze terugdacht aan hoe hij haar plotseling van achteren had genomen toen hij haar was komen halen. 'Ja,' zei ze bijna verlegen. De dierlijke passie had haar bijna de adem benomen. Hij had haar op zoveel manieren verrast, en de manier waarop hij daarvan genoot, wond haar zo mogelijk nog meer op. Het was bijna genoeg geweest om Alicia King en haar juridische dreigbrieven compleet te vergeten.

Dan probeerde de huisnummers te lezen in het gebrekkige licht van de straatlantaarns. 'Hier is het.' Hij stak een hand uit. 'Voorzichtig, de stoep is niet recht. Hallo. Volgens mij zijn we niet de enigen die te laat zijn.'

In het donker zag ze iemand tegen het tuinhek leunen. Een vrouw. Met een sigaret in haar hand. 'Jenny? Ben jij dat?'

'Maggie?' Een gespannen Maggie, die tevergeefs probeerde te verhullen dat ze te veel had gedronken.

'Wat ben ik blij dat jij er bent.' Maggie omhelsde haar als een kind. 'Lucy heeft me uitgenodigd, snap je. Maar verder komt iedereen als stel, en ik ben bang. Het is zo moeilijk om dit soort dingen alleen te doen.'

Daar wist zij alles van. 'Dan, dit is Maggie. Maggie, Dan.'

'Hallo, Maggie.' Dan kon iemands naam zo uitspreken dat hij heel speciaal leek. 'Ben je bevriend met Lucy of met Mike?'

'Lucy. Mike is vrienden met mijn ex, weet je. Hij heeft me verlaten voor die stomme trut Patsy. Dat is een enorm kreng en een slet, zoals je wel zult zien als je haar onverhoopt tegenkomt.'

Jenny keek hoe het besef langzaam bezit nam van Dans geschokte gezicht. 'Soms,' zei Dan terwijl hij aanbelde, 'zijn mensen anders dan je denkt. Ik snap dat je misschien een moeilijke tijd achter de rug hebt, maar dat betekent niet automatisch dat Patsy een... nou ja, al die dingen is die je zei.'

Maggie lachte dronken. 'O, jawel hoor, geloof me. Welke vrouw vraagt een man om zijn vrouw en kinderen te verlaten? Wist ik veel dat er zoveel vrouwen op het jagerspad waren.'

Dan verstijfde en Jenny voelde zich steeds ongemakkelijker. 'Doet die bel het?' vroeg ze, glurend door het raam van matglas. 'Ik zie niemand.'

Maggie bonsde hard met de klopper op de deur. 'Waarom schieten ze niet op? Het is ijskoud hier buiten.'

Ze was niet gekleed op het weer, zag Jenny. Zelf had ze een modieuze tuniek aan, maar Maggie was gekleed in een dun katoenen jurkje dat meer geschikt was voor de zomer, met een dun, donkerrood vestje eroverheen. Ze was erg afgevallen sinds de laatste keer dat ze haar zag. Zelfs in het zwakke licht bij de voordeur zag Jenny dat het ingevallen gezicht van Maggie onopgemaakt was en haar lichaam als dat van een kind, terwijl ze de klopper als een ongeduldig kind tegen de deur liet knallen. Hoeveel had ze gedronken?

'Eindelijk,' zuchtte Dan opgelucht toen achter de deur een figuur opdook.

'Sorry allemaal. Staan jullie er al lang? Ik moet die bel eens laten maken.' Mike in zijn halfversleten spijkerbroek met rafels rond de zakken staarde naar het gezelschap. Toen zijn blik op Maggie viel, was de schok op zijn gezicht te lezen.

'Maggie! Tjonge. Wat leuk om je te zien. Eh, kan ik iets voor je doen?'

'Natuurlijk kun je dat.' Ze liep voor Dan en Jenny uit. 'Je kunt me uit die verschrikkelijke kou halen en een drankje voor me inschenken.'

Mike staarde haar hulpeloos na. 'Wat doet zij hier?' siste hij naar Jenny. 'Patsy en Antony zitten in de woonkamer.'

'Ze denkt dat Lucy haar uitgenodigd heeft,' siste Jenny terug.

'Dat zou ze nooit doen!'

Hij deed de deur achter hen dicht en hoorde dat de stemmen harder werden.

'O, god,' mompelde Jenny.

Dans blik verstrakte. 'Sorry, ik geloof dat ik Patsy ga redden.'

Dank je, dacht Jenny. 'Sorry dat we zo laat zijn, Lucy,' zei ze terwijl ze op de enig vrije stoel plaatsnam. Maggie was op de stoel naast haar gaan zitten, die waarschijnlijk voor haar zogenaamde date bedoeld was. De tafel was in rep en roer.

'Hoe kon je dat kreng tegelijk met mij uitnodigen?'

'Maggie, dat heb ik niet gedaan.' Lucy was in tranen. 'Ik heb je weken geleden gevraagd en toen wilde je de kinderen niet alleen laten.'

'En toen heb je die trut gevraagd?'

'Wacht even, Maggie.' Antony, die door een onfortuinlijk toeval aan de andere kant van zijn ex zat, legde zijn hand op haar schouder. 'Zullen we even stoppen met schelden?'

'Waarom?' Maggies ogen schoten vuur. 'Ze is een trut en een kreng en alles wat ik verder kan bedenken, omdat ze jou van mij afgepakt heeft.' De tranen rolden inmiddels over haar wangen. 'Weet je hoe moeilijk het is om alleen te zijn? Weet je hoe het is om zonder hulp in je eentje voor twee kinderen te zorgen?'

'Ik heb toch gezegd dat ik je altijd kan helpen, als je dat wilt.'

'Maar met haar?' Maggie prikte in de lucht in de richting van Patsy. 'Ik wil dat kreng niet in de buurt van mijn kinderen. De vorige keer heeft ze hen dronken gevoerd.'

'Dat is niet eerlijk,' onderbrak Dan haar. Hij stond vlak achter Patsy; je zou denken dat hij haar vriendje was en niet Antony, dacht Jenny boos. Minder dan een uur geleden lagen ze nog samen innig verstrengeld in bed, maar nu was het wel duidelijk waar zijn echte interesse naar uitging.

'Mag ik iets zeggen?' Patsy stond op met haar rozegevlekte rok als een enorme vlek rouge. 'Het spijt me dat dit allemaal zo vreselijk is voor jou, Maggie. Maar ik heb je man niet gevraagd om bij je weg te gaan.'

Maggie huilde nu onbedaarlijk. 'Waarom deed hij het dan?'

'Omdat ons huwelijk voorbij was.' Antony keek alsof hij haar door elkaar ging schudden. 'Het is al jaren over! Patsy was de druppel. Ik was toch wel gegaan.'

'Alsjeblieft.' Mike ging met zijn handen door zijn haar. 'Kan iedereen even rustig worden, voor de kinderen.'

Kinderen? Jenny realiseerde zich opeens dat Sam en Kate er waren, allebei in een grappige outfit als ober en serveerster. Kate had een heel kort zwart rokje aan en Sam een broek die zo groot was dat hij waarschijnlijk van Jon was geweest.

'Het geeft niets,' zei Kate. 'Het is al goed, tante Maggie. Hier, neem een brownie. Sam en ik hebben ze gemaakt voor bij de koffie. Oma is er gek op, toch, oma? Of heb je liever een glas wijn?'

'Nee,' zei Chrissie snel, 'haal maar een glaasje water voor haar.'

Te laat. Maggie greep al naar de fles die Kate vasthield en sloeg hem achterover. 'Kom op, Maggie, dat lijkt me wel genoeg,' zei Mike streng.

'Hoe durf je mij te vertellen wat genoeg is?' Terwijl ze dit zei, liep er rode wijn uit Maggies mond, over haar kin en langs haar keel. 'Ik doe waar ik zin in heb.'

'O jee,' zei Eleanor zwakjes. 'Het loopt een beetje uit de hand, niet? Als jullie het goedvinden, ga ik nu liever terug naar mijn borduurwerk, of die

Mollie de Mille-film kijken die ik gisteren opgenomen heb. Haar leven was ook niet altijd makkelijk, weet je.'

Lucy keek verward de tafel rond. 'Ik kan haar niet brengen. Ik moet hier zijn. Kan iemand...'

'Ik doe het wel.' Martin stond onvast op.

'Nee,' zei Chrissie fel. 'Je hebt te veel gedronken.'

'Echt? Ik dacht dat chauffeur zijn wel mijn nieuwe roeping kon zijn. Jij zei toch dat ik een baantje moest vinden?'

Maggie probeerde op te staan en wiegde als een lucifershoutje heen en weer. 'Waar is mijn jas?'

'Die heb je niet bij je,' zei Mike.

'Natuurlijk wel. Het is stervenskoud.'

'Wacht,' zei Patsy dringend. 'Neem de mijne maar.'

'Kreng! Ik heb jouw liefdadigheid niet nodig.'

Jenny hapte naar adem toen Maggie haar glas rode wijn naar Patsy gooide, die net op tijd opzijstapte. O god, het was allemaal over Eleanor heen gegaan!

'Hoe durf je. Ik heb deze jurk al moeten schoonmaken toen deze jongedame zo nodig over mij heen moest spugen.'

'Dat wilde ik niet,' zei Patsy verontwaardigd. 'Jij hebt me misselijk gemaakt door vlees in die stomme ovenschotel te stoppen.'

'Hou haar tegen!'

Maggie schoot de voordeur uit.

'Waar is ze heen?' vroeg Antony, de duisternis in starend.

'Ik neem de auto en ga naar links,' instrueerde Mike. 'Ga jij naar rechts met jouw auto. We vinden haar wel. Geen zorgen.'

Lieve Lucy,

Sorry dat ik je etentje verpest heb. Ik denk dat ik te veel gedronken had. Ik weet het weer. Je had gezegd dat ik mocht komen, maar toen zei ik dat ik geen zin had. Ik krijg andere medicijnen van de dokter. Tot volgende week op kantoor.

Liefs, Maggie x

33

'Je vriendin Margaret is in elk geval heelhuids thuisgekomen,' merkte Eleanor op terwijl ze haar marigolds aantrok. 'Hoewel al dat drama totaal onnodig was. Hoe lang zei je dat het duurde voordat de jongens wisten dat ze veilig was?' Lucy pakte een netjes opgevouwen theedoek uit Mikes bovenste keukenla. 'Een uur, ongeveer.'

'Ander onderwerp, schat, ik snap niet hoe Michael zo kan leven. Het is best schoon, maar zo slordig op sommige plekken, vind je niet? Heb je die kamer hiernaast gezien? Die staat helemaal vol met boeken en cd's! Hij heeft nooit tijd om die allemaal te beluisteren of te lezen. Als die er niet waren, kon je hier een echte eetkamer maken, zodat je niet in de woonkamer hoeft te eten.'

'Mike houdt van cd's en boeken,' zei Lucy verdedigend. 'Hij is er tijden mee bezig geweest om ze te ordenen, op artiest en auteur.'

Eleanor snoof. 'Nou, ik zie niet hoe je dit allemaal in Lukes huis gaat krijgen.' Het was niet 'Lukes huis, het was haar huis'. Maar ze had geen zin om er een punt van te maken, zeker nu Eleanor had aangeboden om te helpen opruimen na het etentje.

Mike had voor de zoveelste keer een vergadering, ook al was het zaterdag (deze keer in York), en hij had gedetailleerde instructies achtergelaten over waar de theedoeken lagen en de rest van de spullen voor de afwas. Als hij terugkwam, zou ze over de hond beginnen. Ze was niet van plan om Mungo weg te doen.

'Guttegut,' mompelde Eleanor met een blik in de koelkast.

Wat was er nu weer?

'Deze koelkast is schoner dan schoon. Bijna schoon genoeg voor de keuringsdienst van waarden.'

'Waren,' sputterde Lucy. 'Sorry, Eleanor, ik snap niet waar je naartoe wilt.'

'Nou, lieverd, je moet toegeven dat het een bijzonder type is. Hij heeft er ongeveer twintig minuten over gedaan om me uit te leggen waar de borden stonden vanmorgen. En ondertussen moest hij de hele tijd in zijn *blueberry* praten.'

Lucy onderdrukte een glimlach terwijl ze doorging met de vaatwasser inruimen. 'Iedereen doet het op zijn eigen manier. Hij is er overigens erg goed in om mij te laten zitten terwijl hij de boel regelt. Het is fijn als er iemand voor je zorgt.'

Eleanor keek haar onderzoekend aan. 'Wil je zeggen dat mijn zoon dat niet deed?'

Ja. 'Ik zeg gewoon dat Mike heel zorgzaam is. O, kijk, daar komt zijn post.' Ze raapte een paar brieven en een ansichtkaart op die door de bus vielen, om ze op de tafel in de hal te leggen. Onopzettelijk draaide ze de ansicht even om en haar adem stokte. Met een korte blik op de deur om te checken of Eleanor nog in de keuken was, liet ze de kaart in haar zak glijden, naast het half afgekloven varkensoor dat daar al eeuwen in zat.

'Weet je zeker dat ze op de juiste stapel liggen?' Eleanor, die de hal in was gekomen, deed geen moeite haar sarcasme te verbergen. 'Ik moet zeggen dat die Michael me wel bezighoudt, Lucy. Vind je het niet raar dat hij nooit eerder getrouwd is?'

'Hij had de ware nog niet gevonden.'

'Je hoeft niet zo te snauwen, hoor.'

'Je kunt beter wachten op de juiste persoon dan compromissen sluiten en de verkeerde kiezen.'

'Vind je?' vroeg Eleanor, met haar wenkbrauwen opgetrokken. 'In mijn tijd dachten we daar veel praktischer over. En we waren er zeker niet zo dramatisch over als jouw gasten gisteravond. Goeie god! Ik heb nog nooit zoiets meegemaakt. Jouw vriendin Chrissie en haar echtgenoot waren bijzonder onaardig tegen elkaar. En dat meisje, Patsy, poeh! Mijn jurk kan ik afschrijven. Volgens mij kan zij wel wat vlees gebruiken, geen wonder dat ze zo bleek ziet. En dan die verwarring over Maggie. Hoe kon je haar nou tegelijk met Antony's nieuwe vriendin uitnodigen?'

'Dat heb ik niet gedaan. Of wel, maar ze zei dat ze niet kon.'

'Nou ja, iemand heeft zich vergist. Goed, ik weet niet hoe het met jou zit, maar ik ben toe aan een kopje koffie. Zullen we een brownie van Sam en Kate nemen? Ze zijn verrukkelijk.'

'Ik niet, dank je.' Lucy keek op haar horloge. 'De kinderen hadden gezegd dat ze er nu zouden zijn. Jon zei ook dat hij zou bellen, maar dat heeft hij niet gedaan.'

'Hoe gaat het nu, na het lastige begin?'

'Volgens mij gaat het prima, maar ik spreek hem niet veel.'

'Dat is waarschijnlijk het beste, als je het mij vraagt. Je hebt altijd zo boven op hem gezeten. Luke zei het al. Hij is achttien, geef hem wat ruimte. Hij komt binnenkort terug voor de feestdagen. Tjonge, Lucy, deze brownies zijn echt lekker. Weet je zeker dat je er geen wilt?'

'Nee, dank je, ik heb gisteren te veel gegeten.'

'Ik zag al dat je wat dikker was geworden, lieverd.'

Hoe bot kon Eleanor zijn? 'Dan moest ik maar eens op dieet, denk je niet? Mike heeft trouwens een koper gevonden voor het huis, we hebben besloten om volgend jaar te trouwen, waarschijnlijk in de herfst, om de kinderen wat tijd te geven om aan het idee te wennen.'

Ze voelde een mengeling van plezier en gêne bij het zien van de schok op Eleanors gezicht. 'Michael is maar een vreemde vogel, toch? Ik bedoel, wat weet je nu eigenlijk van hem?'

Ze was onmogelijk! 'We zijn al bijna een jaar samen. Hij is geweldig voor mij en de kinderen...'

'Je bedoelt dat hij veel op ze aan te merken heeft.'

'Dat komt omdat hij het beste met ze voor heeft.'

'Dat zien zij niet zo.'

'En hij is een vriend van Antony...'

Eleanor snoof. 'Niet echt een goede referentie, aangezien Antony zijn arme vrouw verliet om er met dat domme wicht vandoor te gaan.' Ze zette haar koffie neer en leunde naar haar toe. 'En vraag jij je niet af waarom hij op zaterdag een werkafspraak heeft, terwijl de meeste mannen thuis zijn bij hun gezin? Echt waar, Lucy, ik weet dat je niet wilt dat ik me ermee bemoei, maar ga bij jezelf na of je echt geen twijfels hebt over Michael. En ga er alleen mee door als je zeker weet dat het goed is.'

'Waar is oma?' vroeg Kate toen ze een uur later eindelijk op kwam dagen om te 'helpen' (zoals afgesproken was).

'In de woonkamer. Ze werd opeens heel moe.'

'Ze is in slaap gevallen,' meldde Sam, die weinig enthousiast een theedoek bestudeerde alsof hij er nog nooit een gezien had.

Lucy was bijna klaar met het afnemen van het aanrecht en de tafel. 'Dat is raar. Voordat ze zo moe werd, was ze juist enorm aan het kletsen en doordraven. Daarna zei ze dat ze trek had, terwijl ze net twee van jullie brownies ophad. Ik kan beter even gaan kijken.'

Sam had gelijk. Eleanor was in slaap gevallen. Ze lag onderuitgezakt in de stoel met rode wangen en luidruchtig ademhalend. Lucy voelde aan haar pols. Alles leek in orde. Ze zou haar maar even met rust laten. Soms vergat je even dat ze al eind zeventig was. Lucy ging terug naar de keuken. 'Kate, kun jij die placemats afnemen? En Sam...' Ze staarde geschokt naar het kleine gouden knopje in zijn linkeroor. 'Dat heb je niet!'

Hij grijnsde vrolijk. 'Dat heb ik wel!'

'Maar ik had gezegd dat je geen gaatje in je oor mocht. We hebben het er zo vaak over gehad.'

Sam haalde zijn schouders op. 'Chill, mam. Een vriend van me heeft zijn oor met een naald en een gasbrander op school laten doorprikken. Dat heb ik tenminste niet gedaan.'

Lucy begon te trillen van woede. 'Waar ben je geweest? Ik kan een aanklacht

indienen omdat ze het zonder toestemming van een ouder hebben gedaan.'
'Nee hoor. Kate heeft het formulier getekend.'
Kate keek een beetje angstig. 'Hij hield er maar niet over op, mam, en hij heeft eigenlijk gelijk. Ze doen het allemaal. Er is toch niets verkeerds aan?'
Wat moest ze met hem beginnen? 'Ik weet niet wat er mis met je is, Sam, maar op een dag bedenken ze er een woord voor.'
'Dat is lullig, mam!'
Kate had gelijk. Ze maakten gewoon dat ze dingen zei die ze niet meende.
'Dus omdat ik een piepklein stukje metaal in mijn oor heb, hou je niet meer van me?'
'Dat heb ik niet gezegd.'
'Je bedoelde het. Zou je ook niet van me houden als ik grote oren had, of een gekke neus?'
'Natuurlijk wel.'
'Wat is het verschil dan?'
'Dit heb je jezelf aangedaan.'
'Mama heeft gelijk. En je lijkt wel gay.'
'Dat is alleen als je een knopje in je rechteroor hebt.'
Ze kon er niet tegen als hij zo was. Precies Luke. Die redeneerde onverstoorbaar door, zodat het uiteindelijk makkelijker was om gewoon maar te doen wat hij wilde, of het nou om het wit of crème verven van de woonkamer ging of om het fulltime voor de kinderen zorgen in plaats van een parttimebaan te zoeken.
'Sam,' begon ze. 'Ik ben er niet blij mee...'
'Lucy?' Een dun, breekbaar stemmetje klonk vanuit de woonkamer. 'Lucy, ben je daar? Ik voel me niet zo goed.'
'Ik kan haar beter naar huis brengen.' Lucy gaf haar schort aan Kate. 'Jullie kunnen de rest opruimen. En Sam, ik kom er nog op terug. Denk maar niet dat je er zo makkelijk van afkomt. Wacht maar tot Mike thuis is.'
'Hoezo?' zei Sam uitdagend. 'Hij is mijn vader niet. En ook al trouw je met hem, denk maar niet dat ik hem zo ga behandelen.'

Ze wachtte tot ze Eleanor in bed had gelegd en de dokter had gebeld (die beloofde later die dag langs te komen) voordat ze de ansichtkaart uit haar zak haalde. Het was het vrouwelijke handschrift geweest wat haar aandacht had getrokken.
Hoe goed ken je hem eigenlijk, had Eleanor gevraagd.
Op de kaart stond een foto van het rotsachtige strand van Devonshire.
Als aandenken aan vorige maand. Liefs, Kerry.
Ze voelde de smaak van een brok gal achter in haar keel toen de voordeur openzwaaide. Snel liet Lucy de kaart weer in haar zak glijden.

'Hoi.' Mike verborg zijn gezicht achter in haar nek. Ze verstijfde en stapte opzij.

'Hallo.'

'We kunnen vanavond wel uit eten gaan, als je zin hebt, schatje.' Hij pakte een theedoek op, schudde hem uit en vouwde hem netjes op voordat hij zijn armen om haar heen sloeg. 'Of naar de bioscoop.'

Zijn voorkomendheid was misselijkmakend. 'Dat kan denk ik niet. Eleanor voelt zich niet lekker, dus de dokter komt zo, en Sam... nou, Sam heeft een gaatje in zijn oor laten prikken.'

'Maar je had gezegd dat dat niet mocht. Wij allebei.'

De kille afkeuring in zijn stem beangstigde haar. 'Ja, dat weet ik, maar hij heeft het toch gedaan.'

'Dan moet hij gestraft worden. Je moet zijn mobieltje afpakken, en zijn laptop.'

'Maar Luke... o shit, sorry. Ik bedoel Mike. Hij heeft zijn telefoon nodig voor noodgevallen en de laptop om zijn huiswerk te maken.'

'Jammer dan. Hij moet maar eens weten wie hier de baas is. En als jij het niet doet, doe ik het.'

O god, ze had hem gekwetst door hem Luke te noemen. Hoewel het niet vaak gebeurde, merkte ze zelfs na al die jaren dat het haar nog af en toe overkwam. Ze had het over Mungo willen hebben, maar dat was nu even onmogelijk. Ze moest hem echter absoluut vragen naar die naam op de kaart, en wel zo dat hij niet zou denken dat ze in zijn post had zitten snuffelen.

'Trouwens,' hoorde ze zichzelf zeggen, 'er belde nog iemand toen ik bij jou was. Een vrouw. Misschien had ze een verkeerd nummer; maar ze klonk een beetje vreemd.'

'Heeft ze haar naam genoemd?'

Ze slikte nerveus en wilde dat ze overtuigender kon liegen. Maar een verkeerd nummer klonk beter dan toegeven dat ze zijn post had bekeken. 'Het klonk als Kerry.'

'Kerry?' Hij draaide zijn rug naar haar toe om theezakjes in de pot te doen. 'Ik word de laatste tijd heel vaak per ongeluk gebeld. Ook veel bedrijven die me iets willen verkopen. Ik moet eens naar dat bedrijf gaan dat hier wat tegen kan doen. Thee?'

'Nee, dank je.' Haar stem was onvast. 'Ik ga even boven kijken, bij Eleanor.'

Hij gleed licht met zijn lippen langs haar wang, maar in plaats van de gebruikelijke tinteling voelde ze iets wat bijna afschuw was.

'Zal ik straks nog langskomen?'

Ze draaide zich van hem af. 'Kun je eerst even bellen? Ik ben doodop van gisteravond.'

DECEMBER

BUENO PASTA! Reserveer nu
ons speciale kerstdiner van heden
tot en met 24 december.

Slechts £ 35 per persoon,
inclusief een glas wijn van het huis.

25 december gesloten.

Haast u!

34

'Het klinkt inderdaad een beetje raar,' gaf Chrissie toe. Ze zaten in haar serre met uitzicht op de tuin te wachten op de boodschappenbezorgservice, die te laat was. Ze hield van haar tuinkamer met de theeplanten en de mooie rieten meubels. Officieus was het 'haar' kamer en ze hoopte maar dat Martin nu niet binnen zou komen vallen. Hoe deden andere vrouwen dat als hun man thuis werkte?

'Als ik jou was,' ging ze door, 'zou ik zeggen dat ik toevallig het kaartje zag en vragen wie die Kerry was.'

'Dan denkt hij dat ik hem niet vertrouw,' kaatste Lucy terug.

'Dat is toch zo, of niet?' Ze hees George omhoog tot aan haar linkerborst. 'Je moet toegeven dat het een beetje verdacht is. Heb je genoeg gedronken aan deze kant, liefje?'

'Maggie zegt dat ik een privédetective in moet huren.'

Chrissie ging anders zitten zodat George haar andere borst kon pakken. 'Dat kost goudgeld. Ik las er laatst een artikel over. Blijkbaar zijn het niet alleen de sterren, maar ook doodnormale vrouwen die willen weten wat hun man uitspookt.'

'Het lijkt zo achterbaks. Hij zegt ook dat hij moet niezen van Mungo, toch ga ik die hond echt niet wegdoen.'

Chrissie had nooit van honden gehouden, zelfs niet voordat ze George eventueel iets aan konden doen. En Mungo was bovendien zo dik dat ze verbaasd was dat hij geen brandwonden op zijn buik had van het schuren. 'Lastig, hè? Oeps. Sorry, liefje. Schrok je ervan?'

'Ik ga zo maar. Ik moet naar kantoor en daarna moet ik met Eleanor naar mijn huisarts voor een extra controle.'

'Ik wilde dat ik een kantoor had om naartoe te gaan. Ik word stapelgek van Martin nu hij thuiszit.'

Lucy keek meelevend. 'Geen succes?'

'Hij zit de hele dag achter de computer, blijkbaar is dat hoe je tegenwoordig aan een baan komt, maar hij is nog niet in de buurt van een gesprek geweest. Hij zegt dat het door zijn leeftijd komt.'

'Zo oud is hij nog niet.'

'Niet voor jou en mij, maar in zijn sector halen ze heel veel jonge mensen binnen met geweldige kwalificaties en weinig verplichtingen, die graag bereid zijn om tot laat in de avond door te werken. Martin werkte ook altijd tot laat, maar toen begon ik te klagen dat hij mij de hele avond alleen liet met George, dus kwam hij eerder thuis. Nu zegt hij dat dat mee heeft gespeeld bij zijn ontslag.'

'Maar dat mag helemaal niet.'

Chrissie glimlachte weemoedig. 'Tja, ze konden het niet noemen als reden, maar dat heet dan een bijkomende omstandigheid.'

'Heb je overwogen om zelf weer aan het werk te gaan?'

Chrissie voelde een steek van paniek terwijl George van haar schoot af gleed en wegwaggelde als een losgeslagen opwindpoppetje. 'Ik ben er al bijna twee jaar uit. Het is bijna onmogelijk om er weer tussen te komen. En ik kan George niet bij een vreemde achterlaten. Het was al erg genoeg toen we laatst bij jou waren en de oppas maar bleef bellen.'

'Je kunt George toch bij Martin laten als hij toch geen werk heeft?'

Chrissie haalde haar neus op. 'Hij heeft geen idee! George hoeft maar te piepen en hij geeft hem aan mij alsof het een zak aardappels is.'

'Maar als hij hem de hele dag heeft, leert hij het wel, dat moesten wij ook.'

'Ik weet niet of ik de verantwoordelijkheden van een baan nog wel aan zou kunnen. Kijk nou naar die arme Jenny en die verschrikkelijke vrouw die haar aanklaagt. Soms vraag ik me af of...'

Boem.

Chrissie stond rechtop voordat haar benen er erg in hadden. 'George? NEE! Weer een bult op zijn hoofd. Zie je dat? Wat moet ik nu?'

'Het valt wel mee.' Lucy wreef de rood aangelopen George, die de longen uit zijn lijf schreeuwde, over zijn rug. 'Je ziet aan zijn ogen dat hij zich niet echt pijn heeft gedaan. Pas als de pupillen groter worden, moet je oppassen dat het geen hersenschudding is. Chrissie, rustig aan. Je maakt hem bang.'

'Ik kan er niets aan doen.' Chrissies lijf schokte van het huilen. 'Ik ben zo bang dat ze hem weg gaan halen.'

'Wie?'

'De kinderbescherming.' Ze kon bijna niet praten van het huilen. 'Ze houden me in de gaten. Ze komen telkens langs om te controleren.'

'Om wat te controleren?'

'Dat we hem niets aandoen.' Chrissie probeerde George te pakken, maar hij trok zich los. In zijn enthousiasme over het door de kamer heen gooien van zijn blokken was hij alweer vergeten dat hij zich pijn had gedaan. 'Omdat hij zoveel blauwe plekken heeft, denken ze dat wij hem pijn doen.'

'Maar dat is belachelijk. Het is een levendig kereltje. Sam was ook zo. We hadden een abonnement op de Eerste Hulp. Niemand heeft ons ooit van mishandeling beschuldigd. Arme schat.'

Chrissie voelde Lucy's arm om haar heen. Het was zo geruststellend. Zo fijn om vastgehouden te worden. Heel even sloot ze haar ogen en stelde zich voor hoe het zou zijn als Dan zijn arm om haar heen sloeg. Nee! Die man was het begin van alle ellende geweest. Ze haatte hem. Waarom vond ze hem dan zo gruwelijk aantrekkelijk?

'Ben je naar je huisarts geweest?'

Chrissie knikte door haar tranen heen. 'Zij laat zich er niet over uit. Blijft maar vragen of ik hulp nodig heb of komt met een opvoedingscursus.'

'Dat is misschien niet eens zo'n slecht idee.'

'Dus jij denkt ook dat ik een slechte moeder ben?'

'Nee! Maar we hebben allemaal hulp nodig met onze kinderen. Had ik al verteld dat Sam stiekem een gaatje in zijn oor heeft laten prikken? En ik maak me ook nog zorgen over Jon. Hij wil niet dat ik langskom, maar hij klinkt niet als zichzelf over de telefoon. Als ik mijn werk niet had, was ik allang gek geworden. Echt waar, Chrissie, ik zou maar eens serieus bedenken of je niet weer aan het werk wilt.'

Uiteindelijk kwam de stomme bezorgservice pas om tien uur 's avonds (tien uur!) en toen deden ze er nog een halfuur over om alles uit te laden (inclusief een enorme punt brie, terwijl ze camembert had besteld). En ze had zo bedacht om op tijd naar bed te gaan zodat ze... nou ja, wat eigenlijk?

Het was nu al zo lang geleden dat Chrissie het niet eens hardop durfde te zeggen. Hoe hadden ze het zover kunnen laten komen dat het nu al maanden geleden was dat ze 'het' voor het laatst hadden gedaan?

Chrissie ging dichter tegen haar man aan liggen. Na de geboorte van George was seks wel het laatste waar ze aan moest denken. Martin had na de zeswekencontrole wel enige interesse getoond, maar hij had niet aangedrongen. Als zij de gewoonlijke excuses had als te moe of pijnlijke borsten, vond hij het al snel goed.

En dan was er het heikele onderwerp van de anticonceptie. Ze wilde na de geboorte van George niet weer aan de pil beginnen en toen ze het spiraaltje probeerde, voordat George er was, bleef ze maar bloeden. Aangezien ze altijd dezelfde buikpijn had als ze ovuleerde, was de beste optie dat ze op de natuurlijke manier de vruchtbare dagen zouden vermijden.

'Martin?' Ze rolde naar hem toe.

'Mmmm?' Hij sliep half.

'Volgens mij ben ik nu "veilig".'

Hij kreunde en draaide zich van haar af. 'Wat ben je?'

'Veilig. Je weet wel. We kunnen het doen, als je wilt.'

'Verdomme, Chrissie. Ik sliep.'

'Word dan wakker, kanjer.' Frummelend onder zijn pyjamajasje deed ze haar best om wakker te blijven en hem onder de gordel te strelen. Als ze eerlijk was, zou ze het allerliefst lekker gaan slapen, maar iets in haar zei dat het zo niet langer door kon gaan. 'Ik ben net ongesteld geweest dus ik kan niet zwanger worden. Tenminste, de kans is minimaal.'

'Niet nu.' Hij legde een kussen op zijn hoofd, zoals hij altijd deed als hij niet gestoord wilde worden. 'Misschien morgenochtend.'

Half opgelucht, half teleurgesteld draaide ze zich om. Hij kon in elk geval niet zeggen dat ze het niet had geprobeerd. George sliep ook, in plaats van zijn gewoonlijke nachtwake te houden. Toch wel jammer. Ze was zowaar een beetje opgewonden. Chrissie ging aan de rand van het bed liggen en draaide zich op haar buik. Met haar rechterhand in haar kruis begon ze ritmisch op en neer te bewegen.

'Stop eens met dat gewoel,' mompelde Martin boos. 'Ik kan niet meer in slaap komen.'

Ze bevroor. 'Even naar de wc.' Ze glipte de badkamer in, deed de deur achter zich op slot en ging op haar buik op het kleed liggen. Heerlijk! Ze probeerde aan Martin te denken, maar haar lichaam stopte meteen. Misschien die lekkere presentator van de kindertelevisie? Beter. Maar niet goed genoeg. Het beeld van Dan schoot door haar hoofd. Nee! Haar lichaam dacht daar echter anders over. God, ze was zeiknat. Ze voelde hem in haar stoten, beeldde zich in hoe hij op haar neerkeek in het donker zoals hij altijd deed, voelde zijn tong op haar tepels. Ze kwam klaar. Ze kwam verdomme klaar! Hijgend voelde Chrissie haar onderlijf kronkelen als een losgeslagen klepel die bij haar naar binnen drong. Was zij dat echt, dat gehijg? De hitte verspreidde zich over haar hele lichaam voordat de afschuw eroverheen spoelde. Wat voor een vrouw was ze, dat ze een man wilde die haar had behandeld zoals Dan haar al die jaren geleden had behandeld?

'Staat er iets bij?' vroeg ze Martin tijdens het ontbijt. Normaal gesproken luisterde ze altijd naar Libby Purves, maar Martin, zoals ze gemerkt had sinds hij gedwongen thuiszat, hield er niet van naar de radio te luisteren tijdens het eten.

Hij keek niet eens op van de vacaturepagina van de krant. 'Nee.'

'Mooi. Kom op, George. Dit is heel lekkere pap. De meneer van de supermarkt heeft per ongeluk de verkeerde gebracht. Doe je mondje maar open, dan geeft papa je een hap. Hier, Martin.'

'Wat? Als het jou niet lukt, lukt het mij helemaal niet. Geef hem gewoon dat bakje en die lepel en laat het hem zelf proberen, dat zei de wijkverpleegkundige, toch?'

'Als ik dat doe, zit het straks overal.'

'En? Dan ruim je het straks toch weer op?'

Chrissie haalde diep adem. Niet 'wij ruimen het straks wel weer op' maar

'jij ruimt het straks weer op'. Hij stak geen vinger uit, laat staan dat hij weleens kookte. Wat zij nodig had, was die sexy Franse gozer van de televisie
die vrouwen verraste met TLC (*Tender Loving Cooking*) en in hun eigen huis
voor ze kookte.

'Moet je luisteren, ik heb eens nagedacht. Wat als ik een baantje zoek? Niet
fulltime natuurlijk, maar parttime. Zoals Maggie en Lucy.'

'Een baantje?' Martin keek alsof zijn boterham in zijn keel bleef steken.
'Maar wie past er dan op George?'

'Jij, bijvoorbeeld.'

'Doe normaal! Ik moet naar sollicitaties en wie gaat er op hem passen als ik
aangenomen word? We kunnen ons naast de hypotheek geen babysitter
veroorloven. Je bent er bovendien al twee jaar uit.'

Terwijl ze thee voor zichzelf inschonk en hem expres niets aanbood, voelde
ze een golf van woede en adrenaline door haar lijf spoelen. Dus Martin
dacht dat zij geen baan zou kunnen vinden? Nou, daar kwam hij nog wel
op terug.

35

Donker. Pikkedonker. Patsy werd om vier uur wakker en kon de slaap niet meer vatten. Het was begonnen nadat het telefoontje van thuis gekomen was. Vier uur 's ochtends was net zo'n akelige tijd, dacht ze, terwijl ze zich van Antony af draaide om niet ook verkouden te worden. Te vroeg om op te staan. Alle tijd om te piekeren.

Toen ze jonger was, had Patsy zichzelf afgeleerd om te piekeren. Dankzij haar vader balanceerden haar moeder en haar zus doorlopend op de rand van een zenuwinstorting, en zij was vastbesloten niet zo te worden.

Maar sinds ze haar vader had laten opnemen kreeg ze het niet meer voor elkaar. Ze was voortdurend bang dat hij onhandelbaar zou worden of dat ze de rekeningen niet meer kon betalen. Eens, als haar uiterlijk haar niet meer kon redden en er geen Antony's meer zouden zijn om haar te spekken, zou hij naar een regulier verzorgingstehuis moeten.

Patsy rilde. Dat had ze geprobeerd, maar de stank van kool en urine maakte haar misselijk. Binnen een paar weken was haar vader nog maar de helft van wat hij was geweest en zijn verzorgers 'vergaten' vaak hem zijn maaltijden te brengen omdat hij, vermoedde zij, lastig was.

En nu was hij weg.

Kwart over vier. Nu zou ze zeker niet meer slapen, vooral niet met de gedachte aan Maggie, die gisteravond zomaar kwam opdagen bij Mike. Wanneer had ze een geweten gekregen? De vorige 'Antony's' hadden, op een of twee na, ook echtgenotes gehad, en ze had zich nog nooit schuldig gevoeld. Vreemdgaan doe je met z'n tweeën en als de man thuis niet gelukkig was, kon zij er ook niets aan doen dat ze toevallig in de buurt was met een luisterend oor.

Maar ze had vóór Maggie ook nog nooit een echtgenote ontmoet. De eerste keer bij Lucy was al erg genoeg geweest. Dat had ze echter na een tijdje uit haar geheugen kunnen wissen, zodat ze niet meer hoefde te denken aan de wanhoop in Maggies ogen, die verwilderde blik, de paniek in haar stem. En nu kwam dat allemaal weer terug.

Maggie had lef en daar had Patsy bewondering voor. Ze snapte het spel dat Maggie speelde. Dat zou zij ook gedaan hebben. Iedereen die naar Lucy's geschokte gezicht had gekeken, kon zien dat zij haar vriendin niet had uitgenodigd. Nee, Maggie had besloten om zich te 'vergissen' zodat ze

Antony voor het blok kon zetten. En het had gewerkt. Het had háár bovendien weggezet als de slechterik, iets waar ze normaal gesproken niet warm of koud van werd, totdat ze de ijzige blik van Lucy's schoonmoeder had gevoeld, die haar van de andere kant van de tafel giftig had aangestaard.

Daarna wegrennen op die manier had natuurlijk een bijzonder hoog dramagehalte. Patsy had Maggie zo ook wel kunnen vertellen dat dat niet werkte. Je voelde je achteraf hoogstens nog stommer. Ondanks dat was ze opgelucht geweest toen Antony zei dat die trut gebeld had om te zeggen dat ze veilig thuis was gekomen.

Vijf over halfvijf. De boom naast het huis schraapte met veel kabaal tegen het raam. Ze zou de gemeente erover moeten bellen. Daar was het weer. Patsy zwaaide haar benen over de rand van het bed, bewonderde als altijd even goedkeurend hun prachtige vorm, en liep naar de spleet tussen de beige gordijnen. Wat was die schaduw daar beneden? Waarschijnlijk een van die jongeren uit de buurt. Antony klaagde er al over vanaf het moment dat hij bij haar introk.

Het was een van de redenen dat Antony wilde verhuizen. 'Maggie woont in het huis waarvoor ik krom heb gelegen,' zei hij de laatste tijd steeds vaker. 'Zij heeft al die ruimte niet nodig. Ik heb juridisch advies gevraagd en ik ga voorstellen om het te verkopen. Dan kunnen wij iets leuks kopen.'

Een vaste relatie? Dat was niet waar ze op uit was geweest toen ze hem ontmoette. Dat ging bijna nooit goed. Kijk maar naar Lucy en haar vent. Hoewel die nog niet eens getrouwd waren, kon iedere idioot zien dat het niet allemaal rozengeur en maneschijn was. En die vrienden, Chrissie en haar kwijlende eega, die gaf ze nog zes maanden. Nee, ze was er niet op uit om Maggie uit het huis te krijgen. Aan de andere kant kon ze Antony niet missen, niet nu ze de rekeningen van haar vader moest betalen.

Kijkend naar zijn verwarde coupe, half verscholen onder het dekbed, verzachtte ze even. 'Hou op,' sprak ze zichzelf streng toe. 'Je kunt het je niet veroorloven om zo te denken.'

Bijna vijf uur nu. Zou Dan al wakker zijn? Soms ging hij helemaal niet naar bed, afhankelijk van waar hij mee bezig was, of met wie. Ze liet zich uit bed glijden, sloop naar het kleine keukentje, zette water op, pakte een wortel uit de koelkast en toetste zijn nummer in.

'Hallo.' De heerlijk diepe, zorgvuldig gecultiveerde klank van zijn stem deed haar onmiddellijk goed. 'Met Dan. Ik ben er helaas niet, maar ik wil je graag spreken. Spreek je naam en telefoonnummer in, dan bel ik snel terug.'

Wie was er bij hem? Het beeld van Dan in bed, liggend op zijn buik, in zijn favoriete slaaphouding, schoot door haar hoofd. Hij sliep altijd zo, als jonge tiener al, met zijn rechterarm over zijn hoofd alsof hij zich wilde beschermen tegen de klappen waar ze allemaal mee waren opgegroeid. Ze moesten allemaal leven met het onverwachte. Misschien deden ze daarom zelf ook altijd onverwachte dingen.

Neem nou laatst, toen hij zomaar met Jenny mee was gekomen. Ze had moeite gehad om haar verbazing te verbergen, en als ze eerlijk was, haar afkeuring. Tussen haar en Dan zou het nooit iets worden; daar waren ze jaren geleden al achter gekomen tijdens een onbevredigend weekend. Soms, hadden ze samen besloten, was het blijkbaar beter om gewoon vrienden te blijven; maar dat betekende niet dat het makkelijk was om hem met andere vrouwen te zien.

Dat gedoe met Chrissie was ook al zoiets geweest. Een beetje te toevallig, als je het haar vroeg, behalve dat Dan zoveel vriendinnen had gehad dat het onvermijdelijk was er vroeg of laat een aantal tegen het lijf te lopen. Desondanks was ze tegen Dan uitgevallen over zijn geflirt met Chrissie. Het was geen eerlijke strijd. 'Als je dat nog een keer doet, valt ze als een blok voor je,' had Patsy gewaarschuwd. 'Het is overduidelijk dat haar man niets meer in haar ziet, dus ze zal hunkeren naar een beetje aandacht.'

Natuurlijk had hij haar uitgelachen en ze merkte dat hij in plaats van haar waarschuwing serieus te nemen genoot van hoe ze reageerde.

Bijna halfzes. Shit. Ze zou een kop thee nemen en zich maar vast gaan voorbereiden op de drukke dag die ze voor zich had. Iemand die ze nog kende van haar tijd als grimeuse bij de ontbijttelevisie had haar gevraagd om een modereportage te doen voor een huis-aan-huisblad in Londen. Het was een haastklus en de foto's zouden zeer snel geplaatst worden, wat normaal gesproken erg spannend was, behalve dat ze nergens meer warm voor liep nu haar vader nog steeds niet gevonden was.

'Patsy?'

Uit de richting van het bed klonk gekreun. Waarom waren mannen die ziek waren altijd meteen halfdood?

'Patsy. Kun je even komen? Ik wil een glas water. En iets om dat gebons in mijn hoofd te stoppen. Ik word er gek van.'

En dit was nu precies, dacht ze, de reden dat ze nooit met iemand getrouwd kon zijn of zelfs voor langere tijd kon samenwonen. Maar ze zou het nog even moeten verdragen. Misschien zou ze als haar vader terug was nog eens goed moeten nadenken.

'God, wat ben ik beroerd.'

Mannenkoorts! Hoewel ze moest toegeven dat hij goed heet aanvoelde.

'Niet te geloven dat je geen thermometer of paracetamol hebt,' kreunde hij. 'Maggie had een koffer vol van die bende.'

'Misschien moet je dan maar naar haar en haar fantastische EHBO-collectie teruggaan, zodat zij je beter kan maken.'

Hij stak een hand uit. 'Sorry, lieverd, maar ik voel me zo beroerd. En net nu ik heb beloofd op de kinderen te passen.'

'Wat?'

'Had ik dat niet gezegd? Heb je nog wat water voor me? Ik heb zo'n droge keel.'

'Nou, zo kun je de kinderen niet hebben. Bel maar snel op om te zeggen dat je ziek bent.'

'Dat kan niet. Het is vakantie en er is niemand anders naar wie ze toe kunnen.'

'Nou, dan blijft ze zelf toch thuis?'

'Dat kan ook niet. Ze moet naar de dokter, in Londen, voor iets belangrijks.'

'Wat dan?'

'Dat wilde ze niet zeggen.' Antony keek haar met waterige oogjes smekend aan. 'Schat, ik zou het echt niet vragen als het niet hoefde, maar zou jij alsjeblieft voor mij op de kinderen kunnen passen?'

'Maar ik heb om twaalf uur een klus.'

Antony liet zich achteruit in de kussens vallen. 'Tegen die tijd voel ik me vast beter. Als jij ze vanochtend neemt, neem ik het over als je weg moet.'

'Hoi.'

Patsy stond klaar om de deur open te doen en haalde diep adem voor het weerzien met Maggie. In plaats daarvan stond Lucy voor haar. Ze zag er moe maar netjes uit, in een lange, getailleerde matgroene winterjas die haar blonde haar zo goed deed uitkomen. God, wat zou ze die jukbeenderen graag eens onder handen nemen. Sienna Sunset met een dun laagje Gold Teardrops eroverheen was perfect voor haar teint.

'Hallo, is Antony thuis?'

'Hij is ziek. Ik zit met de kinderen opgescheept tot hij wakker wordt. Hallo, jongens.'

Ze staarden haar nietszeggend aan.

Lucy keek twijfelachtig om zich heen. 'Ik weet niet. Ik bedoel, Maggie had gezegd dat Antony...'

'Hij is er wel. Hij ligt alleen met koorts op bed, dus hij denkt dat hij doodgaat. Dat hebben mannen nou eenmaal.'

Er verscheen een klein lachje op Lucy's gezicht, dat net zo snel weer verdween achter haar eerdere bezorgde blik. 'Ik weet alleen niet of...'

'Of Maggie het wel goedvindt dat ik op haar kinderen pas,' maakte Patsy haar zin af. 'Nou ja, als het haar niet bevalt, komt ze maar terug om ze op te halen.'

'Dat kan niet,' piepte Alice. 'Ze moest naar Londen. En we kunnen niet bij tante Lucy blijven, want die moet naar Oxford om Jon op te halen.'

'Dan hebben we weinig keus, denk je ook niet? Wil je nou dat ik ze hier hou of niet?'

'Dank je. Sorry. Ik wilde niet onaardig zijn, maar het is...'

'Ik begrijp het wel,' zei Patsy ondanks zichzelf. 'Het is ook niet makkelijk.' Mijn god, wat was er met haar aan de hand? Kwam het doordat dat kind, dat meisje, haar aan haar zus deed denken, met die bezorgde blik in haar ogen van, wat-gebeurt-hier-allemaal?

'Maak je geen zorgen. Ik zal goed op ze passen. Alleen cornflakes, geen wodka deze keer, dat beloof ik. Geintje.'

'Ik heb honger,' piepte de jongen.

Lucy grijnsde verontschuldigend. 'Ze hebben wel ontbeten, maar ze hebben de laatste tijd altijd honger. Maggie zegt dat ze in een groeispurt zitten.'

'Nou, de koelkast is bijna leeg; we zullen eens kijken wat er nog te vinden is.'

'Ik wil een chocoladekoekje,' zeurde het meisje toen Lucy ver genoeg weg was.

'Chocoladekoek?' herhaalde Patsy. 'Daar word je dik van! Ik heb wel een paar crackers. Kom maar mee.'

De jongen was al naar de slaapkamer gerend. 'Pap,' hoorde ze hem smeken. 'Pap, gaat het wel goed met je? Patsy zegt dat je doodgaat.'

Patsy giechelde. Nu zou hij willen dat hij dood was. Nou ja, hij had tot twaalf uur en dan was het zijn pakkie-an.

'Antony. Antony!' Ze keek nog eens op het doosje paracetamol dat ze had moeten halen. Oké, dus ze had hem drie pillen gegeven in plaats van twee, omdat hij zo zielig deed, maar dat was toch niet genoeg om hem te verdoven?

'Antony!' Ze trok hard aan zijn schouder. Hij kreunde en rolde op zijn andere zij.

'Ik moet weg. Je moet nu wakker worden, anders zijn de kinderen alleen.'

'Het geeft niet, Patsy,' zei een klein stemmetje vanaf de drempel van de slaapkamer. Ze draaide zich om en zag het meisje staan, haar armen stevig om een teddybeer geslagen. Waarom had niemand haar en Babs ooit een beer gegeven?

'Nee,' zei ze streng. 'Ik ga niet het risico lopen dat jullie moeder zegt dat ik jullie verwaarloosd heb. Dan moeten jullie maar mee naar mijn werk.'

'Dat wil ik niet.' De jongen schreeuwde.

'Vette pech.'

'Mama zegt dat je dat niet mag zeggen.'

'Mama is er niet, of wel? Dus je doet het er maar mee.'

'Ik wist niet dat je kinderen had, Patsy,' zei Vila, die de modereportage op-
maakte.
'Heb ik ook niet. Ze zijn van mijn partner.'
Ze had het woord 'partner' niet eerder gebruikt; had het altijd weten te
ontwijken, om zich maar niet gebonden te voelen. Het ontsnapte haar zomaar. 'Hij is ziek en er was niemand anders om op te passen, dus ik moest
ze wel meenemen.'
'Hebben ze iets te doen?' vroeg de styliste.
'Wat?'
'Kleurpotloden of zo?'
Daar had Patsy niet aan gedacht. 'Nee, ze moeten gewoon wachten tot ik
klaar ben.'
Vila lachte hardop. 'Dat doen kinderen tegenwoordig niet meer. Maar jon-
gens, hoe heten jullie eigenlijk? Kom maar met mij mee, dan verzinnen we
wel iets.' Ze keek even om naar Patsy. 'Ze zien er leuk uit. Ik zou ze best
willen fotograferen.'
Patsy haalde haar schouders op. 'Wat je wilt.'
'Zou het mogen van de ouders?'
'Geen idee. Ik kan nog weleens proberen om de vader te bellen.'
'Mooi. Ja, dat lijkt me wel leuk.'
Antony nam natuurlijk niet op. Die lag waarschijnlijk in katzwijm, dro-
mend over temperaturen en rondborstige verpleegkundigen.
'Heb je hem gesproken?'
'Eh, ja. Hij zei dat ik dat ouderlijke je-weet-wel-formulier wel kon tekenen.'
Kom op, zeg! Hij vond het vast goed en dan hadden de kinderen tenminste
iets te doen in plaats van toe te moeten kijken. Het werd vast leuk. Het
meisje draaide rondjes in de kleren die ze aan mocht passen en was zowaar
aardig tegen Patsy. De jongen leek het ook leuk te vinden, vooral omdat er
een PlayStation in de hoek stond waarop hij mocht spelen tijdens de fotosessie.
'Ga jij me opmaken?' vroeg het meisje.
'Natuurlijk. Kom maar. Hierzo.'
Alice liet haar benen met de glimmende gympen aan haar voeten bungelen,
sloot haar ogen en wachtte geduldig. Wat lief! Voor het eerst in haar leven
had Patsy bijna moederlijke gevoelens. Zo eentje had ze er wel willen hebben als de dingen anders waren gelopen.
Natural Nature foundation. 'Mag ik die pop boven in die kerstboom?' Alice
wees omhoog naar de enorme den die als achtergrond zou fungeren.
'Ik zal het even vragen.'
'En die pakjes die eronder liggen?'
'Die zijn leeg.'

Alice zette grote ogen op. Pale Blue Mist oogschaduw. 'Waarom?'

'Omdat het nepcadeautjes zijn, voor de foto.'

'Ik wil graag een balletpop voor de kerst, maar mama zegt dat papa al het geld heeft.'

'Zegt ze dat? Nou ja, misschien krijg je hem wel van iemand anders.'

Niet vergeten het er met Antony over te hebben. Ah, mooi, de telefoon. Misschien was hij eindelijk wakker geworden!

'Mevrouw Jones?'

'Ja.'

'Met Tim. Van Vermiste Personen.'

Haar hart bonsde en haar maag draaide zich om. 'Ja?'

'We weten nog niets zeker, maar we hebben net bericht binnengekregen. Het kan zijn dat we uw vader hebben gevonden.'

'Waar is hij?'

Het was even stil.

'Patsy, ik ben bang dat we slecht nieuws hebben.'

36

Jenny's pen bleef hangen boven *The Evening Standard*. Ze las deze columns nooit, maar de krant had open op haar bureau gelegen. Een vrouw was op zoek naar de ware jakob. Ze had onderaan GLMAUB gezet. Jenny had genoeg advertenties gelezen om te weten dat het stond voor 'geen lelijke mannen aub'. Misschien moest ze zelf eens een advertentie plaatsen.

Alles om even niet aan Alicia King te denken. Het was opeens helemaal stil geworden en ze had zichzelf de stiekeme hoop toegestaan dat de vrouw had besloten van een aanklacht af te zien. Maar nee, vanmorgen had de brief van haar advocaat met de aanklacht en de schadevergoeding die ze eiste bij de post gezeten. Blijkbaar had iemand van de aanwezigen geklaagd dat haar haar was aangetast door het groene goedje.

'En nu?' had ze gevraagd toen ze vanmorgen haar advocaat belde.

'Daar zijn we nog niet helemaal uit.' Hij sprak zo vlak en monotoon, dat Jenny zich afvroeg of hij ooit ergens warm voor liep. 'We wachten nog op de uitslag van het onderzoek.'

Jenny voelde haar keel dichtknijpen. 'Wat voor bedrag denk je dat ze wil hebben?' In haar hoofd maakte ze razendsnel een rekensom. Ze draaide maar net quitte; ze had niet zomaar duizenden ponden om weg te geven. Konden ze het geld niet van de fabrikant van de krokodil opeisen?

'Die ontkennen alle verantwoordelijkheid,' zei de advocaat onbewogen, 'omdat er geen aantoonbare schade aan het item is. We zouden natuurlijk nog een stap verder kunnen gaan, maar het is verdomd moeilijk te bewijzen en dat is bovendien een nogal kostbare aangelegenheid.'

Maar waar was de verf anders vandaan gekomen? De beste optie, zei de advocaat, was een deal sluiten om een kostbare rechtszaak te voorkomen. Ondertussen bleven de klanten als een razende bellen en mailen met allerhande verzoeken en vragen, terwijl ze niet eens zeker wist of ze over een paar maanden nog een bedrijf had. Alan had het afgelopen uur twee keer gebeld om de details van zijn Newcastle-cruise te bespreken. En zij zat hier een beetje suffe contactadvertenties te omcirkelen.

Het was allemaal Dans schuld. Eerst met haar naar bed gaan en haar dan in de steek laten voor die trut van een Patsy. Dat was genoeg om een vrouw volledig van haar zelfvertrouwen te ontdoen.

'Morgen.' Haar assistente, Lily, kwam binnen in een modieuze paarse legging onder een kort wollen rokje. Jenny had er alles voor gegeven om weer zo jong te zijn als Lily en opnieuw te kunnen beginnen. Hoewel, het meisje zag wel wat witjes. Ze leek al een paar weken niet in orde.

'Sorry dat ik het zeg, maar je ziet er niet zo goed uit.'

Lily had donkere, bijna zwarte kringen onder haar ogen. Als ze niet zo graatmager was, zou Jenny denken dat ze zwanger was.

'Het gaat prima.' Lily stond met haar rug naar haar toe wat dossiers uit te zoeken. 'Ik heb die informatie verzameld voor dat feest in Newcastle. En ik...' Ze stopte, haar schouders schokten, haar hoofd bleef gebogen. 'Lily,' zei Jenny zacht terwijl ze achter haar ging staan, 'wat is er gebeurd?'

Lily draaide zich om en legde haar hoofd op Jenny's schouder. Haar eerste reactie was zich terug te trekken, maar voordat ze het doorhad, sloeg ze haar armen om het jonge meisje heen. 'Als je niet vertelt wat er aan de hand is, kan ik je ook niet helpen,' zei ze.

Lily's zwarte make-up liep in strepen over haar gezicht. 'Het is Rupert.'

'Wie?'

'Rupert. Je weet wel. De zoon van Alicia King.'

'Je gaat me toch niet vertellen dat hij je lastigvalt over die stomme zaak? Daar heeft hij niets mee te maken. En jij hoeft je ook helemaal geen zorgen te maken.'

'Dat moet ik wel.' Lily huilde nu hartstochtelijk. 'Hij... hij... heeft op het feest iets gedaan wat hij niet had mogen doen.'

Jenny kreeg een droge mond. 'Wat dan?'

Lily ging op de stoel zitten en verborg haar gezicht in haar handen. 'Ik weet niet of het echt... je weet wel... aanranding was, omdat we al van alles gedaan hadden... kussen... dat soort dingen. Maar daarna gingen we naar een andere kamer en ik zei dat ik niet wilde, maar hij bleef aandringen en toen gebeurde het gewoon en sindsdien heb ik niets meer van hem gehoord.'

'Klootzak,' knarsetandde Jenny. 'Je bent toch niet zwanger?'

'Nee, maar ik krijg het maar niet uit mijn hoofd. Ik voel me vies, en ik blijf me afvragen of ik niet de verkeerde signalen heb gegeven.'

'Dat begrijp ik.' Jenny wreef haar troostend over haar rug. 'Hoor eens, waarom neem je niet even vrij?'

'Daar is het toch veel te druk voor.'

'Dat weet ik, maar je bent duidelijk van streek.'

Lily snoot elegant haar neus. 'Het gaat wel. Maar dank je. Zal ik die nemen?'

De telefoon bleef maar gaan. 'Ik ga wel. Hallo? Alan? Ik wilde je net bellen om de details door te nemen. Sorry, heb je een momentje?'

Ze gebaarde naar Lily om het dossier aan te geven en wachtte tot ze de kamer uit was. 'Goed. Ik heb alles geregeld, maar ik wil een paar dingen met je bespreken.'

Hij leek blij te zijn met de extraatjes die ze had bedacht, zoals de muziekinstallatie en de karaokeset. 'Ja, mensen zetten zichzelf graag voor paal, zelfs als ze geen noot kunnen zingen,' beaamde hij. 'Klinkt goed, meisje. Je hebt er goed werk van gemaakt. Ik ben trouwens vanavond in Londen. Je hebt zeker niet toevallig zin om samen een hapje te eten?'

Nee, dat klopte. Maar ze wilde niet het risico lopen een klant te verliezen. 'Dat zou leuk zijn, hoewel ik wel op dieet ben gegaan na Sharrow Bay.'

Hij grinnikte. 'Super! Waar zullen we afspreken?'

Ze had nee moeten zeggen. Ze was moe en droeg een saaie donkerblauwe rok die ze vanmorgen in de haast uit de kast had getrokken. Maar na de hectische dag die ze had gehad, was er geen tijd meer om naar huis te gaan om iets anders aan te trekken. Gelukkig had ze altijd een schone witte blouse op kantoor hangen voor noodgevallen.

Het Langham Hotel, had hij gezegd. Hij had wel smaak, dat moest ze hem nageven, en geld. Als hij iets ouder was geweest, had ze Lucy voorgesteld hem aan Eleanor te koppelen, zodat de vrouw haar misschien met rust zou laten. Terwijl ze haar 15-denier panty ophees (nog zoiets waarvan ze altijd een reserve-exemplaar had liggen), ging haar mobiel over. 'Lucy! Ik dacht net aan je.'

Het was raar. Als ze aan haar zus dacht, was dat altijd met een gemengd gevoel van liefde en een lading onbestemde, onverklaarbare emoties. Maar als ze elkaar aan de telefoon spraken of elkaar zagen, raakte er binnen de kortste keren altijd iemand geïrriteerd door de ander.

'Echt waar? Ik wilde gewoon even checken of het goed met je gaat. Ik heb niets meer van je gehoord sinds het etentje bij Mike.'

Aha. Dus ze had niet gebeld om te bedanken. Stout meisje. Foei toch. 'Ach, ja, ik heb het nogal druk gehad.'

'Ik ook. Jon is hier voor de kerst.'

En daarom was zij zo verschrikkelijk druk? Op kinderen passen die oud genoeg waren om op zichzelf te passen en een parttimebaantje hebben bij een verhuurbedrijf?

'Hij gedraagt zich vreemd en zit de hele tijd alleen op zijn kamer.'

'Typisch tienergedrag, toch? Dat deed ik ook.'

'Misschien.' Lucy leek niet overtuigd. 'En Mike... daar maak ik me eigenlijk nogal zorgen om.'

'Hoezo?' Ze had niet zo vinnig willen zijn, maar soms begreep Lucy gewoon niet hoeveel geluk ze had. Eerst Luke en nu Mike, terwijl zijzelf, Jenny, niemand kon vinden.

'O, laat maar.'

'Oké.'

Jenny had geen tijd voor zeg-het-nou-maar-ook-al-heb-je-eigenlijk-geen-zinspelletjes. Als Lucy net zo onder druk stond als zij, zou ze het wel begrijpen. 'Hoor eens, het spijt me maar ik moet rennen. Ik heb een zakenafspraak. Ik bel je snel. Doeg.'

Op het moment dat ze de verbinding verbrak, ging haar toestel weer over.

'Ja,' zei ze scherp, in de veronderstelling dat het Lucy was.

'Ik bel duidelijk niet op een goed moment.'

Inderdaad, wilde ze zeggen. En bovendien drie weken te laat.

'Hoi, Dan,' zei ze koeltjes, met haar hart in haar keel.

'Hoe is het met je?'

'Prima, en met jou?'

'Goed.'

Jezus, wat was dit erg.

'Hé, Jenny, ik weet dat het kort dag is, maar heb je misschien zin om vanavond met me uit eten te gaan?'

Ja, ja, wilde ze schreeuwen. Heel even overwoog ze om Alan af te zeggen, maar dat zou bijzonder onbeleefd zijn en ze kon zich niet veroorloven deze klus te verliezen, zeker niet nu haar een rechtszaak boven het hoofd hing.

'Sorry,' zei ze. 'Ik heb al een afspraak.'

'Kun je die niet afzeggen?'

'Nee.'

'Is het zakelijk?'

Dus hij dacht dat ze zonder hem geen sociaal leven had.

'Nee, het is met een vriend.'

'Au, dat doet zeer.' Hij sprak op een plagerig toontje. 'Ik dacht dat wij iets hadden?'

'Tja, je bent er anders niet op teruggekomen, of wel?'

'Nee.' Nu klonk er duidelijk teleurstelling door in zijn stem. 'Mag ik je over een paar dagen bellen?'

'Als je wilt.'

Was ze te koel geweest? Ze wilde hem absoluut weer zien; hij had een enorme dierlijke aantrekkingskracht op haar en ze wilde meer, vooral als ze zijn stem hoorde. Maar hij was niet te vertrouwen. Dat zag zij zelfs. Was dat echt wat ze wilde op dit moment in haar leven?

Jenny keek op haar horloge. Shit. Ze graaide naar de krant en stopte hem in haar tas, daarna schakelde ze het alarm van het pand in en rende de straat op om een taxi aan te houden.

Al die moeite en nu was hij er niet. Hij had waarschijnlijk een hartverzak-king gekregen, of wat het ook was dat mannen op zijn leeftijd kregen. En dan te bedenken dat ze met Dan had kunnen zijn! Jenny keek de bar rond van het hotel dat Alan had uitgezocht voor vanavond. Toen draaide een van de mannen zich om en schonk haar een warme glimlach. 'Jenny, goed je te zien, meisje. Fijn dat je kon komen.'

Hij was afgevallen! Daarom had ze hem niet herkend.

Met een hoofd als een boei gleed ze op de kruk die hij voor haar achteruit-schoof.

'Wat wil je drinken, meisje?'

Ze wilde haar hoofd erbij houden. 'Spa rood, graag.'

'Weet je het zeker?'

'Ja, dank je.'

'Heb je hoofdpijn?'

Ze glimlachte flauwtjes. 'Het was nogal hectisch vandaag.'

Hij knikte. Ze constateerde dat Alan een zeer geruststellend gezicht had. Het soort gezicht waardoor je het gevoel kreeg dat alles wel goed zou ko-men.

'Wil je erover praten, meisje?'

En opeens kwam het er allemaal uit. De dreigende rechtszaak en haar angst dat die vrouw haar volledig uit zou kleden; Lily, ook al voelde ze zich be-hoorlijk schuldig over het schenden van haar vertrouwen; en toen, hoe gênant ook, het verhaal van Dan die totaal onbetrouwbaar was maar die ze maar niet uit haar hoofd kon zetten.

Op het moment dat ze ophield met praten, had ze er al spijt van. Was ze nou maar katholiek geweest, dan kon je tenminste gratis en in het geheim biech-ten.

'Het is goed, meisje,' zei Alan alsof hij haar gedachten kon lezen. 'Het is goed om te praten, vooral met iemand die, sorry dat ik het zeg, waarschijn-lijk iets meer van de wereld heeft gezien dan jij. Ik moet zeggen dat als jij mijn dochter was, ik niet zo blij zou zijn met die Dan. Het getuigt niet van goed gedrag om een meisje wekenlang niet terug te bellen en dan op het laatste moment uit eten te vragen. Een meisje als jij verdient beter, maar met jouw leven heb jij waarschijnlijk geen tijd om hem te vinden, of wel?'

Ze schudde haar hoofd.

'En dat arme kind, Lily, was het toch? Heb je al met je advocaat besproken wat ze je heeft verteld?'

'Nee. Waarom?'

'Als je niet zo gestrest was dat je door de bomen het bos niet meer zag, zou je het zelf ook bedacht hebben. Het is "voor wat hoort wat", denk je ook niet? Je hebt hier een ernstige beschuldiging tegen die vrouw. Als haar zoon echt gedaan heeft wat Lily zegt, is dat een ernstige overtreding. En ze zou er weleens voor kunnen kiezen om de aanklacht dan maar te laten vallen.'

Daarna hadden ze een heerlijke avond. Terwijl ze uiteindelijk bezweek voor één glaasje wijn, bedacht ze dat hij haar het gevoel gaf dat alles kon. Dat ze alles kon bereiken zonder die verschrikkelijke haast of paniek om toch vooral succesvol te zijn die ze zag in andere mensen van haar leeftijd, zoals Martin of Antony. Het was natuurlijk makkelijker voor zo iemand als Alan. Hij had zijn doel al bereikt. En hij hoefde zich geen zorgen te maken over geld.

'Ik vond het heel leuk vanavond,' zei hij terwijl hij haar in haar jas hielp. 'Heel erg bedankt voor je gezelschap.'

'Het was me een groot plezier en ik denk dat we alles voor de cruise ook rond hebben.'

'Dat denk ik ook. Ik heb voor je assistente en jou hetzelfde hotel geboekt als de vorige keer. Ik hoop dat dat in orde is.'

'Dat was perfect. Dank je.'

'Dus.' Zijn hand rustte even op haar schouder. 'Dus we zien elkaar volgende maand.'

Ze draaide zich om om weg te lopen.

'Wacht. Je denkt toch niet dat ik je zomaar laat gaan?'

'Sorry?'

Hij glimlachte warm. 'We moeten een taxi voor je roepen, meisje. Ik zou geen heer zijn als ik niet zorgde dat je veilig thuiskwam.'

Er stonden geen berichten op het antwoordapparaat. Maar ja, wat kon ze verwachten?

Dan die belde om te zeggen dat hij haar zo miste en haar voor een andere avond uit vroeg?

Doe normaal, sprak ze zichzelf toe terwijl ze in haar tas zocht naar een zakdoek. Er heerste een nare verkoudheid en ze was bang dat zij nu aan de beurt was. Toen zag ze de krant in haar tas. De krant met die aardige advertentie over die draak. Iets maakte dat ze hem nog eens overlas. Er stond een nummer bij dat je kon bellen. Dit had ze nog nooit gedaan. De stem aan de andere kant zei dat ze het boxnummer van de advertentie in moest toetsen. '*Hallo*,' zei een blikken stem. '*Ik ben Brian. Ik ben een meter vierenzeventig ...*' Ze verbrak de verbinding. Eén vierenzeventig? Hoe kon hij met een meter vierenzeventig zelfs maar een ingebeelde draak verslaan? En waarom waren alle beetje normale mannen getrouwd?

Ze kreeg tranen in haar ogen. Nee. Nee. Ze wilde er niet aan denken. Ze had het zichzelf jaren geleden beloofd. En voor niets of niemand zou ze die belofte breken.

37

'Mam, je hebt nog helemaal niet gevraagd wat ik voor kerst wil hebben.'
Lucy stopte even met het inpakken van een fles Franse wijn voor Sams do-
cent om hem te bedanken voor het afgelopen jaar (dat kon die arme man
vast wel gebruiken). Ze was zo met Mike bezig geweest en wat er wel of niet
waar was, dat ze de kinderen nog niet had gevraagd naar hun gebruikelijke
verlanglijstjes voor de kerst.
'Wat dacht je van een oorbel voor je andere oor?' zei Kate.
'Rot op.'
'Rot zelf op.'
'Ophouden, jullie!' Mike keek op van de vaatwasser.
'Dat heet reflectief luisteren.' Kate lachte uitdagend naar hem. 'Je herhaalt
de woorden van de ander. Mama doet het ook bij ons, maar ze denkt dat wij
het niet doorhebben. Het komt uit een van haar tienertreiterboeken.'
Mike wist even niet wat hij daarop moest zeggen. 'Maar terugkomend op
die kerstcadeautjes, wat dachten jullie van een geit?'
'Een geit?' De stemmen van Kate en Sam rezen in gezamenlijk afgrijzen.
'Ja. Jullie hebben zoveel spullen dat jullie niets meer nodig hebben. Is het
geen goed idee als mama en ik wat geld storten op een fonds dat geiten
koopt voor kinderen die niet zoveel hebben als jullie?'
Lucy liet van schrik bijna de fles uit haar handen vallen.
Kate schonk Mike een waterige blik. 'Nee, dank je. Maar ik wil wel een ko-
nijn. Zo een als tante Jenny in haar handtas heeft. Ach, laat ook maar. Kerst-
mis is een familiefeest.'
'Kate bedoelde het niet zo,' zei Lucy toen de kinderen naar school vertrokken
waren na het gebruikelijke 'Waar is mijn huiswerk?' en 'Wie heeft mijn das
gezien?'. 'Maar Luke, ik bedoel, wij maakten altijd een groot feest van kerst.'
'Nou, dan is het misschien tijd om een paar nieuwe tradities op te bouwen.
En wat is dat eigenlijk voor plan om met de kookclub naar een restaurant
te gaan? Ik dacht dat het hele idee was dat we bij elkaar thuis zouden eten?'
'Dat is het ook, maar omdat het kerst is, had niemand zin om nog een keer
uitgebreid te koken, dus dachten we dat het leuk zou zijn om die nieuwe
Italiaan in de stad eens te proberen.' Ze keek even naar Mike, die zich klaarmaakte om naar een zoveelste vergadering te gaan. 'Het is in elk geval lekker dicht bij ons.'

'Dat is waar, schatje.'

Het was een tijdje geleden dat hij haar zo genoemd had en even voelde ze zich een beetje beter.

'Komen Antony en Patsy ook?'

'Ja. Hoewel ik moet zeggen dat ik het bijzonder vind dat je nog opkomt voor Antony. Ik weet wel dat het je vriend is, maar hij heeft Maggie echt slecht behandeld. En nu wil hij het huis verkopen. Het is niet eerlijk.'

Mike haalde zijn schouders op. 'Het is voor de helft van hem, schatje. Als hij zich maar aan de afspraken houdt. Ik moet er nu echt vandoor. Als de vergadering in York uitloopt, blijf ik misschien daar overnachten, maar dan bel ik.'

Lucy wachtte tot ze zijn auto achteruit van de oprit zag vertrekken en pakte toen haar telefoon op. 'Hallo. Met mevrouw Summers. Hij vertrekt nu. Heb je dat? Dank je.'

Met bonzend hart keek ze uit het raam. Inderdaad, een donkerblauwe auto volgde Mikes auto de straat uit. Lucy liet zich met haar hart in de keel op een keukenstoel zakken. Wat had ze gedaan? En wat als Mike erachter kwam?

Maggie was al op kantoor toen zij aankwam. Ze zag er onverzorgder uit dan ooit. Haar haar stond in pieken alle kanten op en zonder make-up waren haar bleke wimpers bijna onzichtbaar. De gaten vielen in haar dunne vestje en op de voorkant van haar rok zaten vlekken. Niet echt het beeld dat je potentiële klanten van Right Rentals mee zou willen geven.

'Alles goed?' vroeg Lucy terwijl ze haar tas op haar bureau zette en het koffiezetapparaat aanzette. De regel was dat de eerste die binnen was dat deed, maar Maggie was er blijkbaar nog niet aan toegekomen.

'Ach ja. Die lui van Cumberland Avenue 5 hebben besloten dat ze toch niet willen verhuren.'

'Maar de Mitchells staan op het punt het contract te tekenen. Dat zal een ramp voor ze zijn.'

'Dat is het ook.'

'Heb je het al verteld, dan?'

Maggie haalde haar schouders op. 'Ik heb ook gezegd dat we hun verder niets aan konden bieden.'

'Maar dat kunnen we wel. Abbots Road.'

Maggie woelde omslachtig door haar haren. 'Shit. Dat was ik vergeten.'

Lucy pakte de telefoon. 'In gesprek. Maggie, hoe kon je dat nou vergeten? We proberen dat pand al maanden te slijten.'

Maggie keek haar aan vanachter het koffiezetapparaat. 'Misschien omdat mijn echtgenoot samenwoont met een model waar ik in de verste verte niet tegenop kan. Dat leidt nogal af.'

'Sorry.' Lucy probeerde een arm om Maggie heen te slaan, die ontweek haar echter. 'Ik weet dat het moeilijk is, Maggie, maar we hebben wel werk te doen. Genevieve komt deze week terug en dan wil ze alles zien wat we gedaan hebben.'

Maggie haalde weer haar schouders op. 'Hartstikke leuk dat je zomaar drie maanden naar de States kunt vertrekken, en wij arme sloebers mogen mooi de saaie klusjes opknappen.'

'Dat weet ik maar... Meneer Mitchell? Met Lucy van Right Rentals. Het spijt me verschrikkelijk dat de eigenaren van nummer 5 zich teruggetrokken hebben, maar mijn collega was vergeten dat we nog iets in de aanbieding hebben wat eventueel geschikt voor u is. Is dat zo? Ik begrijp het. En u wilt de accommodatie ook niet meer zien ter vergelijking? Goed, ik begrijp het. Dat spijt me. Laat u het alstublieft weten als we nog iets voor u kunnen betekenen.'

'Maggie?' Ze keek de kamer rond. Waar was ze? Lucy liep de achterkamer in. Haar vriendin zat op de vloer te huilen met haar gezicht in haar handen. 'Maggie? Huil nou maar niet.'

Maggie legde haar hoofd tegen Lucy's borst. 'Patsy is zo mooi. Zo jong. Zo zorgeloos. Weet je wat Antony tegen me zei? Hij zei dat ze hem aan het lachen maakte. Ik zou hem ook aan het lachen kunnen maken als ik niet zoveel te doen had.'

'Ik weet het. Ik weet het. Ssst.' Met haar armen om haar heen durfde Lucy niet te zeggen dat de Mitchells woedend waren op Maggie omdat ze 'ongepast en onbeleefd' was geweest aan de telefoon. Ze hadden gezegd dat ze van plan waren een klacht in te dienen bij hun baas. Dat was de tweede keer deze maand. Als Maggie niet snel herstelde, zou ze straks geen baan meer hebben.

En wat te denken van haar eigen problemen? Mike had gezegd dat hij een vergadering had. In York. Wat moest ze doen als de privédetective die ze had ingehuurd erachter kwam dat hij ergens anders was? Mike bleef maar achter zijn vriend Antony staan, terwijl hij Maggie zo slecht behandelde. Zou Mike zoiets dan ook kunnen doen?

Tegen vier uur 's middags probeerde Lucy Maggie naar huis te sturen onder het mom dat ze het verder wel alleen afkon. Eerlijk gezegd liep ze alleen maar in de weg. Maggie was de hele dag al kortaf tegen klanten en zoiets simpels als iets overzichtelijk opbergen leek totaal onmogelijk.

'Ben je de laatste tijd nog naar de huisarts geweest?'

'Nee.' Maggie keek haar achterdochtig aan. 'Hoezo?'

'Ik vroeg me gewoon af of je die pillen nog nam.'

'Die waren niet goed voor mij.'

'Ik begrijp dat iedereen anders reageert op antidepressiva. Ik kreeg ook telkens andere nadat Luke was overleden, maar misschien moet je even doorzetten.'

Maggies mond vertrok. 'Ik hou er niet van. Weet je zeker dat ik kan gaan?'

'Zeker weten. Trouwens, hoe bevalt de nieuwe oppas?'

'Zij is wel oké. Ze probeert ze tenminste niet dronken te voeren.'

Dit zou Patsy de rest van haar leven aan moeten horen, maar dat was niet zo gek.

Ze wachtte tot Maggie was vertrokken en deed er nog een uur over om de puinhoop op te ruimen die ze achterliet. Tijd om naar huis te gaan, dacht ze toen het bijna halfzes was. Wat een kwelling was het geweest om de hele dag te wachten op dat ene telefoontje. Het werk had voor een beetje afleiding gezorgd, maar nu steeg de spanning weer tot een hoogtepunt. Waarom had die privédetective nog niet gebeld? Die man zou nu toch wel iets weten?

Het huis zag er warm en genoeglijk uit toen ze aankwam, met gezellig licht dat door de spleet van de gordijnen scheen. Wat je verder ook van Eleanor kon zeggen, over degelijk huishouden hoefde je haar niets te vertellen.

'Hallo, ik ben er weer,' riep ze terwijl ze de deur achter zich dichtdeed. Een heerlijke geur kwam uit de keuken toen Eleanor verscheen in een blauw-wit gestreept schort. 'Hallo, lieverd, hoe was je dag?'

'Hectisch.' Ze schopte haar schoenen uit. 'Het ruikt geweldig.' Ze schonk Eleanor een guitig lachje. 'Weer zo'n vegetarische ovenschotel?'

Eleanor keek haar onderzoekend aan, alsof ze niet zeker wist of ze een grapje maakte of serieus was. 'Nou, toevallig wel, ja, maar dan met extra kip. Kinderen hebben vlees nodig om te groeien. Zeg, je moet nodig eens met Sam praten. Hij heeft de hele dag achter die computer gezeten. Volgens mij is hij verslaafd.'

Die kon ze mooi op haar lijstje zetten.

'Kate is er ook vandoor, al weer. En Jon heeft de hele dag op zijn kamer gezeten. Hij kwam niet eens beneden toen ik hem riep voor de lunch.'

'Weet je, Eleanor, ik maak me nogal zorgen over hem. Hij weigert naar een dokter te gaan en het lijkt of hij het helemaal niet naar zijn zin heeft op Oxford. Hij wil er gewoon niet over praten. Zou hij depressief zijn?'

Eleanor schudde haar hoofd. 'In mijn tijd hadden we geen tijd om depressief te zijn. We hadden het te druk met de oorlog overleven. Kom, schat, over tien minuten is het eten klaar. Als Kate er dan nog niet is, kan ze het vergeten. Toen wij klein waren, peinsden we er niet over om te laat te zijn voor het eten.'

Lucy deed zachtjes de deur van Jons kamer open. De gordijnen waren nog dicht en het rook er muf. Een spijkerbroek en een stapel T-shirts lagen op de vloer.

'Jon,' fluisterde ze terwijl ze naar het bed liep. 'Jon. Ik ben het, mama. Wil je wat eten?'

Ze stak haar hand uit om de bult die op het bed lag aan te raken. Tot haar schrik ging ze er dwars doorheen. Hij had een stapel kleren op het bed gelegd zodat het leek of hij daar lag. Met bonzend hart deed ze het licht aan. Op het nachtkastje lag een briefje.

Mam. Niet boos zijn, hoor, maar ik kan het niet meer aan. Ik haat Oxford en ik haat mezelf. Maak je geen zorgen. Ik ga geen domme dingen doen. Maar ik moet iets totaal anders doen. Ik laat van me horen. Probeer me alsjeblieft niet te vinden.

Ze wist niet dat ze hardop schreeuwde tot ze zichzelf hoorde.

'Mam! Wat is er?'

Sam had het briefje al uit haar hand gegrist. Hij begon te huilen. 'Dat komt omdat wij ruzie hadden, zeker? Het is allemaal mijn schuld.'

'Nee, natuurlijk is het dat niet.' Eleanor had een arm om hem heen geslagen. 'Jon is gewoon een beetje in de war. Hij zegt toch dat hij geen domme dingen gaat doen. Ik weet nog dat je vader ook zoiets deed toen hij die leeftijd had. Hij was drie dagen weg en kwam toen terug alsof er niets aan de hand was.'

Dat verhaal kende Lucy niet.

'Word nu maar rustig, Lucy, en denk even na over wie we kunnen bellen. Hoe zit dat met die vriend, Peter?'

Ze bleef maar trillen.

'Het is goed, mama.' Sam had zijn armen om haar heen.

'Je mobieltje!' riep Eleanor. 'Er belt iemand. Misschien is het Jon.'

Verdwaasd viste Lucy het uit haar zak. 'Hallo?'

Ze liep weg van de anderen. 'Weet je het zeker? Ik snap het. Nee. Nee, dank je. Meer hoef ik niet te weten.'

'En?' Ze staarden haar allebei aan. 'Was het Jon?' vroeg Eleanor.

'Nee.' Lucy had geen gevoel meer in haar benen. Ze liet zich zwaar op het bed zakken. 'Iemand van het werk.'

'Je trilt nog steeds, mam. Stop nou.' Sam ging naast haar zitten en hield haar stevig vast. 'Alles komt goed.'

Maar dat is niet zo. Alles komt niet goed. Mike was namelijk helemaal niet naar York gegaan. Hij was naar Swanage gereden. En hij had zojuist een kamer geboekt in een hotel, samen met een lange Afrikaanse dame die, in de woorden van de privédetective, jong genoeg was om zijn dochter te zijn. Net als Patsy. Behalve dat zij hoogzwanger was.

38

Chrissie zette George in zijn kinderstoel bij de televisie. 'Blijf maar zitten.' Terwijl ze zapte naar een kinderprogramma bedankte ze God, en dat was niet voor het eerst, voor de uitvinding van de televisie en videorecorder. Dat was de enige manier om haar meestal als een speed snuivende peuter rond-racende zoon rustig te krijgen.

De wijkverpleegkundige bleef langskomen, maar niet meer zo vaak. Hope-lijk, had Martin gezegd, zouden ze zich realiseren dat de blauwe plekken van George echt gewoon door valpartijen waren veroorzaakt. Ondertussen had Martin nog geen uitzicht op een baan, en wat nog veel erger was, hij leek het wel prettig te vinden, zo thuis. Vanmorgen zat hij nota bene George de voetbaluitslagen uit de krant voor te lezen.

'Dat begrijpt hij toch niet,' had ze gekat.

Martin had haar gekwetst aangekeken. 'Hoe weet jij dat nou? Zag je hem niet klappen toen ik voorlas dat Aston Villa had gewonnen?'

'Toeval. Hij deed toevallig net zijn handjes op elkaar.'

'Beetje chagrijnig?'

'Zo raar is dat niet. Hoe gaan we volgende maand de hypotheek ophoesten? Als we niet zoveel geleend hadden, zoals ik toen ook al zei, voor het geval je dat vergeten was, zouden we nu niet in deze shit zitten.'

'Zulke woorden zou ik niet te veel gebruiken tijdens je sollicitatiegesprekken.'

'O, en jij bent zeker de expert? Hoeveel brieven heb je verstuurd? En hoe vaak ben je uitgenodigd?'

Hij antwoordde door de deur hard achter zich dicht te gooien terwijl hij wegliep. Dat was nu twee uur geleden en hij was nog niet terug. Dankjewel, Martin, dacht ze. Nooit hier als ik je nodig heb.

Met een blik op George, die er redelijk ontspannen bij zat, liep ze naar de aangrenzende kamer, waar ze de computer aanzette. Ze had het bestand met haar oude cv al gevonden; ze hoefde het alleen maar aan te vullen met 'sabbatical'. Was het dat maar geweest. In de praktijk was George niet alleen een onderbreking van haar carrière geweest. Hij had ook een breuk in haar huwelijk veroorzaakt; een gat dat voorlopig niet kleiner leek te worden. Wat was er toch met Martin? Voordat hij ontslagen werd, gedroeg hij zich heel anders tegenover haar. Had ze iets verkeerds gezegd? Of had hij iemand ontmoet? Nee. Belachelijk. Zo was Martin helemaal niet.

Het voelde alsof ze net een paar minuten achter de pc zat, toen George begon te piepen. Ze negeerde hem. Toen werd het te hard. 'Goddomme, kun je niet even je kop houden zodat ik wat kan doen?'

Het was toch nog geen lunchtijd? Hou toch op. Hoeveel zin had het om nu te stoppen met werken om een hapje op te warmen voor George, zodat hij de boel uiteindelijk weer uit kon spugen?

'Je hoeft me niet zo aan te kijken,' zei ze koeltjes. 'Van mij krijg je niets meer, punt uit.'

Dat was een van de dingen die de wijkverpleegkundige had aangeraden. Stop met de borstvoeding zodat George zich meer op het vaste voedsel gaat richten. 'Wacht tot hij honger heeft,' had ze gezegd. Nou, dat zou ze doen. Ze ging weer terug naar de computer en pas als die kieskeurige maag van hem eindelijk klaar was om alles te eten wat hem werd voorgezet, zou ze iets voor hem opwarmen.

Het eigenaardige met computers was dat als je ergens gewoon een zinnetje of twee toevoegde, je altijd ook aan de al bestaande tekst ging sleutelen. Haar cv had er altijd prima uitgezien, maar nu ze het weer las, ontdekte ze overal kleine dingetjes die beter zouden kunnen.

George begon harder te schreeuwen. 'Oké, oké, ik kom zo.'

Waar was Martin? Ze hoopte maar dat hij niet naar de kroeg was gegaan, zoals laatst. Zij zou ook weleens naar de kroeg willen. Hij had haar wel mee kunnen vragen. Dan had ze er meteen voor kunnen zorgen dat hij niet zoveel dronk.

Haar mobieltje ging toen ze net de laatste versie naar de printer stuurde. Gatver. Hij wilde waarschijnlijk dat ze hem zou komen ophalen uit een of ander biervat waar hij in wakker was geworden. Opeens realiseerde Chrissie zich dat hier een competitie gaande was. Als Martin eerder een baan vond, zou zij thuis moeten blijven met George, die alleen maar kon zeuren en nog steeds niet kon praten. Maar als zij eerst was, zou hij erachter komen hoe dat was.

Daar ging de telefoon weer! 'Ja?'

'Chrissie?' zei een zwoele mannenstem.

Ze had meteen spijt dat ze zo kortaf was geweest.

'Dan!'

'Ik bel geloof ik een beetje ongelegen.'

Had hij het over haar stem of over het gekrijs van George dat steeds harder werd?

'Zal ik terugbellen als hij wat rustiger is?'

Hij is verdomme nooit rustig, wilde Chrissie zeggen. 'Nee, het gaat wel. Ik zat net achter de computer om mijn cv bij te werken.'

Wat wilde hij? En waarom brak ze dit gesprek niet meteen af? Dit was de man die op een haar na haar leven had verwoest, dus waarom zat ze over haar cv te ratelen?

'Nou, Chrissie, dat is precies waarom ik bel. Patsy vertelde dat ze van Antony had gehoord dat jij eraan dacht om weer aan het werk te gaan. Heb je al iets gevonden?'

'Nee. Maar het is nog te vroeg om er iets van te zeggen. Ik heb heel veel brieven verstuurd en...'

'Want als dat niet zo is, ik ben op zoek naar een assistent. Ik weet dat je eigenlijk uit de hr komt, maar ik heb iemand nodig om mijn zaakjes te regelen. Een veredelde secretaresse, zeg maar. Hoewel ik snap dat je misschien op zoek bent naar iets van een beetje meer niveau, het is geen gemakkelijk baantje, dat kan ik je verzekeren.'

'Je biedt me een baan aan na alles wat er tussen ons gebeurd is?'

'Ik dacht dat het misschien zou helpen.'

'Ik heb jouw medelijden niet nodig. En je schuldgevoel is twintig jaar te laat. En nu ga ik, mijn kind heeft me nodig. O jee, dat was ik vergeten. Jij hebt geen kinderen, toch? Dan begrijp je dat soort dingen niet.'

En daarmee gooide ze de telefoon neer, liet haar hoofd op het toetsenbord van de computer zakken (waarmee ze onbedoeld haar bestand wiste) en snikte het uit.

Chrissie keek naar Martin, die door de deur kwam zwieren.

'Je hebt gedronken!'

'Nou en?'

Chrissie had zin om de inhoud van Georges babybordje naar haar echtgenoot te slingeren. Waarom niet, eigenlijk? Haar zoon was verre van geïnteresseerd in het eten. 'Ik heb de hele dag op onze zoon gepast en naar werk gezocht, terwijl jij je zorgen zat te verdrinken met een biertje bij de lunch.'

Martin schokschouderde en liet zich op een stoel vallen. Hij praatte altijd zo min mogelijk als hij te veel gedronken had.

'Martin, hoor je me?'

Hij knikte. 'Trouwens, Kim was ook in de kroeg. Je krijgt de groeten.'

Ze depte wat babyprut van haar trui. 'Wie?'

'Kim. De oppas van laatst.'

'Naar binnen, George. Nee, in je mond, sufferd, niet op de vloer. Wat deed ze daar dan?'

'Lunchen.'

'Ik dacht dat ze babysitter was.'

'Dat is ze ook.' Martin leunde achterover in de stoel en deed zijn ogen dicht. 'Maar babysitters hebben ook recht op vrije tijd. Net als mannen.'

Chrissie snoof. George schrok van het geluid en begon te huilen. 'Verdomme, George. Wees toch niet zo'n mietje.'

Martin deed één oog open. 'Je hoeft je niet op hem af te reageren. Je zou er eens wat vaker uit moeten gaan, dat is je probleem.'

'Waarheen had je gedacht? Het lokale wijnhuis? Of, ach ja, die peuterspeelzaal voor abnormale ouders die de kinderbescherming bellen om andere ouders te verlinken.'

'Kim zei dat er in Amersham op de vrijdagmiddagen een leuke peuterclub draait. Ze geven ook Franse les.'

'Voor peuters?'

'Waarom niet? Ze nodigt je van harte uit om eens met haar mee te gaan. Misschien dat je dan minder depressief zou zijn.'

Chrissie kneep haar ogen tot spleetjes. 'Heb jij haar verteld dat ik depressief ben?'

Martin leek het benauwd te krijgen. 'Tja, zij zag ook wel dat het niet zo lekker ging met George, en...'

'En ik neem aan dat je ook verteld hebt dat je ontslagen bent.'

'Ze was eigenlijk best aardig.'

'Hoe durf je een vreemde over onze problemen te vertellen! Kijk nou wat je doet. Nu zit George weer te huilen.'

'Dat komt niet door mij, dat komt door jou.' Martin stond op. 'Ik blijf hier niet als jij zo doorgaat.'

'Waar ga je heen?' Chrissie kreeg een angstig voorgevoel.

'Mijn mail checken. Weet je nog? Ik ben een baan aan het zoeken, zoals jij me de hele dag loopt te vertellen.'

Natuurlijk zat er niets bij. Niet voor hem en niet voor haar. Een paar afwijzingen, zelfs een verontschuldigend berichtje van haar oude baas, die zei dat er nu helaas geen vacatures waren, maar dat ze het zou laten weten als daar verandering in kwam.

De volgende morgen werd Chrissie wakker met het vaste voornemen om positief te blijven. Misschien zou ze wel naar die Franse peutergroep gaan. Misschien...

'Shit.'

'Wat?'

Martin was de post aan het lezen. Ernstig gaf hij haar een brief aan.

'Ik dacht dat we die hadden betaald?'

'Dat zouden we doen, weet je nog? Maar toen bedachten we dat we nog een maandje zouden wachten.'

Chrissie staarde naar de creditcardfactuur. 'Maar dat is meer dan onze maandlasten voor de hypotheek.'

Martin keek haar schaapachtig aan. 'O ja, dat is ook nog zoiets. Er is gisteren bericht gekomen van de makelaar. Het is weer tijd om de hypotheek te vernieuwen en hij kan nergens meer zo'n goede deal sluiten.'

Chrissie liet zich op de onderste trede van de trap zakken met haar gezicht in haar handen. 'Hoeveel wordt het dan?'

'Duizend erbij.'

Ze keek naar hem op. 'Dat kunnen we niet betalen, toch?'

Martin likte langs zijn lippen, een teken dat hij bang was.

'Het zal lastig worden. Maar ik heb stapels sollicitatiebrieven verstuurd en jij ook. Denk jij dat er iets tussen zit?'

Moest ze vertellen dat Dan had gebeld? 'Daar kun je niets over zeggen.'

Martin grijnsde ongemakkelijk. 'Nou ja, we moeten blijven proberen.'

'En als er niets komt?'

Martin keek weg. 'Dan moeten we kleiner gaan wonen. Veel kleiner.'

Hun heerlijke huis moeten verkopen zou het einde van de wereld niet zijn, probeerde Chrissie zichzelf te overtuigen. Er waren tenslotte veel belangrijker dingen in het leven, zoals gezondheid en een goed huwelijk. Ze had wel gelezen over stellen die door geldproblemen ook huwelijksproblemen hadden maar ze had het nooit zelf meegemaakt, tot nu dan. En dan George. Baby's zouden een zegen moeten zijn, maar deze dreef hen slechts verder uit elkaar.

'Waarom ben je niet gewoon lief?' siste ze haar zoon toe. 'Nou, zorg dat je je gedraagt. Ze zijn hier anders dan daar.'

'Hallo, Chrissie!'

Kim besprong hen bijna toen ze de deur van het dorpshuis binnenstapten. 'En kleine George.' Ze zakte door haar knieën zodat haar gezicht ter hoogte van het zijne was. 'Hoe is het met jou, liefje? Chrissie, dit is Marie-France. Zij geeft vandaag Franse les. En dit zijn Clarissa en Camilla.'

'Heeft George ook zin in een wortel?' vroeg haar buurvrouw die zich had voorgesteld als Marcie, terwijl ze in de kring zaten in afwachting van de Franse les.

Chrissie schudde van nee. 'George heeft het nog niet zo op vast voedsel. Hij praat ook nog niet veel. Alleen een paar woordjes, eigenlijk. Maar op het gezondheidscentrum hebben ze een test gedaan en met zijn gehoor is niets mis. Blijkbaar doen sommige kinderen er gewoon langer over dan andere.'

Haar buurvrouw had een licht Amerikaans accent, dat haar verbazing niet helemaal verbloemde. 'Houdt hij niet van vast voedsel? Hoe oud is hij?'

'Bijna zestien maanden.'

'Wat eet hij dan?' vroeg iemand anders uit de kring.

'Eh, hij heeft het liefst gewoon mij, eigenlijk.'

Er viel een dodelijke stilte. 'Geef je nog borstvoeding?' vroeg Marcie geschokt.

Chrissie knikte. 'Dat ligt niet aan mij, hij haat eten. Kijk dan.'

Ze gaf George een stuk wortel. Hij greep het gretig beet en stak het met een brede grijns tevreden in zijn mond.

'Geweldig!' riep Kim alsof hij een waanzinnige tovertruc had gedaan.

Chrissie kon hem wel wurgen. 'Dat heeft hij nog nooit gedaan.'

'Weet je,' zei Kim zachtjes, 'sommige moeders vinden het moeilijk om ermee te stoppen. Ik heb voor iemand gewerkt die dat had. Maar je moet leren los te laten.'

'Ik ben het probleem niet, maar hij.' Chrissie was niet van plan om toe te geven. 'Elke nacht wil hij drinken en mijn tepels zijn...'

'Ssst.' Marcie keek haar bestraffend aan. 'De les begint.'

Chrissie brieste inwendig. Het hielp niet bepaald dat deze kinderen alles aten wat los- en vastzat en nog Frans spraken ook. Misschien slechts een woord of twee, maar ze spraken het. Georges enige woordje was 'dinkuh', hoewel ze kon zweren dat hij laatst 'tiet' zei.

'Ik hoop dat je er volgende week weer bij bent,' zei Marcie terwijl ze het lokaal verlieten. 'Als je blijft komen, pikt George het vast snel op.'

Neerbuigende trut. 'Dank je, ik doe mijn best.'

'O, Chrissie?'

Kim rende achter hen aan.

'Ja?'

'Dat is dan vijftien pond.'

Vijftien pond? Voor een moeder-en-peuterochtend?

'Dat is voor de Franse les.'

Ze had niet eens genoeg geld om avondeten te kopen. Ze zouden het met een omelet moeten doen in het kader van hun nieuwe economische gesteldheid, waardoor ze bovendien het Italiaanse etentje met de kookclub hadden afgezegd.

'Sorry, dat heb ik nu niet bij me, kan het de volgende keer?'

Moest ze op het aanbod ingaan? Gisteren leek het nog ondenkbaar. Maar nu... ze zou Lucy bellen. Die had altijd verstandige ingevingen.

'Kate?'

'Ik ben het, Sam.'

Een tienerjongen met zijn zus verwarren was misschien wel het stomste wat je kon doen! 'Sorry. Met Chrissie. Is je moeder er?'

'Nee.'

'Kun je misschien een boodschap doorgeven?'

'Nee, ik moet de lijn vrijhouden.'

'Oké, dan bel ik later wel terug.'

Wat onbeschoft! Als George die leeftijd had, zou ze wel zorgen dat hij beleefd was aan de telefoon. Haar hart smolt bij de aanblik van haar zoon die lag te slapen in de buggy. Hij leek zo zoet zoals hij daar lag. Zo kwetsbaar, zo goed. Wat voor moeder was ze nou helemaal dat ze zo boos op hem werd? Soms betrapte ze zich erop dat ze fantaseerde over een leven zonder hem, hoe makkelijk dat zou zijn. Niet dat ze hoopte dat hem iets overkwam, natuurlijk niet. Maar...

'Daar ben je.' Martin stond haar bij de deur op te wachten. Zijn gezicht op onweer.

'Wat is er?'

'De bank belde. Ze willen ons niets meer lenen.'

Ze werd misselijk.

'Wat moeten we doen?'

'Ik heb net de makelaar gebeld voor een ruwe schatting. Zelfs als we verkopen, blijft er na aftrek van de hypotheek en onze andere schulden zo weinig over dat we waarschijnlijk moeten huren.'

Huren? Maar ze waren volwassenen. Types zoals die vriendin van Antony huurden. 'Nee!' Ze duwde de buggy naar Martin. 'Neem jij hem over? Ik moet even bellen.'

39

Zwart. Zwart met een rode cirkel in het midden. Een cirkel die groter en groter werd in haar hoofd.

Patsy was nog nooit naar een mortuarium geweest. Ze had natuurlijk wel de verhalen gehoord van mensen die vrienden moesten identificeren. Meestal vrienden die te hard hadden gereden of een overdosis hadden genomen van het een of het ander.

En ze was thuis ook meerdere malen in de rouwkapel geweest. Stop nu. Praktisch denken. Moeilijk, maar het moet. Dat was de enige manier.

'Ik kan nu niet komen,' zei ze tegen Tim van Vermiste Personen toen hij haar tijdens de fotoshoot belde. 'Ik pas op mijn stiefkinderen.'

Ze wist niet zeker waarom ze 'stiefkinderen' had gezegd. Het was niet alsof ze met Antony getrouwd was, maar het voelde goed. Stabiel. 'Ik kom morgen.'

Zijn verbaasde reactie was begrijpelijk. Wekenlang had ze hem en iedereen die verder aan de zaak werkte, platgebeld voor het kleinste beetje nieuws. En nu er nieuws was, wilde ze het niet weten. Ze moest eerst Dan bellen.

'Lijkt me niet verkeerd als hij dood is. Sorry, hoor, Patsy, het is gewoon een klootzak en dat weet jij ook.'

'Ja maar...'

'Ik weet wat je wilt zeggen. Dat hij niet meer weet wat hij doet. Dat hij spijt heeft van wat hij heeft gedaan. Maar dat verandert niets aan de zaak, Patsy. Hij is degene die...'

'Stop. Niet zeggen.' Ze werd misselijk. 'Ik heb tijd nodig om eraan te wennen.'

'Zal ik met je meegaan, morgen?'

'Alsjeblieft.'

Het had geen zin om Antony alles te vertellen toen ze eindelijk thuiskwam met de kinderen. Hij sliep nog steeds, hevig snurkend met zijn gezicht naar de muur.

'Hoe moeten we nou thuiskomen?' vroeg Alice bezorgd.

'Je moeder moet je maar komen halen.'

'Dat kan ze niet. Ze heeft medicijnen die haar te slaperig maken om te rijden.'

'Nou, dan moet ik jullie met de trein naar huis brengen.'

'Kun jij niet rijden?'

'Niet meer.'

'Waarom niet?'

Ze wilde bijna zeggen dat Alice zich met haar eigen zaken moest bemoeien, maar haar kleine gezichtje (dat haar op een rare manier aan Babs deed denken) verzachtte haar reactie. 'Ik vond het gewoon niet meer leuk. Wil iemand nog vissticks voordat we gaan?'

In haar hoofd bleven de gedachten over haar vader in het rond schieten en ze was de kinderen bijna dankbaar voor hun voortdurende geklets.

'Ga jij met papa trouwen?' vroeg Matt.

'Nee, dat denk ik niet.'

'Mooi zo.'

'Nou, bedankt,' zei ze droogjes.

'Mama zegt dat ze papa vermoordt als hij met jou trouwt en dat willen we niet. Ze is echt een beetje gek geworden.'

'Ja,' piepte Alice. 'En ze zegt dat je naar sigaretten stinkt.'

'Kop dicht.' Matt stootte haar aan. 'Dat is onbeleefd.'

Het duurde uren om er te komen, door de flinke wandeling van het station naar hun huis, op de aanwijzingen van de kinderen. Ze had het huis nog nooit gezien. Niet zo groot als dat van Lucy, maar nog steeds erg mooi, met een grote voortuin met coniferen en een breed tuinpad tot aan de zware houten voordeur. Aan het begin van de oprit stond een prominent bord met de woorden TE KOOP erop.

'Toe maar, jongelui, naar binnen.' Ze wachtte bij het tuinhek om te kijken of ze veilig aankwamen. Daar was ze. Patsy draaide zich snel om, maar niet voordat ze gezien had hoe verwaarloosd Maggie eruitzag. Haren in de war, verwilderde blik terwijl ze haar kinderen omhelsde en verward naar Patsy opkeek.

Patsy begon de hoek om te rennen richting het station. Welk recht had zij om haar vader te bekritiseren? Zij was al net zo slecht als hij. Hij had hun gezin verwoest, maar deed zij niet precies hetzelfde met dat van Maggie?

Dan haalde haar de volgende dag op bij de flat. Antony lag nog te slapen, na een onrustige, koortsachtige nacht, dus ze had een briefje achtergelaten. Ze zouden eigenlijk vanavond in dat Italiaanse restaurant gaan eten met zijn vrienden, maar dat moesten ze maar vergeten.

'Gaat het wel?'

Hij zag er onweerstaanbaar uit met de kraag van zijn jas omhoog en zijn kasjmier vest eronder.

Ze knikte. Ze hadden het allebei tot hier gebracht, dacht ze, en toch konden ze geen van beiden aan hun verleden ontsnappen. Dat begreep verder niemand. Niemand.

Hij kneep zachtjes in haar hand. 'Straks is alles voorbij.'

Ze was niet in staat om antwoord te geven.

Het mortuarium leek op de plek waar ze tussen baantjes in haar uitkering moest halen. Terwijl ze zich meldden bij de receptie voelde ze de inhoud van haar maag naar boven komen. Zonder iets te zeggen gaf Dan haar een zakdoek, terwijl ze een meisje in een witte jas door een gang en nog een gang volgden. Ze deed een deur open. Langs de muren rijen met diepe lades, allemaal met een handvat. Het meisje keek op haar lijst.

'Klaar?' vroeg ze vriendelijk.

Patsy knikte. Dan pakte haar hand.

Het meisje trok een lade open. Een man van halverwege de zestig lag erin, zijn ogen dicht en zijn huid grijs. Hij droeg een groezelige trui en een oude spijkerbroek. Geen schoenen, dacht Patsy, alsof dat ertoe deed. Zijn vingers zwart van de nicotine.

Opluchting stroomde door haar heen. 'Het is hem niet, toch?' fluisterde ze alsof ze bang was dat het lijk wakker zou worden.

Dan schudde zijn hoofd. 'Nee.'

Het meisje deed de la zachtjes dicht. 'Zoals we al zeiden, hadden we geen identificatie, maar hij leek aan de beschrijving te voldoen.'

'Dank je,' zei Dan, en hij schonk haar een charmante glimlach. 'Dat stellen we op prijs.'

Het was een enorme opluchting om de frisse winterlucht weer in te ademen. Dan nam haar bij de arm.

'Nu eerst een kop koffie.'

Ze knikte en liet zich door hem de Starbucks in leiden.

'Ga hier maar zitten,' zei hij zachtjes, met een gebaar naar een van de tafeltjes terwijl hij naar de toonbank liep. Hij kwam terug met haar favoriete recept. 'Hoe voel je je?'

'Bibberig. Opgelucht. Teleurgesteld.'

Ze wilde dat hij haar hand weer pakte, maar dat deed hij niet. In plaats daarvan vouwde hij zijn handen om de plastic beker en keek haar in de ogen.

'Is hij nog gevaarlijk?'

'Niet toen hij de medicijnen nam die ze hem gaven. Maar die zullen nu wel uitgewerkt zijn...'

'Hij weet toch niet waar je woont?'

Ze schudde haar hoofd. 'Je denkt toch niet dat hij mij iets aan wil doen?'

'Ik weet het niet. Hij heeft weleens gezegd dat het jouw schuld is dat hij in een tehuis zit.'

'Ik moest wel!'

Nu nam hij wel haar hand. 'Maar hij is geen rationeel persoon.'

'Nooit geweest.'

'Dus alles wat we nu kunnen doen, is blijven zoeken en alle aanwijzingen opvolgen. Ik neem aan dat niemand van thuis hem gezien heeft?'

Bijzonder hoe 'thuis' altijd Liverpool was, ondanks de slechte herinneringen die ze er beiden aan hadden.

'Heb ik al geprobeerd. Nee dus.'

Hij liet haar hand los en ze voelde zich leeg. 'Wees voorzichtig, dat wil ik alleen maar zeggen.' Hij leunde achterover in zijn stoel. 'En nu even een heel ander onderwerp: ik heb net een nieuwe secretaresse aangenomen. Je raadt nooit wie.'

Ze kende die blik nog van vroeger. Die betekende: ik heb iets gedaan en je gaat het waarschijnlijk niet leuk vinden.

'Wie?'

'Chrissie. Haar man is zijn baan kwijt en dus moet zij aan het werk. Mijn secretaresse is net vertrokken en ik heb iemand nodig. Perfect, toch?'

Patsy schoof haar stoel naar achteren, weg van hem. 'Maar ze mag jou niet eens. Ze is altijd zo bot tegen je. En ik snap ook wel waarom.'

'Waarom?' Hij kneep zijn ogen tot spleetjes.

'Dat lijkt me duidelijk. Jullie zaten samen op de universiteit. Jullie hadden even iets en toen dumpte je haar, zoals je altijd doet.'

Hij haalde zijn schouders op. 'Heb gewoon nog niet de juiste vrouw gevonden, dat is alles.'

'Dus Jenny zie je ook niet meer?'

'Af en toe. Ik heb je toch verteld dat ik geen tijd heb om me aan iemand te binden, Patsy. En hoe zit het met jou en Antony?'

Ze duwde haar beker weg. 'Hij is getrouwd.'

'Daar heb je je nog nooit door laten weerhouden.'

'Misschien niet, maar mensen veranderen.'

Hij keek haar indringend aan. 'Het komt door die kinderen, hè? Je vindt ze leuk, of niet dan?'

'Het meisje doet me aan Babs denken.'

'Het meisje,' deed hij haar na. 'Je durft haar naam niet eens te noemen. Bang dat je je gaat hechten?'

Patsy stond op. 'Ik moet gaan.'

Hij pakte haar arm beet. 'Ik snap niet waarom je het doet.'

'Wat doet?'

'Je weet heel goed wat ik bedoel. Ik snap niet waarom jij je lijf aanbiedt aan een leger rijke vriendjes zodat ze je wat toewerpen, wat je vervolgens gebruikt om voor de verzorging van je vader te betalen.'

Ze rilde. 'Ik bied me niet aan.'

'O, nee? Hoeveel rijke mannen heb je vóór Antony al gehad? Vijftien, twintig, of meer nog? Het patroon is telkens hetzelfde. Je geeft niet om ze, maar buit ze een tijdje uit, en als zij er genoeg van hebben om jou te onderhouden, vertrek je weer.'

'Dat is niet eerlijk! Wat moet ik anders? Ik werk zo hard als ik kan. Ik betaal wat ik kan.'

'Dat weet ik, Patsy.' Hij pakte haar hand, maar zij trok hem snel terug.

'Luister, mens. Alsjeblieft. Ik heb het al eerder gezegd. Als ik geld heb, krijg je het van mij. Laat me je nu naar huis brengen.'

'Ik neem de metro.'

Hij legde een hand op haar arm.

'Patsy, je hebt net een dode bekeken in het mortuarium.'

'Oké dan. Als je zo aandringt. Maar niet over geld of over Antony praten. En, over één ding heb je het mis.'

'Wat?'

'Antony. Ik geef wel degelijk om hem.' Ze genoot van de pijn die even op zijn gezicht te lezen stond. 'En ik weet toevallig dat hij ook om mij geeft.'

Dan stond erop haar tot in de flat te brengen.

'Het gaat prima,' zei ze boos.

'Je trilt nog steeds.'

Dat kon ze niet ontkennen. Ze kreeg de sleutel niet eens in het slot.

'Laat mij maar.'

Hij pakte de sleutel van haar af en hun handen raakten elkaar, wat haar heel even van haar stuk bracht. 'Wil je koffie?'

'Nee, dank je, ik kan beter gaan.'

'Dat lijkt me een prima idee.'

Bij het horen van Antony's stem draaide ze zich om. Hij zat op een stoel in de woonkamer, nog in pyjama. Hij keek haar kil aan. 'Waar was je?'

'Weg,' zei Patsy. 'Voel je je al iets beter?'

Hij keek Dan vernietigend aan. 'Terwijl jullie samen gezellig uit waren, lag ik hier verschrikkelijk ziek te zijn.'

Patsy snoof. 'Ik heb je verzorgd, maar dat ben je waarschijnlijk vergeten. En we waren helemaal niet gezellig uit. We...'

'Kan me niet schelen. Wat ik wil weten, is waarom jij het lef had om mijn kinderen in zo'n flutfolder te laten poseren. Ik had net een razende Maggie aan de telefoon. Nu zegt ze dat ze hen met de kerst bij haar houdt.'

'Het waren gewoon een paar foto's. Ze moesten met mij mee naar die klus omdat jij te ziek was om op ze te passen.'

'Een paar foto's? Maggie ging door het lint toen de kinderen het haar vertelden. Ik ga die uitgever bellen. Dat mogen ze niet doen zonder schriftelijke toestemming.'

'Die heb ik gegeven,' mompelde Patsy.

'Je hebt wat?'

'Het was maar een fotoshoot. En ze vonden het te gek.'

'Hoe durf je!'

Antony stond op en heel even voelde ze de angst, net als toen ze een tiener was geweest tegenover haar vader.

'Genoeg nu.' Dan sprak rustig maar streng. 'Ze deed wat ze dacht dat goed was.'

Antony kneep zijn handen tot vuisten. 'Jij hebt hier niets mee te maken.'

'Het is anders wel waar. Jij lag ziek in bed, dus zij heeft ze meegenomen. Wat had ze anders moeten doen?'

'Je bent nogal op de hoogte van de agenda van mijn vriendin.'

Dan keek hem onbewogen aan. 'We kennen elkaar al heel lang.'

'Blijkbaar. Ik weet dat Patsy een bewogen verleden heeft, maar als je het goedvindt, word ik daar liever niet te veel mee geconfronteerd. En nu mijn huis uit.'

'Antony!' Patsy geloofde haar oren niet. 'Het is jouw huis niet, het is mijn flat.'

'O, ja. Dat is waar ook. Ik heb mijn mooie huis verlaten, voor jou, of niet dan?'

'Dat heb ik je nooit gevraagd.'

'Hou op. Nu meteen. Antony, laat haar met rust. Ze heeft net een traumatische ervaring achter de rug.'

'Waar heb je het over?'

'Mijn vader.' Patsy ging onvast zitten. 'Hij wordt vermist. Ik moest naar het mortuarium komen. Maar hij was het niet...'

Ze voelde haar lichaam schokken van het huilen, voelde iemands armen om zich heen. Niet die van Antony.

'Je zei dat je familie dood was.'

'Dat zijn ze ook.' Ze dwong zichzelf te stoppen met huilen. 'Alleen mijn vader niet. Hij zit in een tehuis. Tenminste, totdat hij verdween.'

'Waar is hij nu?'

'Dat weet ik niet.'

'Hoe bedoel je, hij zat in een tehuis? Was hij ziek?'

'Zo kun je het noemen. Hij heeft... hij heeft geestelijke problemen.'

'Is het een overheidsinstelling?'

Ze schudde haar hoofd. 'Particulier.'

'Dat kun jij toch helemaal niet betalen?'

'Daar werk ik toch voor.'

Antony sloot even zijn ogen. 'Wat een idioot ben ik geweest. En ik maar denken dat je mij wilde. Het is mijn geld waar je op uit bent, of niet dan?'

'Nee.' Patsy sprong op hem af en probeerde haar armen om zijn nek te slaan, maar hij duwde haar weg. 'Ik zweer het. Bij de anderen was het misschien zo, maar niet bij jou.'

'De anderen? Bedoel je dat je nog meer mannen hebt gebruikt zoals je mij gebruikt? Hun huwelijken stuk hebt gemaakt?'

'Zij heeft jouw huwelijk niet stukgemaakt,' bemoeide Dan zich ermee. 'Jij ging weg.'

'Des te stommer ben ik geweest.' Antony stond op. 'Nou, ik ben weg. Nee, laat me met rust, Patsy.'

'Ga je terug naar Maggie?'

'Dat lijkt me nogal moeilijk, wat jij?'

'Blijf dan,' smeekte ze. 'Blijf alsjeblieft. Laten we erover praten.'

Antony aarzelde.

'Ik zie je later, Patsy,' zei Dan zachtjes. Ze hoorde hoe hij de deur zacht achter zich dichttrok.

'Blijf alsjeblieft, Antony,' zei ze weer. 'Ik moet met je praten. Het hele verhaal vertellen. Dan zul je niet zo slecht meer over me denken.'

'Begin maar.'

Ze ging weer op de stoel zitten en trok haar knieën naar haar borst. 'Mijn vader was geen... geen makkelijke man. Hij was nogal opvliegend. Als hij kwaad was, kon je maar beter uit de buurt blijven, vooral als hij gedronken had. Maar als hij niet zo'n bui had, was hij geweldig. Grappig, warm, hartelijk. Hij heeft ons grootgebracht, mij en mijn zus Babs, nadat mijn moeder ons verliet. Zij kon niet meer tegen zijn buien en er waren... er waren ook andere vrouwen. Toen gebeurde er...'

Ze stopte.

'Vertel verder,' zei Antony een stuk rustiger.

'Toen, achttien jaar en elf maanden geleden, toen mijn zus zestien was – ze was één jaar jonger – kwam mijn moeder terug. Mijn vader was hels toen hij haar zag en ze kregen enorm ruzie.'

Ze kon nu bijna niet meer praten. 'Ik was net uit school gekomen. Hij bedreigde haar, verbaal, en zij draaide zich om en rende zomaar de weg op. Babs rende achter haar aan. Ze werden allebei aangereden door een vrachtwagen. Mijn moeder stierf meteen. Mijn zus overleed twee dagen later in het ziekenhuis.'

Antony nam haar handen in de zijne. 'Mijn god, wat verschrikkelijk.'

'Het bloed...' Ze stopte. 'Sindsdien heb ik geen vlees meer aangeraakt. En heb ik nooit achter het stuur van een auto gezeten. Elke keer als ik eraan denk, zie ik een enorme zwarte cirkel in mijn hoofd met een bloedrode kern. Soms denk ik dat ik erdoor opgeslokt word.'

'Maar hoe kun je hem dan nog verdragen?'

'Door Babs.' Ze sprak monotoon. 'Toen ze... toen ze dood lag te gaan, smeekte ze mij het hem te vergeven. Dus ik moet wel. Ik heb het beloofd.' Ze snufte, zocht naar een stukje toiletpapier in haar mouw. 'Papa is er nooit meer bovenop gekomen. Hij gaf zichzelf de schuld. Hij stopte met drinken en werd een kluizenaar. Hij kon de publiciteit ook niet aan, snap je. Het stond in alle kranten. "Moeder en dochter dood door gewelddadige vader", al was dat maar een deel van de waarheid. De mensen praten er daar nog steeds over. Godzijdank kon ik via een modellenbureau naar Londen komen, maar ik bleef teruggaan, om hem in de gaten te houden. Elk jaar ging het een beetje slechter met hem.'

'En toen moest je hem laten opnemen.'

Ze knikte. 'De laatste tijd werd hij gewelddadig. Hij heeft me bedreigd omdat ik hem in een tehuis heb gezet.'

'Wat voor bedreigingen?'

Ze keek hem met betraande ogen aan. 'De vorige keer dat ik hem zag, zei hij dat het hem een keer zou lukken om uit het tehuis te ontsnappen en dan zou hij me komen halen.'

Ze verborg haar gezicht in zijn trui. Korenbloemenblauw. Wol. Een troostrijke geur. 'Ik ben bang, Antony, doodsbang.'

'Dat hoeft niet.'

Hij omvatte haar gezicht met zijn handen. 'Ik hou van je.'

Ze wilde het zeggen. Ze wilde het echt. Hij wachtte. Ze kon het bijna ruiken. 'Dat weet ik.' Ze wendde haar blik af. 'Dank je.'

40

Deze keer leek de reis in de eerste klas minder lang. Het was eigenlijk best aangenaam, tenminste, dat zou het zijn geweest als Jenny niet zo gespannen was. Misschien had ze toch eerst met haar advocaat moeten praten in plaats van Alans advies op te volgen en direct contact op te nemen met Alicia King.

Haar assistente had haar een uur in de wacht gezet voordat ze koeltjes vertelde dat mevrouw King om elf uur terug zou bellen. Dat was bijna een uur geleden. Moest ze nog eens bellen, of moest ze toch de advocaat bellen met het verhaal dat een betraande Lily haar had verteld.

Jenny schonk nog een beker lauwe thee voor zichzelf in. Als ze die dreigende wolk die sinds die eerste dagvaarding om haar heen hing nu maar eens van zich af kon schudden, dan kon ze zich tenminste op haar werk concentreren. Vanavond was belangrijk, niet alleen voor haar, maar vooral voor Alan. In de korte tijd dat ze hem kende, was hij altijd zo heerlijk kalm geweest, en, ja, betrouwbaar. Maar de laatste paar dagen had hij haar om de haverklap gebeld, over het bootreisje en zelfs, toen hij de laatste keer belde, over wat hij aan moest trekken! En zij had nog niet eens over de kerstinkopen nagedacht.

Eindelijk! Haar mobiel. 'Met Jenny.'

Ze herkende Lucy's vlakke, monotone stem aan de andere kant van de lijn bijna niet. Een verschrikkelijk voorgevoel schoot door haar heen, net als toen ze haar gebeld hadden over Luke. 'Wat is er?'

Ze luisterde gespannen, kon het bijna niet geloven. Jon was weggelopen. Een privédetective (een privédetective!) had gezien dat Mike een hotel in was gegaan met zijn arm om een hoogzwangere vrouw heen!

'Misschien is er een rationele verklaring voor. Heb je hem al gesproken?'

'Nee.' Lucy klonk onverbiddelijk. 'Ik wacht tot vanavond, als hij thuiskomt. Het kan me eerlijk gezegd niet zoveel schelen. Niet vergeleken met Jon.'

'Maar wat ga je doen om hem te vinden? Je kunt toch niet gewoon gaan zitten wachten?'

'Wat kan ik doen? De straten uitkammen? Het lijkt me niet dat hij gewoon ergens in de buurt rondhangt.'

'Maar waar kan hij dan zijn?'

'Als ik dat wist, dan zat ik daar wel.'

Haar zus was normaal nooit zo resoluut.

'Heb je de politie gebeld?'

'Natuurlijk heb ik dat. Hij moet achtenveertig uur vermist zijn voordat zij actie ondernemen.'

'En zijn vrienden?'

'Die heb ik gebeld. Niemand weet iets.'

'Echt?'

'Dat zeggen ze tenminste.'

Jenny's mond verstrakte. 'Hé, ik ben onderweg naar het hoge noorden voor een klant. Ik bel je als ik er ben. Ik wilde nog bellen om te zeggen dat ik niet kwam, vanavond, maar...'

'Het gaat niet door.'

Was het niet raar, dacht Jenny, hoe dingen als etentjes volkomen onbelangrijk werden als er ergens een noodgeval als dit was?

Ze waren al bijna bij York toen Jenny eindelijk Steve aan de lijn kreeg.

'Hoi, hoe is het?'

'Prima. Ik wil je iets vragen. Weet je nog dat je bij mijn zus hebt gegeten in de herfst? Je dacht toen dat je die vriend van mijn neef weleens had gezien in een van die clubs waar jij heen gaat.'

'Leuke jongen,' zei hij goedkeurend.

'Ja, oké, ik vroeg me af of jij weet hoe ik hem te pakken kan krijgen.'

Hij klonk betrapt. 'En waarom dan wel?'

In het kort legde ze uit wat er aan de hand was.

'Ik snap het, in dat geval ga ik erachteraan. Jeetje, Jenny, wat is dat lawaai?'

Ze keek uit het raam van de coupé naar de menigte mensen die naar binnen stroomde. 'Ik zit in een trein, naar Newcastle.'

'De andere kant van de wereld, bedoel je?'

'Het is anders heel mooi hier. Helemaal niet zoals ik verwacht had.'

'Aha.' Hij had er duidelijk plezier in. 'Heb je iemand ontmoet?'

'Ik ben hier voor zaken, als je het moet weten.' Er klonk een piepje om aan te geven dat er een bericht binnenkwam. 'Hé, ik wil niet onaardig zijn, maar mijn zus wordt helemaal gek. Kun je kijken wat je voor ons kunt doen?'

Jenny staarde vol ongeloof naar het tekstbericht. Goed. Tijd voor actie. Terwijl ze het nummer intoetste, bedacht ze wat ze precies ging zeggen. Gelukkig was ze een goede rationele denker. 'Mevrouw King is weg voor de lunch,' zei de ijzige receptioniste. 'Kan ik u met iemand anders doorverbinden?'

Ze dacht razendsnel na. 'Is haar zoon toevallig aanwezig?'

'Momentje, ik kijk even voor u.'

Stilte. Was de verbinding verbroken? Moest ze de gok wagen als ze haar daadwerkelijk met hem doorverbonden?

'Met Rupert.'

'Hallo. Je spreekt met Jenny van Eventful Events.'

'Gezien de omstandigheden weet ik niet of wij elkaar wel zouden moeten spreken. Mijn moeder heeft gezegd dat u alleen maar via uw advocaat contact op mocht nemen.'

Haar handen begonnen te trillen. 'Eigenlijk, Rupert, heb ik net iets belangrijks ontdekt waarvan ik vermoed dat jij het liever onder tafel houdt.'

Daar had ze duidelijk zijn aandacht te pakken.

'Zou u iets duidelijker kunnen zijn, mevrouw Macdonald?'

'Nou,' ze bleef even stil. 'Ik wil nu niet te veel zeggen, omdat ik in de trein zit en je nooit weet wie er mee zitten te luisteren. Maar mijn assistente Lily heeft me precies verteld wat er op de avond van de lancering gebeurd is.'

Hij klonk geamuseerd. 'Heeft ze dat?'

Hoe durfde hij zo te lachen? Door haar boosheid durfde Jenny een gok te wagen. 'Je bent gezien, Rupert. Je kunt het maar beter opbiechten.'

Misschien zou hij dat wel doen als hij dacht dat er getuigen waren.

'Het was maar een grapje,' zei hij snel.

'Een grap?'

'Ik dacht dat het de boel wat zou opvrolijken, hoewel ik niet had verwacht dat die Lily van jou naast een lekkere kont ook zulke goede ogen had.'

'Opvrolijken?' Ze kon het woord bijna niet uitbrengen. 'Is dat wat je aan het doen was?'

'Nou ja, die dingen zijn vaak zo saai, of niet dan?' Zijn stem klonk steeds amicaler, alsof hij haar voor zich wilde winnen. 'Ik heb gewoon een paar van die flessen van de feestwinkel gehaald. Kom op, zeg, het was geen vergif of zo.'

Opeens werd het haar duidelijk. Rupert was degene die de verf in het water had gegooid en hij dacht dat Lily hem gezien had! Dus dat spul was helemaal niet van de krokodil gekomen!

'Wist je moeder ervan?'

Hij twijfelde net lang genoeg om haar ervan te overtuigen dat het zo was.

'En mijn assistente? Zij beweert dat jij haar aangerand hebt.'

De man tegenover haar keek haar vorsend aan en Jenny kreeg een kleur.

Rupert snoof door de telefoon. 'Wat een hoogdravende accusatie! Ik kan u verzekeren, mevrouw Macdonald, dat uw assistente Lily meer dan bereid was om mee te werken.'

Jenny aarzelde. Lily had zelf gezegd dat ze misschien de verkeerde signalen had gegeven en Jenny wist hoe snel dat gebeurde. Beter om bij de verklaring te blijven die hij zelf had aangedragen.

'Ik neem aan dat jullie de klacht nu intrekken,' zei ze resoluut.

'Dat moet ik met mijn moeder bespreken.' Zijn stem klonk nog steeds koeltjes. Hij leek niet bang te zijn. Wat als hij ontkende wat hij had gezegd? Had ze het gesprek nu maar opgenomen.

'Nou, misschien wil je haar dan doorgeven dat als ik om vijf uur vanmiddag niets heb gehoord, ik dit gesprek met mijn advocaat zal bespreken.' Ze liet een stilte vallen en dacht aan het sms'je dat ze vanmorgen van Alan kreeg. 'Volgens mij is het niet de eerste keer dat je moeder iemand probeert aan te klagen die voor haar gewerkt heeft. Ik vraag me af of ze zo onder de rekening uit hoopt te komen.'

'Ik hoop dat dit geen bedreiging is.'

'Ik zeg gewoon even waar het op staat. Tot ziens, Rupert.'

Jenny was nog steeds opgewonden toen de trein Newcastle binnenrolde. Er was zoveel gebeurd. Het enige echt belangrijke was dat Jon gevonden werd. Die jongen was altijd al zo gevoelig geweest. Ze had vanaf het begin getwijfeld over Oxford; zo heftig. En Mike, van hem had ze eigenlijk altijd stiekem gedacht dat hij te goed was om waar te zijn, hoewel ze het natuurlijk heel naar vond voor Lucy. Ondertussen zong die deadline om vijf uur rond in haar hoofd. Het laatste waar ze zin in had, was een godvergeten boottochtje met een klant.

Alan stond haar, zoals beloofd, op te wachten onder de gewelfde ingang van het station. Met enige verbazing liet ze zich vluchtig op de wangen kussen.

'Hoe was je reis, meisje?'

'Bijzonder prettig, dank je.' Onwillekeurig keek ze op haar mobiel of er iets binnen was gekomen. Niets. 'Dank voor je berichtje. Ongelooflijk, dat Alicia King dit al eens eerder heeft gedaan.'

Hij haalde glimlachend zijn schouders op. 'Ik dacht het al. Ik heb een van de jongens wat uitzoekwerk laten doen.'

'Ik ben je eeuwig dankbaar.'

'Het is niets, meisje.'

Alans chauffeur kwam voorrijden in de Mercedes en Alan loodste haar de auto in. Met haar hoofd achterover tegen de lederen bekleding kon ze de verleiding niet weerstaan even haar ogen dicht te doen.

'Ben je moe, meisje?'

'Nee hoor.' Ze schonk hem een van haar alles-onder-controlelachjes en deed haar koffertje open. 'Goed, alles is klaar voor vanavond. Ik wil nog even een paar dingetjes met je doornemen.'

Hij had weer een kamer voor haar geboekt in het Malmaison, dat vrolijk versierd was in kerstsfeer. Er waren koffie en broodjes in de zitkamer, had de portier gezegd, maar Jenny wilde eigenlijk alleen maar languit op het heerlijk zachte grote bed gaan liggen. Een halfuurtje maar voordat ze zich klaar zou maken. Ze zou heel even haar ogen dichtdoen en dan...

Was het al zo laat? Nu zou ze zich moeten haasten om op tijd te zijn voor haar afspraak met Alan op de boot, en wat was dat, de wekker? Nee. Haar mobiel. Onhandig worstelde ze met het apparaat om het open te krijgen voordat het te laat was.

'Hallo?'

'Alicia King hier. Ik geloof dat u vanmorgen mijn zoon gesproken hebt?'

De ijzige toon van de vrouw deed haar alarmbellen rinkelen. Ze zou ontkennen wat haar zoon had gezegd en zij, Jenny, had geen bewijs.

'We hebben besloten de aanklacht in te trekken, op voorwaarde dat dit akkefietje met uw werknemer nooit meer ter sprake komt.'

Akkefietje? Jenny's nekharen gingen rechtop staan. 'Ik zou het feit dat uw zoon het zwembad vervuild heeft en mij voor de schade wilde laten opdraaien niet bepaald een akkefietje noemen, zeker niet daar zijn moeder in het complot zat.'

Een flinke ademteug klonk aan de andere kant van de lijn. 'U kunt niets bewijzen.'

'Nee, maar ik zou het kunnen proberen en ik vermoed dat u niet zit te wachten op zulke publiciteit. Ik zie de koppen al voor me. "Zoon van modegigant saboteert lancering met groene verf van feestwinkel voor financieel gewin". Denk maar niet dat je dit drama gaat winnen, Alicia.'

'Betekent dat dat je ons gaat aanklagen?'

Jenny dacht aan Lily, arme Lily met haar afgetrokken gezichtje die had gesmeekt dat ze geen publiciteit wilde. Wat als iemand had gezien dat zij en Rupert gezoend hadden? Aan de andere kant mocht de vrouw best even zweten.

'Ik geloof dat dit niet de eerste keer is dat je hebt geprobeerd een bedrijf aan te klagen dat voor jou gewerkt heeft, of wel, Alicia? Nee, probeer het maar niet te ontkennen. Ik heb eens wat rondgevraagd.' Jenny probeerde haar zenuwen onder controle te houden. 'We zullen er geen werk van maken als jullie tienduizend pond op mijn rekening storten om de kosten van de organisatie te dekken, onmiddellijk de aanklacht intrekken en een overeenkomst tekenen waarin jullie beloven nooit meer over dit incident te praten.'

'Deal.'

Wauw. Ze had niet verwacht dat Alicia zo snel akkoord zou gaan met het geldbedrag. 'Als het geld maandag niet op mijn rekening is bijgeschreven en mijn advocaat geen bericht heeft gekregen, vertel ik hem alles.'

'Begrepen.'

De vrouw verbrak de verbinding zonder een vorm van afscheid. Ze zou een gat in de lucht moeten springen, dacht Jenny, maar ze kon alleen maar denken aan Lily. Het meisje herinnerde haar aan zichzelf op die leeftijd. Onschuldig. Knap. Zich er niet van bewust hoezeer ze gekwetst kon worden of iemand kon verleiden, onbewust...

Ze toetste het nummer van kantoor in. 'Lily? Met mij. Ze trekt de aanklacht in. Nee, het is helemaal niet ter sprake geweest. Rupert heeft de verf in het zwembad gegooid en hij dacht dat jij hem had betrapt en daarom bekende hij. Nee, ik weet dat je het zou vertellen als je iets had gezien, maar hij denkt dat hij gezien is, en dat is het belangrijkst. Gaat het wel goed met je? Zeker weten? Neem maandag maar vrij, oké? Ja, ik weet het zeker.'

Haar assistente had eigenlijk hier moeten zijn om haar te ondersteunen, maar ze had haar niet durven vragen. Ze zou Lily een paar dagen vrij geven en dan vragen of ze niet met iemand zou willen praten. Als zij al die jaren geleden naar iemand toe was gegaan, zou ze nu misschien niet het wrak zijn dat ze was.

Jenny moest toegeven dat ze het niet slecht gedaan had. De boot was een plaatje, van het dek naar de boeg volgehangen met lampjes in de vorm van kerstelfjes, en het personeel, stralend in hun witte uniform, liep uitnodigend rond met hors-d'oeuvres. De gasten kwamen aan boord, uitgedost in hun mooiste avondkleding. En Alan! Tja, Alan had haar compleet verrast. Het gewicht dat hij kwijt was had hem bijzonder goed gedaan. Ze zou het rood-wit gestippelde strikje bijna leuk gaan vinden.

'Jenny!' Zijn ogen bekeken haar bewonderend van top tot teen. 'Je ziet er verrukkelijk uit.'

Automatisch streek ze haar lange witte jurk met de lovertjes glad. Ze had hem gevonden in de uitverkoop van een ontwerper en hij liet haar halflange blonde haar mooi uitkomen. 'Dank je.' Ze keek op de gastenlijst. 'Volgens mij is iedereen gearriveerd. Als je wilt, kunnen we vertrekken.'

'Super.' Zijn blik bleef op haar gericht.

'Is er iets?'

'Nee. Integendeel, meisje. Ik kan niet wachten. Loop je even mee? Ik wil je aan een paar mensen voorstellen. Je weet maar nooit. Misschien zijn hier nog wel meer klussen voor je.'

Het diner was een groot succes. De tafel zag er niet alleen zeer stijlvol uit, met overal kleine kaarsjes op een wit tafelkleed, maar het eten, de gepaneerde zalm met frambozencoulis toe, was ook om van te watertanden. Alans idee om een lokale cateraar in te huren, die bovendien bevriend was met zijn vrouw, was in de roos geweest.

Hij babbelde geanimeerd, zag ze, met een belangrijk uitziende man die rechts van hem stond, maar hij keek geregeld even haar kant op, alsof hij wilde zeggen: alles goed? Wat een gentleman! Alsof ze een van de gasten was.

'Vertel eens, wat is pr precies?' vroeg een vrouw links van haar met een hoekig gezicht en een rode jurk aan. Jenny onderdrukte een zucht. Dat vroegen ze haar nou altijd, maar ze was aan het werk voor Alan. De avond moest slagen en als ze daarvoor saaie gesprekken over koetjes en kalfjes moest voeren, dan was dat maar zo, hoewel ze het niet kon laten om regelmatig haar mobiel te checken, hopend op bericht van Steve.

Het diner liep ten einde. Tijd voor vermaak. 'Excuseer me,' zei ze tegen de hoekige vrouw in het rood. 'Even kijken of alles klaar is voor de band.'

De vrouw klapte verheugd in haar handen. 'Daar verheug ik me zo op. Ik hoorde dat het een jazzband is. Klopt dat?'

Jenny knikte en glimlachte. 'Tot ziens.'

'Dat zou leuk zijn. Ik heb trouwens een nichtje dat net klaar is met school. Jouw pr-baan klinkt als iets wat zij ook goed zou kunnen. Mag ik misschien je telefoonnummer?'

Jenny gaf haar een visitekaartje. Goed. Waar was de band? Ze had hen welkom geheten, maar daarna was ze hen uit het oog verloren. Uiteindelijk vond ze ze benedendeks, met een lijkbleke zanger. 'Ik kan niet stoppen met overgeven,' kreunde hij. 'Het is vast iets wat ik gegeten heb.'

'Hier?' vroeg Jenny verschrikt.

'Nee. Bij de lunch. Ik heb een broodje garnalen gegeten.'

Hij drong zich langs haar heen en verdween richting het herentoilet. 'Pardon.'

Jenny keek de andere bandleden aan. 'Gaat het met jullie wel goed?'

Ze knikten. 'Wij hebben allemaal kaas genomen,' zei iemand. 'Mijn moeder zei altijd, nooit garnalen...'

'Oké, oké.' Jezus, wat moest ze nu?

'Kan een van jullie zingen?' vroeg ze hoopvol.

'Jawel, maar niet erg goed. Lang niet zo goed als Tony.'

'Geweldig.'

Ze voelde een hand op haar schouder.

'Alles in orde, meisje?'

Bij een andere klant had ze gezegd dat alles onder controle was. Dan had ze waarschijnlijk zelfs iemand gebeld, god weet wie, om hiernaartoe gescheept, of hoe je dat ook noemde, te worden om de zanger te vervangen. Maar de vriendelijke ogen van Alan kon ze niet weerstaan.

'De vriend van jouw neef heeft voedselvergiftiging. Nee, dat is in orde. Het is niet van hier. Ergens anders. Hij kan niet zingen. Ik moet op zoek naar vervanging. Geef me een halfuur, dan regel ik het...'

Hij kneep even in haar schouder. 'Dat gaat je niet lukken, meisje. Niet hier op een vrijdagavond. Ik weet dat je wonderen verricht, dat heb ik gezien, maar dit kan zelfs jij niet oplossen.'

Ze keek hem verstoord aan. 'Maar ik moet toch iets.'

'Nou,' begon Alan omslachtig. 'Ik heb wel een idee. Ik ben niet bijzonder weg van mezelf, maar het is beter dan niets...'

'Ole man river, he can't stop rowing...'

Jenny zat benedendeks in de salon en genoot, ademloos, net als de rest van het gezelschap. De diepe, doorleefde stem was niets minder dan verleidelijk en zinnenprikkelend. De woorden van het nummer raakten haar tot in haar ziel. Dit was leven. Hier ging het allemaal om. Liefde. Familie. De waarheid. Eerlijkheid.

'He just keeps going...'

Hoe deed hij dat? Jenny was sceptisch geweest, en nogal verbaasd, toen Alan bescheiden voorstelde dat hij zelf zou zingen. 'Het is een soort hobby van me, meisje. Ik deed het best veel toen mijn vrouw nog leefde. Ik zal een beetje roestig zijn, maar ik denk dat het wel gaat.'

Wel gaan? Het was betoverend. Ze zou uren naar hem kunnen luisteren. Het was doodstil op de boot, op het zachte gezoem van de motor na. Het was echt een waanzinnige plek, dacht Jenny, terwijl door het raam de verlichte haven zichtbaar was. Koud, ja. En ze was blij dat ze een omslagdoek had meegenomen. Maar zo ongelooflijk mooi.

Haar telefoon piepte, er kwam een bericht binnen.

Heb wat vrienden van Jon gevonden. Ik ga erachteraan.

Wat betekende dat? Moest ze Lucy bellen of zou ze dan onnodig te veel hoop krijgen? Betekende het dat...

BENG.

Jenny voelde dat ze tegen iets hards aan werd gesmeten. Haar hoofd begon te bonzen alsof iemand haar geslagen had met een gummiknuppel en ondanks dat ze niet helder kon zien, zag ze lichtflitsen. Een vrouw schreeuwde, daarna een angstwekkende stilte en dan een verschrikkelijk krakend en schurend geraas, gevolgd door een sirene en flarden van een stem.

'Attentie! Attentie! Dit is een noodgeval! Wil iedereen zich naar de dichtstbijzijnde nooduitgangen begeven.'

Iemand drong zich langs haar heen en bonkte daarbij tegen haar been. Ze schreeuwde het uit van de pijn. Bijna buiten bewustzijn, probeerde ze zich de noodprocedure te herinneren die de kapitein bij vertrek had uitgelegd, hoewel ze te druk was geweest om goed op te letten. Ze had geen keus dan achter de meute aan te lopen en onderweg te helpen waar ze helpen kon.

Met haar been slepend, greep Jenny de bar vast toen ze de vrouw in het rood voorbij zag komen, kin omhoog, doelbewust. Waar was Alan? Flarden van dat verschrikkelijke bootongeluk in Londen, jaren geleden, schoten door haar hoofd. Was dat wat er nu gebeurde? Turend door de ramen, leek het alsof er iets heel groots naast hen lag, maar het was moeilijk te zien in het donker. Opeens kantelde de boot weer en iemand schreeuwde.

'Blijft u alstublieft kalm,' zei de stem uit de intercom. Jenny had opeens een enorme behoefte om Lucy te bellen, om haar te vertellen hoeveel ze eigenlijk wel van haar hield. Hoe...

BENG. Weer raakte iets haar hoofd en deze keer zag ze helemaal niets meer, hoewel ze wel mensen hoorde schreeuwen, heel veel mensen, alsof ze dwars door haar hoofd heen renden. Maar één stem klonk boven alles uit. Een stem die ze zelfs in deze toestand herkende.

'Jenny. Jenny. Waar ben je?'

41

De boodschap kwam binnen op haar mobiel toen ze de straat waar Peter woonde in draaide.

Er wil iemand naar Abbots Road kijken op de 12e. Kan niet eerder wegens zakenreis. Staat erop dat jij de bezichtiging doet, niet ik. 13.00 ok? Maggie.

Lucy stuurde een neutraal bevestigend berichtje terug, daar ze vermoedde dat het niet makkelijk moest zijn voor Maggie om te horen dat een klant niet wilde dat zij de bezichtiging deed. De nogal botte omgangsvormen van Maggie werden versterkt door haar huwelijksproblemen en zorgden ervoor dat nogal wat klanten tegenwoordig naar Lucy vroegen.

Jons vriend Peter woonde in een kleine terraswoning aan de verkeerde kant van het spoor. Zijn moeder had vier kinderen, van wie Peter de oudste was. Hij had een andere vader dan de andere drie en ze wist niet of Peter nog contact met hem had en of hij überhaupt nog leefde. Zijn moeder werkte in een bejaardentehuis en Peter had ook een baan (ze wist niet wat hij deed) nu hij met zijn studie was gestopt.

Lucy had nooit hardop willen zeggen dat ze ermee zat, maar nu dat ze hier voor de deur stond, vroeg ze zich af of Jon zich misschien alleen tot Peter (die hij van school kende) aangetrokken voelde omdat hij zo anders was.

Het duurde een eeuwigheid voordat iemand opendeed. Lucy gluurde door de kapotte ruit in de voordeur. Het was laat in de middag. Misschien haalde Peters moeder net de jongere kinderen van school. Ah, daar kwam iemand aan.

'Hallo?'

Lucy had Peters moeder nooit ontmoet. Ze was jonger dan ze had verwacht, in een slobberige roze trainingsbroek met een kleine zilveren piercing in haar neus. Maar het was vooral haar gezicht dat Lucy opviel. Het was het soort gezicht dat je onmiddellijk vertrouwde. Aardig, open, vriendelijk,

'Hallo.' Lucy bleef onhandig in de deuropening staan. 'Ik ben Lucy, Jons moeder.'

De vragende blik van de vrouw veranderde meteen in een vriendelijke glimlach. 'Natuurlijk, jullie lijken op elkaar. Ik ben Shelley. Sorry dat het zo lang duurde. Een van de kinderen was aan het voetballen. Je weet hoe ze kunnen zijn! Kom binnen.'

Lucy stond in een klein halletje. Maar het was warm en licht; van boven aan de trap kwamen flarden muziek en vanuit de kamer hoorde ze kinderen lachen en het geluid van de televisie die zachtjes aanstond.

'Al iets gehoord van je zoon?'

'Nee.' Lucy beet op haar lip. 'Daarom ben ik hier ook. Ik heb Peter gesproken toen hij net weg was, maar ik wilde hem graag zien om te kijken of hij nog ideeën had om hem te vinden.'

'Natuurlijk, ik haal hem even.'

Terwijl Shelley naar boven liep, bedacht Lucy besmuikt dat zij in haar geval waarschijnlijk gewoon naar boven had geschreeuwd. Een lange puber met drie oorbellen in één oor kwam de trap af slenteren, zijn haar in een scheve lok over zijn ene oog op dezelfde manier als Jon het droeg.

'Hallo, mevrouw Summers.'

Hij keek haar recht aan zonder zijn ogen af te wenden. Als hij al iets te verbergen had, kon hij dat meesterlijk.

'Nee joh,' zei ze schuchter. 'Zeg maar Lucy.'

'Waarom gaan jullie niet in de woonkamer zitten?' zei Shelley. 'Ik zet de kleintjes wel even ergens anders.'

'Nee, dat hoeft niet,' zei Lucy snel. 'Ik wil niemand storen. Ik wilde jullie alleen graag even spreken om te vragen of jullie echt niet nog een idee hebben waar Jon kan zijn.'

Peter haalde zijn schouders op. 'Niet echt, ik heb je alles al verteld.'

'Heb jij nog iets van hem gehoord?'

'Nee.'

'Hé,' zei Shelley hartelijk. 'Ga maar aan de keukentafel zitten dan kunnen jullie kletsen.'

Lucy ging op het randje van de stoel zitten en Peter tegenover haar. De keuken was schoon en fris, met grappige ansichtkaarten op de koelkast en de geur van koffie. Geen geschreeuw, geen stiefvader. Geen oma die alles vroeger altijd anders deed. Ze snapte best waarom Jon liever hier had gezeten dan thuis.

'Hoor eens, Peter, ik hoop echt dat je eerlijk tegen me kunt zijn. Ik maak me zorgen. Ik weet niet waar mijn zoon is. Ik weet dat hij het niet naar zijn zin had op de uni. Ik weet dat hij jou miste.'

Hij schoof ongemakkelijk heen en weer op zijn stoel.

'Ik weet ook dat hij homo is,' zei Lucy zacht.

Peter hapte naar adem. 'Wist je dat?'

'Ik weet het al heel lang. Misschien is het mijn moederinstinct. Ik wilde er met hem over praten, maar het was nooit het goede moment. Is hij daarom weggelopen? Omdat hij jou miste op Oxford?'

De jongen knikte. 'Deels. Maar hij had ook een hekel aan dat hele gedoe daar, snap je. De lessen. Die lui daar. Dat soort dingen.'

'En waar is hij nu?'

'Dat weet ik niet. Echt niet. Ik maak me net zoveel zorgen als jij. Hij sms'te alleen dat hij een paar dagen wegging omdat hij niet terugwilde naar Oxford.'

'Maar, als jullie... als jullie zulke goede vrienden zijn, zou hij dan niet bij jou willen zijn?'

Peter sloeg zijn ogen even neer. 'Dat dacht ik ook. Ik denk dat hij in de war is. Dat hij tijd nodig heeft om na te denken.'

Lucy hoorde Shelley boven rommelen. 'Weet je moeder het?' vroeg ze zacht.

'Van mij, bedoel je?'

Ze knikte.

'Ja hoor.'

'En ze heeft er geen problemen mee?'

'Ze zegt dat iedereen moet zijn wat hij is.'

'Maar Jon was bang. Bang voor mijn reactie?'

Peter knikte en Lucy werd misselijk van het schuldgevoel dat haar overspoelde. Wat voor moeder was ze, dat haar zoon haar niet eens in vertrouwen durfde te nemen?

'Hé, mevrouw... ik bedoel... Lucy. Ik wil graag helpen zoeken, weet je. Ik kan wel een lijst maken van de plekken waar wij altijd heen gingen. Clubs, in Londen. Dat soort dingen. Ik kan ook wel meegaan, als je wilt.'

'Dank je.' Dat was tenminste iets. 'Alles. Alles wat eventueel zou kunnen helpen.'

'Ik wil ook mee,' zei Sam met een klein stemmetje.

'Nee.'

'Het is hier thuis net een strafkamp. Ik mocht van jou niet eens naar het Wattevers-concert. Geen wonder dat Jon is weggelopen.'

'Kop dicht, Sam. Jij mag niet eens naar binnen in die clubs.' Kate stond haar jas al aan te trekken. 'Als er iemand gaat, ben ik het. Jij valt daar verschrikkelijk op, mama, zelfs met Jons vriend bij je.'

'Sst,' siste Lucy. 'Hij staat bij de deur. En, sorry, Kate, maar je gaat niet. Er moet iemand bij de telefoon blijven voor als er nieuws is.'

'Dat kan oma toch doen?' snauwde Kate.

'Nee, dat kan ze niet.' Lucy probeerde zacht te blijven praten. 'Die snapt het misschien niet.'

'Snapt wat niet, schat?' vroeg Eleanor, die haar oordopjes uitdeed.

'Niets.'

'Mama gaat naar wat clubs in Londen om Jon te zoeken en ik wil mee,' mokte Kate. 'Van jou zou dat wel mogen, toch, oma?'

248

'In mijn tijd gingen we dansen op de tennisclub, lieverd. Dat waren heel andere clubs dan die waar jij het weleens over hebt. Maar als je wel gaat, Kate, lieverd, mag ik dan je iPod lenen? Nooit geweten dat dat zo leuk was. Heb je dat al eens geprobeerd, Lucy?'

'Nee.' Lucy kon haar schoonmoeder wel door elkaar schudden. 'Ik had wel wat anders aan mijn hoofd.'

'O ja, is Michael al terug, lieverd?'

'Nee.'

'Och heden. Ik kan me niet herinneren dat Luke nog zo laat op pad was. Ach ja, als jij het goed vindt, lieverd...' Ze liet een betekenisvolle stilte vallen. 'Kom maar eens hier, Mungo, dan zal ik je even lekker knuffelen. Als Michael terugkomt, moet je weer naar de bijkeuken. Wat ga je doen met Mungo en Michaels allergieën als jullie getrouwd zijn, Lucy?'

'Eleanor! Mijn zoon is weg. Mikes allergieën zijn bepaald niet mijn eerste prioriteit nu. Kun je hem als hij terug is, vragen om zelf iets op te warmen in de magnetron?'

Het was jaren geleden dat ze naar iets wat ook maar op een club leek geweest was. In haar tijd (o god, ze leek Eleanor wel) noemden ze dat disco's. Ze waren eerst naar Soho Square gereden om de auto in een zijstraat te parkeren.

'Hier gaan we eerst vragen,' zei Peter, en hij voerde haar mee een kelder in. Er stond een meisje bij de deur in een T-shirt met tijgerprint en een rokje dat maar net deed waar het voor gemaakt was. Ze bekeek Lucy nieuwsgierig.

'Hoi.' Peter leek hier beter op zijn gemak dan in haar auto. 'We zijn op zoek naar Jon. Weet je wel? Die vriend met wie ik hier meestal ben.'

Lucy huiverde even.

'Heb je hem gezien? Het is nogal belangrijk.'

Het meisje haalde haar schouders op. 'Ik geloof het niet, man, maar ik weet het niet zeker.'

Lucy begreep wat ze bedoelde. Naar binnen glurend, zag ze... nou ja, wat zag je eigenlijk? Rook, schimmen van mensen, de geur van drank en sigaretten. De overweldigende, bonkende muziek waar ze op slag duizelig van werd.

Peter gaf het meisje een stapeltje fotootjes. 'Kun je deze laten zien aan de mensen die binnenkomen? Achterop staat een nummer om ons te bereiken.'

Waarom had zij daar niet aan gedacht? En hoe kwam hij aan die foto?

'Die heb ik een tijdje geleden van Jon gekregen,' zei Peter, alsof hij haar gedachten kon lezen. 'Ik heb kopieën gemaakt.'

'Dank je, Gary, tot later.'

Gary? Lucy keek om en deed haar best om niet te staren. Ze realiseerde zich nu pas dat het meisje in de tijgerprint eigenlijk een jongen was.

Vier clubs later begon Lucy serieus aan zichzelf te twijfelen. Toen Jon klein was, wist ze altijd precies waar hij was. Waarom had ze dat niet meer gewaardeerd? Hij kon overal uithangen. In een bushokje, in een kartonnen doos om de nacht door te brengen op straat, in een trein op weg naar wist zij veel waar, in de goot, ergens...

Peter raakte even haar arm aan. 'Het zit wel goed met Jon.'

'Hoe weet je dat?'

'Omdat Jon geen stomme dingen doet.'

'Weglopen is nogal stom, of niet dan?'

'Hij trekt vast snel weer bij.'

Ze kon hem wel zoenen. Wat een enorme misvatting om te denken dat hij niet goed genoeg was om met haar zoon om te gaan. Ze zag nu dat hij eerlijk en betrouwbaar was. Aardig. Attent. Maar als dat allemaal zo was, waarom had Jon hem dan niet verteld waar hij heen ging?

'Hebben jullie ruzie gehad?' vroeg ze. 'Is dat ook een reden dat hij weg wilde?'

Peter zuchtte. 'Ik vond dat hij in Oxford moest blijven. In elk geval het jaar afmaken en dan kijken wat hij wilde. Ik zei dat ik op hem zou wachten, maar hij was bang dat ik iemand anders zou vinden. Hij wilde samen met mij ergens gaan wonen en zich aan de muziek wijden.'

Het werd allemaal steeds duidelijker. 'Dus het was niet alleen dat hij dacht dat ik het niet goed zou vinden?'

'Nee.' Hij keek haar beschermend aan. 'Helpt dat een beetje?'

'Een beetje.'

Hij stak zijn arm uit en zij stak de hare erdoorheen. Dat voelde fijn, zeker in deze kou.

'Ik heb altijd geweten dat hij homo was,' zei Lucy opeens.

Zijn greep verstevigde. 'Hoe dat zo?'

Ze glimlachte droevig terwijl ze zich Jon als klein jongetje voor de geest haalde. 'Hij was altijd al anders. Ik wist nooit precies wat het was. Hij was gevoelig, hoewel er natuurlijk wel meer jongens gevoelig zijn, zonder dat ze...'

'Een andere voorkeur hebben,' maakte hij haar zin af.

Ze knikte. 'Maar Luke werd er gek van. Je hebt hem nooit gekend, toch?'

Hij schudde van nee.

Lucy's mond vertrok even. 'Hij had nogal starre ideeën over het leven. Over alles. Hij hield er niet van als Jon moeilijk deed. Als kind al wilde hij zijn shirt op een bepaalde manier dragen. Hij hield niet van sport. Hij was niet de zoon die Luke voor ogen had. Dus hield ik mijn mond. En nadat Jons vader overleed, was het nooit het juiste moment. Ik heb het een paar maanden geleden een keer geprobeerd, maar op een of andere manier kwam het er niet van.'

Hij stopte en keek haar indringend en vriendelijk aan. 'Neem het jezelf alsjeblieft niet kwalijk.'

Ze was bijna in staat om haar hoofd tegen zijn schouder te leggen, maar dit was niet het goede moment om hem te vertellen dat Lukes starre houding waarschijnlijk alles te maken had met het feit dat hij zelf 'een andere voorkeur' had gehad. Opeens begreep ze heel goed waarom deze begrijpende, zachte jongen en het warme gezin om hem heen zo'n aantrekkingskracht op haar zoon hadden gehad. 'Ik kan het niet helpen. Echt niet.'

'Dat snap ik. Maar mijn moeder zegt altijd dat het geen zin heeft te proberen iets te veranderen wat niet veranderd kan worden. We kunnen alleen iets doen aan de dingen waar we iets aan kunnen doen.' Daar had hij een punt. Ze stonden voor de deur van weer een andere club. 'Laten we deze nog proberen,' zei hij zacht, 'en dan maar weer richting huis gaan?'

Bij de ingang stond een lange man met zijn handen in de zakken van zijn zware, lange jas. Hij keek op toen ze dichterbij kwamen en begon hun kant op te lopen. 'Lucy! Daar ben je!'

Ze geloofde haar ogen niet. 'Mike?'

'Ik kwam thuis toen je net weg was. Kate gaf me het lijstje van de clubs waar jullie heen gingen. Ik ben naar jullie op zoek gegaan.' Hij keek naar Peter, en naar Lucy's arm in de zijne.

'Dit is een vriend van Jon,' zei Lucy koeltjes.

'Zal ik hier even alleen naar binnen gaan?' zei Peter.

Ze wachtte tot hij beneden was, een luidruchtige kelder in. 'Mike, ga alsjeblieft weg. Ik wil je even niet zien.'

'Lief, waar heb je het over?'

'Noem me geen "lief". Ik weet precies waar je mee bezig bent.'

Hij aarzelde, heel even maar, maar dat was lang genoeg. 'Wat bedoel je?'

'Ik heb je laten volgen. Jawel. Door een privédetective.'

'Wat?'

'Ja dus.' Lucy werd misselijk van de uitdrukking op zijn gezicht. 'Dus ik weet van je vriendin, of nog beter, de baby van je vriendin. Ik neem aan dat het van jou is? Hoe kon je, Mike? Hoe kon je?'

Ze begon hem tegen zijn borst te stompen, maar hij pakte haar bij de polsen. 'Denk je dat echt?'

'Je bent al weken koel en afstandelijk. Chagrijnig tegen de kinderen. En...'

'Dat komt omdat ik gek word van de zorgen.'

'Welkom in mijn wereld.'

'Luister, liefste, ik weet dat het heel erg is van Jon. Maar ik moet je iets vertellen over Kerry.'

'Ik hoef haar naam niet te horen...'

'Lucy.' Hij greep haar hand, smekend. 'Luister alsjeblieft naar me. Ik kan alles uitleggen.'

Ze moesten wachten tot ze thuis waren en Lucy Peter naar huis had gebracht. Kate was nog wakker.

'Hebben jullie hem gevonden?'

'Nee. Heeft er iemand gebeld?'

'Eén telefoontje; ik heb het antwoordapparaat op laten nemen. Het ging niet over Jon.'

Kate gluurde naar Mike. 'Ben je daar eindelijk? Oma vindt het maar raar dat jouw vergaderingen zo lang duren. Nou, ik ga naar bed.'

Mike wachtte tot ze boven was voordat hij zich omdraaide naar Lucy. 'Wil je iets drinken?'

'Nee. Ik wil weten waar jij mee bezig bent.'

'Logisch.'

Hij ging tegenover haar zitten. 'Ik had je dit moeten vertellen toen we elkaar leerden kennen, maar ik was bang dat je me niet meer zou willen als je het wist. Ik ben niet bepaald trots op wat ik gedaan heb.'

Hij haalde diep adem. 'Als tiener werd ik verliefd op een meisje. Denise. We gingen ongeveer zes maanden met elkaar en toen maakte zij het uit.'

Hij stopte. 'Dit is het moeilijke gedeelte. Een tijdje daarna kwam ik haar tegen terwijl ze een baby in een kinderwagen bij zich had. Ik vroeg haar of het van mij was en zij zei ja. Dus bood ik aan om haar te helpen. Ik heb zelfs min of meer aangeboden om bij haar in te trekken en te helpen bij de opvoeding van het meisje, maar ze wilde er niets van weten. De week erna ging ik naar haar huis, maar ze was verhuisd. Niemand kon me vertellen waarnaartoe.'

Was het waar wat hij zei? Luke had tegen haar gelogen. Mike zou ook kunnen liegen.

'Je was jong. We hebben allemaal stomme dingen gedaan.'

'Nee, dit was anders. Ze wilde niet... met mij naar bed.'

Ze verstijfde. 'Zeg me niet dat je haar gedwongen hebt.'

Hij verschoof op zijn stoel. 'Nee, maar ik wist dat ze te veel gedronken had. Kijk niet zo naar me. Ik weet dat ik fout zat. Ik vind het verschrikkelijk dat het gebeurd is. Waarom denk je dat ik geen druppel drink? Op de dag dat ik haar zag met mijn dochter heb ik een eed gedaan. Maar dat maakte het niet makkelijker. Ik heb altijd moeten leven met het idee dat ik een kind had dat ik misschien wel nooit meer zou zien.'

'Ben je daarom nooit getrouwd?' vroeg Lucy opeens.

'Deels. En ook omdat er nooit iemand was met wie ik dat zou willen, totdat jij kwam.'

'Het was vast moeilijk voor je om mijn kinderen om je heen te hebben.'

Hij knikte. 'Ik weet dat ik nogal streng voor ze ben geweest, maar ik bleef maar denken dat mijn dochter ongeveer de leeftijd van Jon zou hebben.' Hij glimlachte triest. 'En zoals zoveel mensen die zelf geen kinderen hebben, wist ik natuurlijk heel goed hoe ze opgevoed zouden moeten worden.'

'En dat meisje in het hotel...'

'Was Kerry. Ongeveer twee maanden geleden kreeg ik een brief.' Hij lachte zacht. 'Haar moeder was naar Australië geëmigreerd en had vlak voor ze ging Kerry verteld wie haar vader was, en toen heeft ze me opgespoord.'

'Hoe weet je dat ze de waarheid vertelt?'

Mike glimlachte. 'Omdat je haar wel moet geloven als je haar ziet.'

Was dit echt het Afrikaanse meisje dat de privédetective had gezien? Ze wilde het net vragen, toen ze bedacht dat ze ook kon wachten tot ze haar zou ontmoeten, dan kon ze zien of het waar was wat Mike zei. 'Wat wil ze? Geld?'

Op het moment dat ze het zei, hoorde ze hoe hard dat klonk. Het meisje was net haar moeder kwijtgeraakt. Logisch dat ze op zoek was naar haar vader, als Mike tenminste echt haar vader was.

'Nee,' was Mikes afgemeten reactie. 'Ze wilde mij vinden omdat ze had ontdekt dat ze zelf zwanger was. Ze wil geen geld, maar ze wil wel heel graag bij een familie horen. De jongen van wie ze zwanger is, wil er niets mee te maken hebben.'

'Arme ziel.'

Ze zei het met een sarcastische ondertoon, maar dat leek Mike niet te merken. 'Precies.' Mikes ogen schitterden hoopvol. 'Dus toen vertelde ik haar dat ik ging trouwen en dat ik zeker wist dat ze welkom was als ik alles aan jou uitgelegd had.'

'Ze komt hier niet wonen, hoor!'

'Dat heb ik nooit gezegd. Wel zou ik het fijn vinden als ze af en toe langs kon komen. Maar hé, dit kan wachten. Het is nu belangrijk dat we Jon vinden. En dat gaan we ook. Dat beloof ik.'

Ze keek naar hem op en zag een andere man dan de man op wie ze zo verliefd was geweest. 'Waarom heb je het niet eerder verteld? Ik had het best begrepen.'

'Denk je?' Hij keek haar ernstig aan. 'Jij bent ook veranderd, Lucy. Het lijkt wel of we niets meer van elkaar kunnen hebben. Misschien komt het door Eleanor. Of misschien zijn we allebei bang om de stap te zetten.'

Met een droge mond knikte ze.

Hij pakte haar hand. 'Vanaf nu wordt alles beter. Dat beloof ik.'
'Geen geheimen meer?' vroeg ze.
Hij streek met een vinger langs haar wang. 'Geen geheimen meer. Kom nu maar mee naar boven. Naar bed.'
'Eerst even het antwoordapparaat afluisteren.'

'Lucy? Je kent mij niet, ik ben Alan. Ik ben een klant van Jenny, je zus. Ik hoop dat je me zo snel mogelijk terug kunt bellen. Het is dringend.'

42

'Jenny. Jenny, hoor je me?'
Ze viel gewichtloos door de lucht. Maar ze was niet bang. Iemand, geen idee wie, stond klaar om haar op te vangen.
'Jenny!'
Iemand pakte haar hand. Het leek de hand van Lucy. Toen ze klein waren, moest Lucy altijd Jenny's hand vasthouden bij het oversteken. Ze had er een hekel aan gehad, net zoals ze aan zoveel dingen van Lucy een hekel had. Hoe zij het beter deed op school. Dat ze mooier was en populairder. Haar vriendjes...
'Alles is goed, Jenny.' De hand die de hare streelde, voelde opeens niet meer als Lucy's hand. Het was een mannenhand. Sterk. Harig. Hard. Het leek...
'Nee!' Ze probeerde rechtop te gaan zitten, maar iets (iets wat aan haar benen leek vast te zitten) leek haar tegen te houden. 'Ga weg. Ik heb je toch gezegd dat ik je nooit meer wil zien. Het is niet goed. Het is niet eerlijk tegenover de anderen.'
Iemand streek over haar voorhoofd. 'Het is goed, Jenny. Ga maar weer slapen. Je bezoek komt een andere keer wel terug.'
Ze had geen idee hoeveel tijd er voorbij was gegaan toen ze weer wakker werd. Waar was ze?
'Alles is goed, Jenny. Je ligt in het ziekenhuis, maar alles komt goed. Je hebt een gebroken been en een hersenschudding, geen blijvende schade.'
'Lucy?' Ze probeerde haar hand uit te steken, maar alles draaide. Haar zus zat op een stoel naast het bed en streek over haar haar terwijl ze tegen haar praatte.
'Ik ben het, Jen, alles is goed.'
Lucy. En Alan ook. Alles kwam weer terug. De boot. Het ongeluk. Haar hoofd...
'Is alles goed met jou?'
Hij lachte breed. 'Nu jij wakker bent wel.'
'Zijn er ernstig gewonden?'
'Gek genoeg niet. We hebben zeer degelijk materiaal hier in het noorden, weet je. Mensen denken misschien dat dit het andere eind van de wereld is, maar we weten wel hoe we de zaken moeten aanpakken hier.'
'Jaja, een boot te pletter varen, bedoel je.'

'Fijn dat je gevoel voor humor ook weer terug is.'

Jenny leunde achterover in het kussen. 'Mijn hoofd doet zeer.'

'Dat kan kloppen.' Er kwam een zuster binnenlopen. 'Ik heb jullie beiden gezegd niet langer dan een paar minuten bij haar te blijven. Komen jullie later nog maar eens terug.'

'Nee.' Jenny greep naar de hand van haar zus, hoewel haar ogen op Alan waren gericht. 'Niet gaan, alsjeblieft.'

'Stil maar.' Alan was de eerste die iets zei. 'We komen straks weer.' Hij ging zachter praten. 'Als die draak ons tenminste binnenlaat.'

Ze wist niet wanneer ze precies terug waren gekomen, maar ze kwamen na elkaar binnen. Lucy eerst.

'Jenny, ik was zo bang. Ik kan het niet geloven. Ik bedoel... Ik had het op het nieuws gehoord en ik had het kunnen weten, want je had wel verteld van de cruise, maar ik dacht er niet aan en...'

Alles kwam weer terug. Jon was verdwenen. En aan Lucy te zien, was hij nog niet terug. Onder de ogen van haar zus zaten zwarte plekken van de uitgelopen mascara en haar kleding zag eruit alsof ze erin geslapen had.

'Weet je al wat van Jon?'

'Nee.'

Lucy en zij waren misschien wel water en vuur, toch vertelde haar zusterlijke intuïtie haar nu dat er meer aan de hand was. 'En Mike?'

Lucy ontweek haar blik. 'Dat vertel ik je later wel. Ik wil nu eerst weten waar Jon uithangt. Sorry, alsof jij hierop zit te wachten in jouw toestand.'

'Ben je mal.' Jenny raakte even de arm van haar zus aan. 'Ik ben je zus. Hoor eens, ik wilde het je eigenlijk niet vertellen, maar vlak voor... voor het ongeluk kreeg ik een sms'je van Steve. Hij weet waar Jons vrienden vaak rondhangen. Hij gaat hun vragen of ze iets weten.'

'Dat hebben we al gedaan, maar dat heeft niets opgeleverd.' De paniek in Lucy's stem nam toe. 'Ik ben naar een paar van die clubs geweest.'

'Echt waar?' Als haar hoofd niet zo'n pijn had gedaan, was ze bij de gedachte aan haar zus die naar een rokerige nachtclub ging, laat staan naar een zwoele homotent, in lachen uitgebarsten. 'Met wie was je?'

'Jons vriend. En Mike.'

'Heel goed. Van Mike dan. Ik wist niet dat hij het in zich had.' Nu was ze moe. 'Het spijt me echt, maar ik ben opeens zo moe.'

'Natuurlijk ben je dat. Lucy streek lichtjes met een hand over haar voorhoofd. 'Ik ben hier als je wakker wordt.'

'Nee.' Jenny was zo moe dat ze niet zeker wist of ze hardop sprak. 'Ga alsjeblieft Jon zoeken. Hij is veel belangrijker.'

'Nee. Ik kan nu niet weggaan.'

'Natuurlijk wel.'

Een zware mannenstem onderbrak haar. 'Natuurlijk wel wat?'

'Alan,' mompelde ze slaperig. 'Praat met Lucy, oké. Zorg dat ze naar huis gaat.'

Toen ze weer wakker werd, voelde ze zich wat beter. Zoekend keek ze om zich heen. Daar was hij, op de stoel waar Lucy even geleden op gezeten had. 'Is ze weg?' vroeg ze.

Alan knikte. 'Arme vrouw. Wat erg om mee te moeten maken, hoewel ik moet zeggen dat je zus behoorlijk koppig is, ondanks haar zachte uiterlijk. Ze heeft strikte orders gegeven dat ik bij je moet blijven, voor het geval je iets nodig hebt.' Hij grinnikte. 'Orders die ik graag opvolg.' Hij werd iets ernstiger. 'Er is nog iets anders. Ze hebben je zus gezegd dat je over een paar dagen fit genoeg bent om naar huis te gaan. Zij wil dat je met haar mee naar huis gaat. En stop, voordat je me gaat vertellen dat je prima in staat bent om voor jezelf te zorgen, geloof mij maar. De komende weken kun je nog heel weinig met dat been van je.'

'Lucy heeft genoeg aan haar hoofd,' protesteerde ze. 'Ik wil haar echt niet tot last zijn.'

'Precies,' zei Alan gedecideerd. 'Daarom wilde ik voorstellen dat je bij mij blijft, als mijn gast, in een van mijn gastenkamers. Ik heb een huishoudster, Doris, die het heerlijk zal vinden om nog iemand te kunnen verzorgen. En ik zal blij zijn met je gezelschap.'

Dus dat was Doris! 'Maar mijn werk dan? Als je je eigen zaak hebt, kun je niet zomaar vrij nemen.'

'O, nee?' Zijn ogen kregen een zachte blik. 'Heb ik anders wel gedaan toen mijn vrouw stierf. Niemand is onvervangbaar, Jenny. Als jij morgen dood neervalt, neemt iemand anders het zo van je over. En, je hebt Lily toch? Het heft in handen nemen is misschien wel precies wat zij nu nodig heeft.'

En zo kwam het dat ze drie dagen later wakker werd in een van de fijnste tweepersoonsbedden waar ze ooit in geslapen had, met een echte walnoten omlijsting, met crèmekleurige kussens met kant, een oudroze sprei, een nachttafeltje met een stapel *Country Life*-tijdschriften en (de hemel zij dank) een verzameling van haar favoriete damesglossy's.

Toen ze net aan het bewonderen van de elegante gordijnen toe was (Colefax & Fowler, als ze het goed had), met de bijpassende kist eronder, werd er op de deur geklopt. Een vriendelijke, rijkelijk geklede vrouw van achter in de vijftig of misschien voor in de zestig kwam binnen met een dienblad met een blauw met gouden porseleinen theepot en bijpassende kop-en-schotel. 'Ik hoop dat ik u niet wakker heb gemaakt, mevrouw Macdonald?'

Jenny voelde zich alsof ze terug in de tijd was gereisd om een rol te spelen in een historische roman waarin de heldinnen volledig verzorgd hun dagen sleten op landgoederen en met het bezoeken van de buren. 'Nee, absoluut niet. En noem me alstublieft Jenny.'

Ze herinnerde zich vaag dat Doris zich had voorgesteld toen ze gisteravond was aangekomen uit het ziekenhuis, hoewel ze zo moe was geweest en moeilijk kon wennen aan dat afschuwelijk zware, dikke gips om haar rechterbeen, dat ze er niet veel van had meegekregen. Wat ze nog wel wist, was dat ze totaal verrast was door het fantastische landschap toen Alan haar mee de stad uit had genomen, richting Corbridge, waar hij woonde. Ze had nooit geweten dat het zo groen kon zijn, zo woest en mooi en zo... ja, zo onwaarschijnlijk eerlijk. Een beetje als Alan zelf.

'Alan zei dat je er niet uit hoeft als je dat niet wilt. Je kunt je ontbijt op bed krijgen als je wilt, en als je naar beneden wilt komen, kun je die telefoon daar gebruiken en dan komt Alan je helpen.'

Ze keek naar de dekens die over het been in het gips heen lagen. 'Ik heb ooit mijn been gebroken met paardrijden. Pas als je zoiets overkomt, weet je hoeveel je eigenlijk met dat been doet. Maak je geen zorgen. Het heelt snel weer, als je er tenminste niet te veel mee doet.'

Maar dat was precies wat ze moest doen. Te veel. Dat deed ze namelijk altijd. Was wat ze het liefste deed. Wat ze moest doen, om het verleden naar de achtergrond te dringen. Maar hoe kon ze dat tegen deze aardige Doris-figuur zeggen? In plaats daarvan zei ze: 'Wat een prachtige gordijnen. Deze hele kamer is zo mooi ingericht.'

Doris leek verheugd. 'Dat was Caroline. Alans overleden vrouw. Zij was binnenhuisarchitect.'

'Dat wist ik niet.'

Doris knikte. 'Ze had een eigen bedrijf. Alan was enorm trots op haar.'

Jenny zocht naar de juiste woorden. 'Wat zonde, dat ze zo vroeg gestorven is, bedoel ik.'

'Wat je zegt. Nog maar net de vijftig gepasseerd. Gelukkig gaat het met Alan nu weer beter. Eindelijk doet hij weer eens wat.' Ze keek Jenny eventjes raar aan. 'Het helpt wel dat hij zoveel werkt, natuurlijk. Altijd al een workaholic, zei zijn vrouw altijd. Maar je kunt niet altijd je werk de schuld blijven geven, toch?'

'Nee,' zei Jenny zachtjes. 'Dat kan niet.'

'En?' zei Doris nu opgewekter. 'Als je hulp nodig hebt bij het aankleden, bel je maar. Het is een intern toestel. Ik heb nummer 1 en Alan is 2.'

Nog voordat ze een poging waagde om op te staan, belde Jenny Lucy. Ze had al een paar telefoontjes van haar zus gemist op haar mobiel. 'Is er nieuws?' vroeg ze, meteen met de deur in huis vallend.

'Nee. Mike is nog steeds langs de clubs aan het gaan met Peter. Jouw vriend heeft een paar keer gebeld, maar niemand weet waar hij is.'

'Als er iets ergs gebeurd was, had er al iemand gebeld. Je zei dat hij een persoonsbewijs bij zich had.'

'Ja, dat hou ik mezelf ook voor. Jenny, ik vind het zo erg dat ik niet bij je ben gebleven. Het is nota bene kerst!'

'Doe niet zo raar.' Het kwam er harder uit dan ze bedoeld had. 'Niemand is dit jaar in een feeststemming. Bovendien leef ik als God in Frankrijk hier. Alan is de perfecte gentleman en, dit is helemaal mooi, hij heeft een huishoudster. Als ik niet zoveel werk had gehad, zou ik er nog aan kunnen wennen ook.'

'Goed, bel je vanavond weer? Hé, Jenny, ik wil niet lullig doen, maar ik wil de telefoon vrijhouden voor het geval er iemand belt met nieuws.'

Natuurlijk! Hoe kon ze zo egoïstisch zijn?

Het was nogal een gevecht om zich te douchen en aan te kleden. Ze had er nooit eerder over nagedacht, maar ze had opeens te doen met mensen die met een handicap door het leven gingen. Uiteindelijk lukte het haar, hoewel het spiegelbeeld dat haar aankeek vanuit de ovale spiegel op het enorme Georgian kabinet er beduidend minder gecultiveerd uitzag dan haar gebruikelijke Londense look. Ze had haar haar niet zoals ze gewend was kunnen stylen zonder haar geliefde tang. En hoewel Alan haar spullen uit het hotel naar het huis had laten brengen, had ze niet de puf om zich helemaal op te maken.

Eindelijk was ze klaar om te bellen. Ze zou liever zelf naar beneden gaan, maar de gedachte aan de steile mahoniehouten trap waarlangs ze gisteravond naar boven was gekomen, deed haar beseffen dat dat te hoog gegrepen was.

Binnen enkele minuten klonk er een klop op de deur en deed een vrolijk kijkende Alan, in choker en geruit overhemd, de deur half open. 'Sorry, ik weet dat je Doris belde, maar zij is druk met de voorbereidingen voor de lunch, dus je moet het met mij doen. Ik dacht dat je wel wat hulp kon gebruiken op de trap.'

'Dank je.'

'Goed. Vertrouw mij maar. Dit is de beste manier. Ja, goed zo, leun maar op mij. Oké, stapje voor stapje. Geen haast. Prima.'

Op een of andere manier kwamen ze veel makkelijker beneden dan ze verwacht had. 'Daar ben je bijzonder goed in,' hijgde Jenny terwijl hij haar in een stoel in de woonkamer hielp.

Hij lachte bescheiden. 'Ach ja, ik heb het veel gedaan met Caroline.'

Hij had haar nog niet eerder bij haar naam genoemd. Meestal was het 'mijn vrouw'.

'Ze heeft het huis echt prachtig ingericht,' zei Jenny, om zich heen kijkend. De woonkamer (waarschijnlijk niet de enige, aan de omvang van het huis te zien) was elegant maar knus ingericht met een zeegroen tapijt, diepe stoelen om in weg te zakken en kleine Georgian walnoten en mahoniehouten bijzettafeltjes met zilveren theeblaadjes en porseleinen serviezen.

'Dat heeft Doris je zeker verteld?' Alan keek uit een van de openslaande ramen op een perfect gazon. Vanaf haar stoel zag Jenny een metalen boog die naar een pad door lavendelstruiken leidde. 'Caroline hield van dit huis. Dat is een van de redenen dat ik hier nooit weg zou kunnen gaan. Hoewel het eigenlijk te groot voor me is. Het zou anders geweest zijn als we kinderen hadden gehad, maar dat is er helaas nooit van gekomen. Gelukkig heb ik mijn vrienden en mijn werk. We hebben best een aardig clubje hier. En er is een geweldige golfbaan hier vlakbij. Speel jij?'

'Ik ben bang van niet. Ik heb eens moeten spelen op een feestje van een klant en toen heb ik het halve gazon omgeploegd met mijn ijzer, of hoe je dat ook noemt.'

'Goed,' zei Alan stellig. 'Jij gaat dus mooi niet mee naar mijn club. Straks word ik eruit gegooid.'

Ze giechelde.

'Maar nu wat anders. Ik neem aan dat er geen nieuws over je neef is, anders had ik het wel gehoord.'

Ze schudde haar hoofd.

'Dat is naar. Soms vraag ik me af hoe ouders omgaan met die enorme verantwoordelijkheid.'

'Ik ook,' knikte Jenny.

'Ben jij nooit verleid geweest tot het moederschap?'

Hij zei het zo aardig dat het geenszins zo opdringerig was als de vraag deed vermoeden. 'Dat zou ik geweest zijn als de juiste persoon zich had aangediend.'

'En dat is nooit gebeurd?' Alan keek haar vol ongeloof aan. 'Jij bent zo'n fantastische vrouw. Dat geloof ik niet.'

'Nou,' zei Jenny langzaam. 'Er was wel iemand, ooit. Lang geleden. Maar hij was niet beschikbaar.'

'Getrouwd,' zei Alan zacht.

Ze knikte en kon even niets zeggen.

'En jij deed het enige goede?'

Die vraag had ze zichzelf zo vaak gesteld dat ze het niet meer zeker wist. 'Dat heb ik geprobeerd, maar... nou ja, het is uiteindelijk toch niets geworden.'

Alan stond op. 'Het leven is geen kattenpis, meisje. Nou, ik laat je alleen met je boekjes en Doris komt zo met de koffie.'

Opeens zag ze dat er net zo'n stapel tijdschriften lag als boven, op een tafeltje naast haar. 'Je verwent me.'

'Doe ik dat?' Hij leek tevreden. 'Nou, dat zul je dan wel nodig hebben. Ik heb je als een razende rond zien rennen om al je klanten te bedienen. Misschien is dit been helemaal niet zo slecht voor jou. Nu moet je wel rusten. En misschien kun je deze tijd gebruiken om na te denken.' Hij trok even aan zijn gele paisley choker. 'Nu moet ik helaas naar kantoor, maar ik kom hier lunchen. Denk je dat je het redt tot dan?'

'Geen enkel probleem.' Jenny liet haar hoofd achterover in de leuning zakken. Hoe vreemd. Een deel van haar kon niet wachten om de telefoon te grijpen en al haar klanten te bellen, maar een ander deel had alleen maar zin om de ogen te sluiten en de dag dromend door te brengen. 'Tot straks.'

Verbazingwekkend, dacht Jenny, hoe snel je aan een nieuw ritme gewend raakte. In je oude leven ging je telkens maar door en door zonder je voor te kunnen stellen dat het ooit anders zou gaan, tot er op een dag iets gebeurde waardoor alles anders werd en je wel moest wennen aan een nieuw ritme. In het begin lijkt het onmogelijk, maar terwijl de dagen en weken voorbijglijden, wordt het nieuwe steeds vertrouwder en kun je je niet voorstellen dat je ooit nog naar je oude leven teruggaat. Behalve dan dat ze wel zou moeten.

Sinds ze hier was (dat was nu, even kijken, een dikke drie weken?) hadden zich op het werk godzijdank geen drama's afgespeeld. Geen verschrikkelijke rampen, op die conferentie na die Lily had georganiseerd in een plaatsje dat Brook House heette, zonder zich te realiseren dat er ook een huis is dat Brook House heet, niet ver daarvandaan. Enkele genodigden hadden hun uitnodiging niet goed gelezen en waren naar de verkeerde locatie gegaan en de klant was een beetje geïrriteerd geweest, maar dat was alles. En Alicia King had geen kik meer gegeven.

Ondertussen was Alan een uitermate attente gastheer. Niets was te veel moeite. Haar kleren verschenen als bij toverslag gewassen en gestreken op haar kamer. De voorraad tijdschriften werd voortdurend ververst en aangevuld. In de avonduren haalde hij haar over om met hem te schaken, iets wat ze jaren niet had gedaan en waar ze tot haar verbazing zeer veel plezier in had. Toe maar, voor je het wist, kreeg hij haar nog aan het bridgen ook!

'Ik moest je maar eens leren om Dirty Scrabble te spelen,' plaagde ze hem.

'Wat is dat?'

'Dat is als je vieze woorden moet vormen in plaats van gewone. Lucy en ik speelden het altijd met haar man toen hij nog leefde. Op een avond kwamen de kinderen beneden en ze waren zwaar geschokt, kan ik wel zeggen!'

'Klinkt super, maar we moeten het dan wel verstoppen voor Doris.' Hij knipoogde. 'Die schrikt bijna overal van.'

Ze hadden de beste kerstavond die ze ooit gehad had. Zeer vredig met Doris, die hen vergezelde voor de lunch. Corbridge, ontdekte ze, was een zeer pittoresk plaatsje, met natuurstenen huizen, van kleine hutjes tot grote landhuizen zoals dat van Alan. En wat de winkels betreft... ze had er wel dagen kunnen doorbrengen, snuffelend in de kleine, smaakvolle designer-kledingoutlet, die door een voormalig en ooit zeer succesvol model werd beheerd, en de keukenwinkel, en het delicatessenzaakje en de galerie.

'Dit is heerlijk,' zei ze toen ze zaten te lunchen in een van de met klimop beklede pubs waar Alan haar op een dag mee naartoe nam. 'Zo keurig.' Ze wreef over haar maag. 'Als ik terug ben in Londen, moet ik op dieet. Ik lunch normaal gesproken helemaal niet.'

Alan schonk een glas wijn voor haar in en daarna voor hemzelf. 'Ik hoop dat je nog eens terugkomt voor een bezoekje als je weer in Londen zit. Ik wil je nog zoveel laten zien, maar dat gaat nu niet met je gammele been.'

'Ik kom graag terug.'

Even was het stil. 'Nog een wijntje?'

Ze giechelde; het leek wel of ze dat de laatste tijd steeds vaker deed. 'Je hebt net ingeschonken.'

'Dat klopt ook nog.' Hij deed net of hij verbaasd was. 'Dat gebeurt nu eenmaal als je zo oud bent als ik.'

'Zo zie je er niet uit, hoor,' zei ze plotseling. 'Ik bedoel, ik weet niet eens hoe oud je bent, maar je ziet er best jong uit en...'

Ze stopte, zich bewust van het gevaarlijke terrein waar ze zich op begaf. Alan was een klant, sprak ze zichzelf toe. Hij had haar puur uit hoffelijkheid een plek geboden om te revalideren.

Hij lachte. 'Dankjewel, hoor. Ik zal het maar als een compliment opnemen, oké?'

'Zo was het wel bedoeld,' zei ze, nog in de war. 'Het kwam er alleen een beetje ongelukkig uit.'

'Ik vind het eigenlijk wel aandoenlijk.' Hij bekeek het menu. 'Zullen we bestellen? Ik kan de zalm van harte aanbevelen.'

Ze kwamen pas tegen de namiddag thuis. Dat was ook zoiets, dacht Jenny geamuseerd, terwijl ze naast Alan zat in zijn snorrende Mercedes en ze op het huis af reden. Ze had in Londen nooit een *afternoon tea* gehad, maar nu was ze er behoorlijk aan gewend geraakt dat Doris elke dag rond vier uur 's middags een dienblad met wat fruit en een stuk cake kwam brengen. Niet dat ze nog iets kon eten na die heerlijke lunch, maar...

'Hallo, het lijkt erop dat we bezoek hebben.' Alan bekeek de kleine sportwagen die op de oprijlaan stond.

Jenny wierp één blik op de groene sportwagen met het beige dak en haar maag draaide zich om. Misschien had ze het mis, probeerde ze zichzelf te bedaren. Er reden vast heel veel van dit soort auto's rond.

Alan stak zijn arm uit zoals hij altijd deed als Jenny in of uit de auto stapte. Ze pakte hem dankbaar aan en rustig wandelden ze samen naar de deur. Doris deed open voordat Alan de kans kreeg zijn sleutel te pakken.

'Er is iemand,' kondigde ze gewichtig aan. 'Een vriend van Jenny, naar het schijnt.'

'Nou, hij heeft in elk geval een mooie auto. Ik weet nog dat ik ook zo'n soort wagen had in mijn jonge jaren.'

Doris trok haar wenkbrauwen op. 'Nu hoopt hij dat we zeggen dat hij nog steeds jong is, maar dat negeren we gewoon, goed? Ik heb je bezoek trouwens in de kleine woonkamer gezet.'

Hij was blijkbaar niet voornaam genoeg voor de grote woonkamer, dacht Jenny. Met haar krukken liep ze naar de kamer, met Alan naast haar.

Een man stond op van zijn stoel. Hij had een lichte baard laten staan, waardoor hij er ouder uitzag.

'Hallo Jenny.'

Ze knikte kort. 'Alan, mag ik je voorstellen aan Dan?'

Hij was de perfecte gentleman. Stelde geen vragen. Liet hen, zich beleefd excuserend, alleen onder het mom van 'nog iets te doen hebben'.

Jenny voelde zich een stuk minder toeschietelijk. 'Wat doe jij hier?' siste ze zodra ze alleen waren.

'Lucy vertelde van je ongeluk en ik moest toch in de buurt zijn, dus vroeg ze of ik wat van jouw spullen en kerstcadeaus langs kon brengen, aangezien je blijkbaar nog wel even blijft. Ik heb ze aan die vrouw gegeven.'

'Ze heet Doris.'

'Is dat zo?' Hij keek om zich heen. 'Leuk optrekje heeft je vriendje.'

'Alan is mijn vriendje niet. Hij is een vriend die... die me onderdak biedt tot ik weer mobiel ben. Een betrouwbare vriend.' Ze kon het niet laten dat laatste erachteraan te zeggen. Hij had tenminste nog de beleefdheid om aangedaan te kijken.

'Tja, nou, sorry daarvoor. Ik ben nu eenmaal niet zo goed in het nakomen van beloften. Maar we hebben het toch leuk gehad samen?'

'Is dat zo?'

'O, kom op, Jenny. Jij bent toch niet zo'n benauwd typje? Dat zei je nog. Jij houdt van lol. Ik hou van lol. Dus hadden we lol.'

'Maar nu ben ik misschien wel veranderd.'

'Dat zijn we allemaal. Hoor eens, ik moet verder. Ik kwam alleen maar langs omdat Lucy dat vroeg.'

'Heel aardig van je, hoor. Echt waar. Waarom moet je eigenlijk hier zijn? Nog een blind date?'

'Nee, ik ben op zoek naar iemand. Voor iemand anders.'

'Dus je denkt weleens aan andere mensen?'

'Ja, Jenny, ik ben niet zo egoïstisch als jij denkt dat ik ben. Nee, blijf maar zitten. Doris laat me wel uit.'

Alan kwam pas naar beneden nadat Dan al een hele tijd weg was en toen had hij bovendien een stapel papieren bij zich. 'Ik ben bang dat ik nog wat moet werken voor we gaan eten, dus ons potje schaak schiet erbij in.'

Jenny voelde een steek van teleurstelling. 'Dat geeft niet.'

'Was het leuk om je vriend te zien?'

'Het is geen vriend.' Ze aarzelde, want ze wilde er niet om liegen. 'Of... dat was hij. Heel even. Maar nu niet meer. Hij kwam alleen wat kleren brengen die mijn zus hem meegegeven heeft.' Er viel een ongemakkelijke stilte. 'Ik geloof dat ik over een paar dagen maar weer eens terug naar Londen moest gaan.'

'Wanneer je wilt.' Zo koeltjes had ze Alan nog niet meegemaakt. 'Mijn chauffeur zal je wel brengen.'

'Nee, dat hoeft echt niet. Ik ga wel met de trein.'

'Jenny.'

'Ja?'

'Sorry dat ik zo kortaf doe. Het slaat nergens op, maar iets aan die jongen bevalt me niet. Iets in hem staat me tegen. Hij heeft iets sluws, als je het mij vraagt.'

Ze glimlachte zwakjes.

'Ik ben serieus, Jenny, ik wil niet dat jou iets overkomt.'

'Dat gebeurt niet. Echt niet.'

'Het is al gebeurd. Zie je dat dan niet? Ik zag het meteen toen ik je voor het eerst ontmoette. Ik ben ook gekwetst, op een ander manier, maar ik kan het nog zo aanwijzen. Ga niet, Jenny. Ren er nu niet weer voor weg.'

'Weer?'

Hij stond nu zo dicht bij haar, dat ze hem kon raken als ze haar arm uitstrekte.

'Is dat dan niet wat je al die tijd hebt gedaan, Jenny? Wegrennen. Voor het grootste deel van je leven, als je het mij vraagt. Ik weet niet precies waar je voor wegrent, maar denk je ook niet dat het tijd is om te stoppen?'

De brok in haar keel maakte dat ze bijna niet kon praten. Ze had dit nog nooit aan iemand verteld. Nog nooit.

'Ik weet niet of ik dat kan.'

'Praat dan met me, Jenny. Vertel het mij. Misschien helpt het.'

Ze liet zich op de stoel zakken, liet haar hoofd achteroverleunen, sloot even haar ogen en opende ze weer. Hij keek nog steeds naar haar. Wachtend. Zo lief. Zo begrijpend.

'Oké,' zei ze eindelijk. 'Het is geen mooi verhaal, maar zo is het gegaan.'

JANUARI

Kip met biologische worteltjes
(in blauwe schaal met vershoudfolie)

Yoghurt

Afgekolfde moedermelk in flesje
(voor nood)

Perenkruimeltaart

Shepherds' pie

Sinaasappel-gemberjam 2003

43

Het nieuwe jaar was begonnen, na een verschrikkelijke kerst bij haar moeder thuis en de realisatie dat ze George meer kwaad dan goed deed door een fulltimemoeder te willen zijn, waardoor Chrissie eindelijk besloot die baan bij Dan aan te nemen. Er moest iets gebeuren, besloot ze toen ze tegen haar zoon uitviel omdat hij weigerde zijn ontbijt op te eten en merkte dat haar keel er pijn van deed.

Maar toen ze die dag wakker werd, was ze misselijk van de angst om George achter te laten. 'Het komt wel goed,' had Martin geïrriteerd geroepen terwijl zij druk heen en weer liep en eindeloze lijstjes maakte. O god, George zag er zo lief uit in zijn kinderstoel, rustig voor de verandering. Hij blies haar zowaar kushandjes toe. Wie had hem dat geleerd?

'Ik weet niet of ik het kan,' zei ze terwijl ze neerplofte op een stoel.

'Hier hebben we het toch over gehad.' Martin, die nog in pyjama was, zette een ketel water op. 'Een van ons moet nu eenmaal werken en hij betaalt je genoeg. Die man moet er wel in zwemmen. Meer geld dan hersenen.' Hij keek haar even peinzend aan. 'Ik vraag me nog steeds af waarom hij je gevraagd heeft.'

Chrissie slikte de golf paniek door die via haar keel naar boven kwam. 'Omdat ik het waard ben?' Misschien had ze Martin over Dan moeten vertellen, maar nu had ze te lang gewacht. Trouwens, wat kon ze zeggen? Dit was de man met wie ze een korte, gepassioneerde verhouding had gehad op de universiteit en die...

'Waar zei je dat zijn tuitbeker lag?'

Woonde deze man echt bij hen in huis? 'In het kastje rechts van de gootsteen,' zei Chrissie knarsetandend. 'Als je de tuitbeker al niet kunt vinden, wordt het niets. Waar is zijn lunch?'

Martin legde een vinger op zijn kin en keek quasi-onnozel. 'Eh, in de koelkast?'

'Gefeliciteerd.'

Hij boog spottend. Wanneer waren zij sarcastisch tegen elkaar gaan doen? Wanneer waren ze gestopt met lachen? Wanneer hadden ze voor het laatst seks gehad?

'Chrissie, je komt te laat.'

Ze wilde nog steeds niet weg. 'Wat ga je vandaag doen?'

Martin gaapte en nipte aan zijn koffie. 'Weet nog niet. Het park, misschien. Nog even wat cv's versturen voordat we een blokje om gaan. Ik heb er wel zin in, eigenlijk, na jaren binnen op kantoor te hebben gezeten.'

Ze snoof. 'Zo makkelijk is het niet, hoor. Je moet hem constant in de gaten houden. Als je even niet oplet, trekt hij iets van een plank of loopt hij tegen een tafel. En je moet niet raar opkijken als de wijkverpleegkundige opeens op de stoep staat.'

'Ga nou maar.' Martin klonk geïrriteerd. 'Een kind opvoeden is geen hogere wiskunde. We redden ons best zonder jou.'

We redden ons best zonder jou? Dus zij had elke minuut van de dag en het grootste deel van de nacht doorgebracht met een ondankbare, ondermaatse bal van kinetische energie die van de ene kamer naar de andere zoemde, een spoor van chaos achter zich latend. En dan komt er ineens iemand vertellen dat hij het net zo goed, zo niet beter kan.

Ze trok haar werkjasje aan, een designcolbert uit de tijd dat ze zich dat nog kon veroorloven. Het had altijd ruim gezeten, maar nu kon het niet eens meer dicht. *We redden ons best zonder jou.* De woorden klonken nog na in haar hoofd. Nou, dat zullen we nog weleens zien.

Het kantoor van Dan was drie kwartier rijden verderop in North Harrow, op de derde verdieping van een gebouw dat er vanbuiten mistroostig grijs uitzag. Er stond geen naam op de deur, niets waaruit bleek wat hij eigenlijk deed. Wat deed ze hier?

'Hoi,' zei Dan geluidloos toen hij de deur opendeed met de telefoon tussen nek en schouder geklemd, zonder zijn gebruikelijke Bluetooth-verbinding. Hij gebaarde dat ze aan het bureau moest gaan zitten, dat bezaaid lag met papieren. Net als elk ander oppervlak. Ze gluurde naar een document waar VERTROUWELIJK op stond en waarop een halflege koffiebeker was geplaatst met de tekst BOSS-Y erop.

Tien minuten later was Dan nog steeds aan de telefoon. Dit was dodelijk saai! Haar handen jeukten om deze puinhoop van documenten en papieren op te ruimen, vertrouwelijk of niet, al mocht ze er alleen maar nette stapels van maken.

'Wauw. Ik was vergeten wat voor kleur het bureau had,' zei Dan toen hij eindelijk klaar was met zijn gesprek.

Ze keek tevreden naar het bijna opgeruimde bureau. 'Ik dacht dat ik maar beter iets kon doen terwijl jij bezig was.'

'Dat is super. Je hebt niet toevallig mijn Bluetooth gevonden, of wel? Ik heb 'm ergens neergelegd.'

'Hier.' Ze hield het apparaatje triomfantelijk omhoog. 'Wat kan ik nog meer voor je doen?'

'Nou, even kijken. Je zou een overzichtelijk archief kunnen opzetten en de telefoontjes kunnen beantwoorden, natuurlijk.' Hij klonk behoorlijk vaag voor iemand die, afgaand op zijn nieuwe BMW, opzichtige horloge en designeroutfits, duidelijk ergens goed aan verdiende.

'Kun je misschien even uitleggen wat je precies doet?'

Dan pakte de telefoon weer op. 'O, je weet wel. Een beetje van dit en een beetje van dat. Ik handel wat in aandelen en ik doe hier en daar wat met onroerend goed. Sinds kort importeer ik ook...'

Wat hij precies importeerde kwam ze niet te weten, want hij begon door de telefoon te praten en tegelijk begon de tweede lijn te rinkelen. 'Hallo. Dan Green Enterprises,' zei ze onwennig.

'Is Dan er?' vroeg een barse mannenstem.

'Hij is momenteel niet beschikbaar. Kan ik een boodschap aannemen?'

Een klik ten teken dat de beller had opgehangen. Blijkbaar niet.

Dan was bijna onophoudelijk aan de telefoon, pas tegen lunchtijd zag ze eindelijk kans hem even te spreken.

'Weet je dat ik nog steeds geen enkel idee heb waarom je me deze baan gegeven hebt?'

'Laten we dat nu alsjeblieft niet allemaal oprakelen.' Dan bladerde als een bezetene door een stapel papieren. 'Ik dacht eerlijk gezegd niet dat je het zou doen na... nou ja, na alles wat er gebeurd is.'

'Aha, dus je bood het aan met het idee dat ik zou weigeren?'

'Godsamme, Chrissie, ik heb geen tijd voor dat gepsychologiseer. Ik zoek iets.'

'Wat dan?'

'Een aandelencertificaat. Dat zegt jou toch niets.'

'Nou nou, een beetje minder kan ook wel. Bedoel je deze?'

Hij keek ernaar. 'Nee, maar die zoek ik ook al een tijdje. Dank je.'

'Graag gedaan. Ik heb niet alleen vijftien jaar ervaring in de hr, maar ik ben daarnaast ook zeer georganiseerd.' Ze keek met opgetrokken wenkbrauwen naar het bureau voor haar. 'Weet je van die bijeenkomst die je vandaag om vier uur hebt?'

Hij keek haar wantrouwig aan. 'Heb je in mijn agenda zitten neuzen?'

'Natuurlijk heb ik dat gedaan, Dan. Ik ben je overgekwalificeerde secretaresse, weet je nog? Secretaresses checken de agenda's van hun bazen om te kijken of ze niets vergeten. Hoe lang denk je dat die bijeenkomst gaat duren?'

Dan keek haar aan alsof ze gek was. 'Geen flauw idee, oké? Een uur? Twee uur?'

'Je hoeft niet te snauwen. Als het twee uur duurt, zal ik proberen, ik beloof niets, om deze puinhoop hier op te ruimen. Dan komen we misschien er-

gens. Wat is er met je vorige secretaresse gebeurd? Zij had dit moeten doen.'
'Tja.' Dan frunnikte aan zijn bril. 'Daar kunnen we het beter niet over hebben.'
'Je bent met haar naar bed geweest, hè?'
Hij trok een gezicht.
Ze deed minachtend een stap naar achteren. 'Je bent geen steek veranderd. Ik dacht dat je met Jenny was.'
'Jenny?' Hij wuifde even met zijn hand door de lucht. 'We zijn een paar keer uit geweest, dat is alles.'
'En Patsy dan?' Ze keek hem onderzoekend aan. 'Jullie lijken nogal hecht.'
'We kennen elkaar al honderd jaar. Maar zij is toch met Antony? Ik ben alleen. Ik doe waar ik zin in heb. En, Chrissie, kun je nu alsjeblieft aan het werk gaan en stoppen met al die vragen?'
En dat had ze gedaan. Op een of andere manier was het haar (tussen haar pogingen door om Martin te bellen om te vragen of alles wel goed ging) gelukt om het bureau en de rest van het kantoor op te ruimen. Goh, ze was vergeten hoe bevredigend het was om de boel aan kant te hebben. In een kantoor kon je iets opruimen zonder dat iemand, bijvoorbeeld een klein kanon of een losgeslagen peuter, alles weer overhoophaalde of er zijn fruithapje overheen gooide.
'Ja hoor!' Dan haalde zijn handen door zijn haar en floot goedkeurend. 'Dat ziet er een stuk beter uit.'
Ze probeerde niet te blij te kijken. 'Mooi.'

Die avond toen ze thuiskwam meldde Martin opgetogen dat George niet alleen zijn hele lunch had opgegeten, maar daarna ook nog een middagslaapje gedaan had.
Chrissie kon wel gillen. 'Heb je mijn instructies niet gelezen? Nu heeft hij geslapen en gaat hij vanavond niet meer en dan zit ik ernaast terwijl jij voor pampus ligt.'
'Het was niet zo'n lang slaapje. Een minuut of twintig maar.'
'Het maakt niet uit hoe lang! Ze hebben aan een powernap van vijf minuten genoeg om de hele nacht blèrend op te kunnen blijven.'
'Je doet net of het een of andere vreemde levensvorm is.'
'Nou, dat zijn ze ook, dat had jij ook kunnen weten als je er net zoveel tijd mee had doorgebracht als ik.'
'Luister eens naar jezelf.' Martin keek haar aan alsof hij haar voor het eerst zag. 'Je gezicht is een en al boosheid. Je hoeft je toch niet zo op te winden? George wordt er helemaal bang van.'
Chrissie pakte haar zoon uit de box en wreef zijn zachte wangetje tegen de hare. Hij duwde haar weg en stak zijn armen uit naar Martin. Hoe kon hij

haar zo snel vergeten zijn? 'Ga maar naar papa, als je dat wilt. Ik ga me opfrissen.'

'Kom je snel? Het eten is klaar.'

Chrissie viel bijna van de trap. 'Heb je gekookt?'

'Nou, dat niet. Ik heb iets gehaald bij Marks & Spencer. Het ziet er heerlijk uit.'

'Een kant-en-klaarmaaltijd? Maar we moeten juist minder geld uitgeven.'

'Het was echt niet duur. En sorry, maar George was niet zo gecharmeerd van de biologische kip en worteltjes.'

'Maar je zei dat hij goed geluncht had!'

'Heel goed.'

Ze kwam langzaam de trap af. 'Martin, wat heb je hem gegeven?'

Hij keek een beetje benauwd. 'Instantnoodles. Hij vond ze zo lekker dat ik meteen een voorraadje heb gehaald.'

'En, hoe redt manlief het zonder jou?'

Het was de volgende dag en Chrissie zat iets te typen achter de computer. Iets over jute en importrechten. 'Ach, je weet hoe dat gaat.' Even flitste de enorme ruzie die ze hadden gehad over de instantnoodles door haar hoofd. 'Het gaat wel, maar het is toch anders als ik er ben.'

'Dat kan ik me voorstellen.' Dan huiverde. 'Ik kan me niet voorstellen dat er iets erger is voor een man dan thuis te moeten blijven om voor het kind te zorgen.'

Ze brieste. 'Ik vind het toevallig bijzonder mannelijk. Ik ben trots op Martin.'

'Ik hoop dat je hem dat ook zegt. Ik weet dat ik er niets mee te maken heb, maar ik hoor hoe je tegen hem praat door de telefoon, Chrissie, en ik kan je wel vertellen dat de eerste vrouw die zulke dingen tegen mij zegt meteen de volgende afslag mag nemen.'

'Je hebt gelijk,' antwoordde Chrissie terwijl ze op 'Afdrukken' klikte. 'Daar heb jij niets mee te maken.'

'Zeg, is er nog nieuws over Jon?'

'Jon?' Shit. Ze had twee exemplaren moeten afdrukken.

'Lucy's zoon.'

'Wat is er met hem?'

'Heb je het niet gehoord? Hij is vermist. Is al weken weg. Niemand weet waar hij is. Lucy en Mike schijnen in alle staten te zijn. Raar, dat je dat niet wist.'

Hoe had ze zo egoïstisch kunnen zijn? Ze was zo bezig geweest met haar eigen akkefietjes, dat ze Lucy niet meer gebeld had sinds... sinds wanneer ook alweer? Toen het etentje bij de Italiaan was afgezegd. Arme Lucy! Ze had zich altijd al afgevraagd hoe dat zat met Jon. Lucy had altijd gezegd dat hij de grootste klap had gekregen van de dood van zijn vader. Ze zou na het werk meteen bij haar langsgaan en als Martin klaagde dat ze zo laat was, jammer dan. Dan moest hij zijn mobiel maar aanzetten.

Het was maar een kort ritje van Dans kantoor naar Lucy's huis. Eleanor deed open en was haar gebruikelijke elegante zelf in een keurig beige jasje en een marineblauwe linnen broek.

'Chrissie, lieverd! Kom binnen.'

'Ik vroeg me eigenlijk af of Lucy er was. Ik hoorde net pas van Jon en ik vroeg me af of ik iets kon doen.'

'Wat lief.' Eleanor zuchtte. 'Ik denk het niet, maar dank je. Lucy is op pad met Michael. Ze jagen constant achter aanwijzingen aan en gaan naar van die verschrikkelijke clubs om te kijken of Jon daar is.' Ze zuchtte. 'Als het goed is, is de politie ook op zoek, maar je weet maar nooit hoe serieus die het nemen. Dat komt door dat briefje, snap je?'

'Briefje?'

'Dat Jon heeft achtergelaten.' Eleanor ging haar voor naar de keuken. 'Hij zei dat hij tijd nodig had om uit te zoeken wie hij was. Dus zoals de politie zegt, hij had geen zelfmoordplannen of zo.'

'Hoe zijn de andere kinderen eronder?'

'Het is nu wel weer wat rustiger. Koffie, lieverd? Ik heb net een pot gezet. Ze zijn zo onder de indruk dat ze zich zowaar een beetje gedragen. Ze zijn boven hun huiswerk aan het doen. En Sam deed zijn beschermers om toen hij gisteren ging skateboarden. Het is me zelfs gelukt hem een helm te laten dragen, dat kan zijn moeder niet zeggen. Volgens mij zou Lucy trouwens hier moeten zijn bij haar kinderen in plaats van in het wilde weg naar Jon te zoeken. Ik weet het niet, Chrissie, ik weet het echt niet. In mijn tijd...'

'Ho maar, hou in godsnaam op met roepen hoe het in jouw tijd was!' hoorde Chrissie zichzelf zeggen. 'Natuurlijk zijn Sam en Kate geschrokken. Het is voor hen ook moeilijk. In plaats van de hele tijd kritiek te hebben op Lucy zou je haar beter kunnen vertellen hoe goed ze het doet.'

'Nou!' Eleanor keek verschrikt op van haar koffie. 'Ik ben nog nooit zo slecht behandeld. Ik heb niet de hele tijd kritiek op Lucy...'

'Jawel, dat heb je wel. Ik heb je gehoord. En je blijft het maar over Luke hebben, dat kan niet makkelijk zijn voor Mike.'

Eleanor ging met een doffe klap zitten. Geschrokken zag Chrissie dat haar ogen vochtig waren. 'Ik kan het niet helpen. Ik moet wel over Luke praten. Als ik dat niet doe, vergeet iedereen hem. Hij was misschien niet de allerbeste echtgenoot, maar hij was mijn zoon. Denk je eens in dat er iets met George zou gebeuren. Het maakt niet uit hoe oud ze zijn. Het blijven je kinderen.'

Chrissie ging op de stoel naast haar zitten en nam de handen van de oudere vrouw in de hare. 'Ik weet het. Sorry. Lucy heeft het gewoon moeilijk, en nu met Jon, dat is verschrikkelijk. Ik weet niet wat ik zou doen als er iets met George gebeurde. Dan zou ik nog liever hebben dat er iets met Martin...'

Ze stopte toen ze besefte wat ze zei.

'Echt waar?' vroeg Eleanor scherp.

'Ja, natuurlijk wil ik helemaal niet dat er iets gebeurt. Maar als ik moest kiezen tussen Martin en George, zou ik het wel weten. Dat lijkt me heel natuurlijk, of niet dan?'

'Ik zou het niet weten, lieverd.' Eleanor was weer wat rustiger; nu was het Chrissie die zich op zat te vreten. 'Ik merkte tijdens het etentje dat er nogal wat spanning was tussen jou en je man. Melk, lieverd? En wat je allemaal zei, hielp natuurlijk ook niet echt.'

'Wat heb ik gezegd?'

'Door de babyfoon. Ik was er niet, maar ik hoorde Lucy erover praten. Niet dat ik haar af zat te luisteren...'

Het koude zweet brak Chrissie uit. 'De babyfoon?'

Eleanor nam een slok zwarte koffie en leunde achterover, haar ogen schitterden alsof ze er plezier in had. 'Blijkbaar had je het over seks.'

'Seks?'

'Ja, iets over dat er maar één man was die het ooit "was gelukt". Volgens mij was dat het. En dat je sinds die iemand, je zei niet wie, nooit meer echt "heet" werd. Dat zei je ook nog, dacht ik.'

Een vaag beeld van zichzelf, zachtjes van alles en nog wat voor zich uit mompelend tijdens het voeden van George toen ze hun allereerste etentje bij Lucy hadden, flitste door haar hoofd. Nee! De babyfoon stond toch niet aan! Geen wonder dat Martin zo koel en afstandelijk was sinds die avond. Maar waarom had hij niets gezegd? Was het omdat (o god, ze moest bijna overgeven) omdat hij iemand anders had en niet meer om haar gaf?

'Dat meende ik niet. Nou ja, op een bepaalde manier wel.' Ze aarzelde, het was toch raar hoe ze die enorme lichamelijke aantrekkingskracht tussen hen tweeën niet kon vergeten, terwijl ze wist hoe slecht Dan bij haar paste, mentaal en emotioneel. 'Maar niet nu. Dat was lang geleden. Ik hou van Martin. Jeetje, Eleanor. Wat moet ik doen? Moet ik vertellen dat ik het weet?'

'Nee, absoluut niet.' Eleanor legde een koele arm om haar verhitte schouders. 'Daar komt alleen maar ruzie van.' Ze leek even na te denken. 'Nee. Jij moet hem weer gaan verleiden. Kleed jezelf leuk aan.' Ze keek afkeurend naar Chrissies zwarte rok. 'Maak je eens mooi op. Zorg voor hem, kook lekkere dingen.'

'Dat zal lastig worden. Ik moest weer aan het werk. Hij heeft geen baan meer.'

'Dat hoorde ik, ja.'

'Dus hij past op George en zou voor het eten moeten zorgen.' Terugdenkend aan de slappe spaghetti van gisteren, die qua textuur opvallend veel weg had van een bepaald meestal verborgen lichaamsdeel van haar echtgenoot, grijnsde Chrissie minachtend.

'Nou, je moet hem in elk geval verrassen! Neem iets te eten mee. Of prop de vriezer vol. Voor wie werk je?'

Chrissie slikte ongemakkelijk. 'Dan. Een vriend van Patsy die ik nog ken van vroeger. Van de universiteit.'

Eleanors gezicht betrok. 'En hij was degene over wie je het had over de babyfoon?'

Chrissie knikte bezwaard. 'Ik vind hem niet eens aardig. Niet meer, althans. Maar hij heeft dingen met me gedaan die... dat lichamelijke heb ik nooit meer met iemand anders gehad. Wat een ellende, Eleanor. Ik heb al die jaren met dat schuldgevoel rondgelopen en nu komt het allemaal keihard bij me terug.'

'Zo erg zal het toch niet zijn, lieverd?'

'O jawel, nog erger. Er is nog veel meer.'

Eleanor sloeg een arm om haar heen. 'Vertel mij dan maar alles wat er gebeurd is.'

Na afloop voelde Chrissie zich stukken beter. Bijna licht in haar hoofd toen ze naar huis reed. Eleanor had dan wel een paar minpuntjes, ze was ook een wijze oude tante. Ze was bijna enthousiast geraakt van haar tips om Martin te verleiden.

'Hallo,' riep ze toen ze de gang binnenstapte. 'Ik ben thuis.'

Een heerlijke geur kwam uit de keuken, begeleid door een klaterende lach. Chrissie gooide haar tas in de hoek en stapte naar binnen. Kim zat op haar plek aan de tafel en Martin zat geanimeerd te praten, terwijl George vanuit zijn kinderstoel worteltjes ruilde met een ander kindje dat naast hem zat.

'Chrissie!' Kim lachte naar haar. 'Hoe was het op je werk?'

'Druk,' zei Chrissie met een vuile blik naar Martin. 'Ik zei toch dat wortels gevaarlijk zijn. Hij stikt erin.'

'Het gaat eigenlijk heel goed,' kweelde Kim. 'Heel goed voor de tandjes, weet je.'

'Dat tandje is vandaag doorgekomen,' glom Martin alsof hij het er eigenhandig uit had gepriegeld. 'Knappe jongen, ja hè?'

'Wie.'

'Wat zei hij daar?'

'*Oui*.' Martin glom. 'We zijn net weer naar Franse les geweest. George krijgt het nu echt door, dankzij Kim.'

Kim haalde haar schouders op. 'O, dat komt niet alleen door mij, hoor. George is gewoon een heel slimme jongen.'

Chrissie begon George los te maken om hem een knuffel te geven, maar hij duwde haar weg.

'Hij is moe,' zei Kim troostend. 'Het was een lange dag met Franse les en die picknick in het park.'

'Picknick in het park?' Chrissie kon het scherpe toontje niet uit haar stem krijgen. 'Wat leuk voor jullie. Als jullie het goedvinden, ga ik me dan nu even omkleden.' Ze keek Martin aan. 'Iemand moet het geld verdienen.'

Ze wachtte tot de deur dichtviel en haalde even diep adem toen ze Martin de trap op hoorde komen. 'Was dat nodig?'

'Ja.' Ze draaide zich van hem af zodat hij haar flubberige postnatale buik niet zou zien terwijl ze haar spijkerbroek aansjorde. 'Iedere gek kan zien dat zij achter jou aan zit.'

'Achter mij?' Hij snoof. 'En wat dacht je van Dan? Hoe denk je dat het voor mij is dat jij voor je ex-vriendje werkt?'

'Hij is geen...' begon ze.

'Lieg niet.' Hij keek weg van haar alsof hij elk contact wilde vermijden, visueel of fysiek. 'Ik heb niets gezegd omdat ik wachtte tot jij het mij zou vertellen. Maar ik hoorde wat je zei over... dat je daarna van niemand meer zo "heet" was geworden, zoals je dat zo mooi zei. We hebben het allemaal gehoord over de babyfoon. Hoe denk je dat dat voor mij was? En dan duikt je ex-vriendje ineens op. Dat is wel erg toevallig, of niet dan?'

'Martin!' In een golf van paniek probeerde ze hem beet te pakken. Hij duwde haar weg. 'Martin, ik meende niet wat ik zei over de babyfoon. Ik bazelde maar wat. Maar waarom heb je niets gezegd?'

Iets in zijn ogen verried hem. 'Omdat ik bang was. Ik dacht dat je hem nog leuk vond en ik... ik wilde je niet verliezen, Chrissie. Alles is anders tussen ons sinds George geboren is en ik weet het ook niet, maar soms maak ik me zorgen over ons.'

Ze vloog in zijn armen en deze keer duwde hij haar niet weg. 'Ik weet dat het anders is, maar Lucy zegt dat dat normaal is na de komst van een kind. We moeten gewoon wennen, dat is het. En Dan, nou ja, die kan ik niet uitstaan. Ja, ik had iets met hem op de uni, maar dat was jaren geleden al over en uit. Ik weet niet waarom ik de dingen zei die ik zei. Ik weet van de helft van de dingen die ik tegenwoordig zeg niet waarom ik ze zeg.'

'Maar je werkt voor hem.'

'Ja, omdat we het geld nodig hebben! Hij betekent niets voor me. Dat zweer ik.'

Hij keek haar kil aan. 'Zweer je het op Georges leven?'

'Absoluut.'

Ze zag dat er iets in zijn blik veranderde; hij wist dat ze daar nooit over zou liegen. Chrissies hart maakte een sprongetje van dankbaarheid voor deze kans op verzoening. Godzijdank dat hij niet het hele smeuïge verhaal kende. Misschien moest ze Eleanors raad opvolgen. Ze klampte zich vast aan zijn arm. 'Ik heb een idee. Luister. Het klinkt misschien een beetje raar, maar het zou kunnen werken.'

44

Goudgeel met een minuscuul sliertje bruin. Ze had altijd gedacht dat je perenkruimeltaart in de winkel kocht in plaats van hem zelf te maken, totdat ze Bruce uit Australië bezig had gezien. Patsy herinnerde zich nog vaag de blikken rijstepap van toen haar moeder nog thuis was, maar later, toen ze alleen met haar vader was, waren de toetjes samen met de zachte aanraking van haar moeders kus helemaal verdwenen. Het avondeten bestond meestal uit *fish and chips* in een oude krant.

Dus waarom stond zij hier dan bloem en suiker af te wegen als een of andere godvergeten Nigella?

'Dat is troosteten, hoewel je er, jou kennende, waarschijnlijk geen hap van zult eten,' zei Dan toen hij weer eens onverwacht langskwam. Soms vroeg ze zich af hoe ze het ooit zonder hem zou redden. Hij was zelfs helemaal naar Newcastle gereden om te kijken of haar vader naar een van zijn zussen was gegaan (nee dus). Nu zat hij aan tafel bijna geamuseerd door het *Kookboek voor beginners* te bladeren dat ze bij de kringloopwinkel had gevonden. 'Moet je niet even in die peren roeren voordat ze aanbranden?'

'Rot op. Ik had weer een aanmaning van het tehuis.'

'Hoeveel?'

Ze noemde een bedrag.

'Maar zij hebben hem weg laten lopen.'

Ze rilde. 'Ik loop achter met betalen. Maak je geen zorgen. Ik kom er wel aan.'

'Je bedoelt dat je het aan Antony gaat vragen.'

Ze schraapte een stukje aangebrande peer van de bodem van de pan. 'Dat kan niet. Alles wat hij overheeft, gaat naar Maggie en de kinderen.'

'Dus de kip met de gouden eieren is toch niet zo rendabel?' Hij keek geamuseerd. 'Tijd om op te stappen, neem ik aan?'

'Nee. Hoe werkt deze klotemixer? Ik moet de boter en suiker door elkaar "scheppen". Kan dat met mijn handen?'

'Dan verpest je je handen.' Hij liet haar zien hoe ze het mixerelement op de mixer moest vastklikken. 'Als Antony niet genoeg geld heeft om je vader te onderhouden, is hij toch niet meer nodig, of wel?'

Ze deed het apparaat aan en een klont boter met suiker vloog over de rand.

Shit. 'Dat is niet eerlijk,' schreeuwde ze over het lawaai heen. 'Ik wil Antony niet alleen om zijn geld.'

'Echt?' Hij drukte op de uit-knop. 'Ik dacht dat het juist daarom ging? Dat was bij de anderen ook zo.'

Hij had gelijk. Dat was zo, maar met Antony was het anders. De gedachte aan hoe hij haar had vastgehouden, getroost, gewiegd toen ze hem vertelde hoe bang ze was dat haar vader haar zou vinden, kwam weer op. Naast Dan was er nooit een man geweest met wie ze zo kon praten als met Antony. Hij gaf haar het gevoel dat ze speciaal was. Niet goedkoop.

'Ik hou van Antony,' zei ze zacht. 'Maar ik vind het zo erg voor Maggie.'

Dan lachte. 'Hoor ik het goed? Ten eerste zegt Patsy, die zich nooit aan iemand zou binden, dat ze verliefd is. Ten tweede ontwikkelt ze na jaren rollebollen met getrouwde mannen opeens een geweten. En nu, als klap op de vuurpijl, staat ze hier perenkruimeltaart te bakken. Gaat het wel goed met je, Patsy?'

'Hou je bek. Nee, ik meen het.' Ze zwaaide vervaarlijk met haar pollepel. 'Ik wil je hier niet meer hebben. Ga weg.'

Er klonk geluid bij het raam. 'Wat was dat?'

'De wind.' Dan klonk kribbig. 'Wat is dat toch met vrouwen? Hormonen? Eerst lief en het volgende moment volkomen onvoorspelbaar. Chrissie is al net zo.'

Ze was nog boos, maar ook nieuwsgierig. 'Hoe doet ze het?'

'Best aardig, eigenlijk.' Dan leek verguld. 'Ze is efficiënter dan alle anderen. En het is een fijn idee dat ik ze op deze manier kan helpen.'

Ze keek hem emotieloos aan. 'Van wat je me verteld hebt, denk ik niet dat dat de hele waarheid is, haar "helpen" is wel het minste wat je kunt doen om goed te maken wat er gebeurd is. Als je haar maar niet bespringt, oké. Ze heeft een man en een kind.'

'Ik was het niet van plan.' Dan pakte zijn leren jasje. 'Nou, het waait flink. Je zou de gemeente moeten vragen iets aan die bomen te doen. Die takken beschadigen je raam nog. Succes met de taart en met Antony. Laat je het me weten als er nieuws is over je vader? Trouwens, waarom ben je eigenlijk niet aan het werk?'

Fotoshoot morgen afgelast. Bel je later.
Ze hadden niet eens de beleefdheid gehad om even te bellen. Maar het sms'je zei genoeg. Het akkefietje met Francesca over de roze blusher in combinatie met het model dat ze vorig jaar midden in de sessie in de steek had gelaten toen haar vader haar nodig had, had geleid tot een fikse daling van het aantal klussen waar ze voor gevraagd werd. De klacht die Maggie had ingediend tegen het tijdschrift waar haar kinderen in waren versche-

nen, had ook niet geholpen. Nu wilde de uitgever haar niet meer hebben. Als het niet snel beter ging, zou ze de huur voor het appartement niet meer kunnen opbrengen. Gelukkig had ze vanmiddag nog een klusje.

Patsy prikte met haar vinger in de zachte bovenlaag. Waarom was het deeg nog niet gaar? Het was eerder zompig dan knapperig. Gatver. Ze moest nu weg en ze had Antony willen verrassen. Misschien moest ze de oven wat hoger zetten. Ze zou uiterlijk om drie uur weer terug zijn, dan zou de taart wel klaar zijn.

Raar eigenlijk, om je druk te maken over een taart terwijl haar vader vermist werd. Zomaar ergens rondzwierf in de kou, zijn broek slobberend om zijn lijf. Waarschijnlijk zonder jas. Hoe ging hij dit weer overleven?

Ze was te laat voor de sessie. Slechts een paar minuten, maar genoeg om de moderedacteur, die bekendstond om haar stiptheid, op de kast te jagen. 'Sorry,' zei Patsy terwijl ze haar make-uptassen uitstalde. 'Ik had een taart in de oven en hij was nog niet klaar.'

De redacteur snoof. 'Kom op, Patsy. Jouw idee van koken is een bekertje magere yoghurt kopen bij de buurtsuper.'

'Mensen veranderen.' Patsy zocht in haar tas naar het oogpotlood dat ze wilde gebruiken.

'Niet in die mate. Goed, let op, dit is "een voor en na". We hebben het historische model zo grauw gemaakt als we konden, maar ze was vroeger een bekend model. Niet dat je dat nu nog zou zeggen. Doe gewoon je best, oké? Over twintig minuten moet ze voor de camera.'

Patsy wilde dat de redacteur niet zo'n harde stem had. Het 'historische model' zoals zij zei, zat in het kamertje ernaast. Misschien had ze het gehoord. Patsy stak haar hoofd om de deur. 'Hoi, ik ben Patsy. Alles staat klaar. Sorry dat je moest wachten.'

'Patsy?' Een lange vrouw met grote bambiogen (met wallen) en schouderlang zandkleurig haar glimlachte naar haar. 'Ik ben het. Marigold. Weet je nog?'

Marigold? De Marigold die zoveel voor *Vogue* werkte toen Patsy nog maar net begon in het vak? Ze was zo aardig voor haar geweest, in tegenstelling tot veel van die andere verwaande modellen. De laatste keer dat Patsy haar gezien had, was Marigold zwanger geweest en stond ze op het punt te trouwen met een steenrijke kerel. Maar moest je haar nu eens zien.

'Hoe is het met jou?' vroeg ze terwijl Marigold haar over haar wang aaide. De ogen van de vrouw flikkerden. 'Ach ja, je weet wel. Op en neer. Naar omstandigheden niet slecht.'

Patsy ging zitten en begon haar gezicht schoon te maken met komkommerdoekjes. 'Omstandigheden?'

'Heb je het niet gehoord? Het heeft in alle kranten gestaan. Justin is er met iemand anders vandoor gegaan. Zijn secretaresse, geloof je het?' Ze lachte schamper. 'Als je het mij vraagt, heeft ze hem willens en wetens van me afgepakt. Ze zat gewoon achter zijn geld aan. Nou, nu heeft ze het, en hem erbij. Ze zijn een maand geleden getrouwd.'

Magic Matt Age-Concealing foundation om mee te beginnen. 'Rot voor je.'

'Ja. Het ergste is nog dat ik echt geloofde dat hij anders was. En de meisjes zijn er kapot van.'

'Hoe oud zijn ze?'

'Twaalf en tien.'

Dezelfde leeftijd als Alice en Matt. 'Zijn ze erg aangedaan?'

'Natuurlijk zijn ze dat. Het is het ergste wat kinderen van hun leeftijd kan overkomen. Die secretaresse is zelf nog zowat een tiener. Ik hoop dat ze op een dag beseft wat ze heeft aangericht.'

Patsy's handen trilden. Shit. Die eyeliner moest opnieuw. Terwijl ze naarstig naar de doekjes zocht in haar tas, gooide ze haar andere tas van de tafel, waarna de hele inhoud alle kanten op rolde.

'Klaar?' vroeg de fotograaf, die naar binnen kwam lopen.

'Nee,' zei Patsy bits.

'Tuttut, je hoeft niet zo te snauwen.' De fotograaf bukte om haar te helpen de inhoud van de tas op te rapen. 'O, wat een knappe jongen. Is dat je partner?'

'Nee. Het is de zoon van een vriendin.'

'En waarom loop jij rond met een foto van hem?'

'Omdat hij vermist wordt, daarom. Zijn moeder heeft ze uitgedeeld voor het geval iemand hem herkent.' Goed. Ze had gevonden wat ze zocht. 'Geef me tien minuten.'

Er was een wonder nodig om Marigold tot haar vroegere niveau terug te brengen, dacht Patsy, die na de sessie haar make-up had ingepakt en nu op weg was om iets te gaan drinken met Antony, zoals ze hadden afgesproken. De sporen die de schade en schande in het gezicht van de vrouw hadden achtergelaten, waren nooit meer te herstellen. Zelfs niet met al haar magische sticks.

En dit was precies wat zij Maggie aandeed.

Patsy liep de trap af naar de metro en keek even goed naar de man die op de hoek zat met een deken over zijn knieën en een hond aan zijn voeten. Hij droeg een vreemd afstekende, vrolijke rood-wit gestippelde sjaal om zijn nek.

'Doe mij eens een pond, wijfie.'

Haastig liet ze een muntje in zijn schoot vallen en daarna liep ze zonder zijn 'dank u wel' af te wachten de krochten van het station in. Hij leek niet eens op haar vader, maar ze kon het niet laten om iedereen die ze op straat tegenkwam en die hem eventueel kon zijn, goed te bekijken. Ze mocht hopen, dacht Patsy terwijl ze op de roltrap stond, dat als haar vader er net zo bij zat als deze man, iemand, ergens, ook een muntje in zijn schoot liet vallen.

'Geen nieuws over je vader?' vroeg Antony toen ze naast hem ging zitten in het wijnhuis.

'Niets.'

'Nou, probeer het maar even te vergeten. Waar heb je zin in? Je favoriet?'

Ze knikte.

'Dit is gezellig, toch?' Hij keek haar vragend aan alsof hij haar goedkeuring vroeg.

Het had zo'n goed idee geleken. Een drankje na het werk. Samen, met z'n tweetjes.

Hij pakte het menu. 'Wil je iets eten?'

'Ik heb iets gemaakt voor het eten. Nou ja, perenkruimeltaart.'

'Echt? Zelf gemaakt?'

'En wat is daar zo raar aan?'

'Niets. Het is gewoon... nou ja... dat jij meestal niet...'

'Kon Maggie goed koken?'

'Eh, ja, maar...'

'En wat zou ze vanavond eten?'

'Geen idee, Patsy, waar heb je het over?'

Ze nam een grote slok van haar wodka lime. 'Ik zal je vertellen wat ze vanavond eet. Niets. Niets, verdomme. Net als mijn vader, waarschijnlijk, maar om een andere reden. Maggie eet niets omdat ze zich beroerd voelt. Hondsberoerd omdat een andere vrouw er met haar man vandoor is gegaan. Ik.'

'Luister.' Antony stak zijn hand naar haar uit. 'Dit is voor ons allebei niet makkelijk. Maar ik heb al gezegd dat ik toch bij haar weg zou zijn gegaan. Jij gaf net het laatste zetje. Nee, kijk niet zo, Patsy, alsjeblieft, waar ga je heen?'

'Naar huis. Mijn huis.'

Hij keek haar onderzoekend aan. 'Ik weet al waar dit over gaat. Het gaat niet om Maggie, toch? Het gaat erom dat ik je niet meer zoveel geld kan geven. Ik zag die tweede herinnering wel liggen vanmorgen. Je zult wel iemand anders gevonden hebben om kaal te plukken.'

Ze aarzelde. 'Ja. Dat klopt. Sorry, Antony. Wil je dan nu alsjeblieft teruggaan naar je vrouw? En probeer goed te maken wat je, wat wij, hebben gedaan.'

Patsy liep haastig door de straat en de trap op naar haar appartement. Ze was gewend om te liegen maar waarom deed dit dan zoveel pijn? Was het voor hem niet makkelijker om te denken dat zij een vreselijke trut was? Zo zou hij tenminste niet om haar blijven treuren en misschien de draad met Maggie weer oppakken.

Die stomme etentjes hadden haar hele kijk op de zaak veranderd. Al die stellen hadden iets gemeen. Ze hadden gezinnen. En familieleden die ruzie-maakten maar ook van elkaar hielden. Kijk nou naar Lucy en haar ver-miste zoon. Ze waren er allemaal om elkaar te helpen. De enige familie die zij had, was Dan.

Haar hand sloot zich om haar mobieltje. Het kon zo makkelijk zijn. Hij zou morgen meteen die rekening gaan betalen. Hij zou van haar houden als zij het toeliet. Maar ze hield niet van hem. Ze voelde zich niet tot hem aange-trokken zoals bij Antony. Ze kon toch niet...

Vreemd. De deur stond open. Ze wist zeker dat ze hem dicht had gedaan. En het rook naar brand. Fuck. Een sprintje naar de keuken en ze rukte de oven open. Dikke wolken zwarte rook ontsnapten. Ze deed hem snel weer dicht. En toen hoorde ze het. Een soort gekrijs. Alsof iets – een beest – vast-zat in de woonkamer. De gordijnen waren dicht, terwijl ze zou zweren dat ze ze vanmorgen open had gedaan.

'Papa?' Zodra ze het licht aandeed, zag ze hem: een smoezelige man met een wilde blik in zijn ogen en gekleed in een vieze blauwe trui stond mid-den in de kamer met één arm om de keel van Maggie en een keukenmes in de andere hand.

'Kom dichterbij, Patsy, meisje van me, en ik vermoord jou en deze vrouw.'

'Help me,' snikte Maggie.

Patsy's gedachten vlogen door haar hoofd. Haar mobieltje zat in haar tas in de keuken. Praat. Zorg dat ze kalm blijven.

'Hoe wist je waar ik woonde, papa?' zei ze met een zo rustig mogelijke stem.

'Dat stond op de briefjes. In het gesticht. Toen ik hier kwam, zag ik dat zij door het raam naar binnen wilde klimmen.'

'Ik wilde weten waar je woonde.' Maggie keek haar furieus aan, ondanks de vuile arm om haar keel. 'Ik wilde weten waar mijn man was en ik wilde met je praten. Normaal. Niet zoals laatst. Ik wilde je precies vertellen hoe jij onze levens hebt verwoest.'

'Dat weet ik.' Patsy's knieën knikten. 'Het spijt me.'

Maggie keek alsof ze op haar wilde spugen. 'Daar ben je lekker laat mee, dacht je ook niet?'

'Misschien niet.' Ze richtte zich tot haar vader. 'Leg dat mes neer, papa. En laat Maggie gaan. Zij zal je niets doen. Ze is een moeder.' Ze haalde diep adem. 'Net als mama.' Nog een teug lucht. 'Zoals Babs had kunnen zijn.'

Het was een gok. Een enorme gok. Ademloos keek ze hoe de arm om Mag-gies keel langzaam ontspande en losliet. Maggie rende dwars door de kamer naar de deur.

'Kom op, papa,' zei Patsy op zachte toon. 'Ik heb een lekkere kruimeltaart in de oven.'

Zijn mond vertrok en ze probeerde niet naar het gat tussen zijn tanden te kijken, dat er de vorige keer nog niet had gezeten.

'Wanneer heb je voor het laatst een echte maaltijd gehad, papa?'

'Kweenie.'

'Waar ben je geweest? Ik was zo bang. Ik heb naar je gezocht.'

'O ja? Waar dan?'

'Overal. De kade. Jezus, overal.'

'Waarom?'

Ze kwam dichterbij. Een grote klodder spuug droop uit zijn ene mondhoek.

'Omdat ik van je hou, papa. Dat weet je.'

Maggie bewoog langzaam naar de deur. Patsy stond met haar rug naar haar toe, zodat haar vader het niet kon zien.

'Waarom heb je me dan naar die verschrikkelijke plekken gestuurd?'

'Omdat je ergens heen moest, papa, na... na wat er gebeurd was. En ze waren er aardiger dan in het eerste huis, toch?'

'Waar is je moeder? En je zus?'

Hij was weer aan het ijlen. Op goede dagen vertelde ze hem de keiharde waarheid. Op slechte dagen, zoals nu, praatte ze met hem mee.

'Even weg, papa, ze zijn even weg.'

Maggie was inmiddels verdwenen. Ze hoopte maar dat ze hulp ging halen.

'Kom maar, papa, ga maar zitten, dan breng ik je een stuk taart. Het is hartstikke lekker, pap. Een beetje aangebrand, maar lekker warm en goed voor je.'

Langzaam liet ze hem in een leunstoel zakken en daarna haastte ze zich naar de keuken om een grote schep op een bord te kwakken voordat hij de kans kreeg om weer op te staan. 'Alsjeblieft, papa, eet dit maar op.'

'Bidden.'

'Wat?'

Hij gluurde naar haar. 'We moeten eerst bidden.'

Mijn god, dat was ze bijna vergeten. Haar vader had hen altijd laten bidden voordat ze ook maar een blik op het eten mochten werpen. De schaarse keren dat ze voor het gebed begonnen te eten, hadden ze een pak slaag gekregen.

'Here, zegen deze spijze, amen.'

De woorden kwamen automatisch (ongelooflijk, na al die jaren!) terwijl ze zijn grote, koude, eeltige handen in de hare hield en probeerde haar afkeer te verbergen. Zodra ze klaar waren, begon hij met zijn handen de perenkruimeltaart naar binnen te schuiven.

'Gebruik de lepel, papa.'

Hij negeerde haar en bleef zo snel eten dat de brokken deeg en peer langs zijn ongeschoren kin dropen. Patsy maakte aanstalten om hem schoon te vegen, maar hij week achteruit alsof ze hem ging slaan. 'Doen ze dat in het tehuis, papa?' vroeg ze zachtjes.

Hij knikte met waterige ogen. 'Als je niet at, sloegen ze je soms. En de volgende keer kreeg je niets.'

'Hier ben je veilig, papa,' zei ze zachtjes. 'Ga maar even lekker in die stoel liggen en een dutje doen.'

Hij deed wat ze zei, sloot zijn ogen. Patsy legde een deken over hem heen. Een paar minuten later lag hij hevig te snurken.

'Dan? Ik ben het.' Ze fluisterde dringend door de telefoon. 'Kom hiernaartoe. Snel.'

45

'Is dat alles wat je gaat eten?' Mike keek afkeurend naar het minuscule hapje gehakt.

'Ik heb geen trek.'

Zo was het geweest vanaf het moment dat Jon verdwenen was. Haar maag vroeg erom gevoed te worden, maar hoe kon ze eten als ze niet wist of haar oudste zoon, haar eerstgeborene, ook wel te eten had?

'Denk aan het briefje,' zei Mike alsof hij haar gedachten had gelezen. 'Hij heeft gewoon wat tijd voor zichzelf nodig.'

'Ssst,' zei ze. 'Daar zijn ze.'

Kate en Sam kwamen al ruziënd over de afstandsbediening binnen. 'Na het eten mag ik kiezen wat we gaan kijken.'

Kate keek haar jongere broertje minachtend aan. 'Echt niet, loser, ik ben aan de beurt.'

'Ik ben geen loser, toch, mama?'

'Kate, dat is niet aardig om te zeggen.'

'Kop dicht, mam.'

'Zo praat je niet tegen je moeder, Kate.'

Ze zond Mike een vernietigende blik. 'Dat bepaal ik zelf wel. En wat is dit?' Ze keek vol verachting naar de stomende ovenschotel die midden op de tafel stond. 'Dat is Jons lievelingseten. Waarom maak je het voor ons?'

'Het is woensdag,' zei Lucy zachtjes. 'Ik maak altijd *shepherd's pie* op woensdag.'

'Nou, ik hoef die troep niet. Niet zonder Jon.' Kate schoof haar stoel naar achteren en stormde de keuken uit.

'Dat ga je toch niet accepteren, hè?' vroeg Mike.

'Ze is overstuur.' Als hij kinderen had gehad, echte kinderen in plaats van een dochter die opeens was komen opduiken als een verlaat kerstcadeautje, had hij het wel begrepen.

'Nou, ik maak me ook zorgen, om jou. En Kerry heeft gebeld. Dit is misschien niet het beste moment, maar ze zou je heel graag eens ontmoeten en...'

'Inderdaad,' onderbrak Lucy hem stellig. 'Dit is niet het beste moment.'

Haar ogen dwaalden over de foto's en tekeningen aan de muur. Toen de kinderen klein waren en trots met hun kunstwerken uit school kwamen, had Lucy ze ingelijst. Luke klaagde er altijd over ('Tegen de tijd dat ze op de middelbare school zitten, zijn we dichtgegroeid') maar ze betekenden zoveel voor haar. Herinneringen aan hun kindertijd; fijne tijden toen ze zingend van huis naar school gingen, toen ze altijd wist waar ze waren. Er was een tekening van een huis met een iets te gele zon, van Kate. En er was een tractor (ze dacht tenminste dat het een tractor was), die Jon had gemaakt toen hij zes was. Ze slikte een brok weg.

'Mam.' Sam, ditmaal op zijn gewone jongejongenstoonhoogte in plaats van met de gemaakte zware stem die hij de laatste tijd graag opzette, onderbrak haar gedachten. 'Komt Jon vanavond thuis?'

'Nee,' zei ze harder dan ze bedoeld had. 'Hoezo?'

Sam keek verbaasd en even zag ze het kind dat hij was in plaats van de lastige vijftienjarige die niets anders wilde dan net zo oud zijn als zijn oudere broer en zus. 'Omdat je voor vijf hebt gedekt en niet voor vier.'

Dat was zo! Het was een automatisme. Dat had ze ook gedaan toen Luke doodging, en later weer, toen Jon naar de universiteit was vertrokken. 'Wat een sufferd ben ik,' zei ze luchtig. 'Is iedereen klaar? Nee, jullie hoeven niet op te ruimen. Ik doe het straks wel.' Ze stond op. 'Ik moet even iemand een huis laten zien. Ik ben maar even weg. Mike, vergeet je pillen niet.'

Dit was precies waarom ze een baan nodig had, dacht ze toen ze voor Abbots Road 7 parkeerde. Hoeveel ze ook van haar gezin hield, ze moest af en toe even ontsnappen. Bovendien was januari een drukke tijd voor de verhuurders. Ze werden meestal overspoeld door aanvragen van echtgenoten en echtgenotes die tijdens de stress en ellende van de kerstdagen eindelijk hadden besloten hun gezinnen te verlaten. Misschien was dit wel zo'n geval. Terwijl ze met de sleutels in haar hand het pad op liep, zag Lucy een goedgeklede oudere man in pak bij de deur wachten. Ze moesten echt een huurder vinden; het huis stond al weken leeg, deels omdat het niet erg makkelijk bereikbaar was. Bovendien had mevrouw Thomas gelijk; er kwamen nog steeds geluiden van de zolder, ondanks dat de gemeente had verklaard dat er niets te vinden was.

'Mevrouw Summers?'

Zijn gezicht had iets bekends. Toen ze hem de hand schudde, zag ze dat hij een doorleefd gezicht en tamelijk dunne bovenlip had. Waarschijnlijk achter in de zestig of zelfs begin zeventig. Misschien wilde hij iets huren om dichter bij zijn werk te zijn, als hij dat nog had, of om dichter bij een 'speciale vriendin' te wonen. Lucy had het allemaal meegemaakt.

Ze nam hem mee naar de voorkamer. Haar hand lag op haar mobieltje voor het geval dat ze snel zou moeten bellen. Lucy en Maggie waren het gewend om alleenstaande mannen rond te leiden, maar met deze was iets vreemds aan de hand.

'Zoals u kunt zien,' zei ze met een blik op de kale vloerplanken en kille jarenzestigopenhaard met de saaie bruine tegels en kardinaalrode vuurplaats, 'is het ongemeubileerd, maar het heeft veel potentie om er een comfortabele woning van te maken.'

De man keek uit het raam, zijn rug naar haar toe gekeerd. 'Ik ben niet geïnteresseerd in het huis, Lucy. Ik kom voor jou. Nee, ga nu niet meteen bellen. Ik wil je niets aandoen.' Hij draaide zich om met een weemoedige glimlach. 'Weet je niet wie ik ben, Lucy?'

Ze werd bang.

'Nee, zou dat moeten?'

Hij gaf haar een kaartje. 'Jim Macdonald. Bouwconsultant. Ja, Lulie. Weet je nog dat ik je zo noemde toen je klein was? Ik ben je vader. Ik heb een andere naam opgegeven aan dat meisje op kantoor omdat ik bang was dat je me niet wilde zien.'

Nee. Nee. Ze staarde hem aan. Deze man met zijn kille blik en dunne bovenlip was haar vader? Ze had hem zo lang niet gezien, maar er was iets in zijn blik, zijn manier van spreken, dat hij het koosnaampje kende dat hij alleen gebruikte...

'Ik geloof je niet.'

'Dat was te verwachten.' Hij haalde een bruine enveloppe uit zijn zak. 'Hier. Lees het later maar, als je wilt. Er zit genoeg bewijs in om je te overtuigen dat ik de waarheid spreek.'

'Maar hoe heb je me gevonden en... waarom?'

'Toeval, eigenlijk. Ik ben op zoek naar een huurhuis in deze buurt in verband met mijn werk. Ik zag toevallig een advertentie over jouw kantoor in de krant met een foto van jou met je naam eronder. Ik kon het bijna niet geloven.'

'Maar jij hebt ons verlaten.'

Hij schudde zijn hoofd. 'Daar ben ik niet trots op. Hoe is het met je moeder?'

'Dood.' Lucy begon te trillen. 'Ze is nooit over jouw vertrek heen gekomen. Jenny ook niet.'

'Zij is de reden dat ik wegging. Dat wist je zeker niet.' Hij lachte schamper. 'Tja, je moeder zal het je wel niet verteld hebben. Jenny was niet van mij. Je moeder was verliefd op iemand anders, maar hij liet haar bedrogen achter. De eerste jaren was ik te dom om dat te doorzien.'

'Jenny is niet jouw dochter?' hoorde Lucy zichzelf zeggen alsof een buikspreker haar functies had overgenomen. 'Je liegt.'

'Lieg ik? Kijk eens goed naar je halfzus. Jullie hebben misschien allebei het blonde haar van je moeder, maar qua karakter zijn jullie water en vuur, tenzij dat veranderd is.'

Lucy zocht steun bij de muur. 'Ga weg. Alsjeblieft. Nu meteen.'

'Zeker weten?' Hij stak zijn hand uit. Die was knoestig en verweerd, alsof er veel en zwaar werk mee verricht was. 'Ik had gehoopt dat we elkaar konden leren kennen. Daarom heb ik dit allemaal bedacht.'

'Ik wil dat je weggaat.'

Hij haalde zijn schouders op. 'Wat je wilt. Maar één ding. Ik zou willen vragen of je dit voor je wilt houden. Ik heb zelf een gezin en ik zou niet willen dat daar problemen ontstaan.'

'Maak je geen zorgen.' Lucy keek hem minachtend aan. 'Van mij zul je geen last hebben.'

'Trouwens,' ging hij door, 'ik zou het dak maar eens laten nakijken. Volgens mij zit er een nest eksters onder.'

De papieren, een kopie van haar geboorte-uittreksel en een vergeeld krantenknipsel met de aankondiging van haar geboorte, bewezen dat wat hij had gezegd waar was. Lucy zat voor haar huis in de auto en wilde niet naar binnen. Ze zou het Jenny moeten vertellen, maar het zou een vreselijke klap zijn. Jenny had haar vader altijd op een voetstuk gezet. Dat kon ze haar niet aandoen, zeker nu hun moeder dood was en ze er dus ook niet meer achter konden komen wie haar vader dan wel was.

'Lucy?'

Mike klopte op het autoraam. 'Waarom zit je daar?'

Ze stapte langzaam uit en gaf hem zonder iets te zeggen de bruine enveloppe. 'Je gelooft nooit wat er gebeurd is.'

Lucy lag in bed te luisteren naar het zachte gesnurk van Mike. De antihistaminetabletten die de dokter hem had voorgeschreven voor zijn allergie voor Mungo hadden hem blijkbaar knock-out geslagen. 'Je hebt gelijk dat het niet het juiste moment is om het Jenny te vertellen,' had hij gezegd. 'Misschien later, maar ze heeft momenteel genoeg aan haar hoofd.'

Arme Jenny. En arme mama. Ze hield vast enorm van Jenny's vader, om zo'n risico te nemen en later bedrogen uit te komen. Raar, eigenlijk. Haar moeder had hetzelfde gedaan als Antony en toch had ze met haar te doen. Misschien zou ze beter haar best moeten doen om zijn standpunt te begrijpen. En wat betekende 'bedrogen achterlaten' nou? Wat betekende dat precies? Was deze andere man getrouwd geweest? Had hij toch geen zin om een vrouw met twee kinderen, van wie er één niet van hem was, met open armen te ontvangen? Ze was net in een onrustige slaap gevallen, toen de telefoon ging. Van schrik sloeg ze de wekker van het nachtkastje. Twaalf over drie? Die man had haar privénummer toch zeker niet?

'Hallo. Met wie spreek ik?'

Stilte.

'Jon?'

'Nee, met Peter.'

De teleurstelling had een paar seconden nodig om neer te dalen. 'Heb je nieuws?'

'Jon belde net.'

'Waar is hij?'

'Eh. Dat is het nou juist. Hij wil niet dat ik het jou vertel. Hij vroeg of ik je wilde bellen om te zeggen dat alles goed met hem gaat.'

'Maar ik moet hem zien!'

'Hij is bang dat je boos bent omdat hij Oxford heeft verlaten.'

'Maar dat is niet zo. Dat heb ik je toch gezegd.'

Peter aarzelde. 'Maar hij denkt dat jouw... hij denkt dat Mike jou zal beïnvloeden en dat je zult proberen hem om te praten. Hij wil gewoon blijven waar hij is.'

'Wie is dat?' Mike was wakker en lag op zijn zij aandachtig mee te luisteren. Lucy negeerde hem. 'Peter, je moet me helpen. Denk je eens in hoe jouw moeder zich zou voelen als ze niet wist waar jij was. Je moet me vertellen waar hij is.'

'Sorry. Dat kan niet. Ik heb het beloofd.'

'Maar alles is in orde? Hoe komt hij aan geld?'

'Hij heeft een baantje.' Nog een stilte. 'Niet het soort baantje dat je zou verwachten, maar het gaat goed met hem.'

Lucy probeerde de tranen terug te dringen. Haar zoon. Haar oudste jongen. Hij wilde niet dat zij hem vond omdat hij Mike niet vertrouwde. Het was allemaal haar schuld, omdat zij een vreemde in hun huis had toegelaten. 'Peter, kun je hem bellen voor mij? Zeg hem dat Sam en Kate hem missen. Wij allemaal. Zeg hem dat het helemaal niet uitmaakt van Oxford. We willen alleen maar dat hij thuiskomt.'

Nu wisten ze tenminste dat alles goed was met Jon, zei iedereen. 'Hij komt vanzelf terug als hij er klaar voor is,' zei Jenny geïrriteerd. Sam en Kate waren minder vergevingsgezind. 'Wil hij ons niet zien, dan?' vroeg Sam, zichtbaar met pijn in zijn ogen.

'Het is gewoon een egoïstische eikel,' zei Kate.

Lucy keek naar Mike. Hij had een hekel aan grof taalgebruik en sprak de kinderen voortdurend aan op hun veelvuldig gebruik van schuttingtaal. 'Dat vind ik ook,' zei hij.

'Misschien,' zei Eleanor, opkijkend van haar borduurwerk, 'is Jon wel depressief. Zijn vader was een heel gevoelige man, hoor, Michael. Niet dat de mensen in mijn tijd niet gewoon de schouders rechtten en doorgingen.'

'Oma,' zei Sam terwijl hij de televisie harder zette. 'Waarom was je gisteren niet bij het eten?'

Eleanor bloosde. 'Ik was uit, lieverd. Wat hebben jullie gehad?'

'We hadden Mike,' bromde Sam. 'Die is hier tegenwoordig altijd.'

'Sam!'

'Laat maar, Lucy. Ik kan er wel tegen.'

'Nou nou, jongens.' Eleanor keek op van haar borduurwerk. 'Met al dit gedoe met Jon is het des te belangrijker dat we elkaar steunen als familie, geen ruzie. Sam, lieverd, wil je alsjeblieft de televisie zachter zetten, anders horen we het niet als je broer belt.'

'Hoor eens,' zei Mike toen ze naar bed gingen, 'ik weet dat het echt slecht uitkomt met Jon en zo, maar Kerry belde vandaag weer. Ze wil je echt graag ontmoeten.'

Waarom, wilde Lucy uitroepen. Wat heb ik ermee te maken?

'Ik begrijp hoe je je voelt,' zei Mike zacht. Hij liet een vinger lichtjes over haar rug glijden, zodat haar ruggengraat tintelde zonder dat haar hoofd daar toestemming voor had gegeven. 'Het zou zoveel voor mij betekenen. Net zoals het voor jou zo belangrijk was om mij aan de kinderen voor te stellen. En ja, zeg maar niets, het is een raar idee dat ze mijn dochter is. Toch wordt het voor mij elke dag een beetje natuurlijker.' Hij straalde. 'Ik had nooit gedacht dat ik dit zou voelen. Nu weet ik hoe het is. Om een kind te hebben, bedoel ik.' Hij trok haar naar zich toe. 'Je gaat Kerry heel aardig vinden, let maar op.'

Eleanor maakte er natuurlijk weer een enorme heisa van. Ze bakte niet alleen een indrukwekkende traditionele victoriacake, afgemaakt met frambozensaus en glazuur (net zoals haar moeder ze altijd maakte, dacht Lucy watertandend), ze stofzuigde ook met ongekende ijver het hele huis van boven tot onder.

'In mijn tijd runden wij meisjes ons huis zoals jullie je carrières runnen. Overal ligt hondenhaar en die arme Michael heeft nog steeds een loopneus, ondanks de nieuwe pillen. Ik wist niet dat hij allergisch was voor dieren. Dat wordt nog lastig als jullie gaan trouwen, denk je ook niet? Jullie kunnen natuurlijk ook blijven latten.'

Kerry zou tegen het avondeten langskomen. Zelfs de kinderen waren nerveus.

'Nou ja, dat kun je hun moeilijk kwalijk nemen,' zei Chrissie, die had gebeld voor de nodige steun. 'Ik bedoel, het is niet niks. Ik had nooit gedacht dat Mike zo iemand was met lijken in de kast. Dat zet je wel aan het denken, of niet dan?'

'Ja,' beaamde Lucy zwakjes.

'Dat soort lijken bedoel ik natuurlijk niet,' voegde Chrissie er haastig aan toe. 'Mike is een goeie kerel en iedereen kan wel een kind hebben waar hij niets van weet. Ik heb vaak gedacht dat dat best lastig is voor mannen. Het is ook wel interessant om te kijken wat hij er nu mee gaat doen. Ik bedoel, ik wil niet lullig doen, maar Mike kan nogal een pietje-precies zijn, toch? Ik ben benieuwd of hij de luiers gaat verschonen als opa zijnde. Lucy, ben je er nog?'

'Het voelt niet goed dat iedereen zo opgewonden is terwijl Jon er niet is,' zei Lucy zacht.

'Ja. Dat is klote. Ik zou George vermoorden als hij wegliep.'

'Iedereen zegt dat ik in elk geval weet dat hij veilig is.'

'Dat maakt het natuurlijk niet minder erg. Ben je boos omdat hij niet thuis wil komen?'

'Verdrietig, meer dan boos. Wat voor moeder ben ik geweest, dat mijn eigen zoon niet thuis wil komen?'

'Je bent een heel goede moeder geweest,' zei Chrissie met nadruk. 'Jon moet zichzelf ontdekken, meer niet. Dat hij de kracht heeft om dat te doen, bewijst voor mij dat je het fantastisch hebt gedaan als moeder.'

'Denk je?'

'Ja, dat denk ik echt. En, sorry, Lucy, nu moet ik rennen. Dan kan elk moment terug zijn en ik moet echt iets af hebben voor hij terug is.'

Chrissie was veel zelfverzekerder geworden, dacht Lucy. Ze leek weer veel meer op de oude Chrissie. Ze kon zich nu voorstellen hoe goed zij was geweest in haar oude baan. Hr-managers hebben verschillende vaardigheden nodig: goed met mensen kunnen omgaan, mensen kunnen beoordelen, mensen kunnen vertellen dat ze onvoldoende presteren, of zelfs iemand ontslaan.

Iedereen leek zich te ontwikkelen, behalve zijzelf. De ontmoeting met haar echte vader leek een droom. Ze had in het verleden zoveel aan hem gedacht, maar ergens was het ook weer makkelijker om te ontdekken dat hij totaal anders was dan ze zich had voorgesteld. Zet hem uit je hoofd, had Mike gezegd, alsof het een triviaal intermezzootje was.

'Ze is er!' riep iemand.

Mikes dochter was er wel en haar eigen zoon niet. Dit zou nooit gebeurd zijn als ze Mike niet in haar leven had gelaten. Opeens voelde ze een onverwacht heftige boosheid opborrelen. 'Het is jouw schuld, Luke,' fluisterde Lucy. 'Als jij niet zo nodig dood moest, was dit allemaal niet gebeurd.'

Lucy kwam als laatste de woonkamer binnen. Even zag ze Kerry helemaal niet, doordat ze door de vrolijk pratende kinderen en Eleanor in beslag werd genomen. Toen ze haar zagen, maakten ze ruimte. Lucy moest haar best doen om geen hand voor haar mond te slaan van verbazing. Ze had voortdurend tevergeefs geprobeerd zich een beeld van Kerry te vormen. Dit was wel het laatste wat ze verwacht had.

Kerry had (en er is geen andere manier om dit te zeggen) een prachtige, donkere chocoladekleur. Ondanks haar lengte was ze extreem slank, op de uitstekende buik na, die eruitzag alsof iemand er een stuk klei op had geboetseerd. Dat was bijzonder goed te zien, omdat ze een kort ribtruitje aanhad dat een behoorlijk stuk van haar buik bloot liet.

Maar de rest van haar was helemaal adembenemend. Haar lange blote armen (zelfs met dit weer) waren bedekt met tatoeages, haar schouders ook! Haar diepzwarte haar, in piepkleine vlechtjes gevlochten, had groene strepen erdoorheen, en ze had een kleine verzameling piercings in haar neus en een serie grote ringen in elk oor.

Maar haar ogen waren precies die van Mike (hetzelfde vrolijke kastanjebruin) en ze had zijn neus. De prachtig uitstekende, perfect gemodelleerde jukbeenderen, realiseerde ze zich met een vreemde steek in haar maag, moest ze van haar moeder hebben.

Dus dit was de vrouw die de privédetective had gezien, wat betekende dat Mike de waarheid had gesproken. Geen wonder dat de ogen van Eleanor bijna uit hun kassen vielen.

Kerry keek haar ernstig aan, alsof ze wist wat ze dacht.

'Hallo,' zei Lucy. Ze stak halfslachtig een hand uit, bedacht toen dat dat misschien veel te formeel was en trok hem weer terug. 'Je hebt het kunnen vinden.'

'Yep.' Ze stopte een kauwgumpje in haar mond. 'Lee heeft me afgezet.'

Ze praatte alsof Lucy Lee kende.

'Is hij... eh... de vader van de baby?'

'Nee.'

Er viel een korte stilte.

'Goed,' zei Mike geforceerd opgewekt, 'heb je zin in iets lekkers? Eleanor heeft een fantastische cake gebakken.'

En ik heb wat komkommersandwiches gemaakt, wilde Lucy er nadrukkelijk aan toevoegen.

'Nee, dank je. Lee en ik hebben laat geluncht. We hebben geen trek. En ik heb ook geen zin om nog meer aan te komen met dat geval in mijn lijf.' Ze keek om zich heen. 'Leuk hier, zeg.'

'Wil je mijn kamer zien?' Kate trok haar bijna overeind. 'Kom naar boven. Wat heb je mooi haar. Waar heb je dat laten doen?'

'Lee heeft het voor me gedaan.'

'Is hij kapper?' vroeg Eleanor.

'Hij zou het willen zijn.'

Was dat moeilijk dan?

'Vette neuspiercings,' constateerde Sam. 'Mike en mama werden helemaal gek toen ik mijn oor had laten doen.'

'Waarom?'

Lucy hoorde het antwoord niet meer omdat ze net de trap op gingen, maar ze kon het wel raden.

Alleen achtergebleven in de woonkamer, keek ze naar Mike.

Hij maakte een beweging. 'Het is altijd ongemakkelijk, zo'n eerste keer.'

'Weet je zeker dat ze van jou is, Michael?' Eleanors zeer ontwikkelde stemgeluid galmde zo door de ruimte dat Lucy een razendsnelle sprong naar de deur maakte om die te sluiten.

'Ja,' zei hij kort. 'Ze heeft me het geboorte-uittreksel laten zien, en voordat je iets zegt wat je beter niet kunt zeggen, Eleanor, haar moeder komt uit Ghana. Kijk, het is vast niet wat je verwachtte en ik had het misschien beter van tevoren kunnen vertellen, maar ik wist eerlijk gezegd niet hoe je zou reageren en... shit. Het is mijn dochter, aan jou de keus.'

Lucy reikte naar zijn hand. 'Ik begrijp het. Echt waar. Zo denk ik ook over Jon en de anderen. Ze zijn misschien niet wat ik dacht dat ze zouden worden, maar het zijn mijn kinderen. Net zoals Kerry jouw dochter is.'

Hij keek haar dankbaar aan.

'Nou.' Eleanor klakte met haar tong. 'In mijn tijd piekerden we er niet over om zomaar op te komen dagen en te zeggen dat je iemands dochter was. Laten we hopen dat Sam en Kate nu niet ook van die vreselijke harten op hun armen willen. In mijn tijd hadden alleen matrozen en schippers zulke dingen. Als niemand een stuk cake wil, dan neem ik zelf maar. O, Mike, dat was ik nog vergeten. De makelaar belde. Iets over de kopers van je huis. Ze willen dat je meteen terugbelt.'

Gelukkig was het makelaarskantoor nog open. Lucy hoorde Mike opgewonden praten aan de telefoon. Boven klonk de muziek steeds harder. Iemand bonkte op de vloer.

'Alles goed?' vroeg ze toen hij de kamer weer in kwam.

'Ja. Dat denk ik wel, tenminste.'

Hij keek bedenkelijk.

'De kopers hebben zich toch niet teruggetrokken na dat vochtonderzoek?'

'Nee. Ze accepteren de garantie. Ze willen zelfs deze week de zaak rondmaken en een overdracht op korte termijn.'

'Wat betekent dat, Michael?' vroeg Eleanor, die met een servet haar mond afveegde.

Hadden ze dan helemaal geen privacy meer in dit huis?

'Dat betekent,' zei Mike met een vragende blik naar Lucy, 'dat ze de week daarna erin willen trekken.'

De gedachten schoten door Lucy's hoofd heen en weer. 'De week na volgende week? Maar dan hebben we helemaal geen tijd meer om iets voor te bereiden.'

'Ik wil ze niet laten schieten.'

'Nee, natuurlijk niet.'

'Ik kan wel iets gaan huren, als je wilt.'

Lucy merkte opeens dat Eleanor haar adem inhield. 'Ben je gek,' zei ze, en ze sloeg haar armen om hem heen. 'Wij willen je hier.' Ze keek Eleanor aan over zijn schouder. 'Eén grote gezellige familie,' zei ze nadrukkelijk.

Eleanor snoof en sneed nog een stuk cake af voor zichzelf.

'Fijn,' zei Mike, en hij snoot zijn neus. 'Af, Mungo, af. Schatje, kun je hem in de bijkeuken doen, dan bel ik de verhuizers om een datum af te spreken.'

'Vergeet de opslag niet te bellen.'

'Nou, als Jon voorlopig niet terugkomt, zouden we dat geld kunnen besparen door wat van mijn muziek in zijn kamer te zetten. En volgens mij staan mijn banken hier heel goed naast jouw bloemenstoel. Wat denk jij?'

46

Als het anders was geweest, zou ze bijna geneigd zijn om te blijven. Lily had het heel goed gedaan, maar de laatste dagen was er een soort paniektoontje in haar stem dat Jenny maar al te goed herkende. Dit was geen werk om alleen te doen. Dat kon ze niet van het meisje verwachten.

'Wil je nog toast?'

Alan gaf haar de zilveren toasthouder aan en ze vroeg zich af of hij had gezien dat de pot jam die Doris die ochtend op tafel had gezet, een handgeschreven label had waarop stond: CAROLINES ZELFGEMAAKTE SINAASAPPEL-GEMBERJAM 2003. Was dat een subtiele boodschap van Doris, en zo ja, wat betekende die dan?

'Nee, dank je. Je hebt me zo verwend dat ik twee kilo ben aangekomen.'

Hij keek haar stralend aan. 'Dat staat je goed, als ik het zeggen mag.' Hij klopte spottend op zijn taille. 'En kijk mij nou, ik val alleen maar af.'

'Dat staat jou ook,' zei ze iets te snel. 'Niet dat ik vond dat er wat af moest, maar...'

'Toe, Jenny.' Zijn ogen schitterden. 'We hadden afgesproken om eerlijk tegen elkaar te zijn. We weten allebei dat ik nodig iets aan mijn lijf moest doen.'

Dat was waar. Na haar emotionele bekentenis van de avond ervoor hadden ze besloten dat het essentieel was om niets te verbergen.

'Even daarover, dat eerlijk zijn en zo. Weet je zeker dat je me geen verschrikkelijk mens vindt?'

Hij keek haar recht aan. 'Ik heb je al gezegd dat iedereen dingen doet die hij niet zou moeten doen.'

'Jij ook?' Ze keek even naar de foto's van zijn vrouw in hun zilveren lijstjes op het mahoniehouten buffet.

'Ik ben nooit ontrouw geweest. Maar ik was niet genoeg bij haar en ze was eenzaam.' Zijn stem haperde. 'Dus soms zocht ze haar vertier elders.'

Dat had ze niet verwacht. 'Vond je dat erg?'

'Afschuwelijk. Maar ik heb nooit iets gezegd. Te bang, denk ik, om onrust te zaaien. Het waren geen blijvers, en zij ook niet.'

Als ze makkelijk op had kunnen staan, had ze hem een knuffel gegeven. 'Wat erg voor je.'

'Nee, joh. Het leven compenseert ook, weet je.'

'Maar ik weet nog steeds niet hoe ik mijn daad goed zou kunnen maken.'

Alan staarde in gedachten naar de tuin, kijkend naar de lavendelpaden en pergola's. 'Daar kan ik je niet mee helpen, Jenny. Ik kan alleen maar zeggen dat het op een dag allemaal tot je zal komen.'

Misschien was het ook wel gewoon tijd om naar huis te gaan. Haar been heelde goed, dat zei de privéarts tenminste naar wie Alan haar had gestuurd. En ze moest weer aan het werk. Aan de andere kant was het zo heerlijk om er even tussenuit te zijn, zoals haar zus het over de telefoon had genoemd. Ze zou Alan missen. Hun gesprekken missen, en de potjes schaak en de wandelingen waarbij zij meehobbelde op krukken. De leuke winkeltjes in Corbridge missen, waarvan ze de mensen net begon te kennen.

'Je zou natuurlijk kunnen blijven.' Alans stem onderbrak haar gedachten vanaf de andere kant van de ontbijttafel.

'Pardon?'

'Nou.' Hij besmeerde aandachtig zijn broodje. 'Als ik het goed heb, zat je erover te denken om weg te gaan. Terug naar Londen.'

Ze knikte.

Hij stond op en liep op haar af.

Jenny hield haar adem in en bestudeerde aandachtig de zilveren koffiekan die voor haar stond.

'Je zou natuurlijk altijd hier bij mij kunnen blijven,' herhaalde hij vanachter haar rug.

Ze kon niet bewegen.

'Tenzij je natuurlijk die jonge man te veel mist.'

'Nee.' Ze draaide zich razendsnel om. 'Dat weet je. Dat heb ik je verteld. Hij betekent niets voor me.'

Hij zat gehurkt op de grond naast haar stoel, op haar hoogte. Zijn gezicht was nog nooit zo dicht bij het hare geweest. Zijn ogen stonden zacht. Zoekend. 'En ik? Beteken ik iets voor jou, Jenny?'

Voordat ze iets kon zeggen, lagen zijn handen om haar gezicht en was zijn mond op de hare. Zacht maar stevig. Heel bewust en doeltreffend. Deze man kon kussen! Voordat ze het doorhad, voelde Jenny dat ze hongerig reageerde. Dit was belachelijk! Alan was oud genoeg om haar vader te zijn. Oké, een jonge oom misschien. En toch had haar lichaam sinds haar tienerjaren niet meer zo gereageerd.

Uiteindelijk lieten ze elkaar buiten adem los. Alan wiegde van voren naar achteren en viel om. Jenny barstte in lachen uit. Hij grijnsde schuldbewust vanaf het kleed. 'Duidelijk niet meer zo jong als vroeger.'

'Dat moet je niet zeggen.'

Ze stonden allebei op, hij hielp haar in positie. 'Goed, nu kun je me dus beschuldigen van het misbruiken van een vrouw met een slecht been.' Hij nam haar hand. 'Ik meende het, van dat blijven.'

Ja. Nee. Shit, hoe moest zij dat nou weten? Ze had zich al zo vaak vergist in mannen dat ze haar eigen oordeel niet meer vertrouwde.

'Ik weet het niet. Nee, kijk alsjeblieft niet zo. Het enige wat ik weet, is dat ik terug moet naar Londen. Lily heeft me nodig. Mijn zaak heeft me nodig.' Ze streelde zijn wang. 'En ik heb tijd nodig om na te denken.'

Ze probeerde te slapen in de trein, maar dat was onmogelijk. Ze had te veel aan haar hoofd. Bovendien was het meer dan druk in de trein. Ze had nooit geweten dat er zoveel mensen op en neer naar het noorden reisden. Waren het forenzen? Hadden ze ook rare langeafstandsrelaties?

Op het station had Alan haar ongemakkelijk op haar wang gekust, vlak naast haar mond, en zij had hem verward omhelsd met haar gezicht in zijn warme wollen jas.

'Laat me niet te lang in mijn nakie staan, meisje,' had hij half lachend gezegd. Nu zat ze hier, ondanks de stapel tijdschriften en e-mails van Lily waar ze doorheen had willen gaan, en alles waar ze aan kon denken was de man op het perron die van de andere kant van het raam rare gezichten trok en wachtte tot de trein uit het zicht was.

Het was maar drie uur naar King's Cross. Ze kon makkelijk terugkomen in het weekend, zoals hij had voorgesteld. 'Of ik kom naar jou toe,' had hij eraan toegevoegd.

Dat plan had ze ook afgewezen, met de woorden dat ze tijd nodig had om na te denken en dat het niet goed was elkaar te snel weer te zien. Nu dat ze naar de taxistandplaats naast het station liep, waarbij ze nog zeer veel steun van haar krukken nodig had, vroeg ze zich af of ze niet te snel was geweest met haar antwoord. Een portier was zo vriendelijk haar bagage voor haar te vervoeren, maar hoe moest het straks bij haar appartement? Ze had Alans aanbod om haar met de auto te brengen aan moeten nemen.

Toen zag ze het. Een briefje met haar naam erop. *Ms Jenny Macdonald.* Het werd omhooggehouden door een man in een chauffeursuniform. Een man die ze van gezicht kende.

'Mevrouw Macdonald?' Hij herkende haar ook. 'Meneer Alan vroeg me u hier op te halen. Hij dacht dat dat makkelijker was dan een taxi nemen.'
'Dank u.'

Jenny kon zich bijna niet beheersen om haar mobiel te pakken en Alan te bedanken. Dat was zo typisch Alan: zo attent en gul. Maar ze deed het niet. Ze had tijd en afstand nodig. Ze had al eens een grote fout gemaakt. Een erge. Ze kon het zich niet veroorloven er nog een te maken.

Iemand was in haar appartement geweest om op te ruimen. Er stonden verse bloemen op tafel en er lag fruit in de schaal. En een briefje.

Welkom terug. Bel als je thuis bent. Er staat eten in de oven.
Heb je gemist. L x

Jenny deed de oven open. Een heerlijk ruikende visschotel stond lustig te borrelen. Er ontbrak slechts één ding. Iemand, en niet gewoon zomaar iemand, om de maaltijd mee te delen en de dag door te nemen.

De volgende morgen nam ze een taxi naar kantoor. Binnenkort zou het gips eraf mogen, goddank, en dan zou ze weer kunnen rijden. Lily zat al achter haar bureau.

'Hallo!' Lily's ogen straalden en ze leek al veel meer op het meisje dat Jenny had aangenomen. 'Welkom terug. Wat ontzettend fijn om je weer te zien.'

'Jou ook.' Jenny liet zich op haar stoel zakken. Het bureau met het boeket lelies erop, haar laden, de mappen... ze waren nog precies hetzelfde. Maar waarom voelde het dan als één grote, vlakke, doffe anticlimax?

'Mooie bloemen, vind je niet?' babbelde Lily. 'Ze zijn net bezorgd.'

Jenny vouwde het kaartje open. *Mis je,* stond er alleen maar. *A.*

Jenny voelde zich warm worden vanbinnen, gevolgd door een steek van schuldgevoel. Ze verfrommelde de kaart en gooide hem in de prullenmand. Ze verdiende het niet om gemist te worden.

'Is er iets?' vroeg Lily fronsend.

'Nee.' Jenny schakelde over op haar zakelijke alter ego. 'Nu zou ik graag een volledige update van je krijgen, Lily. Ik wil alles weten wat er in mijn afwezigheid gebeurd is.'

Tegen het eind van de dag was ze afgepeigerd. Wat was er gebeurd? Het was pas zes uur. Voordat ze haar been brak, ging ze altijd nog veel langer door. Rust nemen was niet altijd heilzaam, omdat het je lichaam het idee kon geven dat het mocht inkakken. Nou, dat zou haar niet overkomen. Ze moest doorgaan, dan kon ze tenminste ook niet nadenken.

'Kom eten,' jubelde Lucy door de telefoon toen ze haar eerder vandaag belde. 'Ik moet je nog zoveel vertellen en ik wil alles weten over het hoge noorden.'

Ze deed net of het het andere eind van de wereld was en Jenny voelde zich namens Alan lichtelijk geïrriteerd. Maar eten was geen slecht plan, ze had geen zin om weer alleen te eten, en ze had echt zin om haar zus te zien.

'Zal ik je komen halen als ik klaar ben op kantoor?'

Het was altijd een bron van ergernis van Jenny dat Lucy om vier uur klaar was. 'Ik wilde dat ik zo vroeg klaar was.'

'Het staat in mijn contract.'

De pijn in Lucy's stem sneed door haar ziel. Goed gedaan, Jenny, zei ze tegen zichzelf. Net een paar uur terug en je zit er meteen weer bovenop.

Arme Lucy. Jenny had de hele avond met haar te doen. Mike zat erbij en hing aan de lippen van zijn zogenaamde dochter, die Lucy precies kon vertellen waarom ze het goed zou moeten vinden dat Sam verschillende piercings op verschillende plekken nam en Kate groene strepen in haar haar liet verven.

Eleanor schitterde door afwezigheid. Ze had zich kennelijk bij een of andere gezelligheidsclub aangesloten. Nou ja, dat was dan tenminste iets positiefs.

Het enige luchtige was Mungo die langdurig zijn lusten botvierde op de tafelpoot. 'Slikt die hond van jullie Viagra?'

'Tante Jenny!'

Ze merkte dat Lucy tijdens het eten meerdere malen naar de lege stoel van Jon keek. Onder de tafel pakte ze de hand van haar zus en kneep er even in. Lucy zond haar een droevige dankbare glimlach terug. Het was niet eerlijk, dacht Jenny boos. Als niemand anders er iets aan ging doen, dan deed zij het wel.

De volgende morgen meldde ze zich ziek. 'Ik was al bang dat je te snel was teruggekomen,' zei Lily bezorgd. 'Beloof je dat je het rustig aan doet?'

Ze hoefde geen excuus te hebben. Ze was tenslotte de baas, maar het was beter als iedereen dacht dat ze thuis was. 'Als mijn zus belt, moet je haar maar vragen om niet bij mij thuis langs te gaan. Ik moet echt rusten.'

Het taxibedrijf dat zij waarschijnlijk in haar eentje draaiende hield met al die ritten die ze afnam, kon haar brengen. Ze hoopte alleen dat die magere bonenstaak thuis was. Ze hoopte ook dat Kate haar mond niet voorbij zou praten. Ze had er vijftig pond voor neer moeten leggen om Kates gevoel van indiscretie te sussen zodat ze het adres van Jons vriend prijsgaf.

Goed. Ze waren er. Jenny hinkte naar de deur van de kleine terraswoning. Ze moest drie keer op het glas kloppen (geen bel of klopper) voordat er iemand opendeed.

'Ja?'

'Ken je me nog?' Ze drong langs Peter het huis in. 'We hebben elkaar één keer ontmoet, bij mijn zus. Ik ben de tante van Jon.'

Heel even was de paniek van zijn gezicht te lezen en Jenny voelde een sprankje hoop.

'Alsjeblieft, ik heb Jon beloofd dat ik Lucy niet zou vertellen waar hij is.'

Jenny pakte hem bij zijn kraag. 'Dat kan, maar je hebt hem niet beloofd het mij niet te vertellen, toch? Dan zou ik nu maar snel vertellen waar hij is, want ik sta niet in voor mijn volgende actie. En geloof me, ik ben niet mijn zus. Ik kan bijzonder overtuigend zijn als ik iets wil. Begrepen?'

Wat een watje! Hij gaf bijna meteen toe, of was hij vooral opgelucht dat hij gedwongen werd? 'Ik wilde Lucy niet ongerust maken,' had hij gezegd. 'Ze is zo lief.'

De taxi stond nog te wachten, met de meter aan. 'Waarheen, dame?'

Ze gaf hem een adres aan de zuidkant van de rivier. Niet bepaald een chique buurt. Peter had gezegd dat Jon de avonden in een bar werkte om de huur te kunnen betalen. Als dat zo was, was hij nu hopelijk in het appartement.

Geen antwoord, hoewel het zou helpen als er een bel was geweest in plaats van een kattenluik dat als alternatieve klopper diende. Jenny gluurde enigszins ontmoedigd omhoog naar het grauwe gebouw voordat ze terug ging naar de taxi.

'Hoe lang wil je dat ik blijf wachten, schat?'

'Nog een halfuurtje, alsjeblieft.'

Ze wilde niet vastzitten in deze buurt van Londen. God mocht weten hoe je hier aan een taxi moest komen.

'Dat gaat je geld kosten.'

'Ik weet het.'

'Wacht je op een speciaal iemand?'

'Dat kun je wel zeggen.'

Ze leunde achterover in de autostoel, deed even haar ogen dicht en klopte op haar gipsen been, dat pijn begon te doen.

'Dat zal hem wel niet zijn, toch? Niet jouw type, zou ik denken, als ik het zeggen mag.'

Ze ging met een schok rechtop zitten. Een lange, slungelige jongen met een springerige lok liep troosteloos en eenzaam over het trottoir met een plastic supermarkttasje in zijn hand.

'Jon?'

Zijn pupillen waren groot. Had hij iets genomen?

Ze schudde zachtjes aan zijn schouders. 'Jon. Ik ben het. Tante Jenny. Je moet naar huis komen.'

Hij trok zich los.

'Nee. Dat kan niet.'

'Waarom niet?'

'Omdat mama... ze zal zich voor me schamen. Ik heb haar teleurgesteld. Oxford...'

Hij kon geen hele zin meer zeggen.

'Hoor eens, Jon. Je moet naar me luisteren. Je moeder is ziek. Ze is ziek omdat ze denkt dat jij haar niet wilt zien. Doe haar dit niet aan, Jon. Kom met me mee naar huis, alsjeblieft.'

FEBRUARI

Running diner!

*Gamba's in limoen en gember
(en een vleugje wodka)*

*Vegetarische goulash met paddenstoelen
en amandelcouscous*

Bombe

Franse kaas

47

Ze had een paar weken nadat ze begonnen was, bedacht hoe ze het zou doen. Ondanks haar inspanningen was het in Dans kantoor nog altijd dweilen met de kraan open. Elke keer dat ze iets opruimde, gooide hij het weer overhoop. Misschien dat George en hij eens een paar uur met elkaar door moesten brengen. Dat hield overigens ook in dat bepaalde ontbrekende papieren wellicht nooit gemist zouden worden. Hij was er de laatste tijd toch bijna niet.

Het was begonnen nadat hij dat telefoontje van Patsy kreeg. Hij werd opeens heel stil toen ze vroeg of alles in orde was. 'Ja,' mompelde hij terwijl hij zijn portemonnee greep en het kantoor uit stormde. 'Wil je je jas niet aan?' riep ze hem na. 'Het is koud buiten.' Maar hij was al weg.

Er was iets aan de gang. Hij kwam die dag niet meer terug en toen hij de volgende ochtend terugkwam, rond lunchtijd en met broodjes voor hen allebei (iets wat de oude Dan nooit had gedaan), was dat alleen maar om zich vervolgens in zijn kamertje op te sluiten en nog meer snelle telefoontjes te plegen. De rest van de week, en die erop, verliepen al net zo.

'Zou Antony weten dat Dan iets met Patsy heeft?' vroeg ze Martin een keer tijdens het eten, toen George voor de verandering al sliep.

'Weet je dat zeker?'

Ze speelde met haar eten. De drukke baan (en het niet meer constant binnen bereik hebben van de koektrommel) hadden haar eetlust veranderd en ze was zowaar een paar pond afgevallen, hoewel niemand dat daadwerkelijk zag. 'Zo goed als zeker.'

Zelfs als ze niet zo zeker zou zijn geweest, was de opgeluchte blik van haar echtgenoot die van de spaghetti bolognese zat te genieten die ze gisteravond laat had gemaakt, genoeg om haar theorie te rechtvaardigen. Het had erop geleken dat Martin haar geloofde toen ze zei (zwoer) dat Dan niets meer voor haar betekende. Dat was nog waar ook. Soms, als ze naar hem keek op kantoor, met een frons tijdens het telefoneren of als hij onder zijn oksels zat te krabben, kon ze maar niet begrijpen wat haar zo had aangetrokken in hem. En waarom ze na afloop in godsnaam al die jaren zijn naam hoog had gehouden in de veronderstelling dat hij de enige man was die haar bloed sneller deed stromen, zoals Jenny zou zeggen.

Het was simpelweg te makkelijk om het verleden als een rooskleurig walhalla te blijven zien. Oké. Dus hij was geweldig in bed. Maar buiten het bed was het een eikel. Alleen al het feit dat hij met Patsy aan de haal ging. Ze hoopte van ganser harte dat hij Patsy niet verteld had wat er echt was gebeurd in hun studententijd. Als hij dat wel had gedaan, zou zij het Antony kunnen vertellen, die het Mike zou vertellen, die het Martin zou vertellen...

Chrissie kreeg bijna geen adem als ze aan dat scenario dacht. Ze zou het aan Martin moeten vertellen, maar elke keer als ze bijna de moed had opgebracht, werd ze onpasselijk van angst bij de gedachte aan zijn reactie. 'Eerlijkheid is niet altijd het beste voor een huwelijk, lieverd,' had Eleanor gezegd, en Chrissie begon bijna te geloven dat ze gelijk had.

Ondertussen maakte ze er gebruik van dat Dan zoveel weg was door te doen wat Eleanor had voorgesteld, onder het mom van het uitzoeken van papieren en opzetten van een opbergsysteem. Het kostte haar bijna vijf dagen om te vinden wat ze nodig had.

'Ik heb vijfhonderd pond nodig,' zei ze tegen Martin toen ze die avond thuiskwam.

Hij lachte. 'Waar gaan we die vandaan halen?' Hij voerde George vissticks en broccoli. Op een of andere manier had hij hun zoon zover gekregen dat hij normaal at; enigszins verbeten vroeg ze zich af welke invloed Kim daarop had gehad.

'We zullen het moeten lenen.' Ze nam zijn gezicht in haar handen. 'Je moet me hierin vertrouwen.'

'Ik weet het niet.'

'Super.' Ze pakte George op, die meteen begon te huilen, en gaf hem kwaad aan Martin. 'Hier. Neem maar. Mij hoeft hij niet. Ik ga naar boven om te douchen.' Hij zat te wachten toen ze uit de douche kwam met een handdoek om zich heen. Zijn ogen dwaalden even af naar haar borsten en keken toen weer omhoog. Er begon wat te kriebelen in haar buik. Betekende dit dat hij zin in haar had? Het was zo lang geleden, maar elke keer als zij iets probeerde, had hij een smoesje.

'Die vijfhonderd pond,' begon hij. 'Weet je zeker dat je daar zoveel van kunt maken als je net zei?'

Ze haalde diep adem. 'Bijna zeker.'

'Laat ik het nog eens herhalen. Dan...' Hij stopte even en ze kon zien dat hij zijn naam liever niet hardop zei. 'Dan heeft je aangeraden om aandelen te kopen van een bedrijf dat het volgens hem heel goed gaat doen.'

'Waanzinnig goed,' corrigeerde ze hem.

'Maar in plaats van ze onder zijn naam te kopen ga je ze onder onze naam kopen.'

Ze knikte. 'Correct.'

'En waarom zou hij je dan niet aanklagen of compleet door het lint gaan?'

'Ik weet te veel.'

'Over de zaak?'

'Natuurlijk. Waarover anders?'

'Niets. Het klinkt alleen een beetje te gemakkelijk, dat is alles.'

Gemakkelijk? Ze had er recht op na alles wat ze door deze man doorstaan had.

'Soms, Martin,' zei ze, haar been op de rand van het bad zettend, om het vervolgens in te smeren met de Chanel 19-bodylotion van haar laatste verjaardag, 'lijken de slimste plannen het gemakkelijkst.'

Ze keek naar hem op. Hij keek nu echt naar haar benen. 'George is stil.'

'Ja. Hij slaapt.'

Hoe deed hij dat toch?

'Heb je zin om vast naar bed te gaan?' vroeg ze zacht.

'Ik moet nog strijken.'

'Dat doe ik wel.'

'Nee. De deal was dat jij ging werken en dat ik het huishouden zou doen. Ga jij maar naar bed als je wilt. Ik kom straks.'

Jenny was zoals gewoonlijk recht voor zijn raap toen ze belde. 'Dat klinkt verdacht veel als vreemdgaan. Alles wijst erop. Geen seks willen. Een excuus hebben om laat naar bed te gaan. Rondhangen met de knappe oppas.'

Chrissie kreeg pijn in haar buik. 'Martin heeft gezegd dat er niets is tussen hem en Kim. Trouwens, zo is hij niet.'

Jenny lachte. 'Dat denken we allemaal, totdat het gebeurt.'

Ze had haar nooit moeten bellen, dacht Chrissie bij zichzelf; ze had Lucy moeten bellen voor wat steun en medeleven. Maar ze had haar vriendin er niet mee willen lastig vallen nu ze zelf al zoveel aan haar hoofd had. 'Is Jon nog niet terug?'

Jenny snoof. 'Niet aan Lucy vertellen, maar ik heb zijn vriend gedwongen me te vertellen waar hij woont, dus ik ben naar een rottig klein flatje helemaal in Zuid-Londen gegaan om hem naar huis te halen. Die kleine rat weigerde. Zei dat hij eerst zichzelf moest "vinden". Nog zo'n mannenuitspraak waar je voor op je hoede moet zijn.'

'Arme Lucy. En Mike is bij haar ingetrokken, hoorde ik.'

Jenny lachte. 'Je zou het moeten zien! Eleanor loopt de hele dag rond met opgetrokken neus, al klagend over Mikes muziek, die overal in dozen door het huis slingert. Lucy's heerlijke huis is een puinhoop. Zij houdt zich sterk, maar het is niet makkelijk. En ze heeft zo'n verdriet om Jon.'

'En jij? Het is vast heerlijk om weer thuis te zijn.'

'Ja.' Iets in Jenny's stem verraadde haar. 'Maar het is daar wel heel erg mooi.'

'Die man, Alan. Dat is vast een goeie vent, als ik hoor wat hij voor je gedaan heeft.'

'Dat is hij ook. Hoe gaat het tussen jou en Dan?'

Daar was het weer. Dat gespannen trillinkje in haar stem.

'O, prima. Zijn kantoor is een verschrikkelijke puinhoop.'

'Hij is me op komen zoeken in Corbridge, wist je dat?'

'Echt waar? Waarom?'

'Zei dat hij in de buurt was. Hoor eens, Chrissie, ik weet dat ik er niets mee te maken heb en ik weet dat jullie elkaar kennen van de universiteit, maar ik zou voorzichtig zijn met Dan. Dat meen ik. Hij is niet te vertrouwen.'

Chrissie barstte bijna hardop in lachen uit. 'Maak je geen zorgen. Dat weet ik.'

Een paar uur later keek Chrissie op haar monitor. Ze had het gedaan! Vreemd. Ze voelde geen enorme golf van voldoening, zoals ze verwacht had. Alleen een enorme opluchting, en tegelijk een zekere angst.

'Alles goed?'

Ze schrok van Dans stem. Ze had hem niet zo vroeg terugverwacht. Hij leunde over haar schouder, net iets te dichtbij, en ze schoof iets naar achteren terwijl zijn ogen zich vernauwden.

'Wat is dit? Je zou die aandelen onder mijn naam kopen, maar ze staan op jouw naam. Fuck...'

'Dan.' Ze stond op met haar rug naar de deur, klaar om weg te rennen als dat nodig was. 'Ik heb het geld nodig.'

'Dat weet ik. Daarom gaf ik je deze baan, verdomme.'

'Maar ik heb meer nodig en jij bent me wel iets schuldig.' Haar stem haperde. 'Na wat er is gebeurd.' Haar stem herwon aan kracht. 'En mocht je denken dat geld het allemaal goed maakt, nee. Maar het is nu wel nodig, dus als jij er iets aan wilt doen of aan iemand zegt dat ik mijn positie heb misbruikt, vertel ik aan iedereen wat er gebeurd is.'

'Dat ga ik niet doen.' Hij wreef met een halve glimlach over zijn kin. 'Ik ben onder de indruk, Chrissie. Je durft wel. Sterker nog, als je belooft me niet weer te belazeren, wil ik je nog wel in dienst houden.'

'Nee, dank je.' Ze was haar spullen al bij elkaar aan het zoeken. 'Ik heb met die aandelen meer geld verdiend dan ik hier in een jaar verdien. Succes met de chaos, Dan. Ik hoop dat je iemand vindt om het allemaal voor je op te ruimen. O, en je moet niet raar opkijken als iemand Antony vertelt dat jij met Patsy aan het rommelen bent.'

Hij lachte wrang. 'Heb je het niet gehoord?'

'Wat gehoord?'

'Antony is terug bij zijn vrouw.' Hij stak uitdagend zijn handen in zijn zakken, als een klein jongetje dat deed alsof het hem niets deed. 'Dus wat Patsy met haar vrije tijd doet, is geheel en al haar eigen zaak.' Hij keek haar venijnig aan. 'Snap je?'

Ze had het kunnen weten. Als ze op haar normale tijd thuis was gekomen, had ze het gemist. Ze was echter vroeg. Dus het was niet echt een verrassing dat Kims pittige kleine Mini met open dak op de oprit stond.
Ze deed de deur zachtjes open en weer dicht. In de keuken werd gelachen. Hoe knus. Net als de vorige keer.
'Hallo,' zei ze koeltjes terwijl ze haar sleutels aan het haakje hing. 'Is er misschien nog thee over voor de vrouw die uit haar werk komt?'
Kim sprong op. Ze droeg een kort rokje met een dikke zwarte legging. Haar make-up zat perfect. 'Ik wilde er net vandoor gaan, maar er zit nog in de pot. Zal ik een kopje inschenken?'
'Nee, dank je,' antwoordde Chrissie, haar echtgenoot nadrukkelijk negerend. 'Dat kan ik heel goed zelf in mijn eigen keuken.'
'Chrissie,' begon Martin.
'Wat?' Ze zond hem een woedende blik.
'Ik wilde echt net weggaan.' Kim trok haar jas aan.
'Nou, dag.'
Martin wachtte tot de deur achter haar dichtviel. 'Dat was behoorlijk onaardig.'
'O ja? Nou, ik vind het nogal onaardig en respectloos om andere vrouwen in mijn keuken te ontvangen als ik er niet ben.'
George begon te gillen.
'Kijk nou wat je doet.'
'Wat ik doe! Typisch is dat. Ik ben altijd de schuld van alles. Nou, van nu af aan wordt alles anders. Ik heb mijn baan opgezegd, dus vanaf nu zijn we allebei weer thuis.'
'Je baan opgezegd?' Martins mond hing open. 'En hoe moet het dan met ons?'
Ze zwaaide een uitgedraaide e-mail voor zijn neus heen en weer. 'Omdat ik net een aanzienlijk bedrag verdiend heb met het kopen en verkopen van aandelen die ik eigenlijk onder Dans naam had moeten verhandelen. Net zoals ik je gezegd had.'
'En wat doet hij als hij erachter komt?'
'Hij weet het al.'
'En wat gaat hij doen?'
'Niets.'
'Waarom niet?'
Ze haalde haar schouders op.

'Hier klopt iets niet.' Hij pakte haar beide armen. 'Er is iets waardoor jij macht over hem hebt, of niet dan? Daarom laat hij dit toe. Wat is het, Chrissie? Zeg het me.'

'Stel je niet aan.' Ze worstelde zich uit zijn greep.

'Ik geloof je niet.'

'En ik geloof jou niet. Die Kim. Je vindt haar aantrekkelijk, of niet dan?'

Hij aarzelde. 'Natuurlijk is ze dat, maar...'

'Mooi.'

'Nee. Nee. Chrissie, zo is het niet. Ik vind haar niet leuk. Ja, ze is knap, toch wil ik haar niet. Ik wil jou.' Hij nam haar gezicht in zijn handen. 'Maar je bent veranderd, Chrissie. Eerst met de baby en nu met deze baan. En dat aandelengedoe. Ik snap het niet. Waarom heb ik het gevoel dat je iets voor me verbergt?'

Nu. Nu moest ze het hem vertellen. Ze hield haar adem in. 'Dat is niet zo. Hij... Dan... hij had met ons te doen. Natuurlijk was hij best boos over die aandelen, maar hij zei... hij zei dat hij wist wat het was om krap te zitten en dat het oké was als wij erdoor geholpen waren.'

'Echt waar?'

'Echt waar. Trouwens, hij is de laatste tijd heel veel met Patsy bezig. Ik weet niet wat er aan de hand is, maar hij is heel veel bij haar. En Antony schijnt terug te zijn bij Maggie.'

'Verrek. Zou dat nog kunnen?'

'Ik weet het niet.' Ze keek hem intens aan. 'Je kunt altijd opnieuw beginnen, toch?'

'Misschien, ik weet het niet.' Waarom keek hij haar niet aan? 'Ik weet even helemaal niets meer. Let jij op George. Ik ga mijn mail checken. Kijken of er een reactie is op mijn brieven. Als jij thuisblijft, moet ik maar weer actief gaan zoeken.' Hij lachte half. 'De illegale winst die jij gemaakt hebt, zal ons voor nu uit de brand helpen, maar er zal toch iemand moeten werken.'

48

Ze wist dat ze op Dan kon rekenen voor een oplossing. Dat had ze altijd gekund. Vroeger, als haar vader haar bedreigde, kwam de vijftienjarige Dan al naar haar huis om hem te vertellen dat hij rechtstreeks naar de politie zou gaan als hij Patsy ook maar een haar zou krenken.

En twee weken geleden was hij er weer voor haar geweest. Hij was meteen gekomen toen ze haar vader in een stoel had gezet (papa was opeens heel stil geworden, alsof hij zich realiseerde wat hij gedaan had) en Dan had gebeld. Hij had Patsy ervan overtuigd dat dit echt te ver ging. Ze hadden de huisarts gebeld, die aan één blik op Patsy's vader genoeg had en actie ondernam.

Nu zat hij in een gesloten 'verzorgingstehuis', volledig onder de medicijnen. Dat was niet wat zij had gewild, maar, zoals Dan zei, ze hadden geen keus. 'Kom een tijdje bij mij logeren,' had Dan geopperd.

Ze had even getwijfeld. Dan had een geweldig appartement met uitzicht op de Theems, crèmekleurige muren en meubels met glasplaten. Ze zou alles hebben wat haar hartje begeerde. Behalve dan haar integriteit. En kleur. Als ze nu haar ogen dichtdeed, zag ze paars. Niets dan paars. Ze had ergens gelezen dat paars voor genezing stond. Was ze aan het genezen? Zo voelde het anders niet, niet met de pijn van het gemis van Antony.

God, wat miste ze hem. Ze miste de manier waarop hij zijn gezicht tussen haar borsten verborg. De manier waarop hij naar haar luisterde alsof ze echt iets te zeggen had. Ze miste zijn flauwe grappen. En ze miste de manier waarop hij het accepteerde als ze te moe was voor seks in plaats van haar ervan te beschuldigen dat ze hem niet leuk genoeg vond, zoals veel van de anderen hadden gedaan.

Hij had natuurlijk contact gezocht. Via haar mobiel. Op het antwoordapparaat thuis. Maar ze had al zijn boodschappen genegeerd. Ze moest hem de kans geven om terug te gaan naar Maggie. Ze had hem één keer gesproken, op de avond dat haar vader meegenomen was.

'Ik heb het gehoord,' had hij gezegd. 'Maggie vertelde het. Zij is hier bij mij.'
'Is alles goed met haar?' vroeg ze gespannen.
'Vooral geschrokken.'
'Heeft ze de politie gebeld?'
'Nee.'

'Waarom niet?'

'Omdat ze dan moet vertellen dat ze bij je heeft ingebroken.'

Goddank.

'Patsy, is alles goed met jou? Ik maak me zorgen. Ik mis je...'

Stop.

'Ik moet ophangen. Zorg voor Maggie.'

En toen had ze de verbinding verbroken. Had ze daar goed aan gedaan? Wie zou het zeggen. Maar elke keer dat ze haar ogen dichtdeed, was er nog steeds dat overheersende paars.

Ze stortte zich op haar werk. Dat had ze altijd gedaan als alles haar te veel werd. Met haar kwasten en haar toverzalfjes (zoals ze ze zelf graag noemde) sloot ze zich af van de rest van de wereld.

'Je bent in vorm,' zei Niall, de fotograaf, vol bewondering toen ze een nogal ingekakte moeder op leeftijd had omgetoverd in een verbijsterende 'na' voor een make-upitem. 'Die vrouw ziet er geweldig uit. Ik ben in staat om haar telefoonnummer te vragen.'

'Mag niet,' snauwde Patsy. 'Ze is getrouwd.'

'Hoho. Het was maar een grapje. En sinds wanneer ben jij zo moralistisch?'

Ze duwde hem opzij. 'Flikker op.'

'Problemen thuis?' riep hij haar na.

Patsy deed de deur achter zich dicht. Ze deed voor een tijdschrift een serie make-overs van gewone lezers die op zoek waren naar tips en weetjes. In elk geval had ze hierbij het gevoel dat ze iets nuttigs deed in plaats van de mannen van andere vrouwen verleiden.

Ze had zich hier nog nooit druk om gemaakt. Maar ze had dan ook nog nooit een ex-vrouw van zo dichtbij meegemaakt. Niet zoals met Maggie.

Haar mobiel ging over. *Ant* stond er op het display. Ze zette het apparaat uit toen Niall aanklopte en opendeed voordat ze de kans had om iets te zeggen.

'Klaar voor de volgende?' vroeg hij. 'Of ben je nog boos op me?'

Ze haalde diep adem.

'Klaar.'

'Mooi.' Hij fluisterde samenzweerderig. 'Voor deze moet je alles meebrengen wat je in je hebt, ik zweer het.'

'Sst.' Patsy keek hem indringend aan. 'Straks hoort ze je nog.'

'Ik betwijfel het.'

Niall ging aan de kant om de volgende make-over binnen te laten.

Patsy verstijfde.

Het was Antony.

'Hoe wist je waar ik was?'

'Van Dan.'

'Dan?'

'Ik heb zijn nummer van Chrissie. Hij was bijzonder hulpvaardig.'

Ze draaide zich met haar rug naar hem toe en deed of ze haar kwasten recht legde. 'Nou, dat had hij beter niet kunnen zijn.'

'Ik mis je, Patsy.'

'Je hebt een vrouw die je nodig heeft.'

Ze voelde zijn handen op haar schouders, schudde ze eraf en liep naar het raam. Buiten liepen horden mensen over de stoep. Mensen met normale, eerlijke levens.

'Ze wil me niet. Het is te laat, zegt ze.'

Een sprankje hoop laaide diep in haar op. Wit met een vleugje roze erom-heen. Ze drukte het onmiddellijk de kop in.

'Probeer dan wat harder. Doe het voor de kinderen.'

'Ik heb het geprobeerd. Maar Maggie is niet dom. Ze weet dat ik niet van haar hou. Dat heb ik je verteld. Ons huwelijk is al jaren over.'

Ze snoof. 'De bekende smoes. En de kinderen waren onbevlekte ontvange-nissen?'

'Nee. Het is goed geweest in het begin, maar niet zoals tussen ons. Jij en ik hebben iets speciaals. Een vonk.'

Ze deed of ze een lippenstift bestudeerde. Cupid Red.

'Ik wil je toch alleen maar om je geld. Weet je nog?'

Hij was nu zo dichtbij dat ze zijn lichaamswarmte voelde. 'Dat denk ik niet meer. Ik wist niet waar je het voor nodig had. Je had het me moeten vertel-len, Patsy. Ik had het wel begrepen.'

Ze lachte kort. 'Niemand begrijpt het. Niemand. Als ik je over mijn vader zou vertellen, zou je het niet geloven.'

'Kom maar op!'

'Nee. Ik wil er niet meer aan denken.' Ze draaide zich om. 'En ik wil ook niet meer dat jij eraan denkt, Antony. Ga terug naar je vrouw. Doe nog iets beter je best.'

'Hij is het, hè? Dan. Je bent nu met hem, of niet dan?'

Ze keek hem recht in zijn ogen. 'Ja, dat klopt.'

Zijn ogen knipperden. 'Hoe kun je, Patsy. Hoe kun je op stel en sprong van de ene naar de andere man overgaan?'

Het paars was weg. Alleen nog zwart. 'Dat heb ik altijd gedaan,' zei ze rustig. 'Ga nu weg, Antony. Alsjeblieft.'

49

Het was ver na Georges bedtijd, maar ze wilde nog niet dat hij ging nu ze net terug was van haar werk en hem zo nodig had. Tot haar grote vreugde speelde hij zowaar een soort blokkenspel met haar toen Martin binnenkwam, die boven zijn e-mails had bekeken voordat ze gingen eten.

Hij hield een printje in zijn hand. Ze zag meteen dat het goed nieuws was.

'Je mag op gesprek komen?'

'Nee.'

'Biedt iemand je een baan aan?'

'Nee. Maar jou wel.'

'Ik heb niet eens gesolliciteerd.'

'Dan zou ik dit maar eens lezen. Het is van Bicky Biscuits.'

Het was bijna niet te geloven.

'Ze willen me terug!' Ze keek stralend naar Martin. 'Mijn oude baan. Ze bieden hem aan. Mijn opvolgster bevalt niet.'

'Wil je het?'

'Ja, natuurlijk wil ik het.'

'Maar je bent er juist mee opgehouden omdat je voor George wilde zorgen.'

'Ach, hij lijkt mij niet bijzonder hard nodig te hebben, of wel? Mooie moeder ben ik. Sinds jij en mevrouw Kim voor hem zorgen, is hij niet één keer gevallen of gewond geraakt.'

Martin sloeg kort een arm om haar schouders. 'Kim heeft niet voor hem gezorgd. Dat heb ik gedaan. En die ongelukjes waren niet jouw schuld. George is een ongeleid projectiel. Hij loopt overal tegenaan en overheen. Kim zegt het ook... sorry, ik bedoel...'

'Hou alsjeblieft op.' Chrissie keek gretig naar de e-mail. 'Als ik weer aan het werk ga, blijf jij voor George zorgen en mis ik alles.'

'Je bedoelt dat je je dan voortdurend afvraagt of ik iets uitspook met Kim?'

'Nee. Ja. Ik weet het niet. Nou ja, je snapt wel wat ik bedoel, toch?' Ze keek verlegen de andere kant op. 'Jij hebt geen zin om te vrijen en...'

'Dat komt omdat jij het als een plicht ziet.'

'Dat is niet waar. Ik wil het.'

'Is dat zo?' Hij begon haar over haar haar te strelen.

'Natuurlijk wil ik het, maar jij vindt mij niet meer aantrekkelijk omdat ik dik ben van de baby en...'

'Je bent niet dik.' Hij volgde met zijn vinger de welving van haar borsten. 'Je bent heerlijk.'

'Echt?'

Hij trok haar naar zich toe.

'Echt.'

Ze voelde hem hard tegen haar aan, zo liggend op het tapijt.

'Niet hier,' giechelde ze.

'Waarom niet?'

'Dan kunnen de Teletubbies ons zien.'

'Fuck de Teletubbies. Trouwens, het is een dvd. Daar is hij wel even zoet mee.'

Zijn hand gleed om haar billen, haar nieuwe Sloggi in. 'Weet je het zeker?'

'Honderd procent.' Hij knoopte haar blouse open. 'Kom op, Chrissie.' Hij grijnsde. 'Wie zorgt er nou de hele dag voor hem?'

Tegen het eind van de week had ze het deeg eindelijk bijna hoe ze het hebben wilde. Het was niet zompig zoals de eerste keer. Of zo dun dat het uit elkaar viel als ze het vanaf de met bloem bestoven keukentafel in de taartvorm wilde leggen.

Het was het eerste keukenattribuut dat ze ooit aangeschaft had. Toen ze de appeltaart uit de oven haalde, zag hij er zo goed uit dat ze hem bijna niet weggooide. Goudbruin, sappig en geurend. Maar wat moest ze er anders mee, dacht ze terwijl ze de taart in de vuilnisbak schraapte. Er was niemand om hem op te eten. Niet hier in haar eenzame appartementje. En ze moest er niet aan denken hem zelf op te eten. Nee, het genot zat in de bereiding, in het jezelf bewijzen dat het onmogelijke mogelijk was.

Nu moest ze de vuilniszak vervangen. De hete taartvulling sijpelde erdoorheen, net zoals haar vader had gelekt toen ze hem gisteren bezocht. De stank was genoeg geweest om over haar nek te gaan, maar ze moest toegeven dat het personeel zeer bekwaam was in het verschonen van de bewoners. Verdoven konden ze ook heel goed. Hij had niet eens doorgehad dat ze er was.

'Is dat nodig?' had ze gevraagd aan de piepjonge arts.

'Op dit moment wel, ja. Maar gelooft u mij dat we de situatie constant in de gaten houden.'

Ze leken te weten wat ze deden, beter dan op die andere plekken. En zoals Dan al zei, wat kon ze anders?

Er was trouwens wel iets. Ze waste haar handen na het vervangen van de vuilniszak en pakte de brief die ze al zo vaak had gelezen en waarvan ze de inhoud uit haar hoofd kende.

Beste Patsy,
Wij zijn verheugd je de functie van make-overmanager te mogen
aanbieden op ons cruiseschip, The Ocean King. Gelieve contact op te
nemen met de afdeling Personeelszaken om verdere details te bespreken.

Verderop in de brief stonden de salarisvoorwaarden, maar die had Patsy slechts vluchtig doorgelezen. Het geld was niet belangrijk. Niet meer. Wat wel belangrijk was, was dat ze zo ver van hier kon gaan, heel ver.

Wat was dat? Het leek of er iemand op de deur klopte. Waarom gebruikten ze de bel niet? Patsy verstijfde, haar hand ging naar haar mobiel. Weer geklop. Niet haar vader, alsjeblieft. Er werd een derde keer geklopt. Ze gluurde door het kijkgat in de deur en deed toen stomverbaasd open.

'Maggie?'

De vrouw knikte. Bleek. Geen lippenstift. Verwilderde wenkbrauwen. Slordig aangebrachte mascara. Was ze dronken, zoals laatst? Als dat zo was, kon ze het goed verbergen.

'Kom maar even binnen.'

Ze gingen allebei op een keukenkruk zitten, tegenover elkaar. Maggie had de koffie die Patsy aanbood afgeslagen. De geur van de afgedankte appeltaart hing in de lucht.

'Antony is er niet,' begon Patsy ongemakkelijk.

'Dat weet ik. Hij is bij de kinderen. Je zult je wel afvragen waarom ik hier ben.'

Patsy knikte.

'Hou je van hem?'

Rood. Felrood.

'Nee.'

Maggie leunde woedend naar voren. 'Wat bezielde je dan in hemelsnaam om een gezin op te breken, als je niet eens van hem hield?'

Dat was niet eerlijk. 'Dat deed ik wel. Van hem houden. Maar toen zag ik... toen ik jou ontmoette. En toen ik iemand sprak die het ook had meegemaakt. Toen begon ik me schuldig te voelen.'

'Beetje laat, denk je ook niet?'

'Ja, ik weet het. Sorry.'

Maggie snoof. Stilte.

'Ik hou niet van hem, hoor.' Haar ogen daagden Patsy uit.

'Waarom wil je hem dan terug?'

'Dat wil ik niet. Dat wilde ik wel. Maar nu niet meer. Ik raak eraan gewend om de dingen alleen te doen, en de kinderen ook.'

Patsy kreeg pijn in haar buik. 'Maar je moet hem terugnemen.'

'Waarom?'

'Is er iemand anders?'

'Nee. En ook al was dat zo, dan had jij daar niets mee te maken.'

'Antony woont toch bij jou?'

'Nee.' Maggie keek weg. 'Hij logeert bij vrienden, Lucy en Mike. Die heb je ontmoet, toch, tijdens jullie fijne eetafspraakjes?' Ze staarde naar Patsy. 'Heb je enig idee hoeveel pijn dat heeft gedaan? Lucy is zogenaamd mijn vriendin, maar omdat Antony een vriend van Mike is, mocht ik niet komen.'

'Het spijt me,' mompelde Patsy.

De brief waaide op de grond. Maggie boog voorover om hem op te pakken en keek ernaar.

'Ja, ja,' zei Patsy snel. 'Ik ga in het buitenland werken.'

Maggie haalde haar schouders op. 'Dat maakt geen verschil, hoor. Ik wil hem niet terug. Ik veracht hem om wat hij gedaan heeft. Het zou toch niet hetzelfde zijn. Ik heb vrienden die het geprobeerd hebben. Het vertrouwen is weg.'

Paars. Slechts een flits. Maar toch paars.

'Wat ga je dan doen?' vroeg Patsy zacht.

'Ik mag in het huis blijven. Hij gaat het in elk geval nu niet verkopen. Het is wel makkelijk dat hij geld heeft. Dat was waarschijnlijk voor jou ook een reden om hem aantrekkelijk te vinden.'

Patsy liet de opmerking gaan.

'Waarom ben je gekomen?'

'Ik weet het eigenlijk niet zo goed. Lucy zei dat ik het moest doen. En ik wilde je wel een keer ontmoeten. Met je praten. Vragen waarom je het had gedaan. Nu snap ik het.'

'Wat snap je?'

'Dat je van hem houdt. Je doet wel alsof het niet zo is, maar volgens mij is het wel zo. En hij houdt van jou.' Maggie stond op. 'Daarom kon ik hem niet terugnemen.'

'Stop.' Patsy raakte haar arm aan.

'Wat?' Maggie keek haar wantrouwend aan.

'Dit gaat heel raar klinken.'

'Bedoel je zo vader, zo dochter?'

Patsy's gezocht betrok. 'Sorry daarvoor. Hij is niet in orde. Maar er is een goede reden.'

'Ik hoef het niet te horen.'

Goede jukbeenderen. Ogen die schreeuwden om een lijntje.

'Maggie, ik wil je iets vragen.'

'Wat dan?'

'Heb je ooit een make-over gehad?'

'Nu weet ik zeker dat je gek bent.'

'Want ik kan je supermooi maken. Echt heel mooi.'

Maggie staarde haar aan. 'Waar heb je het in hemelsnaam over?'

'Het helpt, weet je. Een nieuwe jij naar buiten laten komen.'

Patsy pakte haar make-uptas op. 'Laat me je alsjeblieft een paar trucjes laten zien.'

Maggie stapte achteruit en haalde haar mobieltje uit haar zak. 'Raak me niet aan, want dan bel ik de politie.'

'Ik ga je niets aandoen.' Patsy stak smekend haar handen uit. 'Maar als je een nieuw leven gaat beginnen, kun je best wat hulp gebruiken. Jouw ogen, bijvoorbeeld. Die hebben gewoon wat bruine kohl nodig.'

'Dus ik zie er niet uit? Dank u zeer.'

Maggie liep naar de deur. 'Mijn echtgenoot mag je hebben. Je bent gek. Net als je vader.'

Misschien had ze gelijk, dacht Patsy, zittend in het donker. Appeltaarten maken en die vervolgens weggooien. Een make-over aanbieden aan een vrouw wier leven ze had verwoest. Misschien was haar vader niet de enige bij wie een steekje los was. Maar was dat eigenlijk niet logisch, met al die vreselijke dingen die ze in haar leven had meegemaakt?

Er klonk geluid bij de deur. Er waren maar twee mannen met een sleutel. Patsy sloot haar ogen. De hele avond had ze hierop gewacht. Hopend. Wensend.

Paars.

Rood.

'Patsy?'

Zijn stem was zacht, omfloerst in het donker.

Ze antwoordde niet.

'Patsy.'

Zijn stem zat in haar haar, streelde het, aaiend alsof het zijn handen waren. 'Patsy, zeg iets.'

Ze voelde zijn gezicht dat het hare zocht in het donker, zijn lippen die de hare raakten.

O god, ze had geen weerstand.

'Jij weet toch ook dat we voor elkaar gemaakt zijn?' zei hij, zich terugtrekkend. 'Toch?'

Ze knikte. En toen hief ze langzaam, heel langzaam, haar lippen op naar de zijne.

'Ik hou van je, Patsy.'

Deze keer ontsnapten de woorden die ze nog nooit tegen iemand had kunnen zeggen haar voordat ze de kans had ze terug te nemen. 'Ik hou ook van jou.'

50

'Een running dinner?' herhaalde Lucy weifelend. 'Ik weet het niet, hoor. Ik heb eerlijk gezegd niet zoveel zin om mensen te ontvangen op dit moment.'
'Dat hoeft ook niet,' onderbrak Chrissie haar. 'Oké, heel even, misschien. Het hele idee is dat we van huis naar huis gaan om telkens één gang te eten. Het is om te vieren dat ik een nieuwe baan heb, en...'
Ze stopte.
'Wat nog meer?' vroeg Lucy nieuwsgierig.
'O, niets, eigenlijk. Maar het is zo'n opluchting dat we niet hoeven te verkopen. Weet je, Lucy, ik had me niet gerealiseerd hoezeer ik mijn werk miste. Het lijkt ook wel alsof ik het beter kan vinden met George omdat ik niet de hele tijd bij hem ben, als je begrijpt wat ik bedoel.'
O, reken maar. Lucy zou er veel voor overhebben om Eleanor en Mike niet de hele tijd om zich heen te hebben. Ze kon niet eens meer rustig nadenken. Hoewel het huis redelijk groot was, was er simpelweg niet genoeg ruimte voor hen allemaal – niet met Mikes spullen erbij. Hij had een deel in Jons kamer willen stallen, maar zij was woedend.geweest om zijn onnadenkendheid, en wees hem er duidelijk op dat Jon er wellicht binnenkort voor zou kiezen om weer thuis te komen.
'Wie doen er nog meer mee met dit running diner?' vroeg ze om tijd te rekken.
'Jenny. Patsy natuurlijk niet, aangezien Antony terug bij Maggie is.'
'Nee, joh!'
'Maar dat hoorde ik.'
'Hij heeft gevraagd of ze hem terug wilde nemen, maar ze wilde niet.'
'Gelijk heeft ze.'
'Heb je niet gehoord van dat gedoe met Patsy's vader?'
'Nee. Wat was er dan?'
Het woord 'vader' deed Lucy rillen. Ze had niets meer van haar zogenaamde vader gehoord, maar elke keer dat de telefoon ging, kreeg ze de koude rillingen. Hij dacht toch niet dat hij zomaar terug in haar leven kon komen nadat hij hen zo verlaten had? Zijzelf ging nog liever dood dan dat ze haar eigen kinderen zou verlaten.
'Dat is een lang verhaal. Ja, Sam, ik kom eraan. Hé, sorry, Chrissie, ik bel je later wel terug. Ik overleg even met Mike over het etentje, oké?'
Ze had er echt geen zin in. Sterker nog, ze had helemaal nergens zin in,

maar ze moest zo gewoon mogelijk door blijven gaan voor de kinderen. 'Waarom kunnen we niet bij Jon langsgaan?' vroeg Kate, die nog meer brownies stond te maken.

'Hij wil ons even niet zien,' legde Lucy voorzichtig uit.

'Oma zegt dat hij depressief is.' Kate keek haar beschuldigend aan.

'Dat is niet waar. Hij heeft gewoon wat tijd nodig.'

Toch voelde het niet goed. Dat was precies wat zij ook vermoedde, maar als Jon haar niet wilde zien, kon ze ook geen medische hulp inroepen. Haar enige troost was dat Jenny had gezegd dat hij alles redelijk onder controle had. Niet als iemand die op instorten stond.

'Oma zegt dat papa ook depressief was.'

Bedankt, Eleanor.

'Nou, dat is niet helemaal waar. Je vader kon af en toe wel behoorlijk... somber zijn.'

Kate trok een vragend gezicht. 'Hoe bedoel je?'

Hoe kon ze het haar vertellen? Hoe kon ze de vreselijke, kille perioden omschrijven waarin ze hem niet kon bereiken en alles altijd haar schuld was.

'Nou,' begon ze voorzichtig. 'De olie-industrie is erg competitief. Je vader moest altijd zijn uiterste best doen om goed te presteren en hij kon er niet goed tegen als de dingen niet gingen zoals hij het wilde.' Had ze te veel gezegd? 'Maar zo hebben we allemaal weleens ergens last van, toch? Heb je je huiswerk af?'

'Dat had ik al gezegd, ja. Maar Sam niet. Hij zit weer in de badkamer, zijn haar aan het verven of wat er nog van over is.' Kate grinnikte. 'Fluorescerend groen deze keer.'

'Maar ik had het toch gezegd. Ik had gezegd dat dat niet meer mocht.' Lucy begon de trap op te rennen. 'Ik word nog eens gek van dat kind.'

'O, en oma belde,' riep Kate achter haar aan. 'Ze is weer laat vanavond, dus we hoeven niet op haar te wachten met eten.'

Mike ging languit liggen op zijn leren bank met chromen onderstel, snoot zijn neus en klopte op de plek naast hem. 'Kom hier zitten, schatje.'

Ze was liever in haar fijne Laura Ashley-stoel met de mooie bekleding blijven zitten. En het was niet alleen de stoel. Het was een knagend gevoel dat de afgelopen maanden sterker was geworden en escaleerde nu Kerry in hun leven was verschenen. Het gevoel dat Mike gewoon niet begreep wat het was om echt ouder te zijn. Als dat wel zo was, zou hij weten hoe zwaar het voor haar was met Jon. Dan zou hij niet op zo'n denigrerend toontje zeggen dat ze in elk geval wisten dat alles goed met hem was, dat hij niet ergens in de goot lag, dat hij wel terug zou komen als hij daar klaar voor was.

Hij legde zijn arm om haar heen en trok haar naar zich toe. 'Ik vind dat

running dinner-gedoe een heel goed idee. Dan kunnen we Kerry ook uit-
nodigen. Het lijkt me leuk haar aan de anderen voor te stellen.'
'Ik dacht dat jij vond dat kinderen niet bij volwassen etentjes moesten zijn?'
merkte ze op.
'Kerry is toch geen kind meer, schatje. Hé, wat is er met je? Je bent zo on-
rustig vanavond.'
Dat was niet alleen vanavond, wilde ze roepen. Dat was al zo vanaf het mo-
ment dat Jon verdween.
'Niets.' Ze schoof opzij.
'Kom op. Ik zie dat er iets is.'
'Als je het echt wilt weten, ik blijf maar piekeren over wat ik verkeerd heb
gedaan met Jon. Heb ik hem te veel gepusht om naar Oxford te gaan? Is hij
daarom doorgedraaid?'
'Hij heeft zichzelf gepusht om daarheen te gaan.' Mike begon haar hand te
strelen. 'Hij wilde net als zijn vader zijn. Dat heb jij me verteld.'
'Ja, maar ik moet iets verkeerd hebben gedaan, toch?'
'Nee. Het is niet makkelijk om kinderen op te voeden. Dat begin ik inmiddels in te zien.'
Dit was de druppel. Lucy sprong op. 'O, hou toch alsjeblieft op. Jij hebt geen
idee wat het is om ouder te zijn. Alleen omdat zo'n meisje plotseling op
komt dagen denk je opeens dat jij weet hoe het allemaal zit. Nou, dat weet
je dus niet. Jij weet niet hoe het was om de hele nacht naast haar bed te zitten toen ze ziek was als kind. Jij was er niet om haar te helpen met haar
huiswerk. En je was er al helemaal niet toen ze zwanger werd.'
Mike was doodstil. 'Dat is waar.'
'En verder heb je geen flauw benul hoe moeilijk het voor mijn kinderen is
dat jij hier bent.'
Zo. Het hoge woord was eruit.
Mike stond op. 'Het spijt me. Ik weet dat het niet makkelijk voor ze is.'
Nu kon ze niet meer stoppen. 'Voor mij is het ook niet makkelijk. Ik ben
gewend om alleen te zijn. Ik moest... moest leren om alle beslissingen zelf
te nemen. Ik hou van je, Mike, maar ik weet niet of ik met je kan samen-
wonen.' Ze kon niet meer stoppen. 'En ik haat jouw banken.'
'Echt?' Hij keek haar bevreemd aan. 'Nou, ik hou niet van die lippenstift die
je altijd op hebt. Sorry dat ik het zeg, Lucy, maar lichtroze staat je niet.'
Nu ging hij weg. Richting de deur. Ze had hem weggejaagd, net zoals ze
Luke had weggejaagd. Mike, die nooit uit zijn slof schoot, ging bij haar weg.
Net zoals Luke zou hebben gedaan als hij niet verongelukt was.

51

Ja, natuurlijk was ze thuis, zei Maggie. Ze had geen spannende date. Dat was gisteravond. Ze zei het zo tussen neus en lippen door dat Lucy even dacht dat ze het meende. Kom naar me toe, drong Maggie aan. Je klinkt vreselijk.

Maggie zag er op haar beurt een stuk beter uit. Het was pas een week geleden dat ze haar nog gezien had op kantoor, maar ze leek anders. Ze leek zich herwonnen te hebben en ze droeg een nieuwe spijkerbroek met een mooi aansluitend lichtblauw kasjmier vestje. 'Van die tweedehandsdesigneroutlet,' vertelde ze vrolijk. 'Het goede van mijn nieuwe modellendieet is dat ik nu dingen pas die ik vroeger nooit aankon.'

'Modellendieet?'

'Inderdaad. Heel simpel, eigenlijk. Je zorgt gewoon dat je niet merkt dat je echtgenoot-tot-de-dood-ons-scheidt verliefd wordt op een derderangsmodel. Daarna voel je je zo ellendig dat je niet eet. Ja, toe maar, lach maar. Ik raak er langzaam aan gewend.'

'Je hebt je ogen ook anders opgemaakt,' zei Lucy.

'Ja, ach, ik ben naar zo'n make-upparty geweest in Debenhams. Maar vertel eens, wat was dat over Mike?'

Met tranen in haar ogen viste Lucy een zakdoek uit haar zak, waarbij ze een handvol hondenkoekjes uitstrooide. 'Sorry,' zei ze toen ze haar verhaal gedaan had. 'Ik zou jou moeten troosten, niet andersom.'

'Onzin. Het is best fijn om ook eens aan deze kant te staan.' Maggie schonk een groot glas gin-tonic voor haar in. 'Weet je wat ik denk?'

'Wat?' Lucy was zenuwachtig.

'Ik denk dat het voor jullie allebei niet makkelijk is. Jullie waren allebei alleen, allebei gewend aan jullie onafhankelijkheid. Jij bent bang dat het net zo gaat als bij Luke.'

'Je hebt beloofd het aan niemand te vertellen,' onderbrak Lucy haar.

'Dat heb ik niet gedaan en dat zal ik niet doen. En hij maakt zich waarschijnlijk zorgen over het leven met jouw kinderen.'

'En wat kunnen we eraan doen?'

Maggie liet het ijs in haar glas ronddraaien. 'Volg je vrouwelijke instinct. Dat deed ik toen Antony terug wilde komen. Ik wist dat het niet goed was, maar dat wist ik pas toen hij het vroeg. Jij staat op de rand van diezelfde afgrond en jij bent de enige die kan beslissen om een stap terug te doen of de sprong te wagen.'

'Hoe wist jij dat het niet goed was?' vroeg Lucy meer dan geïnteresseerd.

'Omdat ik in zijn ogen zag dat hij niet meer van mij hield. Er ontbrak iets en ik was niet van plan om tweede keus te zijn. Ik had trouwens al ontdekt dat de kinderen en ik het prima redden zonder hem. Het is niet makkelijk, maar het kan.'

'Heb je iemand ontmoet?'

'Ik heb een heleboel mensen ontmoet. Ik ben bij een groep gegaan die Sociaal Contact heet. Het is geen datingservice. Het is gewoon een groep mensen die samen verschillende dingen doen, eten of naar het theater. Daardoor realiseerde ik me dat ik niet de enige ben in deze situatie.' Maggie leunde voorover, haar ogen stralend. 'Dat vergat ik bijna. We waren gisteren in een restaurant, en raad eens wie ik daar zag?'

Lucy zat nog met Mike in haar hoofd. 'Wie?'

'Eleanor! Ze was met een extreem aantrekkelijke grijze heer.'

'Eleanor? Weet je het zeker?'

'Absoluut. Toen ze mij zag, werd ze helemaal rood en probeerde ze zich achter haar menu te verstoppen. Maar ze was het echt. En voordat je gaat zeggen dat het waarschijnlijk haar accountant was, laat ik je verzekeren dat accountants doorgaans niet in het openbaar de handen van hun klanten vasthouden! O ja, en Chrissie belde over dat running dinner. Best aardig, toch? Aangezien ik voorheen buiten jullie gezellige dinertjes ben gehouden. Nee, laat toch. Ik weet dat Mike en Antony dikke vriendjes zijn. Maar ik doe mee, hoor. Ik doe het toetje.'

Met een beetje geluk waren Sam en Kate naar bed, dacht Lucy toen ze thuis-kwam. In de keuken was het licht aan. Er was iemand aan het koken. Het rook naar eieren met spek.

'Mike?' Ze voelde opluchting en angst tegelijk. 'Ik dacht dat je nog weg was.'

'Dat was ik ook.' Hij pakte haar even beet voordat hij terug naar de pan ging om de eieren om te draaien. 'Ik ging weg om spek te halen. Dat hadden we niet meer en ik had zin in eieren met spek.'

'Op dit uur van de avond?'

Hij grijnsde schuldbewust. 'Dat doen vrijgezellen nu eenmaal.'

'Ben je niet boos op me?'

'Boos? Waarom zou ik boos zijn?'

'Omdat... omdat ik dat allemaal zei.'

Handig draaide hij met de spatel het ei om op het spek. 'Je zei alleen wat wij allebei dachten. Maar jij had het lef om het uit te spreken. Je hebt gelijk. Ik ben geen ouder, hoewel ik moet zeggen dat Kerry langzamerhand het beste wordt wat me na jou is overkomen. En ik vind jouw kinderen inderdaad moeilijk, vooral als Sam onbeleefd is tegen jou. Maar, schatje, jij bent een totaalpakket. Ik hou van jou, en daarom hou ik ook van Kate, Sam en Jon.' Hij trok haar naar zich toe. 'We komen hier doorheen, dat beloof ik. Het is in het begin misschien lastig, maar de liefde zit vol met compromissen.'

'En die roze lippenstift?'

Hij duwde zijn gezicht in haar haar. 'Dat wilde ik nooit tegen je zeggen.'

In een flits dacht ze aan al die dingen die Luke en zij tegen elkaar hadden moeten zeggen. 'Maar dat moet!'

'Oké. We kunnen een lijst maken! Dat kan leuk worden.'

Ze keek verbaasd naar hem op. 'Je bent geweldig.'

Hij schudde lachend zijn hoofd. 'Nee hoor, schatje.'

'Wel,' hield ze vol. 'Dat ben je wel. Luke was zo'n controlefreak; die was... nou ja, die was uit zijn dak gegaan.'

'Ach, iedereen doet het op zijn eigen manier. En nu ga ik iets vreselijks doen.'

'Wat?'

'Ik ga mijn eieren voor de televisie in de woonkamer opeten, er is voetbal. Vind je het erg?'

Ze schudde opgelucht haar hoofd. 'Dat is prima, als ik het licht aan mag laten in de keuken. Je weet dat ik een hekel heb aan donkere kamers.'

'Touché.'

'Trouwens, volgens Maggie heeft Eleanor een vriendje. Ze heeft ze gezien tijdens een etentje voor alleenstaanden. Niet dat ze dat mij vertelde toen ze vanavond belde om te zeggen dat ze niet mee zou eten. Ze ging maar door over die testjes die de huisarts had gedaan, die uitwijzen dat de nieuwe pillen voor haar hart aanslaan. En ik ben boos op Jenny, die me eerst jarenlang vertelt dat ik te toegeeflijk ben met de kinderen en nu opeens beweert dat ik Kate niet had moeten verbieden om naar dat nachtfeest te gaan, omdat we haar "vrijheid" moeten gunnen zodat zij straks niet hetzelfde gaat doen als Jon en... wat is er met de banken gebeurd?'

Ze staarde verbijsterd naar de lege plekken.

'O ja.' Mike leek zich wat te generen. 'Eleanor wees me erop dat ik telkens erger begon te snotteren als ik erop zat. Misschien kwam het door het leer. Om de proef op de som te nemen heb ik met Sam samen de banken voorlopig in de garage gezet.'

'Dus het was de bank en niet Mungo waar je allergisch voor bent?'

'Het zou kunnen, schatje. Maar ik had ze toch wel weggedaan. Ik zag heus wel dat je ze niet mooi vond.' Hij klopte op de leuning van haar gebloemde Laura Ashley-fauteuil. 'Dit is niet bepaald mijn stijl, maar ik raak eraan gewend. En kom nu maar even hier. Vergeet heel even de kinderen en kom in mijn armen.'

52

De telefoons rinkelden toen Jenny op kantoor aankwam. Halfnegen! Vroeger, voor het ongeluk, was ze hier altijd om acht uur, of eerder. Lily was er gelukkig al, telefonerend met de ene en een e-mail typend met de andere hand. Ze lachte naar Jenny.

'Ze zit nu in een overleg. Zal ik vragen of ze u terugbelt?'

Sinds ze terug was, had Jenny zich er al meerdere malen over verheugd dat Lily zo gegroeid was; de verantwoordelijkheid die ze had gekregen, had haar zelfvertrouwen zichtbaar goedgedaan.

'Dank je.' Jenny schonk een grote beker zwarte koffie in voor zichzelf. 'Ik neem aan dat het niet zo'n belangrijk telefoontje was?'

'Nee hoor, gewoon het bedrijf dat ons gevraagd heeft de zomerregatta te organiseren. Alles loopt op schema. Ze wilden een paar details bespreken, maar ze kunnen best even wachten.'

Soms vroeg ze zich af wie de zaak runde. Stel je niet aan, zei ze tegen zichzelf. Je moet meer uit handen geven. Denk aan wat Alan zei. Je kunt het niet allemaal zelf doen. Dat kan niemand. Daarom moet je mensen om je heen verzamelen die je vertrouwt.

'Heeft Westlake betaald?'

'Eindelijk.' Lily trok een gezicht. 'Maar pas nadat ik hun drie herinneringen had gestuurd, en toen hadden ze ook nog het lef om over hun moeilijke financiële situatie te beginnen. Ik heb hun gezegd dat wij hier ook een bedrijf proberen te runnen.'

Jenny bekeek haar e-mails. 'Hopelijk heb je ze niet weggejaagd.'

'Ik was duidelijk, meer niet. En als ze niet terugkomen, hebben we meer tijd voor klanten die gewoon op tijd betalen.'

Zo was zij ook geweest op Lily's leeftijd, wist Jenny. Gretig. Hongerig naar werk. Verontwaardigd als mensen niet deden wat ze moesten doen. Het niet meer dan normaal vindend als ze dat wel deden.

'Is er iets?' Lily keek haar aan.

'Nee. Waarom?'

'Je ziet er wat moe uit, verder niet.'

Dat was ze ook. Moe hiervan. Moe van het zoeken naar klanten voor werk en een inkomen. Moe van het opstaan 's ochtends met uitzicht op tientallen auto's die de straat blokkeerden in plaats van uitgestrekte grasvelden.

'Het gaat prima.' Jenny bekeek vluchtig Alans laatste mailtje voordat ze op 'Verwijderen' klikte. 'Echt prima.'

Toen ze thuiskwam, stonden er drie boodschappen op haar antwoordapparaat.

Nog niet. Jenny schopte haar schoenen uit, wurmde zich uit haar mantelpakje en schoot in een designspijkerbroek en wikkeltop met een paar gouden ballerina's. Zichzelf een groot glas chablis inschenkend, zette ze een Gourmet-pastaschotel met zongedroogde tomaten voor één persoon in de magnetron. Drie minuten later zat ze op de bank met een dienblad op schoot en op de video de nieuwste aflevering van een Amerikaanse comedyserie waar ze normaal gesproken dol op was.

Maar waarom leek het dan allemaal veel minder grappig? Was het dat de acteurs allemaal net iets te oud waren geworden voor hun rol, net als zij voor de hare. Wat wilde ze nu eigenlijk in het leven? Dat had Alan haar gevraagd nadat zij haar verhaal had gedaan. Ze had gelachen. 'Wat ik wil, is iets wat ik nooit kan krijgen,' had ze gezegd.

'Wat is dat dan?'

'Opnieuw beginnen. Een schone lei. Zorgen dat het niet meer kan gebeuren.'

'Dat kan niet,' had hij ernstig gezegd. 'Maar je kunt wel beginnen met het rechtzetten van bepaalde dingen.'

Nu ze hier op de bank lag te kijken naar Amerikaanse sterren die zich uit situaties moesten redden die nog belachelijker waren dan die van haar, vroeg ze zich af of dat mogelijk was. Het zou zo fijn zijn om vergeving te krijgen, om weer met zichzelf te kunnen leven.

Wie hield ze eigenlijk voor de gek?

Ze strekte zich uit naar het antwoordapparaat en drukte op de knop.

'Hallo Jenny. Misschien weet je het niet meer, maar je hebt me een paar maanden geleden gebeld. Je spreekt met Brian. De... eh... gehavende ridder. Ik was in het buitenland, in Amerika. Draken doden. Geintje! Hoewel, die draken... Maar ik ben terug, dus als je zin hebt in een drankje of... een drankje dus, hoor ik graag van je.'

Ze was die rare weken waarin ze daadwerkelijk een paar keer gereageerd had op de contactadvertenties in de krant totaal vergeten. Ze had waarschijnlijk een tijdelijke verstandsverbijstering gehad. Toch klonk hij een stuk minder erg dan zijn ingesproken bericht van een paar weken geleden.

Tweede boodschap. *'Hoi Jenny, ik ben het. Even horen hoe het met je is. Ik heb al een paar dagen niks van je gehoord. Hé, we houden zaterdag een run-*

ning diner. Chrissie heeft het bedacht en het klinkt best leuk. Sam, hou onmiddellijk op. Sorry, Jenny. Doe je mee? Jij zou het voorgerecht kunnen doen. Bel even terug en laat weten wat je doet.'

Wat was een fucking running diner?

Derde boodschap. *Klik.* Ze haatte het als iemand belde en geen boodschap achterliet. Nu vroeg ze zich de hele tijd af wie het geweest was. Alan? Dan? Een lachsalvo klonk uit de televisie en Jenny keek op. 'Je bent mooi als je lacht, meisje,' zei Alan altijd.

Maar het was makkelijker om te lachen als er iemand was om mee te lachen. Langzaam pakte Jenny de telefoon op en toetste het nummer in.

Een halfuur later zat ze op het puntje van de bank zenuwachtig te wachten tot de bel zou gaan, zich afvragend of ze de juiste outfit aanhad. Een jeans met *studs* en een zwartfluwelen shirtje. Te veel decolleté? Misschien moest ze toch maar iets anders aantrekken.

Te laat. Daar was de bel. Ze kon net doen of ze niet thuis was. Nee, dat was flauw. Ze keek even door het kijkgaatje. Niet slecht. Los kapsel, nogal grote neus, donkerblauw jasje met crèmekleurige broek. Handen in de zakken.

Ze deed open. 'Hoi.' Ze zweeg.

'Hallo.' Hij stak zijn hand uit en gaf haar nogal formeel een hand.

Meteen wist ze dat het een vergissing was. Hij gaf een slap handje. Zijn palmen waren nat. Hij droeg gympen onder zijn broek en had een spleetje tussen zijn voortanden.

Ze bleven onhandig op de drempel staan.

'Wil je nog even binnenkomen, voordat we gaan, bedoel ik?'

'Ja. Dank je.'

Het beloofde een pijnlijk avondje te worden. 'Wat wil je drinken?'

'Een glaasje limonade zou lekker zijn.'

Limonade? Dat had ze niet meer gekocht sinds ze elf was.

'Ik ben bang dat ik alleen het serieuze werk in huis heb.'

Er kon geen lachje van af. 'Water is prima.' Zittend op de leuning maakte hij zijn bril schoon en zette hem weer op. 'Ik heb om negen uur gereserveerd. Dat geeft ons wat tijd om even te kletsen, dacht ik, om elkaar te leren kennen. Te gek dat je zo snel af kon spreken.'

Ze gaf hem een glas water en schonk voor zichzelf een groot glas gin met nog minder tonic dan normaal in. 'Vertel eens,' zei ze, en ze nam een slok. 'Waarom ben jij een gehavende ridder?'

Hij haalde zijn schouders op. 'Een vriend die in de reclame zit heeft het bedacht. Dan zou ik tenminste opvallen.'

Wat een sul. 'En wat doe jij?'

Hij ging rechtop zitten. 'Ik ben accountant.'

Je zou denken dat hij dan de spleetjes tussen zijn tanden zou kunnen tellen en er iets aan kon laten doen.

'Wat doe jij?'

'Ik heb een evenementenbureau.' Ze zag het onbegrip in zijn ogen. 'We organiseren feesten en sociale evenementen voor bedrijven.'

'Dus je zit in de entertainmentbusiness?'

Ze voelde dat ze in een hokje werd gestopt.

'Ja, zoiets. Hé, dat eten...'

'Ja?'

'Ik vroeg me af...'

Zijn gezicht betrok. Nee, dit kon ze niet maken. Dat was niet eerlijk. Ze had dit zichzelf aangedaan en ze zou de gevolgen onder ogen moeten zien. Snel, bedenk iets. 'Ik vroeg me af of ik niet te chic gekleed was.'

Zijn gezicht klaarde op. 'Je ziet er geweldig uit.' Hij haalde een grote witte zakdoek uit zijn zak en veegde zijn voorhoofd af. 'Poeh. Ik dacht even dat je ging zeggen dat je niet meer wilde. Dat overkwam me de vorige keer. Om eerlijk te zijn is dat ook de reden dat ik zo lang gewacht heb met reageren op jouw boodschap. Ik was wel naar de Verenigde Staten, maar ik had eerder kunnen bellen. Goh, ik ratel maar door, vind je ook niet? Mijn ex had daar altijd zo'n hekel aan.'

'O ja?' vroeg Jenny vrolijk. 'Vind je het goed om nu vast te gaan om te vragen of we eerder terecht kunnen? Ik zou graag voor elven weer thuis zijn. Ik moet morgen vroeg beginnen. Dat is een beetje lang verhaal. Ik bedoel een lang verhaal.'

Het eten was een hel. Nooit meer, zwoer Jenny terwijl ze luisterde naar zijn onophoudelijke stroom klachten over waarom mensen hun belastingteruggaaf niet op tijd ontvingen. Hij gaf haar niet eens de kans om iets te zeggen toen ze ineens iets bedacht om te zeggen over cijfers. De herinnering aan Alan die naar haar luisterde en precies hetzelfde over zaken dacht waarvan zij altijd had gedacht dat zij de enige was die er zo over dacht, cirkelde in haar hoofd. Zelfs Dan, onbetrouwbare Dan, was leuker dan dit.

'En vertel eens, wat zijn jouw hobby's?' vroeg hij vanaf de andere kant van de tafel, haar aankijkend met zijn kin rustend op zijn hand.

Wat een druiloor. Grappig, de oude Jenny zou geïrriteerd raken van Alans ouderwetse taalgebruik, maar nu hij niet bij haar was, vond ze het bijna aandoenlijk.

'Daar heb ik geen tijd voor. En jij?'

Ze zag aan de manier waarop hij zijn borst vooruitstak dat hij op deze vraag had zitten wachten. 'Ik doe aan Second Life,' zei hij vooroverleunend.

O god, ze had een wedergeboren christen aan de haak geslagen.

'Nee, dat niet.' Hij lachte nerveus. 'Het is een computerspel. Het is meer dan een spel, eigenlijk. Duizenden mensen spelen het. Ik heb een digitaal personage gecreëerd die het leven leidt dat ik altijd heb willen leiden. Ik... hij... gaat om met de digitale personages van anderen. Vorige week ben ik wezen paragliden. Online, natuurlijk. In het echte leven zou ik dat niet durven. Toetje?'

'Sorry?'

'Wil je nog iets hebben?' Hij keek bezorgd op het menu. 'Ik zou wel een toetje lusten, maar ik moet zeker weten dat er geen noten in zitten. Ik ben namelijk allergisch voor noten.' Hij lachte zijn tanden bloot. 'De geur van een noot alleen al kan fataal zijn. Ik moet echt voorzichtig zijn met zoetigheid.'

Dessert, wilde ze schreeuwen. Ik noem het dessert. Nog maar een paar weken geleden had ze haar zus een snob genoemd omdat ze haar kinderen corrigeerde op dit punt. Wat gebeurde er met haar?

'Ik hoef niet meer, dank je.' Ze schudde haar servet uit. 'Als je het niet erg vindt, zou ik nu echt graag naar huis willen. Het was heerlijk.'

Hij stond erop haar naar huis te brengen en, omdat hij geen parkeerplek in de buurt kon vinden, met haar mee te lopen naar haar deur.

Pas toen ze heel dichtbij waren, zag ze dat er iemand bij de buitendeur zat te wachten.

'Jenny!'

Alan stond op.

'Het spijt me. Ik heb geprobeerd te bellen maar...'

Hij keek naar Brian, die het lef had een arm om haar schouder te slaan.

'Het spijt me. Dit is het verkeerde moment.'

'Nee.' Jenny schudde Brians arm boos van zich af. 'Nee, het is prima. Dit is... eh... Brian. Brian, dit is Alan. Brian zou net weggaan.'

'O ja?'

'Eigenlijk denk ik dat ik beter een andere keer terug kan komen.' Alan begon weer richting de weg te lopen. Ze zag de chauffeur voor in de zwarte Mercedes zitten.

'Fuck.'

'Wablief?'

'Ik zei fuck, Brian. Luister, het spijt me. Bedankt voor het eten, maar dit gaat niet werken, denk je ook niet? Succes met de rest.'

'Maar ik dacht dat we iets leuks hadden samen?'

Ze rende nu. Zo snel als ze kon naar de auto. De motor begon te ronken. Hij gleed weg en mengde zich tussen de andere auto's.

'Nee!' De tranen liepen over haar wangen. 'Nee.' Nu was het te laat. Ze had hem gekwetst en zichzelf erbij. 'Wat ongelooflijk stom.' Als haar been niet zo gammel was geweest, zou ze met haar voet stampen. 'Hoe stom kun je zijn?'

Ze voelde dat iemand van achteren een paar handen op haar schouders legde en schudde ze kwaad van zich af. 'En jij kunt ook oprotten, en neem je gehavende harnas mee.'

'Harnas?' vroeg een geamuseerde stem. 'Ben bang dat ik dat vanavond thuis heb gelaten.'

'Alan!' Ze draaide zich vliegensvlug om. 'Je ging toch weg? In de auto. Ik zag je.'

'Ik heb de chauffeur naar huis gestuurd. Ik wilde gaan lopen, maar toen zag ik jou achter de auto aan rennen. Wat heb je met je vriendje gedaan? En wat heeft dat harnas ermee te maken?'

'Hij is mijn hele vriendje niet. Ik heb hem uit de krant. Hij beschreef zichzelf als een gehavende ridder die op zoek was naar een dame in nood.'

Hij giechelde. 'Die oude truc. Je leest de verkeerde krant! Hé, sorry dat ik zomaar langskom. Ik heb wel een boodschap achtergelaten dat ik hier zou zijn en of ik bij je langs mocht komen. Dus toen ik niets van je hoorde, bedacht ik om het gewoon maar te proberen.'

'Dank je.' Ze snufte. 'Daar ben ik blij om.'

'Zakdoek?' Hij gaf haar een blauw-wit gestippeld exemplaar. Ze snoot dankbaar haar neus.

'Hoe is het met je been?'

'Prima.'

'Met het mijne niet.'

Ze keek geschrokken naar beneden. 'Wat heb je ermee gedaan?'

Hij trok een gek gezicht. 'Dit is het geval. Sinds jij weg bent, is het hartstikke wiebelig. Het wil maar niet stilstaan. Maar nu ik hier ben, is het andere ook aan het wiebelen geslagen.'

Ze probeerde bij zijn gezicht te komen.

'Ik heb je gemist, Jenny. Ik heb je zo gemist.'

'Ik heb jou ook gemist.' Dit was belachelijk! Hij was haar type niet. En toch had ze hem gemist, heel erg gemist.

'Ik weet dat er een groot leeftijdsverschil is. En ik weet dat je normaal gesproken met hele andere types uitgaat, zoals de gehavende ridder en die oplichter Dan die opeens opdook...'

'Hoe weet jij dat het een oplichter was?'

'Geloof me. Dat zag ik meteen.' Hij trok haar nu naar zich toe. 'Maar volgens mij hebben wij wel iets, of niet dan?'

'Wellicht.' Ze kon bijna niet ademen.

'Ik bedoel, die kus.' Hij was nu zo dichtbij dat ze zijn adem in de koude lucht kon zien. 'Die kus was niet zomaar een kus, of wel?'

'Misschien.' Ze keek hem plagend aan. 'Maar misschien moeten we het gewoon nog een keer proberen. Voor de zekerheid.'

53

Uiteindelijk besloten ze de eerste gang bij Chrissie en Martin thuis te doen, vooral omdat Jenny's appartement te klein was. Er was zo ontzettend veel gesteggel en heen-en-weergedoe voor nodig geweest om te beslissen wie er welke gang zou maken, dat Chrissie, die haastig de tafel dekte, zich afvroeg of het niet een stom idee van haar geweest was.

Maar nu ze met een bloemstukje van madeliefjes bezig was, dat ze midden op tafel zette (wat heerlijk dat het bijna lente was!), was ze blij dat ze het gedaan had. Het zou leuk zijn om Lucy weer te zien; ze was zo druk geweest op haar werk, dat ze al weken niet rustig bijgepraat hadden. En ze kon niet wachten om meer te horen over Jenny's nieuwe kerel die, zoals Sam haar verzekerde toen ze hem in de stad tegenkwam, 'vet oud' was.

De kinderen kwamen ook, onder het mom van op George passen als hij wakker werd en helpen met de afwas. Dat was een idee van Mike geweest. 'Ze moeten leren werken voor hun zakgeld,' had hij gezegd. Grappig. Toen Mike net wat met Lucy had, vond Chrissie hem vaak te streng voor de kinderen, maar nu, misschien omdat George iets ouder was, begreep ze dat kinderen regels nodig hebben.

George had inmiddels al weken geen druppeltje moedermelk meer gehad. Dat betekende helaas dat haar borsten niet meer zo indrukwekkend waren, maar hij leek het prima te doen op hetzelfde eten als zij. Soms vroeg Chrissie zich af waarom ze in het begin niet strenger was geweest. Maar het was zo moeilijk om de dingen helder te zien als je er middenin zat.

'Ze zijn er!'

Martin riep vanuit de keuken die over de oprit uitkeek. Hij had aangeboden om te koken, dat was een van de afspraken die ze hadden gemaakt toen Chrissie haar oude baan terugkreeg. Hij bleek verrassend goed te kunnen koken, hoewel hij soms een beetje doorschoot in zijn fantasie. Op het menu van vanavond was ze eerlijk gezegd niet helemaal gerust.

'Hoi!' Lucy kuste haar zachtjes op beide wangen. Ze was bijna mooi, dacht Chrissie bij zichzelf. Licht en luchtig in haar mooie rok van voile en veel rustiger dan ze haar de laatste tijd had meegemaakt.

'Hoe is het met je?' vroeg Chrissie zachtjes.

Er schoot iets door Lucy's ogen. 'Ik leer ermee leven. Jon heeft me vorige week geschreven. Hij schreef dat het hem speet dat hij nog niet thuis kon komen en dat hij nog tijd nodig had om na te denken. Die moet ik hem dan maar gunnen.'

Chrissie gaf een meelevend kneepje in haar hand. 'En hoe is het om samen te wonen met Mike?'

Lucy's ogen straalden. 'Het is heerlijk. De kinderen lijken het veel beter geaccepteerd te hebben dan ik dacht en zelfs Eleanor heeft zich ingehouden.'

'Dus ze is nog bij jou?'

'Ja.' Lucy keek haar veelbetekenend aan. 'Mike vindt dat we het erover moeten hebben, maar we kijken het nog even aan. O, kijk, daar komt Maggie, en Jenny's auto daarachter. Kerry komt iets later.' Ze trok even aan Chrissies mouw. 'Ik moet je snel iets vertellen voordat ze binnenkomen...'

'Volgens mij,' zei Maggie, aandachtig kauwend op haar garnalen in limoen en wodka, 'ben jij aardig wat van dat babyvet kwijt, of niet Chrissie?'

'Ja.' Chrissie probeerde niet beledigd te reageren. Maggie was altijd recht voor zijn raap geweest en het leven als alleenstaande had haar niet subtieler gemaakt. 'Ik heb geen tijd meer voor ongegeneerde vreetpartijen nu ik op kantoor zit.'

'Ik ben degene die aangekomen is.' Martin klopte schuldbewust op zijn buik. Maggie keek hem indringend aan. 'Ach, zolang je niet te veel drinkt.'

'Nog wat croutons?' Chrissie gaf de schaal rond en hoopte dat een ander onderwerp zich zou aandienen. Ze zag Martin ineenkrimpen. Maggie kon ongenadig tactloos zijn!

'Dank je.' Maggie nam er een paar. 'En heb je nog last gehad met die wijkverpleegkundige?'

Chrissie verstijfde en zond een hoe-heb-je-het-haar-kunnen-vertellen-blik naar Lucy, die meteen haar hoofd schudde.

'Nee, Lucy heeft niets gezegd. Het was Eleanor.'

'Dat heb ik in vertrouwen verteld.'

'Ha,' zei Mike terwijl hij zijn glas chablis bijvulde. 'Vertel die vrouw niets in vertrouwen. Ze zal het zo snel mogelijk in de krant zetten.'

'Ze heeft mij ook verraden toen ik naar de *Late Night Sex*-show had gekeken,' bekende Sam. 'Als ze gewoon naar bed was gegaan, zoals de bedoeling was, had ze er nooit achter hoeven komen.'

'Trouwens,' ging Maggie door. 'Over in de krant zetten gesproken, die wijkverpleegkundige is op het matje geroepen. Heb je het niet gelezen? Blijkbaar beschuldigde ze overal moeders van het mishandelen van hun kinderen, terwijl die doodgewone builen en blauwe plekken hadden. Die had duidelijk ergens een steekje los.'

'Niet te geloven!' Martin sloeg op de tafel. 'Ik ben in staat die vrouw voor de rechter te slepen.'

Jenny huiverde. 'Praat me niet van juridische stappen.'

'Maar dat is nu toch helemaal opgelost?' vroeg Lucy bezorgd. 'Dat gedoe met die badpakkendame, bedoel ik.'

'Ja. Maar ik ben er wel aardig door genezen. Ik geniet eerlijk gezegd steeds minder van mijn werk.'

Maggie zond Jenny een blik van verstandhouding. 'Waar is je nieuwe man? Bestaat hij wel?'

'Jazeker, dankjewel. Zoals ik al zei, hij kan elk moment hier zijn.'

Mike keek op zijn horloge. 'Raar dat Kerry er nog niet is. Ik hoop dat er niets gebeurd is.'

Chrissie had de neiging op te merken dat hij altijd de eerste was om Lucy te vertellen dat ze zich onnodig druk maakte als het om de kinderen ging. Nu hij een kant-en-klaarexemplaar van zichzelf had zag hij het opeens van de andere kant.

'Bijzondere garnalen, trouwens,' zei Maggie.

'Ze zijn heerlijk.' Kate nam er nog een paar. 'Wat zit er in de saus?'

'Wod... ik bedoel limoen,' zei Chrissie snel. 'Martin heeft ze gemaakt.'

'O ja, ik was vergeten dat jij kok en oppas in één was,' zei Mike schertsend. 'Hoe bevalt dat?'

Chrissie gromde onhoorbaar. Nu zouden ze het krijgen. Ze had ook een raar gevoel in haar buik. Vreemd. Ze was altijd gek op garnalen, maar deze smaakten raar met die vreselijke wodkasaus. Ze hoopte maar dat Martin ze goed had laten ontdooien.

Martin rekte zich uit in zijn stoel. Had hij weer te veel gedronken? Ze had gezien dat hij tijdens het koken een tweede glas wijn had ingeschonken en hier aan tafel had hij een derde genomen.

'Best goed. Ik zeg zeker niet dat ik het voor altijd zal doen, maar voor nu ben ik er zeer gelukkig mee dat de vrouw uit werken gaat.'

'Dat was... apart,' zei Lucy, die met een servet haar mond afveegde. 'George is lekker stil.'

Chrissie stond op. 'Ik zal maar eens bij hem gaan kijken.'

'Nee.' Martin stak zijn hand uit. 'Laat hem slapen. Als je hem stoort, wordt hij wakker. Kate blijft hier om op te passen, toch, als wij naar Maggie gaan. Jij bent nu aan de beurt, toch?'

'Jazeker. Is iedereen er klaar voor?'

Martin pakte de autosleutels.

'Ik rij wel,' zei Chrissie snel.

Hij keek alsof hij wilde protesteren en ze zette zich schrap voor de gebruikelijke 'Jij denkt dat ik weer heb gedronken'-beschuldigingen. Maar toen verzachtte de blik in zijn ogen. 'Je hebt gelijk.' Hij kneep even in haar bil. 'En maak je niet druk. Ik neem nog maar één glaasje vanavond.'

54

Jenny had een kant-en-klare tomaten-paprikasalade meegenomen als haar bijdrage aan Maggies dinertje, met de excuses dat haar appartement te klein was om iedereen te ontvangen.

De waarheid was dat ze niemand bij haar thuis wilde. Wat haar betreft was haar huis van haar en ze wilde Martin en al die anderen, met uitzondering van Lucy, niet over de vloer.

Als Alan het niet zo'n leuk idee had gevonden, had ze het hele running dinner-scenario overgeslagen. 'Dan kun je me mooi aan je zus voorstellen,' had hij gezegd. En nu was hij te laat door een spoedvergadering. Ze had hem een sms gestuurd met de route naar Maggies huis, maar hij had niet geantwoord. De anderen, dacht ze teleurgesteld terwijl ze een schaal sto-mend hete couscous omdraaide op een bord, zouden zich wel stilletjes verkneukelen over het niet komen opdagen van haar afspraakje.

Maggies huis was anders dan de laatste keer dat ze er was. Er leek meer kleur te zijn en het was bijna studentikoos met die doorschijnende gaasachtige gordijnen die gewoon los over de gordijnstokken gedrapeerd waren. Ze had versierde Indiase kussentjes op de bank en grote zitzakken. En overal hingen lampjes met verschillende kleuren licht. Door schalen met drijvende kaarsen op het dressoir en in de keuken werd een eigenaardige geur verspreid (iets met rozen en jasmijn). Het effect was een zachte en ontspannen sfeer.

'Vind je het wat?' glimlachte Maggie.

'Jazeker, je hebt het anders ingericht.'

'Ik moest wel. Om niet helemaal gek te worden. Het is niet makkelijk als je echtgenoot er na bijna twintig jaar huwelijk vandoor gaat met een of an-dere sloerie, weet je.'

Jenny begon nerveus op de peterselie in te hakken. 'Dat neem ik aan.'

'Weet je dat die vrouw, ik weiger haar naam te noemen, het lef had om me een make-over aan te bieden en te zeggen dat het haar speet?'

'Een make-over?'

'Ja, met haar toverpalet en heksensmeerseltjes. Het gore lef! En had je ge-hoord over die foto's van de kinderen, mijn kinderen, voor zo'n huis-aan-huisblaadje? Ik ben nog nooit zo kwaad geweest.'

'Je zei toch dat ze haar excuses had aangeboden?' Shit. Ze had in haar vinger gesneden.

Maggie snoof. 'Beetje laat, denk je ook niet?'

'Maar Lucy zei... ik bedoel, ik hoorde dat Antony bij je terug wilde komen.'

Maggie veegde haar handen af aan een theedoek. 'Denk je echt dat dat nog kan? Als iemand iets met iemand anders heeft, is het vertrouwen weg. Dat en al die intimiteiten die je dagelijks met elkaar deelt. Je lacht niet meer samen, omdat niets meer grappig lijkt. Je kunt niet meer naar films kijken waar seks in voorkomt, omdat je je afvraagt wat hij met haar deed. En samen nog vrijen, daar moet ik persoonlijk niet aan denken. Misschien heeft hij spijt, maar daar had hij dan aan moeten denken voordat hij eraan begon. Wat mij betreft moeten vrouwen die iets beginnen met een getrouwde man gestenigd worden.'

'Dat is wel erg streng, vind je niet?' Jenny pakte het bord met couscous op. 'Waar zal ik dit neerzetten?'

'Heerlijk,' zei Mike verheugd. Nu die dochter van hem eindelijk gearriveerd was en naast hem zat, was hij een stuk meer ontspannen, merkte Jenny. 'Eh... wat is het?'

'Vegetarische goulash met couscous,' zei Maggie prompt, alsof ze op de vraag had zitten wachten.

'Komt er nog iets bij?' vroeg Martin, die zich meer dan rijkelijk bediende van de couscous.

'Martin!' Chrissie trok een ik-zei-toch-dat-je-je-moest-gedragen-gezicht naar haar man. 'Ben je vegetarisch geworden, Maggie?'

'Ik was het al jaren van plan, maar Antony was zo gehecht aan zijn stukje vlees.' Ze hief het glas. 'Best ironisch dat hij dan nu een vrouw en een minnares heeft die beiden geen carnivoor zijn.'

'Is hij dan terug bij haar?' Ondanks de waarschuwende blik van Lucy kon Jenny het niet laten.

'O, dat denk ik wel. Jullie weten waarschijnlijk meer dan ik.'

Er viel een ongemakkelijke stilte. 'Eh,' zei Mike uiteindelijk, 'ik geloof het wel, ja.'

'O, kijk eens aan,' zei Lucy opgelucht. 'Daar komt iemand aan. Dat moet Alan zijn.'

'Nee.' Jenny's hart maakte een sprongetje, maar meteen was daar de teleurstelling. 'Dat is niet zijn auto.'

'Niet te geloven,' zei Mike, die voor het raam stond. 'Het is Eleanor, met een man.'

'Goedenavond, allemaal!' straalde Eleanor hun tegemoet. Ze kuste iedereen op de wang en vergaste Jenny bijna in een wolk parfum. 'Sorry dat we zo laat zijn. Dit is Walter, mensen. Walter, dit is mijn familie, met een paar vrienden.'

Een nogal kleine, verlegen uitziende man met warrig grijs haar in een donkergrijs pak met stropdas schudde hun formeel de hand.

'Woon jij niet tegenover ons?' zei Mike.

'Inderdaad. Nummer 9. Ik ben vorig jaar bij mijn zoon ingetrokken en hij komt maar niet van me af.'

Eleanor lachte beleefd, alsof het niet de eerste keer was dat hij dit grapje maakte.

'Kom maar lekker zitten,' zei Maggie. 'We waren pas net begonnen.'

'Wacht even,' zei Jenny zachtjes tegen haar zus terwijl ze gingen zitten. 'Als dat die kerel van nummer 9 is, was het dan zijn zoon die jullie vorige zomer aan mij wilden koppelen? Die ene die zou komen eten maar nooit kwam opdagen.'

'Inderdaad, lieverd.' Eleanor leunde over de tafel. Niets mis met haar gehoor, dacht Jenny. 'Walter heeft het me verteld. Daardoor hebben wij elkaar eigenlijk gevonden. Hij en ik waren allebei in de tuin bezig – vind je ook niet dat Lucy's tuin veel te groot is om alleen te onderhouden – en toen begon hij een praatje over de heg. Volgens mij is het maar beter zo, Jenny. Walters zoon Gary is...'

'Hoho, Ellie. Daar zouden we het niet over hebben.'

Ellie? Jenny probeerde niet te giechelen. Aan de overkant van de tafel zag ze dat Lucy ook haar best moest doen om haar gezicht neutraal te houden.

'Ik heb een klein cadeautje voor je meegenomen, Lucy. Het is een pot augurken, die we vandaag gekocht hebben in een schattig klein winkeltje.'

Jenny kon het niet laten. 'Lijkt iemands voorouder wel.'

Lucy probeerde tevergeefs een giechelbui in te slikken, keek Jenny aan en begon opnieuw.

'Wat een bijzondere gedachte. En hoe is het met de jongelui? Chrissie, had jij nog iets gedaan met mijn advies over die aandelen?'

'Welke aandelen?' vroeg Jenny alert.

Chrissie bloosde. 'Gewoon een tip die Eleanor aan mij doorgaf.'

'En Martin, lieverd, lukt het allemaal wel? Hoe noemen ze dat tegenwoordig ook alweer? Huiselijke mannen, was dat het?'

'Huismannen,' zei hij stijfjes.

Eleanor knipperde met haar ogen en keek naar Walter. 'In onze tijd gebeurde dat soort dingen niet, toch?'

'Nee, Ellie, absoluut niet.'

'Dat is niet om te lachen, Jenny,' zei Eleanor streng. 'Toen wij jong en getrouwd waren, deden we het huishouden en onze mannen gingen naar hun werk.'

Jenny keek naar Martin, die zichzelf bijschonk.

'Nou, ik vind dat Martin het geweldig doet.' Chrissies stem doorbrak de stilte. 'Sterker nog, hij is veel beter met George dan ik. En als ik het goed onthouden heb, heb jij het vroeger zelf ook niet al te best aangepakt met Luke.'

Eleanor werd wit. 'Nou ja! Na alles wat ik voor je gedaan heb...'

Maggie sprong op. 'De bel. Ik hoorde de bel.'

Lieve god, als je bestaat, dacht Jenny, kan dit dan alsjeblieft Alan zijn.

Zodra ze de deur voor hem opendeed, voelde ze zich beter.

'Sorry dat ik zo laat ben, meisje.' Hij trok haar naar zich toe; zijn lichaamswarmte voelde weldadig aan. Ze vergaf hem zelfs dat 'meisje'-gedoe.

'Kom binnen, dan stel ik je aan iedereen voor.'

Hij leek nerveus en Jenny lachte. 'Ze eten je niet op. Ze geloven überhaupt niet dat je bestaat.'

Ze zaten allemaal aan tafel en keken verwachtingsvol op. Jenny's hart ging naar Alan uit. 'Dit is Alan, Alan dit is Eleanor, Lucy...'

Ze ging de tafel rond.

'We dachten al dat Jenny je verzonnen had,' kraaide Eleanor. 'Die arme ziel heeft geen geluk in de liefde, of wel dan, lieverd?'

'Dat is niet eerlijk...' begon Lucy.

'Nou, als dat zo is, ben ik zeer dankbaar,' zei Alan luid en duidelijk. 'Daardoor maak ik nu nog een kansje bij haar. Maar vertel eens, Eleanor, kwam jij niet uit Cornwall? Ik ken dat deel van het land uit mijn jeugd.'

Ze moest het hem nageven, dacht Jenny. Een jongere man had zich waarschijnlijk beledigd gevoeld, was misschien zelfs grof geworden. Maar Alan was buitengewoon charmant tegen de oude tante, die inmiddels aan zijn lippen hing.

'Kenden jullie de Lancasters?' Haar ogen rolden bijna uit haar hoofd. 'Zij gaven fantastische soirees.'

'Dat klopt. Mijn ouders werden elk jaar uitgenodigd en in de herfst kwamen ze natuurlijk naar het noorden voor de jacht.'

Maggie zag onderweg naar de keuken kans haar snel iets toe te fluisteren. 'Hij is leuk. Beetje ouder dan ik gedacht had. Maar leuk. En hij is gek op je.'

'Ik ben ook gek op hem.'

'Dat is dan mooi, meisje.'

Ze had niet gezien dat Alan achter haar stond. 'Ik was niet aan het afluisteren, hoor. Ik kwam gewoon even helpen. Heb je het iedereen al verteld?'

Jenny aarzelde. 'Nog niet.'

'Wat verteld?' herhaalde Maggie terwijl ze de kamer weer in liepen.

'Heeft er iemand iets te vertellen?' Eleanors ogen lichtten nieuwsgierig op. 'Mooi, het begon een beetje een saaie bedoening te worden hier.'

Iedereen keek naar Jenny, Alan incluis. Dit was een kwestie van doorbijten. Dit was het moment om eerlijk te zijn tegenover zichzelf.

'Ik ga verhuizen,' zei ze zachtjes.

'Verhuizen?' Lucy's mond viel open. 'Maar daar heb je niets over gezegd.'

'Waar ga je heen?' vroeg Chrissie.

'Naar het noorden.' Ze keek op naar Alan, die zijn arm om haar schouders sloeg. 'Net buiten Newcastle.'

'Wat fantastisch!' Eleanor klapte in haar handen. 'Volgens mij is het heel verstandig om een oudere man te trouwen. Veel stabieler, denken jullie ook niet? Nodigen jullie de Lancasters ook uit?'

Alan schraapte zijn keel. 'Eigenlijk, Eleanor, zei Jenny laatst dat we helemaal niet kunnen trouwen, omdat we veel te veel praten en geweldige seks hebben. Getrouwde stellen doen meestal geen van beide. Laat staan tegelijk.'

Jenny barstte in lachen uit. Maar Lucy keek haar vanaf de andere kant van de tafel gekwetst aan. Waarom heb je niets gezegd, vroeg ze woordeloos. Ik had het toch als eerste moeten weten?

Sorry, mimede ze.

Lucy sloeg haar ogen neer en baalde. Zij had als eerste moeten reageren. Weer een misser.

'Wees eens stil. Is dat mijn mobiel?' Chrissie keek verwoed om zich heen. 'Waar is mijn telefoon? Daar, op de grond. Pas op je voet, Martin. Je gaat er bijna op staan. Hallo? Ja? Wat? Kate, niet zo snel. Ik begrijp je niet.' Ze keek verschrikt naar Martin. 'Ik zei toch dat dit zou gebeuren. Ik zei dat hij in die wortels zou stikken of over het traphekje heen zou klimmen. Ik zei dat hij van de trap zou vallen en zijn hoofd zou stoten en dan komt de kinderbescherming hem ophalen en dan...'

'Chrissie, wat is er gebeurd?' zei Martin indringend. 'Geef de telefoon aan mij. Kate, doe maar rustig en vertel me wat er gebeurd is. Weet je het zeker? Ja, we komen eraan.'

Zijn handen trilden en het zweet stond op zijn voorhoofd. 'Dit gaan jullie niet geloven.'

Iedereen zweeg.

'George heeft iets gezegd. Geen woordje, maar een hele zin! Hij kan praten! Mijn zoon kan eindelijk praten! Er is toch niets mis met hem! Is het niet geweldig?'

'Is dat alles?' sputterde Mike. 'Ik dacht dat er iets afschuwelijks gebeurd was.'

'Pap!' Kerry gaf hem een por tussen zijn ribben. 'Ik hoop dat je wat aardiger doet als je kleinkind geboren is. Het is niet niks, hoor, om een kind te hebben. Ik vind het doodeng.'

'Dat hoeft toch niet.' Lucy stak een hand uit en kneep even in die van Kerry. 'Wij zijn er toch.'

'In mijn tijd,' begon Eleanor, 'leerden kinderen gewoon praten als ze eraan toe waren. Daar deden wij niet moeilijk over. Volgens mij komt het door al die zogenaamde ontwikkelingsboeken door mensen als Sheila Kissinger. Zij had het bij de politiek moeten houden, net als haar man.'

Maggie snoof. 'Ze heet Sheila Kitzinger en ze heeft geen enkele connectie met Henry Kissinger. Bovendien vind ik haar boeken geweldig.'

'Wat heeft hij gepresteerd?' vroeg Alan. 'Wat heeft George gezegd?'

'Dat is het hem nou,' zei Martin stralend. Hij legde een arm om Chrissie. 'Dit ga je niet geloven, schat. Hij zei: "Wil mama."'

'Nee,' hapte Chrissie. 'Echt waar? Dat verzin je niet?'

'Nee, dat verzin ik niet.'

'Dat zou ik nu niet bepaald een hele zin noemen. In mijn tijd...'

Chrissie sprong op van de tafel. 'Ik moet gaan. Ik moet het George horen zeggen. Sorry, Lucy, we komen een andere keer langs.' De tranen begonnen over haar wangen te lopen en Jenny voelde een enorme plaatsvervangende schaamte. Als dit was waar kinderen krijgen om ging, dan bedankte ze ervoor.

'Papa,' zei Kerry, 'ik ben vreselijk moe. Denk je dat ik vannacht bij jou en Lucy kan blijven slapen?'

'Natuurlijk,' zei Mike meteen.

Hij stemde niets af met Lucy, zag Jenny, hoewel haar zus instemmend knikte. Wist Mike wel hoeveel geluk hij met haar had gehad? Niet iedere vrouw zou meteen vrienden worden met een plotseling opdagende dochter.

'Dus we gaan weer?' vroeg Alan toen iedereen op begon te staan.

'Ben bang van wel.' Werd hij het zat? 'Misschien was het toch niet zo'n goed idee.'

'Nonsens.' Alan begon de tafel af te ruimen, ondanks de beleefde protesten van Maggie. 'Ik vermaak me kostelijk.' Zijn ogen schitterden terwijl hij haar tegen zich aan trok en in haar oor fluisterde. 'Het is alleen dat ik van deze vegetarische toestand razende honger heb gekregen. Kunnen we niet ergens stoppen, onderweg naar je zus?'

55

Gelukkig had ze ook wat kaas gekocht naast de spullen voor de ijstaart, dacht Lucy toen ze als eerste thuis aankwam. Maggies groenteschotel had er heel mooi uitgezien, maar Mike was een aardappels-en-vleesman.

Hij had aangeboden om Kerry in haar auto hierheen te rijden. Het was niet te geloven hoe stabiel en angstaanjagend onafhankelijk ze was, hoewel het arme kind er vanavond wel erg moe had uitgezien. Ze zou in Jons kamer moeten slapen, aangezien Eleanor de logeerkamer had geannexeerd.

'Hoi, we zijn er.' Mike kwam de keuken in en kuste haar zachtjes in haar nek terwijl ze de brie uitpakte en op een mooi Portugees bord legde dat zij en Luke jaren geleden tijdens een vakantie hadden gekocht. 'Vind je het goed dat Kerry blijft slapen?'

Hoe kon ze nee zeggen als Mike, in tegenstelling tot haar eigen vader, een poging deed het enige goede te doen? 'Natuurlijk. Er ligt schoon bedden-goed op Jons bed. Pak jij een schone handdoek uit de linnenkast? O, en in mijn la zit wel een extra nachtjapon.'

'Dat hoeft niet.' Kerry gaapte met haar mond wijd open. 'Ik draag meestal niets in bed.'

Mike leek zich te generen.

'Oké, als je het zeker weet,' begon Lucy. 'Wil je misschien douchen?'

'Te moe.' Kerry gaapte weer, waarbij een hele serie vullingen tevoorschijn kwam. 'Misschien morgenochtend. Zou je me kunnen laten liggen? Ik heb echt behoefte aan eens goed uitslapen. Trouwens, Lucy, ik hoop dat je het niet erg vindt dat ik het zeg, maar ik moet je iets vertellen over Kate.'

'Wat dan?'

Kerry trok een gezicht. 'Als ik jou was, zou ik eens goed kijken naar wat Kate in haar brownies stopt.'

'Je wilt toch niet zeggen dat...'

'Ik ben bang van wel. Ze heeft het me zelf verteld, dacht dat het grappig was. Ze heeft er niet te veel in gedaan, maar ik heb haar wel verteld hoe stom het is om zoiets te doen. Ze heeft gezegd dat ze het nooit meer zal doen; toch vond ik dat jij het moest weten.'

Lucy had zo'n droge mond dat haar tong aan haar verhemelte bleef plakken. 'Hoe is ze eraan gekomen?'

'Van jullie, natuurlijk.'

'Wat?'

'Het medicijnkastje. Ze heeft het gewoon gepakt.'

'Wacht even, Kerry,' zei Mike monotoon. 'Wat denk jij eigenlijk dat Kate in haar brownies stopt?'

'Rescue Remedy van Bach. Hebben jullie het niet geproefd? Het is geweldig spul en ik zag dat jullie een paar flesjes hebben staan.'

'Die zijn voor Sam,' begon Lucy zwakjes.

'Nou, misschien kun je ze toch beter ergens anders opbergen. Kinderen van die leeftijd... je weet nooit wat ze nu weer bedenken, of wel dan, pap? Te gek om dat nu te kunnen zeggen!' Grijnzend gaf ze Mike een kus op zijn voorhoofd. 'Nou, toedeloe dan maar. Ik moest maar eens naar bed gaan. Trusten!'

Mike wachtte tot ze boven was. 'Ik dacht...'

'Ik ook, ja! Denk je dat Eleanor daarom in slaap was gevallen, laatst?'

'Kan goed.'

'O jee, wat erg.'

'Waarom lach je dan?'

'Ik lach niet. Dit is een serieuze zaak. Maar Eleanor bleef maar zeggen hoe lekker ze waren. Gelukkig was ze niet ziek.'

'We moeten nog wel met Kate praten. Maar even over Kerry. Ik weet dat ze heel anders is dan je verwacht had. Maar ze is ook bepaald niet wat ik van haar verwachtte.'

'Ze is je dochter.' Lucy's hoofd tolde nog van de vermoedens over Kates kookkunsten. 'Als je kinderen hebt, hou je onvoorwaardelijk van ze, wat ze ook doen of zeggen.'

Hij omhelsde haar van achteren. 'Dat begin ik te begrijpen. Ik wilde dat de anderen niet hiernaartoe kwamen.' Hij keek haar betekenisvol aan. 'Ik had wel zin om eens vroeg naar bed te gaan.'

'Ik ook.' Ze maakte zich met tegenzin los uit zijn omhelzing en pakte het dessert dat ze vooraf gemaakt had uit de vriezer.

'Wat is dat?'

'Een bombe.'

Hij trok zijn wenkbrauwen op. 'Ik weet dat er spanningen zijn, maar is dat niet een beetje overdreven?'

'Heel grappig. Het is een ijstaart met fruit erin. Nee, niet doen.'

Mike sneed een stuk kaas af. 'Ik verga van de honger!' Hij schrokte het stuk kaas naar binnen. 'Ik krijg opeens een heel goed idee. Als we nou allemaal vegetarisch worden, gaat Eleanor misschien wel naar huis.'

'Ik heb een donkerbruin vermoeden dat ze misschien wel helemaal niet meer weggaat,' zei Lucy. 'Kijk.' Ze keken allebei uit het raam naar Eleanor en Walter, die in een innige omhelzing op de veranda stonden.

'Laten we vooral hopen dat het standhoudt,' zei Mike grimmig. 'Ik ben in staat hem te betalen om haar mee te nemen. Zo ver mogelijk.'

'Wat vind jij van Alan?'

'Tja, schatje, niet echt wat ik me voorgesteld had, maar ik vind hem wel aardig. Hij zegt wat hij denkt en hij is overduidelijk gek op je zus. Wat haar betreft denk ik dat ze eindelijk inziet dat een stabiele, betrouwbare man met wie je kunt lachen zo gek nog niet is.'

'Precies.'

Hij sloeg zijn arm om haar heen. 'We zitten op dezelfde golflengte. Pas op. De tortelduifjes zijn uitgevoosd en Eleanor zoekt haar sleutel. En daar komt de rest ook aan.' Hij sloeg haar plagerig op haar achterste. 'Misschien moeten we na het eten maar weer eens zo'n spel van jou doen om de boel wat te verlevendigen. Wat dacht je van Dirty Scrabble?'

'Sam! Kate!' Ze had ze niet thuis verwacht, maar daar kwamen ze Eleanor voorbijstormen richting de keuken.

'We hebben honger.'

'Pardon,' zei Eleanor hooghartig. Ze keek naar Walter voor morele steun. 'De jeugd van tegenwoordig is zo onbeleefd. In mijn tijd liepen we nooit zomaar onze ouders of grootouders voorbij.'

'Sorry.' Lucy bloosde. 'Kate, bied je excuses aan.'

'Sorrieieie. Mam, we hebben geen spek meer.'

'Het is hier geen vierentwintiguursservice, jongens,' zei Mike streng. 'Jullie moeder zit midden in een etentje. Het is hier geen hotel.'

'Waarom niet?' Sam zat op een paar crackers te kauwen. 'Dit is ons huis, niet het jouwe.'

'Sam! Niet zo onbeleefd.'

'Hoezo? Het is toch zo?'

'Hoi allemaal.' Chrissie kwam binnenwaaien met in haar ene hand een po, en in de andere een gestreepte tas met genoeg babyspullen voor een hele week. Martin kwam vlak achter haar aan met een bijzonder wakkere George op zijn arm. 'Hoop dat je het niet erg vindt, maar ik kon het niet over mijn hart verkrijgen hem zo achter te laten, dus we hebben Sam en Kate ook maar meegenomen. Luister! Misschien zegt hij het nog eens. Hij heeft het de hele weg hiernaartoe gezegd. Toe maar, George. Wil mama.'

George grijnsde zijn tanden bloot.

'Ze doen het nooit als je het wilt.' Maggie kroelde liefdevol door het haar van haar zoon. 'Niet dat ik deze twee ooit de mond heb kunnen snoeren. Sorry, Lucy, ik heb ze ook bij me. Mijn oppas zei op het laatste moment af.'

'We kunnen een kinderpartij houden in de tv-kamer,' zei Sam, die een tweede megazak chips uit de voorraadkast pakte.

'Goed idee.' Jenny leunde tegen Alan aan en Lucy zag dat hij zachtjes haar arm streelde. 'Dan zijn we jullie tenminste kwijt.'

'Nou, bedankt.' Kate had een stapel boterhammen gemaakt. 'Wij willen ook helemaal niet bij jullie zijn.'

'Kom op, liefje.' Lucy zag hoe Jenny haar nichtje naar zich toe trok voor een knuffel. 'Je weet best dat ik dat niet meen.'

'Waarom gaan de volwassenen niet allemaal naar de eetkamer,' zei Mike. 'Dan kunnen we aan het dessert beginnen. Ik heb ook razende honger... ik bedoel, ik ben benieuwd naar de volgende gang.'

'Kate,' zei Lucy dreigend. 'Ik wil straks nog even met je praten. Over je brownies.'

'Je zou met Mungo moeten praten, mam. Hij heeft net alle brie van het bord opgegeten. En daarna heeft hij overgegeven op de bank.'

Haar ijstaart was prima uit de vorm gekomen en iedereen complimenteerde haar. 'Het is echt heel makkelijk,' zei Lucy bescheiden. Ze hoorde de kinderen in de andere kamer lachen en ruziemaken; het deed haar denken aan de tijd dat ze alle drie thuis waren geweest en Jon de leider was en de twee kleintjes aan zijn lippen hingen.

'Wat denk jij, Lucy?'

'Sorry?'

'Heb je zin in een spelletje?' Mike klopte op haar knie. 'Jij was even heel ver weg, of niet?'

'Ja. Sorry. Wat voor spelletje?'

'Wat dachten jullie van wippen, trouwen of sterven?' opperde Martin. 'Je neemt iemand in gedachten en iedereen zegt wat hij zou kiezen.'

Eleanor leunde naar voren. 'Kan iemand mij vertellen waarom er een wip-wap aan dit spel te pas komt?'

'Oei, Chrissie! Eh... geen wipwap, Eleanor. Wippen, dat is... Oké, waarheid of doen dan? Dat heb ik niet meer gedaan sinds ik nog kind was.'

Er viel een ongemakkelijke stilte.

'Ik ga voor hints,' zei Chrissie nadrukkelijk. 'Trouwens, Lucy, had ik jou al verteld dat George op Franse les zit? Welke talen leert Sam nu?'

'Straattaal,' grapte Jenny. 'Kom op, Lucy, kijk niet zo zuur. Het was maar een grapje.'

'Niet telkens van onderwerp veranderen.' Martin dronk zijn glas leeg. 'Kom op, allemaal. We beginnen gewoon. Ik ga eerst, oké? Eleanor, waarheid of doen?'

Eleanor giechelde. Kwam het door dat tweede glas, vroeg Lucy zich af, of was het Walter? 'Wat moet ik doen?'

'Je kiest wat je wilt en dan moet je of een vraag beantwoorden of een uitdaging uitvoeren,' legde Walter geduldig aan haar uit.

'O, hemeltje, ik weet het niet, hoor. Doen. Nee, waarheid. Nee, doen alsjeblieft.'

Martin kreeg een plagerige blik in zijn ogen. 'Ik daag je uit om op Walters schoot te gaan zitten.'

Iedereen hapte even naar adem. 'O, nee, dat kan ik toch niet maken. Nee, echt, Walter. Moet het echt? O, jee, wat gênant. En dat op mijn leeftijd!'

Lucy keek sprakeloos toe hoe haar schoonmoeder op zijn schoot klom. De arme man leek bijna te bezwijken onder het gewicht van zwart kant en fluweel. 'Goed!' Eleanor keek rond alsof ze op een troon zat. 'Is het nu mijn beurt? Michael, waarheid of doen?'

'Eh... waarheid.'

'Vond je de goulash en couscous van Maggie lekker?'

'Eh... ja.'

'Nee, Michael!' Eleanor tikte met het kaasmes tegen haar bord als een strenge lerares. 'Ik hoorde dat je tegen Lucy zei dat je er misselijk van werd. Ja toch? Als je me nu niet de waarheid zegt, kan ik je nooit meer vertrouwen. En mijn schoondochter ook niet.'

'Dat is niet eerlijk,' begon Lucy.

'Oké, Sorry, Maggie. Ik hou gewoon niet zo van couscous.'

'Dat kan.' Maggies stem had met gemak de ijstaart doormidden kunnen snijden.

Mike ging ongemakkelijk verzitten. 'Eleanor, waarheid of doen?'

'Zij is al geweest,' onderbrak Jenny hem. 'Je moet iemand anders nemen.'

'Jammer. Ik wilde vragen wanneer ze van plan was weg te gaan,' sputterde Mike. 'Oké, Maggie. Waarheid of doen?'

'Waarheid.' Maggie kneep haar ogen tot spleetjes en Lucy huiverde van de spanning tussen die twee.

'Was jij,' zei Mike langzaam, 'al van plan om Antony te verlaten voordat hij wegging?'

'Mike!' zei Lucy geschokt.

'Nee, laat me antwoord geven.' Maggie keek hem recht aan. 'Ik dacht erover na, ja.'

'Waarom?'

'Dat zijn twee vragen,' zei Chrissie. 'Dat mag niet.'

'Omdat ik niet meer van hem hield. Ik had nooit van hem gehouden, maar ik was bang om alleen te zijn.'

'En wist Antony dat?'

'Ik denk het wel.'

'Dus misschien zouden we allemaal moeten proberen ook de andere kant van het verhaal te zien.'

'Nu is het genoeg.' Dat was Martin. 'Maggie, jouw beurt.'

'Oké.' Ze haalde diep adem. 'Chrissie, waarheid of doen?'

'Doen.'

'Lafaard. Ik daag je uit om de rest van de ijstaart op te eten.'

'Dat kan niet. Ik ben op dieet. Dat weet je.'

'Dan wordt het waarheid.' Ze haalde diep adem. 'Die blauwe plekken van George. Je zei dat het ongelukjes waren. Is dat waar?'

Het werd stil in de kamer.

'Ja.'

'Zeker weten?'

'Eén keer.' Chrissies stem haperde. 'Alleen die ene keer. Hij bleef maar gillen.' Ze keek hulpeloos naar Martin. 'Ik deed het niet expres. Het gebeurde gewoon. Ik duwde hem. Hard. Door de kamer. En hij viel tegen de muur. En toen had hij die buil op zijn hoofd.' Ze verborg haar gezicht in haar handen. 'En nu gaan ze hem bij me weghalen.'

'Nee.' Lucy sloeg haar arm om haar heen en keek naar Maggie. 'Hoe kon je dat vragen?'

Maggie haalde onverschillig haar schouders op. 'Soms helpt het om dit soort dingen uit te spreken.'

'Is dat zo?'

'Ja.' Jenny hoorde hoe ze boven alles uit klonk terwijl ze nerveus met haar groene armband speelde. 'Dat is zo. Eh... ik weet dat ik niet aan de beurt ben, maar mag ik iets aan Lucy vragen?'

Lucy voelde zich wee worden. Ze had zichzelf bezworen dat de wetenschap dat zij en Jenny slechts halfzussen waren niets zou veranderen aan hun band. Maar elke keer als ze zich realiseerde hoe anders ze waren, werd het een beetje duidelijker.

'Lucy, was jij bang dat Luke ontrouw was?'

'Dat is belachelijk.' Eleanor onderbrak hen verontwaardigd. 'Mijn zoon zou nooit naar een andere vrouw kijken.'

'Misschien geen andere vrouw.' Lucy's mond was droog.

'Beweer je nu dat mijn zoon homo was?'

Lucy slikte moeizaam bij de herinnering aan Lukes gebrek aan interesse in seks. Het was een klein wonder dat Sam er überhaupt nog gekomen was. 'Hij vertelde me voordat... voordat het gebeurde, dat hij iets vreselijks had gedaan. Iets onnatuurlijks.' Ze keek ernstig naar Eleanor. 'Je moet het je hebben afgevraagd. Hij kon zo gevoelig zijn, net als Jon. Daarom was hij ook zo goed in zijn werk.'

Ze wachtte even, dacht na. Luke werkte bij een grote oliemaatschappij en had daar de reputatie van een capabele zakenman met een groot hart. Op zijn begrafenis was ze overdonderd geweest door de vele brieven van collega's, die schreven dat hij ze op verschillende vlakken geadviseerd had, van werknemers met heimwee tot collega's die gewond waren geraakt of schade hadden geleden bij een van de vele ongelukken die er gebeurden op de platforms.

Alleen thuis liet hij zien wie hij echt was.

'Dat is niet waar.' Jenny klonk beslist. 'Jij hebt een verkeerd beeld van Luke. Dat heb je altijd gehad, zei hij zelf. Maar hij hield het in stand als een soort rookgordijn, zodat jij niets door zou hebben.'

Lucy voelde de kou door haar lichaam snijden. 'Waar heb je het over?'

'Toen hij zei dat hij iets verschrikkelijks had gedaan, iets onnatuurlijks, had hij het over ons.' Haar zus trok wit weg.

'Ons?'

Ze had Jenny nog nooit zo angstig zien kijken. 'Hij en ik. Luke hield van mij, Lucy. En ik schaam me om toe te moeten geven dat ik ook van hem hield.'

Jenny zag dat Lucy haar bekeek alsof ze haar voor het eerst zag. Nee, zeiden haar ogen. Nee, dit is niet waar.

Jezus! Jenny verdraaide haar groene armband zo dat haar velletje klem kwam te zitten.

'Sorry,' zei ze geluidloos.

'Nou ja, dat is belachelijk...'

'Kop dicht, Eleanor.' Jenny's ogen hielden die van haar zus vast. 'Het spijt me zo, Lucy. Ik wilde het je al jaren vertellen. Het had niet mogen gebeuren. Dat wilden we geen van beiden. Maar ik kon zo niet verder, zonder het jou te vertellen.'

Ze wilde opstaan. Wegrennen en schreeuwen. Maar haar benen konden haar niet dragen, net als toen Luke haar op de receptie van zijn huwelijk met Lucy vertelde dat hij eigenlijk met haar had moeten trouwen. Er was daarna jarenlang niets gebeurd, maar er was altijd die smeulende onder-toon en spanning tussen hen geweest, hoe goed ze ook wist dat het verkeerd was. En uiteindelijk had ze eraan toegegeven. Het was niet bepaald aanran-den te noemen, niet zoals bij Lily. Toch had ze weerstand geboden, omdat ze wist dat het verkeerd was. Misschien als ze meer weerstand had gebo-den...

'Het heeft niet lang geduurd...'

Verscheurd door schuldgevoel had ze gezworen hem nooit meer aan te ra-ken. 'Dat kun je me niet aandoen,' had hij gesmeekt. 'Er moet een manier zijn. Ik zal met Lucy praten.'

'Nee!' Ze had Luke bij de polsen beetgepakt, stevig, en hem laten beloven, zweren, dat hij er nooit ook maar iets over zou zeggen tegen haar zus. Daarom was hij in Brazilië in dat lichte vliegtuigje gestapt. Hij had geweten hoe 'veilig' dat was. Wist, zoals later uit het onderzoek bleek, dat het toestel later die dag de werkplaats in zou gaan voor reparaties en nooit had mogen vliegen. En toen kwam Lukes lichaam aan met het vliegtuig en had ze de meelevende schoonzus moeten spelen in plaats van de treurende geliefde. 'Stop!' Mike stond op. Ze draaide zo hard aan haar armband (het enige cadeau dat ze ooit van Luke had gekregen) dat het pijn deed. 'Lucy wil niets meer horen. Je kunt maar beter weggaan, Jenny. Ga nu maar.'

56

'Je moet toch iets vermoed hebben,' zei Mike zachtjes toen iedereen eindelijk was vertrokken en ze naar bed gingen.

'Nee.' Lucy had het gevoel dat het niet haar woorden waren die uit haar mond kwamen. 'Ik weet dat ze het goed met elkaar konden vinden en ze waren altijd aan het dollen en lachen samen. Toen hij stierf was ze daar kapot van, maar ik dacht dat dat kwam omdat ze medelijden met mij had.'

'Ik weet dat je niet over Lukes dood wil praten, maar denk je niet dat het misschien helpt?'

'Ik heb het je al verteld. Hij werd op het laatste moment uitgezonden naar Brazilië. Er was een ongeluk gebeurd op een platform en hij moest uitzoeken of het bedrijf niet verantwoordelijk kon worden gehouden.'

'Dus hij deed gewoon zijn werk?'

'Ja, dat wel, maar ik denk dat hij bewust het gevaar heeft opgezocht.'

Er begon iets te dagen bij Mike. 'Omdat hij een relatie met je zus had?'

'Halfzus.' Ze beet op haar lip. 'Zoals ik al zei, vlak voordat hij vertrok, vertelde hij me dat hij iets vreselijks had gedaan en dat hij het zou uitleggen als hij terug was. We hebben toen heel erg ruzie gehad.' Lucy verborg haar betraande gezicht in het kussen. 'Dat was de laatste keer dat ik hem zag. Nu begrijp ik dat hij wist dat ik nooit zou kunnen verdragen dat... dat hij en Jenny... Dus bracht hij zichzelf expres in gevaar door in een onveilig vliegtuig te stappen, omdat hij het leven moe was. Als dat niet had gewerkt, had hij wel een andere manier gevonden om eruit te stappen.'

Een paar minuten lagen ze in stilte naast elkaar.

'En die theorie van jou... over dat hij homo was. Geloofde je dat echt?'

Lucy schudde haar hoofd. 'Ik dacht niet dat hij actief... je weet wel. Maar er lopen veel mannen rond, dat weet jij ook, die eigenlijk half vrouw zijn. Op feestjes van zijn werk werden er weleens opmerkingen gemaakt door andere mensen. Er kwam een keer een man naar hem toe om zijn das recht te trekken, dat was al verdacht. En ik heb je ook verteld dat hij niet zoveel op had met seks.'

Ze was even stil om terug te denken. 'Dat was een van de dingen waar ik niet over durfde te beginnen, omdat ik bang was dat het niet waar was en hij boos zou worden. Het was een gevoelige man, maar hij kon ook verschrikkelijk kwaad worden.'

Mike streelde troostend haar hand. 'Misschien was dat een rookgordijn om te verbergen wat er echt aan de hand was. Schatje, je mobiel gaat weer. Jenny, denk ik. Je moet toch een keer opnemen.'
'Nog niet.'
Hij reikte naar haar in het donker. 'Ik zal je nooit bedriegen. Dat weet je.'
Ze hield hem vast en knikte.
'Probeer maar te slapen.' Hij streelde haar haar. 'Alles komt goed. Echt waar.'

'Ik had het niet moeten vertellen, of wel?'
Alan hield haar stevig vast onder de dekens.
'Ik weet het niet, meisje.'
'Maar ik wil vertellen waarom. Hoe het gebeurde. Nu mama er niet meer is en papa waarschijnlijk nooit meer terugkomt, hebben we alleen elkaar nog maar. En ik heb alles verpest.'
'Geef haar wat tijd. Straks zal ze het zelf ook willen weten.'
'Was dat zo bij jou toen je vrouw vreemdging?'
'O ja, ik wilde alle details horen.'
'En werd het daar beter van?'
Zijn zwijgen was oorverdovend.
'Alan, werd het daar beter van?'
'Ik ben bang van niet, meisje. Sommige dingen zijn te groot om te repareren.'

'Ik wilde George geen pijn doen.'
'Dat weet ik toch.'
Ze voelde dat Martin zijn armen om haar heen sloeg terwijl zij haar rug tegen zijn naakte borst aan nestelde.
'Het is maanden geleden. Voordat ik weer aan het werk ging. Ik was gewoon zo gefrustreerd.' Ze draaide zich om om hem in het donker aan te kijken. 'Ben ik nu een slechte moeder?'
'Nee. Iedereen raakt gefrustreerd. Ik ook. Nu gaat het al veel beter, toch?'
'Ja.'
'Maar wat een ongelooflijk verhaal van Jenny en Luke.'
'Ik snap het wel.' Ze zuchtte. 'Ik heb Luke dan wel niet gekend, maar Jenny heeft altijd iets hards over zich gehad. Als ik Lucy was, zou ik haar nooit vergeven.'
'Ik zou jou alles vergeven.'
Was dit een valstrik? 'Zou je dat echt?'
'Nou, bijna alles.'
Ze stond op het punt, echt op het punt, om het hem te vertellen. Op te biechten dat ze een abortus had gehad nadat ze met Dan naar bed was geweest op de universiteit en te vertellen dat ze daarom zo paniekerig was met

347

George; alsof de verschrikkelijke dingen die hem zouden overkomen een 'straf' waren voor het laten weghalen van de eerste baby. Maar Eleanors woorden bleven door haar hoofd spoken. 'Sommige dingen kan een vrouw maar beter voor zich houden.'

'Waarom?' mompelde Martin. 'Heb je nog meer op te biechten?'

Ze dacht aan George, die eindelijk in zijn bedje lag te slapen. Ze dacht aan Martin en hoe ze eindelijk weer iets van een huwelijk hadden. En ze dacht aan die arme Maggie, alleen thuis. Wat voor zin had het om na al die jaren haar echtgenoot te vertellen wat er gebeurd was toen ze maar net ouder was geweest dan Jon?

'Nee,' zei ze terwijl ze hem vastpakte. 'Helemaal niets.'

'Het spijt me dat ik nog zo laat bel, maar ik wilde even laten weten dat ik je nog steeds heel graag mag na vanavond.'

'Dank je, Walter. Dat is galant van je.'

'Wees maar niet verdrietig over je zoon.'

Eleanor veegde aan de andere kant van de lijn haar neus af met een zakdoek. 'Luke zou nooit... nooit zoiets doen. Dat nare kind zat gewoon te liegen.'

'Ik vroeg me af...'

'Ja?'

'Nou, gisteravond zei je dat je misschien lang genoeg gebleven was en dat het tijd werd om naar huis te gaan.'

Eleanor keek naar de tassen naast het bed die ze net had ingepakt. 'Ja, dat denk ik wel, Walter.'

'Mag ik je naar huis brengen? Misschien kun je me de omgeving laten zien. Misschien kan ik dan even bij jou logeren. Dan kunnen we samen koken en zo. Gewoon even kijken hoe dat is.'

'Bedoel je dat we gaan samenwonen?'

'Schrik je daarvan?'

'Ja. Daar schrik ik van. O, Walter. Dat lijkt me heel erg leuk.'

'Sam!'

'Wat?'

'Slaap je?'

'Nu niet meer.'

'Mama en tante Jenny hadden ruzie.'

'Niet waar.'

'Nou, mama zei tegen tante Jenny dat ze weg moest gaan en dat ze geen excuses meer wilde horen.'

'Shit. Dan krijg ik die Wattevers-kaarten misschien niet meer.'

57

Er was al iemand aan de deur voordat de anderen wakker waren. Lucy zat in haar ochtendjas met een kop koffie voor zich na te denken.

'Alsjeblieft.' Ze probeerde de deur dicht te doen. 'Ik heb je gezegd dat ik er niet over wil praten, Jenny.'

'Maar ik wel. Ik moet met je praten, Lucy. Alsjeblieft. Je bent mijn zus.'

Jenny duwde haar opzij en liep door naar de keuken, waar ze een ketel water opzette. Dat deed ze altijd, dacht Lucy boos, alsof het haar huis was.

Jenny was gespannen. 'Je weet dat Luke en ik het goed met elkaar konden vinden...'

Lucy deed haar handen voor haar oren. 'Stop. Alsjeblieft.'

'We waren gewoon vrienden. Oké, we gingen weleens samen wat drinken zonder dat jij het wist, maar dat was gewoon om te praten. We konden eindeloos praten... En toen het uiteindelijk gebeurde, was dat meteen ook de laatste keer.'

Lucy keek voor zich uit.

'We hadden te veel gedronken. Het was na een van Chrissies feestjes. Jij bracht Sam naar bed en wij waren hier beneden en...'

'Hebben jullie het hier gedaan?'

Lucy werd misselijk.

'Eén keer. Zoals ik al zei. En daarna voelde ik me afschuwelijk. En hij ook.'

'Hoe kon je? Je bent mijn zus.'

'Dat weet ik.' Jenny greep haar vast. 'Het spijt me.'

'Je bent altijd al jaloers op me geweest, of niet dan?' Lucy's ogen spuugden vuur. 'Altijd jaloers omdat ik het beter deed op school.'

'Nee. Ja. Shit. Inderdaad, dat was ik. Ik dacht dat alles jou altijd maar aan kwam waaien. Papa hield meer van jou dan van mij... nee, ontken het maar niet. Dat was duidelijk. Jij had kinderen. Jij had Luke. En nu heb je Mike.'

'Dat komt omdat ik keuzes heb gemaakt. We kunnen allemaal keuzes maken.'

'Ja, alleen hebben sommigen meer keus dan anderen. Hoor eens, Lucy, het spijt me. Ik ga vanmiddag met Alan naar het noorden. Mag ik je bellen?'

'Dat weet ik niet.'

'Alsjeblieft.' Jenny probeerde haar een kus op haar wang te geven, maar Lucy draaide zich om.

'Laat me maar even met rust, alsjeblieft.'

Tien minuten later ging de bel weer.

'Heb je het nu nog niet door?' vroeg Lucy bars. Toen stopte ze. 'Jon? Jon!' Ze trok hem in haar armen, rook zijn geur, hield haar eerstgeborene stevig vast. 'Goddank, je bent terug. Ik heb je zo gemist.'

'Ik heb jou ook gemist, mam.' Hij keek haar schuldbewust aan terwijl hij naar binnen stapte met zijn gitaar. Afgezien van zijn vieze spijkerbroek en gescheurde trui zag hij er net zo uit als altijd. Een beetje magerder en zijn haar was korter, toch had hij net zo goed net terug kunnen zijn van een boodschap bij de buurtsuper. 'Mam, sorry dat je zo ongerust was, maar ik moest echt even weg om na te denken.'

Hij keek om zich heen. 'Ik had nooit gedacht dat ik dit zou zeggen, maar het is fijn om weer thuis te zijn.' Hij pakte zijn gitaar op en gaf haar nog een knuffel. 'Ik kan niet wachten om mijn kamer weer te zien.'

'Nee. Jon, wacht...'

Te laat. Hij rende de trap op, gitaar in zijn hand, en was zijn kamer al in gestormd voordat ze hem kon tegenhouden.

'Fuck! Wie ben jij?'

Even dacht ze dat ze Luke hoorde; diezelfde ongecontroleerde woede-uitbarsting waar ze altijd zo bang voor was geweest. Er klonk een vrouwelijk klinkende schreeuw van schrik. Jon kwam de trap af stampen en duwde haar opzij. 'Super,' riep hij. 'Ik ben een paar weken weg en je verhuurt meteen mijn kamer.'

'Wacht, Jon. Ik kan het uitleggen. Blijf alsjeblieft hier.'

Hij had de voordeur al opengedaan.

'Waag het niet om weg te gaan!'

Ze draaiden zich tegelijk om. Kerry stond boven aan de trap, waarschijnlijk naakt onder het dekbed dat ze om zich heen had geslagen, hoewel haar blote schouders bedekt waren met een netwerk van tatoeages die Lucy niet eerder gezien had. 'Je moeder heeft het zwaar genoeg gehad. Als je gaat, zal ik je verdomme persoonlijk achternarennen, ook al ben ik zwanger. Ik ben sneller dan je denkt.'

Lucy zag Jon naar haar staren en moeite doen om zich te beheersen. 'Kan iemand me alsjeblieft vertellen wie deze... deze persoon is.'

'Ik ben de dochter van Mike.'

Jon snoof. 'Mike neemt het ervan, hè? Nu woont zijn dochter al in mijn kamer.'

'Het was alleen voor vannacht, Jon,' zei Lucy snel. 'Kerry heeft haar eigen appartement. Nou ja, ze huurt er een. Ze was te moe om vanavond nog helemaal terug te gaan, dus ik heb haar jouw bed aangeboden.'

'Is dat zo?' Zijn ogen keken diep in die van haar.

'Ja, dat is zo.'

'Maak je geen zorgen. Geef me een paar minuutjes, dan ben ik weg en heb jij je kamer weer terug. Vond die posters al niks. O, shit...'

Ze zakte in elkaar op de bovenste tree en sloeg haar armen om haar knieën. 'Wat is er?'

Lucy was binnen een paar seconden bij haar.

'Het gaat wel.' Kerry begon te rillen. 'Waarschijnlijk die harde stuipen waar de verloskundige het over had.'

'Harde buiken,' corrigeerde Lucy haar geduldig. 'Heb je weeën?'

'Sinds gisteren al bij vlagen.'

'Sinds gisteren?'

Jon kreunde. 'Super. Daar zaten we op te wachten.'

Was haar zoon altijd zo egoïstisch geweest? 'Jon, ga de dokter bellen. Je weet waar het nummer staat. In mijn adresboekje bij de telefoon. Kerry, heb je het nummer van je verloskundige bij je? En Jon, als je dat gedaan hebt, graag even Mike roepen. En Eleanor.'

'O, god.'

Lucy had haar arm om Kerry's smalle schouders geslagen. 'Wordt het erger?'

Kerry knikte met haar ogen dicht. 'Voelt alsof ik moet persen.'

'Nee toch?' Lucy begon in paniek te raken. 'Dat gaat te snel.'

'Dat weten we nog niet.' Eleanors stem klonk luid door de gang. 'Ik dacht al dat er iets aan de hand was toen ik Jon aan zag komen. Fijn dat je er weer bent, liever. Zou je dan nu je arme moeder zo goed mogelijk kunnen helpen? Heb je enig idee wat je haar aangedaan hebt? Niet dat zonen daar niet voor gemaakt zijn. Dat doet me denken aan een verhaal over je vader. Kerry, ga maar even liggen, ja, op de overloop, dan kan ik even kijken. Nee, geen gemaar. Ik ben dan wel geen dokter, maar Luke is ook thuis geboren en... o, god.'

'Wat?' zeiden Lucy en Kerry tegelijk.

Eleanor bracht twee handen naar haar gezicht. 'Ik moet er wel heel erg naast zitten als dat geen hoofdje is dat ik zie!'

58

Gelukkig was de dokter zo snel gekomen! Lucy kon bijna niet geloven dat ze had geholpen bij een bevalling. Ze had bijna even niet aan Jenny gedacht. Bijna. Kerry lag nu stralend in het bed van Mike en Lucy naar haar baby te staren, de zon stralend door de mooie chintz gordijnen. Lee, die kort na het gebeuren was gearriveerd (zijn mobieltje stond uit), zat in zijn vieze overall op de rand van het bed met zijn arm om Kerry heen.

'Is ze niet mooi?' fluisterde Mike. 'Zo klein! Weet je zeker dat ze zo klein horen te zijn?'

'Ik weet nog dat Sam zo klein was,' zei Jon verbaasd.

'Ik ook.' Kate gaf hem een por. 'Ukkie.'

'Kop dicht.' Sam duwde haar terug.

'Maar, eh,' zei Kate, 'ik ben blij dat jij niet thuis geboren bent. Al dat bloed.' Ze huiverde. 'Ik ga echt nooit meer seks hebben.'

'Wat?'

'Geintje, mama.'

'Niet waar, hoor. Ze heeft mij verteld dat ze het met die gozer in de derde gedaan heeft... Au, Kate. Kop dicht.'

'Nou, als je het weer doet, zorg dan in elk geval dat je het veilig doet,' zei Kerry vinnig. 'Jij bent te jong om zoiets aan te kunnen.' Ze keek naar het slapende bundeltje op haar buik. 'Ik weet niet eens of ik het wel kan. Wat als ze stopt met ademen?'

'Dat doet ze niet.' Eleanor streek de sprei glad. 'Alle jonge moeders maken zich zorgen. In onze tijd waren onze moeders natuurlijk altijd in de buurt om te helpen. Maar jij hebt ons.'

'Is dat zo?' Kerry keek hen hoopvol aan en Lucy voelde een steek. Ze was niet eerlijk geweest. Het enige wat dit meisje wilde, was dat er iemand van haar hield, net als zij allemaal. Een beeld van Luke en Jenny schoot door haar hoofd en ze schudde het boos van zich af.

'Natuurlijk heb jij ons.' Ze aaide de baby over haar wangetje en verbaasde zich er over hoe zacht het voelde. 'We wonen niet zo ver van elkaar. We zullen er altijd voor je zijn.'

'Maar die vriendin van jou, Chrissie... Je zei dat zij het moeilijk vond om voor de baby te zorgen. Wat als dat bij mij ook zo is?'

'Chrissie moest met zichzelf in het reine komen,' zei Eleanor luid en duidelijk. 'Die had nog wat zaakjes op te lossen. En nee, Lucy, kijk maar niet zo benauwd. Ik zal daar verder niets over loslaten.'

'Dat ging ik helemaal niet zeggen,' sputterde Lucy. Had Chrissie Eleanor in vertrouwen genomen? Wat wist ze? Hoeveel wist ze?

'Hoi. Sorry dat ik zomaar langskom, maar ik wilde even iets afgeven voor de baby.'

'Onzin.' Lucy trok haar naar binnen. 'Je wilde weten wat er allemaal aan de hand was.'

Chrissie zette George op de grond en hij stoof het huis in als een opwind-autootje. 'Tja, je moet toegeven dat het nogal dramatisch was! Dat Jenny-en-Luke-gedoe is toch niet te geloven. Ze moet dronken zijn geweest. Dat verhaal over Luke kan toch niet waar zijn?'

'Ja, ze was dronken, en ja, het is waar.'

'Wat! Geen wonder dat jullie altijd zo botsen.'

'Dat is het niet alleen.' Ze had er de hele nacht over na liggen denken en nu herhaalde ze op de automatische piloot alle verklaringen voor het waarom en wanneer van iets wat zo erg was, dat het vast iemand anders overkwam in plaats van haarzelf. 'Het gaat nog veel verder terug. Ze is altijd jaloers geweest op de hechte band die ik met papa had.'

'Heeft ze gebeld?'

'Ja.'

'Maar jij wil niet met haar praten.'

'Nee. Ik heb meer dan genoeg aan mijn hoofd nu. Trouwens, Jon is terug.'

Chrissie keek bezorgd. 'Hoe is het met hem?'

'In het begin leek hij heel blij om terug te zijn. Nu is hij weer onrustig. Hij schijnt een aantal contacten te hebben gelegd toen hij weg was en hij heeft de komende maanden vijf optredens gepland staan in verschillende clubs.'

'Dat is geweldig.' Chrissie kneep in haar arm. 'Ik snap dat het geen Oxford is, maar je moet ze de vrijheid geven om te doen wat ze willen. Hé, ik heb een nieuwtje. Ik ben zwanger. Ja, echt! Het moet gebeurd zijn toen we... nou ja, ik ben het in elk geval. Ik had het niet verwacht, want mijn menstruatie was nog niet regelmatig. En misschien hielp het ook dat ik gestopt was met de borstvoeding. Spannend, hè?!'

'Eh... Ja.'

'Ik weet wat je denkt. Je bent bang dat ik het niet aankan. Maar Eleanor zegt dat als nummer twee er is, ik geen tijd meer zal hebben om zo paniekerig te doen als met George.'

'Maar je nieuwe baan dan?'

'Die geef ik niet op! Ik hou van mijn werk. Ik heb al met de hr gesproken. Trouwens, ik bén de hr, of niet soms? En ze gaan een crèche openen.'

'Dat is geweldig.' Waarom kon ze niet meer enthousiasme opbrengen?

'Je denkt zeker dat ik deze baby ook pijn ga doen?'

'Nee, maar...'

Chrissie pakte haar arm. 'Ik deed het niet expres. Ik weet niet wat me bezielde. Ik schaam me zo.'

Waarom deed je het dan, wilde Lucy zeggen. Maar ze wist precies waarom. Mike had het gisteravond gezegd toen ze het erover hadden. Soms doet een deel van je iets wat anders nooit in je op zou komen. Maar je kunt er niets tegen doen, want tegen de tijd dat je wilt reageren, is het al gebeurd.

'Begrijpt Martin het?'

'Ja, maar...'

'Maar je hebt hem niet de hele waarheid verteld.' Ze ging zachter praten. 'Je hebt hem niet verteld van de abortus.'

Chrissie keek haar geschokt aan. 'Wie heeft je dat verteld?'

Oeps. 'Eleanor, maar ik heb het verder aan niemand verteld.'

Chrissie liet haar hoofd hangen. 'Ik kan het hem niet vertellen. Dat snap je toch wel? Dan verlaat hij me misschien wel, en ik denk dat ik doodga als dat gebeurt.'

Lucy sloeg haar armen om haar heen in een stevige omhelzing. Misschien had Chrissie gelijk. Misschien was het beter om niet alles te weten. Als haar zogenaamde vader haar niet over Jenny had verteld en als Jenny haar niet over Luke had verteld, zou ze nu nog een zus hebben.

59

Maggie borg de laatste schone vaat op. Gisteravond was een vreemde avond geworden. Zij dacht dat haar leven het enige was wat overhoop was gegooid in het afgelopen jaar. Zo zag je maar weer.

'Alles goed daar?'

De kinderen, die naar een of ander stom programma keken op de televisie, knikten zonder zich om te draaien.

Typisch. Nog niet zo lang geleden zou ze die bekende golf van paniek voelen, die angst om alleen te zijn, met alleen de kinderen om haar gezelschap te houden. Maar sinds ze Antony had gezegd dat ze hem niet terug wilde, voelde ze zich sterker. Ergens had ze ook wel spijt, dat wel, maar zoals Eleanor gisteravond aan tafel had gezegd, er was geen weg terug. En soms was het juist spannend om niet te weten wat de toekomst zou brengen. Een beetje als weten dat iemand ergens iets lekkers voor je stond te koken en je alleen maar hoefde te wachten tot het je voorgeschoteld werd.

Ondertussen waren er dingen te doen. Maggie toetste het nummer in op haar mobiel. 'Hoi. Met Sue van Sociaal Contact? Met Maggie. Even over die barbecue zaterdag. Ik wil graag komen als er nog plaats is.'

'Hoi.'

'Wat doe je?'

'Eten.'

'Wat?'

Dan slikte door wat hij in zijn mond had. 'Afhaalchinees.'

'Zin om hier te komen?'

'Is Antony er?'

Het was even stil. 'Ja.'

'Laat dan maar.'

'Waarom doe je nou zo?'

'Hoe zo?'

Patsy sprak zacht maar dringend door de telefoon. 'Dan, het spijt me, maar wij horen niet bij elkaar. Ik hou van Antony. En ik sta niet meer tussen hem en zijn huwelijk. Maggie wil hem niet terug.'

'Hoe is het met je vader?'

'Het gaat. Hij lijkt het zelfs leuk te vinden op zijn nieuwe plek.'

'Mooi.'

'En morgen? Kunnen we morgen afspreken? Antony heeft een late vergadering. Niet dat... je weet wel. Als vrienden.'

'Gewoon vrienden?' Dan proefde de woorden in zijn mond, probeerde ze uit. 'Sorry, Patsy, ik ga al met iemand uit eten.'

'Mam, moet je kijken.'

Jon duwde een afgedrukt e-mailbericht onder haar neus.

'Het is een of ander modellenbureau. Ze hebben een foto van me gekregen van die vriendin van Antony die mijn foto aan een fotograaf heeft laten zien en ze willen wat proeffoto's van me maken. Is het niet super?'

'Ja,' zei Lucy bedachtzaam, 'als dat is wat je wilt. Maar ik dacht dat je je op je muziek wilde concentreren.'

Jon stond voor de spiegel en plukte aan zijn haar. 'Ik kan het toch allebei doen? Ik ga nu weg. Zie je straks!'

'Hoe laat ben je thuis?' vroeg Mike.

'Hoezo? Ga jij koken in plaats van mama?'

'Nee. Ik denk alleen dat het wel zo beleefd is om haar te laten weten hoe laat je thuis bent.'

'Laat maar. Mike...'

'Nee, ik vind dat we dat moeten weten.'

'Na het eten.' Jon keek hem uitdagend aan. 'Als je dat tenminste goedvindt.'

Lucy wachtte tot de deur dichtsloeg. 'Ik wilde dat je niet zo op zijn lip zat. Ik wil hem niet weer wegjagen.'

'Ik ook niet. Maar hij kan ook niet over ons heen lopen zoals zijn vader bij jou heeft gedaan.'

Lucy huiverde.

Mike sloeg zijn arm om haar heen en trok haar naar hem toe tegen de Aga. 'Ik weet dat je er liever niet over praat, maar waarom bleef je bij Luke terwijl hij je zo ongelukkig maakte?'

'Ik was bang om alleen te zijn. Ik weet dat het pathetisch klinkt, maar de kinderen waren nog zo klein.'

'En waarom voel je je dan schuldig omdat je van mij houdt? Wij kenden elkaar nog niet eens toen hij stierf.'

Ze legde haar hoofd tegen zijn schouder. 'Dat is het gekke van schuldgevoel. Een deel van me vindt dat ik zoveel geluk niet verdiend heb. Door jou heeft het leven weer kleur, vóór jou was alles voor mij zwart-wit. Ik vraag veel van de kinderen door ze bloot te stellen aan iemand die niet hun vader is. En ik ben bang. Ik vertrouwde Luke ook in het begin. Hoe weet ik dat jij niet hetzelfde gaat doen?'

'Dat zou ik nooit doen. En ik zal ook proberen meer geduld te hebben met de kinderen. Ik beloof niet dat het makkelijk wordt, maar ik doe het op één voorwaarde.'

'Wat dan?'

Hij lachte naar haar. 'Ik wil een datum prikken. Een trouwdatum, zodat wij samen een nieuw leven kunnen beginnen, en een huis dat we samen kunnen inrichten. Ik denk dat het tijd is, wat jij? Want wat je ook zegt, jij verdient zoveel geluk, zoals jij het noemt. En ik ook.'

'Gaat het wel, lieverd? Je lijkt mijlenver weg.'

Lucy schrok. Ze had Eleanor niet binnen horen komen.

'Ach ja.' Ze begon de kranten en tijdschriften op tafel te ordenen. 'Ik heb een beetje hoofdpijn. Er is ook zoveel gebeurd.'

'Ik weet het.' Eleanor pakte haar hand. 'Daar wilde ik het ook over hebben, lieverd. Kunnen we even gaan zitten? Ik moet zeggen dat ik erg blij ben dat je Mike hebt overgehaald om die afschuwelijke bank weg te doen.'

'Dat heb ik niet gedaan. Hij...'

Eleanor klopte op de stoel naast haar. 'Lieverd, wat ik wilde zeggen, is het volgende. Ik was zo geschrokken van Jenny's zogenaamde bekentenis gisteravond, maar we weten allemaal dat ze dronken was, dus het was natuurlijk niet waar.'

'Nou, Eleanor, eigenlijk zou het me niet verbazen als Luke nog vaker vreemd was gegaan.' Lucy was stil terwijl ze dacht aan alle mensen die Luke ontmoette via zijn werk.

'Daar zou ik niet gek van opkijken, lieverd. Nee, kijk maar niet zo. Lukes vader was precies hetzelfde en ik kan je verzekeren dat dat pijn deed. Mannen denken nu eenmaal vanuit hun broek en in mijn tijd begrepen we dat we het moesten accepteren om ons mooie huis en luxe leventje te houden.'

'Zo denk ik er anders niet over,' zei Lucy duizelend.

'Tja, dat moet je zelf weten, lieverd. Maar wat ik wilde zeggen, is dat ik Mike de afgelopen maanden goed in de gaten heb gehouden; als je met hem wilt trouwen, heb ik daar geen bezwaar tegen.'

Lucy vroeg zich af of ze het wel goed gehoord had. 'Dat is heel aardig van je, Eleanor, maar al had je bezwaar...'

'Weet je,' ging Eleanor verder alsof ze niets gezegd had. 'Ik ben wakker geschud.' Ze bloosde licht. 'Door Walter weet ik weer wat het is om verliefd te zijn. Zo heb ik me sinds Cedric niet meer gevoeld.'

'Cedric? Ik dacht dat George Lukes vader was.'

'Dat zou zomaar kunnen, lieverd.'

'Zou kunnen?'

'In mijn tijd deden we daar niet zo moeilijk over, Lucy, als er maar niemand de dupe van werd. Waar had ik het over? O ja. Cedric was mijn eerste liefde.

Ik kon niet met hem trouwen omdat hij niet genoeg geld had. Maar ik zal hem nooit vergeten. Nooit.' Ze kreeg natte ogen. 'Ik vraag me vaak af hoe hij terecht is gekomen.'

'En heeft Walter genoeg geld voor jou?'

'Je hoeft niet zo afkeurend te doen, hoor. Weet je wat mijn moeder altijd zei? "Trouw niet voor het geld, maar trouw waar het geld is." Wijze woorden, toch? Maar goed, Walter heeft me ten huwelijk gevraagd. Lief, hè? Dan ben ik lekker dichtbij om te helpen met de kinderen, hoewel we een deel van het jaar in het buitenland zullen zitten. Walter heeft een huis op Tenerife.'

Lucy probeerde Eleanors verhaal te verwerken.

'En dan is er nog één ding, lieverd.'

Was er nog meer?

Eleanor aaide zachtjes over haar hand. 'Volgens mij moet je het je zus maar vergeven. Als je zo oud bent als ik, weet je dat je familie en je gezondheid de enige echt belangrijke dingen in het leven zijn. Dat heb ik geleerd toen jij me binnenliet. Nee, zeg maar niets. Ik weet dat ik in het begin nogal in de weg liep, hoewel ik volgens mij juist heel goed heb meegeholpen. Dus denk maar na over wat ik heb gezegd. Je wilt je zus toch niet voor altijd kwijt zijn?'

MAART

Neem nog wat!

60

'Wat denk jij dan?'
'Waarover?' Lucy keek op van de stapel papierwerk die op mysterieuze
wijze onder de hondenharen was komen te zitten, terwijl Mungo maar een
paar keer op kantoor was geweest toen Genevieve er niet was.
'Je hebt niet geluisterd, hè? Heb je de cijfers wel bekeken? Wat is dat toch
met jou de laatste tijd, Lucy. Je bent zo afwezig.'
'Sorry. Zeg het nog eens.'
Maggie zuchtte. 'Wat ik dus zei... Genevieve wil de zaak verkopen, toch?
En met het geld dat ik van Antony krijg en een lening van de bank kan ik
de helft betalen. Jij zei dat jij genoeg had voor de andere helft, dus als we
Genevieve nog kunnen overhalen iets te zakken, zouden we de huur zo
over kunnen nemen en de zaak zelf kunnen runnen.'
Drie maanden geleden had Lucy niet eens gedacht dat Maggie alleen naar
de supermarkt kon, laat staan alleen een zaak kon runnen. Maar alles was
anders, had ze uitgelegd, nu ze wist waar ze aan toe was. Het had tijd gekost, dat wel, om te accepteren dat Antony echt van die vrouw hield. Ze
zei Patsy's naam nog steeds niet hardop, maar ze zag wel in dat het tijd was
om de draad weer op te pakken.
'Dus we gaan een bod doen?'
Het was lang geleden dat ze Maggie zo blij en hoopvol had gezien. Dit was
precies wat ze nodig had en zoals Mike zei, was een nieuw project voor
haar misschien ook wel precies wat zij nodig had.
'Ja!' Ze voelde een rilling van opwinding door haar lijf.
'We doen het.'

Soms voelde het alsof ze een totaal andere wereld binnen was gewandeld.
Ze raakte eraan gewend om wakker te worden in Alans armen terwijl de
zon uitbundig door de gordijnen heen naar binnen scheen. Alan had gezegd dat ze ze mocht vervangen als ze wilde, maar ze had gezegd dat dat
niet nodig was. Op een of andere manier voelde ze dat Caroline geen bedreiging was en zelfs Doris leek haar, ondanks de jam, te accepteren, gezien haar uitnodiging haar mee uit paardrijden te nemen als ze beter was.
Het was zo bijzonder, hoe gemakkelijk ze aan dit nieuwe leven gewend
raakte. Mensen hadden tijd voor een praatje, om uitgebreid te lunchen.

Het was alsof ze een nogal ouderwetse kant van zichzelf ontdekt had.

Ze had besloten om een tijdje niet te werken, maar een van de boetiekjes in een chique buitenwijk van Newcastle had haar gevraagd een persbericht op te stellen. En een ander had haar gevraagd een modeshow te organiseren. 'Geweldig, meisje,' had Alan gejubeld.

Er ontbrak maar één ding aan.

'Ik begrijp dat ik je mag feliciteren.'

Chrissie, die op kantoor de telefoon had opgepakt in de veronderstelling dat het Martin was, die altijd even belde tijdens de lunch, verstijfde. Ze hoefde niet te vragen wie er belde. Ze zou zijn stem overal herkennen.

'Een nieuwe baan en een nieuwe baby onderweg!' Hij klonk bijna geamuseerd. 'Daar zal een hoop kunst- en vliegwerk voor nodig zijn.'

'Dat zal wel lukken.'

Hoe had ze hem ooit zo kunnen aanbidden?

'Jij zegt ook niet veel. Ben je druk of zo?'

'Heel erg.'

'Ik belde alleen om afscheid te nemen. Je zult wel blij zijn om te horen dat ik naar Frankrijk ga. Ik heb een klein kasteeltje gekocht bij Perpignan in de buurt. Ik ga van daaruit werken.'

'Veel geluk,' wist ze er nog net uit te persen.

'En jij ook veel geluk, Chrissie.'

Geel. Citroenachtig geel met een blauw randje. Geen vloerbedekking. Chique beukenhouten vloerplanken met een grote Amerikaanse koelkast in de keuken. En vier slaapkamers!

'Vind je het wat?'

Patsy deed midden in de kamer een pirouette. 'Vind ik het wat?' zei ze met glinsterende ogen. 'Het is fantastisch.'

Ze sloeg haar armen om zijn nek en trok hem zachtjes naar zich toe, verlangend naar de geur van zijn huid.

'Straks ziet ze ons,' fluisterde Antony, doelend op de makelaar die zich tactvol had teruggetrokken in een van de slaapkamers, die, zoals ze al gezien hadden, perfect zou zijn voor de kinderen als ze in het weekend bij hen waren. De logeerkamer zou (theoretisch) voor haar vader zijn. Patsy was nog niet klaar om te accepteren dat hij waarschijnlijk nooit meer goed genoeg zou zijn om op bezoek te komen. Ze was bovendien aangenaam verrast geweest door de liefdevolle verzorging van het personeel in deze laatste instelling. 'Er is de afgelopen jaren heel wat veranderd,' had de directrice vriendelijk uitgelegd. 'Wat vervelend dat u en uw vader zo'n slechte ervaring hebben gehad.'

Antony draaide zich naar haar om. 'Zullen we het kopen?'
Kopen? Samenwonen? Zich binden aan één man? Iets waarvan ze nooit had gedacht dat ze het zou kunnen.
'Doen?'
Hij wachtte op antwoord. Daar had hij recht op. En zij had er ook recht op.
'Goed.' Citroengeel was zo'n kleur waar je blij van werd. Ze haalde vrolijk haar schouders op. 'Laten we dat maar doen.'

Morgen was haar zus jarig. Ze had geen kaart gestuurd.
Niet dat ze het niet geprobeerd had, maar elke 'zus'-kaart die ze had gevonden, stond vol met volkomen ontoepasselijke aardigheden. Lucy zat aan de keukentafel met haar handen om een beker warme chocolademelk en dacht terug aan hoe haar moeder elke avond voor het slapen een beker ovomaltine voor hen maakte. Zij en Jenny zaten aan tafel terwijl hun moeder bezig was, opruimde, controleerde of ze hun huiswerk hadden gemaakt. Waar was hun vader geweest? Overwerken, zei hun moeder altijd. Pas toen ze ouder was, toen hij allang vertrokken was, had Lucy er meer achter gezocht.
Als het dan een keertje voorkwam dat papa wel vóór kinderbedtijd thuiskwam, woelde hij door haar haar en vroeg hij hoe haar dag geweest was. Daarna vroeg hij Jenny waarom ze haar wiskundetoets zo slecht gemaakt had of waarom ze nagellak droeg terwijl ze pas dertien was.
'Ik doe nooit iets goed,' mompelde Jenny altijd als ze onder de dekens lagen in het kleine kamertje naast dat van hun ouders dat ze samen deelden. Het was dan ook geen verrassing dat ze zo snel als ze kon uit huis ging en een baan zocht in plaats van te gaan studeren, zoals Lucy.
'Let op je zus,' had hun moeder op het laatst gezegd. Het was de dood van hun moeder die hen uiteindelijk bij elkaar bracht, de schok en het besef dat ze nu nog maar met z'n tweeën waren. Ze waren allebei zo gewend aan de hartafwijking van hun moeder, dat ze eigenlijk hadden aangenomen dat het allemaal wel los zou lopen.
En ze had het geprobeerd. Ze had het echt geprobeerd, ondanks hun verschillen. Zich ervan bewust dat zij Jenny's enige familie waren, stond bij haar en Luke (hoe ironisch!) altijd de deur open voor haar; nodigden ze haar vaak uit voor de lunch op zondag; werd ze peettante van alle kinderen.
Hoe had ze zo stom kunnen zijn?
Hoe had Jenny kunnen doen wat ze gedaan had?
'Ik hield heel veel van Luke, maar hij kon uitermate egoïstisch zijn,' had Eleanor gezegd vlak voordat ze vorige maand vertrok.

Ja, dat was waar.

'Je kunt twee dingen doen, lieverd. Je kunt haar vergeven en de draad weer oppakken. Of je kunt haar telefoontjes blijven negeren en er op een dag achter komen dat het te laat is om het nog goed te maken.'

Lieve Luke,

Nu weet ik het.

Jenny heeft het verteld. Vorige maand al, maar het moet nog bezinken. Ik kan niet geloven dat je gedaan hebt wat je gedaan hebt, maar ergens is het ook een opluchting. Het verklaart een heleboel. Het lag niet aan mij dat je me niet aantrekkelijk vond... je wilde iemand anders. Iemand die je nooit zou kunnen krijgen zonder de familie uit elkaar te rukken.

Ik ben boos op je, Luke. Het heeft jaren geduurd voordat ik eindelijk boos op je kon zijn en ik snap niet waarom. Misschien omdat ik me altijd schuldig heb gevoeld. Ik heb altijd gedacht dat het mijn schuld was dat je per se met dat vliegtuig mee wilde. Mijn schuld omdat we zo verschrikkelijk ruzie kregen toen ik zei dat ik niet meer van je hield. Het spijt me dat ik dat gezegd heb. Wat ik bedoelde, was dat ik niet meer hield van de persoon die jij geworden was. Ik wilde de oude Luke terug, de Luke die ik al die jaren geleden had ontmoet, voordat alles misging. Waarom ging het mis, Luke? Waren we te jong getrouwd, voordat we wisten wie we zelf waren, laat staan wie de ander was? Jouw moeder raadde me aan deze brief te schrijven. Ze zei dat het misschien zou helpen om mijn gevoelens op papier te zetten. Iemand had dat haar blijkbaar ook aangeraden toen je vader overleed. Eerst vond ik het maar een stom idee, maar het is eigenlijk best fijn. Je had Jenny niet zo aan het lijntje moeten houden. Ze was te jong en te kwetsbaar. Maar ik vergeef het je, Luke. Ik vergeef het je omdat ik door jouw gedrag weet dat het niet allemaal mijn schuld was en ik het dus eindelijk mezelf kan vergeven.

Ik weet dat je dit nooit zult lezen; toch voelt het op een of andere manier alsof je over mijn schouder meeleest. Je hebt een wenkbrauw opgetrokken zoals je altijd deed als iemand iets deed wat jou niet aanstond. En je zegt dat ik gek ben dat ik naar iemand schrijf die al jaren dood is.

Misschien heb je gelijk. Ik denk echter dat Mike het wel begrijpt. Ja, inderdaad. Ik heb iemand anders ontmoet. Toen jij dood was, heb ik jaren gewacht voordat ik weer met iemand uitging, en hij was trouwens de eerste. Antony (weet je nog wie dat is?) stelde ons aan elkaar voor.

364

Mike is heel anders dan jij en we hebben wat opstartproblemen gehad, maar ik denk dat de kinderen (en zelfs je moeder) hem beginnen te accepteren.

Ik ga nu, Luke. Maar eerst ga ik deze brief in duizend stukjes scheuren, zodat niemand hem kan lezen. Ik hoop dat het goed met je gaat, waar je ook bent.

Liefs, Lucy x

61

Mike lag al in bed toen ze naar boven kwam. Het licht was nog aan en hij lag met zijn rug naar haar toe. Luke deed dat ook altijd als zij opstond om te kijken welk kind er wakker was geworden. Maar hij had ook het licht uitgedaan en werd boos als hij wakker werd doordat zij terug in bed kwam. Voorzichtig om Mike niet wakker te maken, schoof Lucy in bed. Meteen draaide hij zich om, nam haar in zijn armen en begon haar rug te strelen.
'Ik wilde je niet wakker maken.'
'Dat heb je niet gedaan.' Hij verborg zijn gezicht in haar haar. 'Is Sam thuisgekomen?'
'Ja, en hij blijft maar zeuren om een tatoeage zoals die van Kerry. Kate heeft net Mungo uitgelaten. Jon zit nog achter de computer om optredens te regelen. En Kerry belde dat de baby eindelijk slaapt. Chrissies babyliedjes bleken te werken.'
Mike rekte zich lui uit en legde een arm om haar heen. 'Dus de hele familie is onder de pannen.'
Ze dacht aan Jenny en haar vader die niet op haar vader had geleken, hoewel hij tenminste niet had geprobeerd weer contact te zoeken. 'Het lijkt erop.'
Zijn handen bleven gelijkmatig over haar rug aaien. 'Heb je nog nagedacht over wat ik zei?'
'Ja.' Ze sloot haar ogen en hoopte dat ze de moed had te zeggen wat ze wilde zeggen.
'En?' Hij was nerveus, dat hoorde ze.
'Ik dacht... ik bedoel, ik vroeg me af... ik wist het niet zeker, maar ik dacht dat...'
Mike ging rechtop zitten en keek haar aan, de onzekerheid straalde van hem af. Ze strekte zich naar hem uit en sloeg haar armen om zijn nek. 'Ik ben het met je eens. Juli is een prima periode om te trouwen.'
'Pfff! Ik dacht even dat je van gedachten was veranderd.'
Zijn mond landde op de hare, hard en intens en tegelijk zacht en teder. Ze voelde zijn hand onder haar nachtjapon glijden en ze trok zich terug.
'Wat is er?'
'Niks. Nou, er is wel iets, maar het heeft niets met ons te maken.'
Ze merkte dat ze uit bed stapte. 'Ik moet even iets doen. Sorry, ik ben zo terug.'

'Je kunt hier wel bellen.'

'Hoe weet je dat?'

Hij kuste haar en gaf haar de hoorn. 'Omdat ik je beter ken dan jij denkt. Morgen is Jenny jarig. Je bent nog steeds boos en gekwetst, maar je voelt ook dat je haar moet vergeven omdat ze nooit zal weten wie haar echte vader is.'

Ze knikte. 'Precies.'

'Zal ik even weggaan?'

'Nee.' Ze ging dicht tegen hem aan zitten en toetste zenuwachtig het telefoonnummer in.

'Geen gehoor?'

'Nee.'

'Probeer het nog eens.'

'Ik weet niet. Het is al laat. Misschien...'

De telefoon in haar hand rinkelde. Lucy staarde ernaar.

'Neem maar op,' zei Mike zachtjes.

'Hallo?'

Jenny's stem, zo bekend, klonk bezorgd en afwachtend tegelijk. 'Belde jij net?'

Lucy haalde diep adem. 'Ja. Ik wilde je vast feliciteren voor morgen.'

'Dank je.' Jenny was stil. Afstandelijk.

'Ik heb je helaas geen kaart gestuurd.'

'Dat geeft niet.'

'Ik wist niet wat ik erop moest zetten.'

Stilte. Toen begonnen ze tegelijk te praten.

'Bevalt het je da...'

'Het spijt me zo, Lucy.'

Op een dag zou ze Jenny moeten vertellen over hun vader... haar vader. Maar niet nu. 'Ik belde niet om daarover te praten.'

'Niet?'

'Nee.' Lucy haalde diep adem. 'Ik wilde je iets vragen.'

'Wat?'

Vroeger zou ze beledigd zijn door het korte 'Wat?' van haar zus. Nu snapte ze dat die botheid haar schuldgevoel moest verbergen.

'Ik bel om te vragen of jij en Alan zin hebben om volgende week te komen eten. Een soort verlaat kerst- en verjaardagsetentje.'

'Weet je dat zeker?'

'Ja hoor.' Lucy nestelde zich in Mikes armen. Het zou niet makkelijk zijn, maar Eleanor had gelijk. Je familie was het belangrijkste in het leven. Zelfs een familie die niet door bloed en genen met elkaar verbonden was.

'Zullen we zaterdag doen? Rond acht uur? Waarom komen jullie niet gewoon het hele weekend?'

KLIEKJES

'Wieheeftdezalmuitdevaatwassergehaald?DieAustralischegozervandetele
visiezeidathetzomoest.Antonyhebjijdatgedaan?Antony! Nee. Niet... niet
stoppen. Hmmm, dat is lekker...'

'Hallo, Peter? Met mij, Kate. Weet je nog? Ik heb je een paar keer gemaild,
maar je bent waarschijnlijk druk, dus ik spreek ook even in. Mama en Mike
gaan volgende week op huwelijksreis en wij geven een feestje als ze weg zijn.
Ik vroeg me af of je zin had om te komen.'

TATTOOSHOP. KOM BINNEN VOOR VRIJBLIJVEND ADVIES. IDENTIFICATIE
NIET NODIG.

Lieve Lucy en Michael,

*Walter en ik hebben het heerlijk op de Malediven. Nooit geweten dat je
zoveel kon doen als je niks doet. Hiermee vergeleken waren vakanties in
onze tijd vreselijk saai. Liefs voor de kinderen. Sorry dat we niet op de
bruiloft kunnen komen.*

Het beste,
Eleanor en Walter

SENSUEEL

'Mama hebben jullie weer Dirty Scrabble gedaan?'

'George, dat mag je niet zeggen. Soms vraag ik me af waarom we jou überhaupt hebben leren praten. Martin, schiet je op? Hij komt te laat voor de
crèche en ik moet naar de verloskundige.'

'Wattevers-kaartjes! Voor in de paasvakantie! Dank je, Mike. Supervet.'

Pakketje voor u. Inhoud: een paar diamanten oorbellen.

Lieve Lucy,

Deze zul je wel herkennen. Ik kreeg ze van mama voordat ze stierf, maar ik wil ze aan jou geven. Iets geleend enzovoort...

'Wie heeft alle brie uit de koelkast opgegeten? Mungo? O god, hij heeft weer overgegeven...'

Nog steeds in gevecht met de kerstpondjes? Doe mee aan ons familiedieet, exclusief in *Charisma*!

Mama's recept voor bruidstaart
(Let op: deze zit in mijn receptenboek in de hoop dat een van jullie het op een dag nodig zal hebben! Ik kreeg het van mijn eigen moeder, oma B.)

Een kilo gemengd fruit
Een kilo boter
Twee kilo meel
12 verse eieren
3 flinke eetlepels brandewijn
Een vleugje geluk
Een grote emmer liefde

DANKWOORD

Veel dank aan:

Betty Schwartz voor het voorproefje
Carolyn Caughey die er een (stoof)potje van maakte
Penny Vincenzi, Catherine Alliott en Katie Fforde voor hun internetrecensies

Hij moest wel een vrouw zijn, anders zou het niet lukken. Niet eerlijk? Waar. Maar gunstig. En verfrissend anoniem. Gebruikersnaam? Mimi. Afgeleid van zijn eigen naam, zo was het niet echt vals spelen. Details over de kinderen? Daar zou hij eerlijk over zijn anders zou het advies ook geen hout snijden. Florrie, 12. Ed, 11. Hobby's? Geen tijd. Werk? Vanuit huis opererend PR-adviseur met eigenzinnig gevoel voor humor. Verzenden.

ISBN 978 90 229 9676 8

Sophie King
Moeders & Co

Caroline is een ploetermoeder met een parttimebaan, drie puberende kinderen en een man die ze niet meer kan vertrouwen sinds hij is vreemdgegaan.

Mark ploetert als freelancer en vader van twee kinderen, die hij tijdelijk zonder zijn vrouw moet opvoeden. Net als Susan en Lisa, die weer met hele andere problemen worstelen, kunnen ze wel een luisterend oor en wat advies gebruiken. Dat vinden ze op de website voor moeders: *mums@home*. Mark durft zich op de site niet als man kenbaar te maken en doet zich voor als Mimi. Wanneer Caroline hem ontmoet tijdens haar werk, herkent ze de namen van zijn kinderen uit de berichten op de website. En dan blijkt hoe sterk *mums@home* mensen bij elkaar kan brengen.

'Net als Desperate Housewives *grappig, ontroerend, spannend en vooral zeer herkenbaar.'* – STIJL